De vliegenier

Danielle Steel

De vliegenier

Uitgeverij Luitingh ~ Sijthoff

Voor meer informatie: kijk op **www.boekenwereld.com**

Tweede druk
© 2001 Danielle Steel
All rights reserved
© 2002 Nederlandse vertaling
Uitgeverij Luitingh ~ Sijthoff B.V., Amsterdam
Alle rechten voorbehouden
Oorspronkelijke titel: *Lone Eagle*
Vertaling: Karst Dalmijn
Omslagontwerp: Karel van Laar

CIP/ISBN 90 245 4192 1
NUR 343

Voor mijn lieve kinderen,
Beatrix, Trevor, Todd, Nick,
Samantha, Victoria, Vanessa,
Maxx en Zara,
jullie zijn de prachtigste
mensen op aarde,
de beste die ik ken,
en ik hou van jullie met heel mijn hart.

Mam

duizend jaren,
  duizend angsten,
    duizend tranen
      vergoten we
    voor elkaar.
zoals nachtvlinders
    rond een kaars,
    speelden we een dodelijk spel,
        verdwaalde kinderen waren we,
        zoekend
      naar hun moeder
en als het hart zingt,
      brengt de muziek
        magie,
          als niets anders,
      de winter koud,
        geen hand om vast te houden,
de zomer kort
      en zonnig,
    en in de ochtend,
        tegen jou aangedrukt,
      dierbare ogenblikken,
          teder, liefdevol,
            grappig,
  we dansten,
  we lachten,
    we vlogen,
    we groeiden,
      we waagden,
      we hadden lief
        meer dan welke ziel ook
        kon weten
        of peilen,

het licht zo helder,
  genoeg
    voor honderd
      kostbare seizoenen,
de nachtvlinder,
  de kaars,
    de dans,
      hetzelfde,
dan gebroken vleugels,
  alles wat ons lief was,
    in stukken
      om ons heen,
de droom,
  de enige
    die ik verbeid,
hier of daar,
    twee zielen blootgelegd,
      miljoenen jaren lang
        zal mijn hart
          jou vasthouden,
          eeuwig.

PROLOOG

December 1974

HET TELEFOONTJE KWAM TOTAAL ONVERWACHTS OP EEN middag in december toen het sneeuwde, bijna op de kop af vierendertig jaar na hun eerste ontmoeting. Vierendertig jaren. Buitengewone jaren. Zij had precies twee derde van haar leven met hem gedeeld. Kate was eenenvijftig en Joe was drieënzestig. En ondanks alles wat hij had bereikt, had hij in haar ogen zijn jeugdige uitstraling behouden. Hij was enthousiast, energiek en gedreven. Hij leek op een komeet, werkzaam in het lichaam en de ziel van één man. Altijd voorwaarts, op weg naar een doel achter de horizon. Zijn visie, brille en geestdrift waren ongeëvenaard. Zij wist het sinds het moment dat ze elkaar ontmoetten. Had het altijd geweten. Zij had het niet altijd begrepen, maar vanaf het begin, zelfs zonder te weten wie hij was, wist ze dat hij anders was en belangrijk en bijzonder, en heel, heel uniek.

Kate had hem tot in haar merg gevoeld. Met het verstrijken van de jaren was hij deel geworden van haar ziel. Niet het makkelijkste deel, en makkelijk was hij ook niet voor zichzelf. Maar hij was een belangrijk deel van haar. En dat was zo gebleven. Er waren in de loop der jaren conflicten geweest en uitbarstingen, pieken en dalen, zonsopgangen en zonsondergangen, en kalme tijden. Hij was haar Mount Everest geweest. Het Ultieme. De enige plek waar ze heen wilde. Vanaf het allereerste begin was hij haar droom. Hij was hemel en hel geweest en soms het vagevuur dat er zo'n beetje tussenin ligt.

Zij gaven elkaars leven betekenis, glans en diepte. Maar soms boezemden ze elkaar diepe angst in. Harmonie, acceptatie en liefde waren met de jaren gekomen. Dat leerproces was niet zonder slag of stoot gegaan.

Ze waren elkaars grootste uitdaging geweest, belichaamden el-

11

kaars diepste angsten. En ten slotte hadden ze elkaar in even-wicht gebracht. Na enige tijd pasten ze in elkaar als twee puz-zelstukjes, naadloos en zonder scherpe randjes.

In de vierendertig jaar die ze samen doorgebracht hadden, had-den ze iets bereikt waar maar weinig mensen in slagen. Het wa-ren onstuimige en opwekkende jaren geweest met nu en dan een leven als een oordeel, maar beiden wisten dat ze van een grenzeloze zeldzaamheid waren. Het was vierendertig jaar lang een magische dans geweest waarvan het niet makkelijk was de pasjes te leren.

Joe was anders. Hij zag wat anderen niet zagen en had nau-welijks behoefte om zich onder de mensen te begeven. Eigen-lijk was hij gelukkiger als hij op zichzelf was. En om zich heen had hij een buitengewone wereld geschapen. Hij was een vi-sionair die een industrie had opgebouwd, een imperium. Zo had hij de horizon verruimd naar gebieden waar niemand van had kunnen dromen. Hij was geboren om te bouwen, om gren-zen te verleggen, om voortdurend verder te gaan dan daarvoor.

Joe zat al enkele weken in Californië, die avond van het tele-foontje. Hij zou over twee dagen terugkomen. Kate maakte zich niet ongerust over hem, nooit maakte ze zich nog ongerust over hem. Hij ging weg en keerde weer. Zoals de seizoenen of de zon. Waar hij ook was, zij wist hem altijd dichtbij. Behalve Kate waren het zijn vliegtuigen die alles voor hem betekenden. Zij waren niet uit zijn leven weg te denken en dat was altijd zo ge-weest. Hij had ze, en waar ze voor stonden, in bepaald opzicht meer nodig dan haar. Ze wist dat en accepteerde het. Ze was van zijn vliegtuigen gaan houden als een deel van hem, zoals zijn ziel of zijn ogen. Al die dingen maakten deel uit van het wonderbaarlijke mozaïek dat Joe heette.

Ze zat tevreden in de stilte van het rustige huis haar dagboek bij te werken, terwijl de wereld buiten bedekt was met een laag verse sneeuw. Het was al donker toen om zes uur de telefoon ging, en ze was verbaasd dat het al zo laat was. Toen ze op haar horloge keek terwijl de telefoon doorrinkelde, glimlachte ze, omdat ze wist dat het Joe moest zijn. Terwijl ze een lok van haar donkerrode haar naar achter streek en aanstalten maakte om de telefoon op te nemen, zag ze er niet anders uit dan anders. Ze wist dat ze zo dadelijk begroet zou worden door de diepe fluwelen en vertrouwde stem, die popelde om haar over zijn dag te vertellen.

'Hallo?' zei ze in afwachting van zijn stem, terwijl ze zag hoe hard het buiten nog sneeuwde. Het was een volmaakt winters sprookjeslandschap dat zou zorgen voor een heerlijke kerst als de kinderen kwamen. Die leidden beiden hun eigen leven, werkten en hadden mensen voor wie ze verantwoordelijkheid droegen. Haar wereld draaide nu bijna geheel om Joe. Hij vormde het middelpunt van haar universum.

'Mrs. Allbright?' Het was niet de stem van Joe. Even voelde ze teleurstelling, maar alleen omdat ze verwacht had die te horen. Hij zou tenslotte bellen, dat deed hij altijd. Er viel een merkwaardige, lange stilte, bijna alsof de vagelijk bekende stem aan de andere kant van de lijn verwachtte dat ze zou weten waarom hij belde. Het was een nieuwe assistent, maar Kate had al eerder met hem gesproken. 'Ik bel vanuit het kantoor van uw man,' zei hij. Hij zweeg opnieuw. En zonder te weten waarom, had ze het vreemde gevoel dat Joe het gewild had, dat deze man haar belde. Het was alsof zij Joe kon voelen, alsof hij hier naast haar in de kamer stond. Toch kon ze niet begrijpen waarom deze man haar belde, en niet Joe. 'Het... het spijt me. Er is een ongeluk gebeurd.' Bij de klank van zijn woorden werd haar lichaam koud, alsof ze plotsklaps naakt in de sneeuw was gezet. Ze wist het al voordat hij de woorden uitgesproken had. Een ongeluk... er is een ongeluk gebeurd... een ongeluk... Het was een litanie die eens onophoudelijk door haar hoofd speelde, maar die ze daarna was vergeten, omdat Joe zo onkwetsbaar leek, iemand met meerdere levens. Hij was onverwoestbaar, onfeilbaar, onoverwinnelijk, onsterfelijk. Toen ze elkaar ontmoetten, had hij haar verteld dat hij wel honderd levens had, en er nog maar negenennegentig versleten had. Er bleek er altijd nog een te zijn.

'Hij was deze middag naar Albuquerque gevlogen,' zei de stem, en plotseling was het enige dat Kate nog in de kamer kon horen het tikken van de klok. Terwijl haar adem stokte, realiseerde ze zich dat het hetzelfde geluid was dat ze meer dan veertig jaar geleden had gehoord, toen haar moeder kwam met die tijding over haar vader. Het was het geluid van de tijd die verstrijkt, het gevoel door de ruimte in een bodemloze afgrond te vallen, en ze wist dat ze nooit meer in zo'n situatie terecht wilde komen. Joe zou haar dit niet laten overkomen. 'Hij was bezig een nieuw ontwerp te testen,' vervolgde de stem. Net een jongensstem, dacht ze plotseling. Waarom belde Joe zelf niet? Voor het eerst sinds jaren voelde ze de grijpvingers van de angst. 'Er heeft een explosie plaatsgevonden,' zei hij met een stem zo zacht dat ze hem onverdraaglijk vond. De woorden sloegen in als een bom.

'Nee... ik... dat is onmogelijk... het kan niet waar zijn...' Ze stikte bijna in haar woorden. Toen viel ze stil. Ze wist al wat komen zou nog voordat hij het haar kon zeggen. Ze wist wat er gebeurd was, terwijl ze voelde hoe de muren van haar veilige, beschermde wereldje afbrokkelden. 'Vertel het me maar niet.' Door afgrijzen bevangen wisten beiden enige tijd niets te zeggen. Haar ogen vulden zich met tranen. Hij had het op zich genomen om haar te bellen. Niemand anders had het op kunnen brengen om de telefoon te pakken.

'Ze zijn boven de woestijn gecrasht,' zei hij zonder omhaal, terwijl Kate haar ogen sloot en daar maar zat en luisterde. Het kon niet gebeurd zijn. Er was niets aan de hand. Hij zou haar dat nooit aandoen. En toch had ze altijd geweten dat het kon gebeuren. Maar geen van beiden had ooit werkelijk geloofd dat het zover zou komen. Hij was te jong om een dergelijk lot te ondergaan. En zij was veel te jong om zijn weduwe te zijn. Toch waren er zoveel anderen als zij in zijn leven geweest. Vrouwen van piloten die omgekomen waren bij het testen van zijn vliegtuigen. Joe had ze altijd opgezocht. En nu werd ze gebeld door deze jongen, een kind nog. Hoe kon hij in vredesnaam weten wat Joe voor haar had betekend, of zij voor hem? Hoe kon hij nou weten wie of wat Joe was? Hij kende de man die een imperium had opgebouwd; de levende legende die hij was geweest. Maar er was zoveel meer aan Joe dat hij nooit te weten zou komen. Zij had de helft van haar leven besteed om uit te zoeken wie Joe was.

'Heeft iemand het wrak geïnspecteerd?' vroeg ze met een stem die onwillekeurig trilde. Als ze dat deden, zouden ze hem vast en zeker vinden, en hij zou naar hen lachen, het stof van zich

14

afkloppen en haar bellen om te vertellen wat er gebeurd was. Niets kon Joe ooit deren.

De jongeman aan de telefoon verzweeg wijselijk dat er een explosie in de lucht geweest was die de hemel had doen oplichten als een vulkaan. Een andere piloot die een flink eind boven hem vloog, zei dat het net Hiroshima was geweest. Het enige dat er van Joe restte, was zijn naam.

'Er is geen twijfel mogelijk, Mrs. Allbright... het spijt me verschrikkelijk. Is er iets wat ik voor u kan doen? Is er iemand bij u?'

Ze zweeg, niet in staat haar woorden te kiezen. Wat ze wilde was slechts dat Joe bij haar was, en altijd zou zijn. Ze wist dat niets en niemand hem van haar kon afnemen.

'Iemand van kantoor zal u later bellen over de... eh... afwikkeling,' zei de stem onhandig, en het enige dat Kate kon doen was knikken. Zonder verder een woord te zeggen, hing ze op. Alles was gezegd. Niets dat ze nog had willen of kunnen zeggen. Ze staarde naar buiten over de sneeuw en zag Joe. Het was alsof hij recht tegenover haar stond, precies zoals hij altijd had gedaan. Ze kon zich nog steeds voor de geest halen hoe hij er had uitgezien op de avond van hun eerste ontmoeting, zo lang geleden.

Ze voelde hoe ze overspoeld werd door paniek, en ze wist dat ze nu sterk moest zijn voor hem. Ze moest degene zijn die ze door hem geworden was. Hij verwachtte dat van haar. Ze mocht niet terugvallen in de duisternis, ze mocht niet toegeven aan de angst die door haar liefde voor hem was bezworen. Ze sloot haar ogen en prevelde zachtjes zijn naam in de vertrouwde kamer die zij samen gedeeld hadden.

'Joe... verlaat me niet... ik heb je nodig...' fluisterde ze, en de tranen stroomden over haar wangen.

'Ik ben bij je, Kate. Ik ga nergens heen. Dat weet je toch.' De stem was krachtig en rustig, en zo echt dat ze er zeker van was hem gehoord te hebben. Hij zou haar niet verlaten. Hij deed wat hij moest doen. Was waar hij moest zijn. Waar hij zijn wilde. Ergens in zijn eigen hemelrijk. Overeenkomstig zijn bestemming. Precies zoals hij geweest was in al die jaren dat ze hem had liefgehad. Sterk. Onoverwinnelijk. En vrij.

15

Niets kon dat nu nog veranderen. Geen enkele explosie kon hem van haar afnemen. Hij was van een andere orde. Te belangrijk om te sterven. Zij moest hem nogmaals vrijlaten om te doen waartoe hij voorbestemd was. Het zou haar laatste moedige daad zijn, en die van hem.

Een leven zonder Joe was onvoorstelbaar, ondenkbaar. Toen zij met haar ogen het duister zocht, zag zij hem langzaam weglopen. Daarna draaide hij zich om en glimlachte naar haar. Het was dezelfde man die hij altijd geweest was. Dezelfde man van wie ze zo lang gehouden had. Precies zoals hij was.

Terwijl Kate tot diep in de nacht opzat en aan hem dacht, vulde het huis zich met een onpeilbaar diepe stilte. Buiten viel gestaag de sneeuw. En haar gedachten voerden haar terug naar de nacht waarop ze elkaar ontmoet hadden. Zij was toen zeventien, en hij was sterk en oogverblindend. Het was een onvergetelijk moment geweest toen ze naar hem keek en de dans begon. Het had haar leven veranderd.

I

KATE JAMISON ZAG JOE VOOR HET EERST IN DECEMBER 1940 op een debutantenbal, drie dagen voor Kerstmis. Zij en haar ouders waren voor een week van Boston naar New York gekomen om kerstinkopen te doen, vrienden te bezoeken en om het bal bij te wonen. Kate was eigenlijk een vriendin van de jongere zus van de debutante. Het was niet gebruikelijk dat een meisje van zeventien mee ging, maar de oogverblindende Kate had al zo lang ieders aandacht getrokken, en was zo volwassen voor haar leeftijd, dat hun gastheer en gastvrouw niet geaarzeld hadden om ook haar uit te nodigen.

Haar vriendin was in de wolken geweest. En Kate ook. Het was het mooiste feest dat zij ooit bijgewoond had. De kamer die zij aan haar vaders arm binnenschreed, was gevuld met uitzonderlijke mensen. Er waren staatshoofden, politieke kopstukken, douairières en getrouwde dames, en genoeg knappe jongemannen om een heel leger op de been te brengen. Iedereen die meetelde in de New Yorkse society had zijn opwachting gemaakt. En ook uit Philadelphia en Boston waren er verscheidene bekende namen. In de elegante ontvangstkamers en de verfijnde balzaal met al zijn spiegels voerden zevenhonderd mensen geanimeerde gesprekken, en in het park was een tent opgezet. Talloze obers in livrei bedienden hen. Zowel in de danszaal als in de tent speelde een orkestje. Er waren mooie vrouwen en knappe mannen, schitterende juwelen en japonnen. De heren droegen een rokkostuum. De eregast was een aantrekkelijk meisje, ze was klein en blond en droeg een avondtoilet, een creatie van Schiaparelli. Dit was het moment waar ze haar hele leven naar uitgekeken had: ze zou voor de eerste keer officieel voorgesteld worden aan de beau monde. Een omroeper riep de namen af van degenen die binnenkwamen in hun avondjaponnen en rokkostuums. En terwijl zij en haar ouders op hun beurt wachtten, leek ze wel een porseleinen beeldje.

Toen werden de namen van de Jamisons afgeroepen. Kate kuste haar vriendin en bedankte haar voor de uitnodiging. Nooit eerder had zij een dergelijk bal bezocht. Even leken de jonge vrouwen op twee ballerina's, weggelopen uit een schilderij van Degas, zo subtiel contrasteerden ze. De debutante was klein en blond, met lichtgeronde welvingen, terwijl Kates uiterlijke kenmerken opvallender waren. Zij was lang en slank en had donker roodbruin haar dat losjes tot op haar schouders hing. Ze had een roomblanke huid, bijzonder grote donkerblauwe ogen en een volmaakt figuur. En terwijl de debutante formeel en kalm was bij het begroeten van de gasten, leek het wel of er van Kate een elektriserende energie uitging. Als zij door haar ouders aan de andere gasten voorgesteld werd, beantwoordde ze fier hun blikken en betoverde hen met haar verblindende glimlach. De manier waarop ze keek had iets intrigerends, evenals de vorm van haar mond, die de suggestie wekte dat ze op het punt stond iets grappigs te zeggen, iets belangrijks, iets wat je wilde horen en onthouden. Alles aan Kate beloofde aangename spanning. Het was alsof ze haar overvloed aan jeugd wel met iemand moest delen.

Kate had iets magnetiserends, en dat was altijd zo geweest. Het was alsof ze uit een andere wereld kwam en voorbestemd was tot grootse dingen. Niets was gewoon aan Kate. Ze onderscheidde zich in ieder gezelschap, niet alleen door haar uiterlijk, maar ook door haar humor en charme. Thuis borrelde ze over van kattenkwaad en wilde plannen, en als enig kind was ze voor haar ouders een bron van vreugde en vermaak. Ze was laat in hun leven gekomen, pas na twintig huwelijksjaren, en toen ze nog een baby was, mocht haar vader graag zeggen dat ze de moeite van het wachten waard geweest was, iets wat haar moeder gretig beaamde. Zij aanbaden haar. Als klein kind vormde ze het middelpunt van hun bestaan.

Kates jonge jaren waren onbezorgd en vrij. Opgevoed in weelde, had ze als klein kind slechts een makkelijk en comfortabel leven gekend. Haar vader, John Barrett, was een telg uit een beroemde familie uit Boston. Hij trouwde met Elizabeth Palmer, wier rijkdom zelfs groter was dan de zijne. De wederzijdse families waren zeer verguld geweest met dit huwelijk. De vader van Kate stond in de bankwereld bekend om zijn helder oordeel en verstandige investeringen. Maar toen kwam de beurskrach van 1929 en die sleurde de vader van Kate en duizenden zoals hij mee in een vloedgolf van verwoesting, wanhoop en verlies. Gelukkig had de familie van Elizabeth het onverstandig gevonden dat de twee in gemeenschap van goederen zouden trouwen. Mede door het feit dat er lange tijd geen kinderen waren, was Elizabeths familie doorgegaan met de behartiging van de meeste van haar financiële zaken. En als door een wonder kwam zij betrekkelijk ongeschonden uit de krach.

John Barrett verloor zijn hele fortuin en slechts een zeer klein deel van het hare. Elizabeth deed er alles aan om hem gerust te stellen en om hem er weer bovenop te helpen. Maar de schande die hij voelde, vrat de poten onder zijn bestaan weg. Drie van zijn voornaamste cliënten en beste vrienden sloegen de hand aan zichzelf binnen enkele weken nadat ze hun fortuin hadden verloren. Het zou nog twee jaar duren voordat ook John toegaf aan zijn wanhoop. Kate zag hem nauwelijks in die twee jaar. Hij had zich opgesloten in een slaapkamer op de bovenverdieping, zag zelden iemand en ging bijna niet de deur uit. De bank die zijn familie had opgericht en die hij bijna twintig jaar geleden had, sloot binnen twee maanden na de crash zijn deuren. Hij werd onbereikbaar, afstandelijk; hij vereenzaamde. Het enige dat hem nog kon opbeuren was de aanblik van Kate, toen nog maar zes, als zij zijn kamers binnenstruinde en hem een snoepje bracht of een tekening die zij voor pappa gemaakt had. Alsof ze het labyrint van somberheid bespeurde waarin hij verdwaald was, probeerde ze instinctief om hem daar uit te lokken, maar tevergeefs. Uiteindelijk vond zelfs zij zijn deur gesloten, en op den duur verbood haar moeder haar om naar boven te gaan. Elizabeth wilde niet dat zij haar vader zo zag: dronken, onverzorgd, ongeschoren, zijn dagen meestal verslapend. Een dergelijke aanblik zou haar de stuipen op het lijf jagen, en het hart van haar moeder gebroken hebben.

John Barrett maakte een einde aan zijn leven in september 1931, bijna twee jaar na de krach. Hij was op dat moment de enige van zijn familie die nog in leven was, en liet alleen vrouw en kind achter. Elizabeths vermogen was toen nog intact. In haar wereld was zij een van die bevoorrechten die nauwelijks hadden geleden onder de crash, totdat ze John verloor.

Kate kon zich nog precies het moment herinneren waarop haar moeder het haar vertelde. Ze had in de kinderkamer een beker warme chocolademelk zitten drinken en haar lievelingspop vastgehouden, en toen ze haar moeder de kamer zag binnenkomen, wist ze dat er iets verschrikkelijks was gebeurd. Het enige dat ze kon zien, waren haar moeders ogen; het enige dat ze kon horen was het plotseling te luid tikken van de klok in de kinderkamer. Haar moeder had niet gehuild toen zij het haar vertelde, ze vertelde rustig en zonder omwegen dat Kates pappa naar de hemel gegaan was om te leven bij God. Ze zei dat hij heel triest geweest was de laatste paar jaar, en dat hij nu gelukkig zou zijn bij God. Terwijl haar moeder deze woorden sprak, kreeg Kate het gevoel alsof haar hele wereld instortte en boven op haar viel. Zij ademde met moeite, terwijl de chocolademelk over haar handen stroomde en de pop op de grond viel. Ze wist dat haar leven nooit meer hetzelfde zou zijn.

Kate stond met een ernstig gezicht bij haar vaders begrafenis. Ze hoorde niets. Het enige dat ze zich kon herinneren, was dat haar vader hen had verlaten omdat hij zo bedroefd geweest was. Naderhand dwarrelden woorden van andere mensen om haar heen. Gebroken... nooit te boven gekomen... schoot zichzelf een kogel door zijn hoofd... verloor zijn en andermans vermogen... maar goed dat hij niet de beschikking had over Elizabeths vermogen... Uiterlijk veranderde er daarna weinig voor hen: ze woonden in hetzelfde huis en gingen om met dezelfde mensen. Kate ging nog steeds naar dezelfde school, en vrij snel na zijn dood ging ze over naar de derde klas.

Na die gebeurtenis had het nog maanden gevoeld alsof ze verdoofd was. De man die ze zo vertrouwd en geadoreerd had en tegen wie ze zo had opgekeken, had hen verlaten, zonder waarschuwing vooraf of verklaring, zonder één reden die Kate kon doorgronden. Het enige dat ze wist en kon begrijpen, was dat hij er niet meer was, en dat haar leven in diepere zin blijvend veranderd was. Een belangrijk deel van haar leven was verdwenen. En haar moeder was zo aangeslagen gedurende de eerste paar maanden, dat ze praktisch verdween uit Kates leven. Kate had het gevoel dat ze twee ouders verloren had in plaats van een.

Elizabeth regelde met behulp van hun goede vriend, de bankier Clarke Jamison, de nalatenschap van John, althans wat ervan restte. Jamisons vermogen en beleggingen hadden, net zoals bij Elizabeth, de krach overleefd. Hij was kalm, vriendelijk en degelijk. Zijn eigen vrouw was jaren geleden aan tuberculose gestorven. Hij had geen kinderen en was nooit hertrouwd. Binnen negen maanden na John Barretts overlijden vroeg hij Elizabeth ten huwelijk. De huwelijksvoltrekking vond veertien maanden na Johns dood plaats. Het was een sobere plechtigheid die geheel in de privésfeer gehouden werd. Aanwezig waren alleen zijzelf, de dominee en Kate, die met wijd open ogen ernstig toekeek. Zij was toen negen.

Met de jaren bleek dat het een verstandig besluit was geweest. En hoewel ze het uit respect voor haar overleden echtgenoot niet openlijk zou hebben toegegeven, was ze met Clarke eigenlijk gelukkiger dan ze met John geweest was. Ze pasten uitstekend bij elkaar, hadden dezelfde interesses, en Clarke was niet alleen een goede echtgenoot voor haar, maar ook een fantastische vader voor Kate. Hij verafgoodde en beschermde haar, en hoewel ze nooit over hem spraken, probeerde hij in de jaren die volgden zo goed mogelijk de plaats van haar overleden vader in te nemen. Clarke was kalm, betrouwbaar en teder, en hij had plezier in de levensvreugde die Kate ten slotte hervond en de neiging tot kattenkwaad die in haar weer de kop opstak. En nadat hij het met zowel Elizabeth als Kate besproken had, adopteerde hij haar toen ze tien was. Aanvankelijk was Kate bang geweest dat het van gebrek aan respect voor haar vader zou getuigen, maar op de morgen van de adoptie had ze Clarke toevertrouwd dat dit haar diepste wens was. Haar vader was geruisloos uit haar leven geslopen op het moment dat zijn moeilijkheden begonnen. Zij was toen zes. Na haar vaders dood had Clarke gezorgd voor de emotionele stabiliteit die Kate nodig had. Ze kreeg wat haar hartje begeerde, en hij stond altijd klaar voor haar, wat er ook gebeurde.

Op den duur schenen al haar vrienden en vriendinnen te vergeten dat hij niet haar vader was. En na verloop van tijd vergat Kate het ook. Heimelijk dacht ze nog weleens aan haar vader, op zeldzame, ernstige ogenblikken, maar hij leek zover weg dat ze zich nauwelijks een beeld van hem kon vormen. Het enige dat ze zich nog herinnerde was het gevoel van radeloosheid en verlatenheid dat ze had gevoeld toen hij stierf. Maar ze stond zichzelf zelden of nooit toe om eraan te denken. De toegang naar dat deel van haar was gesloten, en zo was het goed.

Het lag niet in Kates aard om in het verleden te blijven hangen of om te verdrinken in droefheid. Zij was het type dat altijd gericht scheen op vreugde en deze verspreidde waar ze maar kwam. Het geluid van haar lach en haar van opwinding fonkelende ogen schiepen overal een aura van vreugde, tot groot genoegen van Clarke. Nooit spraken zij over het feit dat Clarke haar had geadopteerd. Voor Kate was het een afgesloten hoofdstuk van haar leven, en ze zou geschokt geweest zijn als iemand er met haar over begonnen was. De rol van vader die Clarke vervuld had in de negen jaren die sinds de dood van John waren verstreken, was zo natuurlijk, dat ze er zelfs niet meer over nadacht. Hij was nu werkelijk met hart en ziel haar vader, niet alleen voor haar gevoel, maar ook voor het zijne. In ieder opzicht was zij al lang geleden zijn kind geworden.

Clarke Jamison was een alom gerespecteerd bankier in Boston. Hij stamde uit een aanzienlijke familie, had op Harvard gezeten en was meer dan tevreden met zijn leven. Hij was altijd blij geweest dat hij met Elizabeth was getrouwd en Kate geadopteerd had. In alles in het leven waaraan hij en zijn familie belang hechtten, was hij succesvol. En succesvol was hij zeker in de ogen van de wereld. Kates moeder Elizabeth was een gelukkige vrouw. Zij had alles wat ze van het leven wilde: een man van wie ze hield en een dochter die ze aanbad.

Kate had haar intrede in het leven van haar ouders gedaan vlak na Elizabeths veertigste verjaardag. Het was de grootste vreugde in haar leven geweest. Al haar hoop was gevestigd op Kate, ze wilde het allerbeste voor haar. En in weerwil van Kates energie en het uitbundige karakter van het meisje had Elizabeth gezien dat ze daarnaast onberispelijke manieren én een verbazingwekkend zelfvertrouwen had. Nadat ze eenmaal met Clarke was getrouwd, na het trauma van Johns zelfmoord, behandelden Elizabeth en Clarke Kate als een kleine volwassene. Zij deelden hun leven met haar en namen haar altijd mee op hun talrijke buitenlandse reizen.

Tot haar zeventiende jaar was Kate iedere zomer met haar ouders in Europa geweest. Op haar zestiende hadden ze haar zelfs meegenomen naar Singapore en Hongkong. Ze had meer levenservaring dan de meeste meisjes van haar leeftijd, en zoals zij zich tussen de gasten bewoog, leek ze meer op een volwassene dan op een jong meisje. Zij had zichzelf volledig in de hand. Dat was iets wat meteen in het oog viel. Men wist onmiddellijk dat Kate niet alleen gelukkig was, maar ook dat ze prima in haar vel stak. Ze kon met iedereen spreken, overal gaan, en bijna alles doen. Niets ontmoedigde haar, niets boezemde haar angst in. Ze vond het leven verrukkelijk en liet dat zien.

De japon die ze droeg op het debutantenbal in New York was het afgelopen voorjaar voor haar besteld in Parijs. Hij verschilde in elk opzicht van de japonnen die de andere meisjes aanhadden. De meesten van hen droegen pastelkleurige of helder gekleurde baljurken. Uit eerbied voor de eregast ging er vanzelfsprekend niemand in het wit. Iedereen zag er prachtig uit. Maar Kate was bijzonder, zij was elegant en ze viel op. Zelfs toen ze nog maar zeventien was, zei iedereen over haar dat ze geen meisje, maar een vrouw was. Niet op een uitdagende manier, maar doordat ze een waardige distinctie tentoonspreidde. Haar kleding had geen tierelantijntjes, geen plooien en stroken, geen lange sleep. De ijsblauwe satijnen japon was diagonaal gesneden en leek te rimpelen over haar als water; de schouderbandjes waren nauwelijks dikker dan draadjes. Hij zat als een tweede huid en deed haar volmaakte figuur prachtig uitkomen. De flonkerende, met diamant en aquamarijn ingezette oorbellen die ze droeg, waren van haar moeder. Daarvoor hadden ze aan haar grootmoeder behoord. Nu eens half verborgen door, dan weer opduikend uit haar lange donkerrode haren, leken ze te dansen. Ze had bijna geen make-up op, alleen een beetje poeder. Haar japon had de kleur van een ijzige winterhemel, haar huid de kleur en de zachtheid van heel licht, romig roze. Haar lippen waren helderrood en trokken de aandacht omdat ze voortdurend lachte en glimlachte.

Haar vader had haar geplaagd toen hun namen afgeroepen werden. Ze had met hem meegelachen, haar sierlijke witgehandschoende hand weggestopt in zijn arm. Haar moeder liep vlak achter hen en het was alsof ze om de vijf tellen stilhield om met vrienden te praten. Binnen een paar minuten ontdekte Kate de zus van de debutante. Door haar was ze voor het feest uitgenodigd. Ze stond temidden van een groepje jonge mensen, en Kate verliet haar vader om zich bij hen te voegen. Ze spraken af dat ze elkaar later in de balzaal zouden terugzien. Clarke Jamison keek zijn dochter na terwijl ze op het groepje elegante jonge mensen afliep en, zonder dat Kate zelf het merkte, alle hoofden haar kant opdraaiden. Zijn hart vulde zich met trots. Het was een prachtmeid. Hij zag hoe binnen een paar seconden iedereen lachte en praatte, en alle jongemannen leken diep onder de indruk van haar te zijn. Waar ze ook was, wat ze ook deed, hij maakte zich nooit zorgen om Kate. Iedereen hield van haar. Iedereen voelde zich dadelijk tot haar aangetrokken. En Elizabeth? Die hoopte dat Kate een geschikte jongeman zou vinden om over een paar jaar mee te trouwen.

Elizabeth leidde met Clarke nu al bijna tien jaar een gelukkig huwelijksleven, en zij wenste haar dochter hetzelfde geluk toe. Maar Clarke stond erop dat Kate eerst een opleiding zou volgen, en het was niet moeilijk geweest haar te overtuigen. Ze was te intelligent om er niet haar voordeel mee te doen, hoewel hij niet verwachtte dat ze zou gaan werken zodra ze de universiteit verlaten had. Maar hij vond dat ze alle kans moest krijgen en was er zeker van dat het haar zou baten. Het volgend jaar, wanneer ze achttien was, zou ze naar de universiteit gaan. Ze was er helemaal vol van. De hele winter door had ze universiteiten aangeschreven. Ze had zich ingeschreven voor Wellesley, Radcliffe, Vassar, Barnard, en een handjevol andere die haar minder zeiden. Radcliffe College genoot haar voorkeur, omdat haar vader in Harvard gestudeerd had. Hij kon in alle opzichten trots op haar zijn.

Kate liet zich in de mensenstroom meevoeren van de ontvangstkamer naar de balzaal. Ze babbelde met de meisjes die zij kende, en werd voorgesteld aan een groot aantal jongemannen. Klaarblijkelijk voelde ze zich volkomen op haar gemak, om het even of ze met vrouwen of met mannen sprak. Van die laatsten waren er wel twintig die niet van haar weg te slaan waren. Ze vonden haar verhalen onderhoudend, haar stijl opwindend. En toen het dansen begon, tikten ze elkaar voortdurend af. Het leek er wel op alsof ze een dans nooit eindigde met dezelfde man waarmee ze begonnen was. Het was een magnifieke avond, en ze had plezier voor twee. En zoals altijd steeg het succes haar niet naar het hoofd. Ze genoot ervan, maar bleef zichzelf meester.

Kate stond bij het buffet, toen ze hem voor het eerst zag. Ze had met een jonge vrouw staan kletsen die dat jaar in Wellesley was gaan studeren en haar daar alles over vertelde. Aandachtig had ze zitten luisteren, totdat ze opkeek en ineens hem aanstaarde. Ze wist niet waarom, maar ze voelde zich onweerstaanbaar tot hem aangetrokken. Hij was opmerkelijk lang, had brede schouders, zandkleurig bruin haar en een markante kop. Hij was beduidend ouder dan de jongens die zo aan haar lippen gehangen hadden. Ze had het idee dat hij ergens achter in de twintig was. De vrouw van Wellesley College had haar belangstelling niet meer. Gefascineerd keek ze naar Joe Allbright, die juist twee lamskoteletten op een bord legde. Hij droeg een rokkostuum, net zoals de andere mannen, en hij zag er verbluffend knap uit. Maar er was iets ongemakkelijks in zijn blik. Alles wees erop dat hij liever ergens anders zou zijn. De hulpeloze wijze waarop hij langs het buffet liep, deed haar aan een reuzenvogel denken die plotseling gekortwiekt is en alleen maar wil wegvliegen.

Hij was ten slotte slechts enkele stappen van haar verwijderd, met een voor de helft gevuld bord in zijn handen, en hij voelde hoe zij naar hem keek. Terwijl hij met een ernstig gezicht vanuit zijn grote hoogte op haar neerzag, ontmoetten hun ogen elkaar. Hij stond een moment stil en ze sloegen elkaar belangstellend gade, en toen ze naar hem glimlachte, vergat hij bijna dat hij een bord in zijn handen hield. Zo'n mooie en levendige vrouw was hij nog nooit tegengekomen! Ze had iets fascinerends. Het was alsof hij vlak naast een intense stralingsbron stond, of dat hij in een licht keek dat zo helder was, dat hij na een paar tellen zijn blik moest afwenden. Hij sloeg zijn ogen neer, maar maakte geen aanstalten om weg te lopen. Hij bemerkte dat hij geen vin kon verroeren. Hij stond als vastgenageld. Een moment later keek hij weer naar haar.

'Dat lijkt me niet genoeg voor een man van jouw omvang,' zei ze, terwijl ze naar hem lachte. Ze was bepaald niet verlegen, en dat vond hij prettig. Als kind al had hij het moeilijk gevonden om met andere mensen te spreken. En eenmaal volwassen was hij een man van weinig woorden.

'Ik had al gegeten voor ik kwam,' luidde zijn commentaar. Hij had zich verre gehouden van de tafel met kaviaar, de grote variëteit aan oesters genegeerd die speciaal voor deze gelegenheid aangesleept waren, en zich tevredengesteld met de twee lamskoteletten, een beboterd broodje en een paar garnalen. Daar had hij genoeg aan. En zelfs aan de manier waarop zijn rokkostuum zat, kon zij aflezen dat hij superslank was. Het zat allesbehalve gegoten, en haar vermoeden dat hij het speciaal voor deze gelegenheid had geleend, was juist. Het was een kledingstuk dat hij nooit gemist had in zijn kleerkast, en hij verwachtte niet het ooit nog eens te dragen. Hij had het van een vriend geleend. Hij had zijn best gedaan om onder het feest uit te komen door te zeggen dat hij geen rok had, maar toen die vriend er een voor hem op de kop had weten te tikken, had hij zich wel verplicht gevoeld te komen. Als die korte ontmoeting met Kate er niet geweest was, had hij alles willen geven om hier niet te zijn.

'Je ziet er niet uit alsof je je hier erg gelukkig voelt,' zei ze, net luid genoeg om door hem gehoord te worden. Ze zei het met een tedere glimlach en haar houding straalde medeleven uit. Hij grijnsde bewonderend.

'Hoe heb je dat zo geraden?'

'Je maakte de indruk alsof je je bord ergens wilde wegstoppen om daarna zo hard mogelijk weg te rennen. Heb je de pest aan party's?' vroeg ze. Ze babbelde ongedwongen met hem, terwijl de studente van Wellesley College door iemand anders afgeleid werd en langzaam uit het gezicht verdween. Zij leken alleen te staan temidden van honderden mensen, die allen om hen heen dwarrelden, en gingen volledig in elkaar op.

'Ja,' zei hij. 'Ik heb er de pest aan, althans dat denk ik. Ik ga nooit naar dit soort feesten.' Hij moest toegeven dat hij onder de indruk was.

'Ik ook niet,' zei ze eerlijk. Maar bij haar had het niets te maken met voorkeur of gebrek aan gelegenheid, maar lag het aan haar leeftijd. Dat kon Joe echter niet weten. Zij zag er zo ontspannen uit en gedroeg zich zo volwassen, dat als iemand het hem gevraagd had, hij haar begin twintig geschat zou hebben, meer in de buurt van zijn eigen leeftijd.

'Het is leuk hier, vind je niet?' Ze keek om zich heen en toen weer naar hem. Hij glimlachte. Ja, dat vond hij ook, maar hij had er eerst anders over gedacht. Het enige waardoor hij in beslag genomen werd sinds zijn komst, was hoeveel mensen er wel niet waren, hoe benauwd en druk het was, en hoe graag hij niet iets anders had gedaan. En nu, terwijl hij naar haar keek, was hij er niet meer zo zeker van of het feest wel die volslagen tijdverspilling was waarvoor hij het gehouden had.

'Ja, het is leuk hier,' zei hij, terwijl zij naar zijn ogen keek. Ze hadden dezelfde donkere kleur als de hare, bijna saffierblauw. 'En ik vind jou ook leuk,' voegde hij er onverwacht aan toe. Het compliment dat hij haar maakte, en de manier waarop hij keek, hadden iets heel fris en spontaans in vergelijking met de galante woorden van de jongemannen die haar het hof hadden gemaakt en die, hoewel een jaar of tien jonger, sociaal veel vaardiger waren dan hij. Maar zijn woorden betekenden veel meer voor haar.

'Je hebt prachtige ogen,' zei hij. Fascinerend vond hij ze. Ze waren zo uitgesproken, zo open, zo vol leven en zo dapper. Dit meisje keek alsof ze voor niets en niemand bang was. Dat hadden ze gemeen, maar op een heel verschillende manier. Als er iets was waar hij angst voor had, dan was het deze avond wel. Hij riskeerde liever zijn leven, zoals hij dikwijls deed, dan dat hij moest omgaan met een dergelijk gezelschap. Op het ogenblik dat hij haar ontmoette, was hij net een klein uur hier. En het feest hing hem al de keel uit, hij hoopte snel weg te zijn. Hij wachtte op zijn vriend om hem te vertellen dat ze, wat hem betrof, konden vertrekken.

'Dank je.' Ze stelde zich aan hem voor. 'Kate Jamison.' Hij verplaatste het bord naar zijn linkerhand, en stak haar zijn rechter toe.

'Joe Allbright. Wil je iets eten?' Hij was direct en ter zake, en spaarzaam met woorden; zei alleen wat hij noodzakelijk vond. Hij was nooit een man geweest van bloemrijke taal. Ze had nog geen bord bij het buffet gehaald en toen ze instemmend knikte, pakte hij er een voor haar. Ze nam heel weinig, wat groente en een klein stukje kip. Ze had geen honger. De hele avond was ze te opgewonden geweest om te eten. Zonder een woord te zeggen droeg hij haar bord. Ze wandelden naar een van de tafels waar gegeten werd en vonden twee vrije stoelen. Zwijgend zaten ze naast elkaar. Terwijl hij zijn vork pakte, keek hij naar haar en vroeg zich af waarom zij zo amicaal deed tegen hem. Hoe dan ook, het had zijn avond een extra dimensie gegeven. En de hare ook.

'Ken je veel mensen hier?' vroeg hij, zonder om zich heen te kijken. Hij had alleen oog voor haar. Ze zat aan haar eten te plukken en glimlachte naar hem.

'Sommigen. Mijn ouders kennen er veel meer,' zei ze. Ze verbaasde zich erover dat ze zich zo ongemakkelijk voelde bij hem. Het leek wel of ieder woord dat ze zei telde, alsof hij naar iedere buiging in haar stem luisterde. Dat was ze niet gewend. Bij hem voelde ze zich niet zo licht en ontspannen als bij andere mannen. Joe had iets buitengewoon intens. Met Joe was het alsof elke opsmuk en ieder voorwendsel geëlimineerd werden. Wat overbleef was de kern.

'Zijn je ouders er ook?' vroeg hij, terwijl hij een van de garnalen at. Hij leek geïnteresseerd.

'Ja, die zwerven hier ook ergens rond. Ik heb ze al een poosje niet gezien.' En ze wist dat dat voorlopig ook niet zou gebeuren. Meestal ging haar moeder met een paar goede vrienden in een hoekje zitten. Daar bleef ze dan de rest van de avond, zonder zelfs maar te dansen. En de vader van Kate volgde haar trouw. 'We zijn speciaal uit Boston gekomen om het feest bij te wonen,' voegde ze eraan toe om het gesprek op gang te brengen. Hij knikte.

'Woon je daar?' vroeg hij. Hij sloeg haar oplettend gade. Er

was iets in haar dat een sterke aantrekkingskracht op hem uitoefende. Was het de manier waarop ze sprak, of misschien de
manier waarop ze naar hem keek? Hij kon het niet duiden. Hij
voelde zich opgelaten als mensen hem zoveel aandacht schon-
ken. Naast haar in het oog springende intelligentie en zelfverzekerde houding had ze ook nog eens een verrukkelijk figuur.
Hij vond het prettig om zomaar wat naar haar te kijken.
'Ja, daar woon ik. En jij, kom je uit New York?' vroeg ze, de
kip de kip latend. Ze had geen trek. De avond was te opwindend om zich met zoiets als eten bezig te houden. Ze praatte
liever met hem.
'Van oorsprong niet. Mijn wortels liggen in Minnesota. Ik woon
hier sinds vorig jaar, maar ik heb zo'n beetje overal gewoond.
New Jersey. Chicago. Ik heb ook een paar jaar in Duitsland gezeten. Na nieuwjaar vertrek ik naar Californië. Waar een landingsbaan is, kun je me vinden.' Klaarblijkelijk nam hij aan dat
ze dat begreep. Ze keek hem met toegenomen belangstelling
aan.
'Vlieg je vaak?' Voor het eerst had hij echt plezier in een vraag
van haar en terwijl hij antwoordde, scheen hij zich zichtbaar te
ontspannen.
'Dat kun je waarachtig wel zeggen. Heb jij weleens gevlogen,
Kate?' Het was de eerste keer dat hij haar bij haar naam noemde, en de manier waarop hij hem uitsprak, beviel haar. Hij wist
haar het gevoel te geven dat die naam bij haar hoorde. Ze vond
het plezierig dat hij hem onthouden had. Hij leek haar het type man dat namen, en alles wat zijn interesse niet had, vrij gemakkelijk vergat. Maar hij was gebiologeerd door haar en had
haar voordat ze kennismaakten al uitvoerig geobserveerd.
'Vorig jaar zijn we naar Californië gevlogen om de boot naar
Hongkong te nemen. Meestal reizen we met de boot of met de
trein.'
'Het klinkt alsof je al heel wat afgereisd hebt. Wat bracht je ertoe om naar Hongkong te gaan?'
'Ik reisde mee met mijn ouders. We hebben Hongkong en Singapore bezocht, maar tot dan toe waren we alleen nog maar in
Europa geweest.' Haar moeder had er zorg voor gedragen dat
ze Italiaans en Frans sprak en een paar woordjes Duits. Beide

ouders waren van mening dat het haar nog van pas zou komen. Haar vader kon zich heel goed voorstellen dat zij een diplomaat zou trouwen. Ze zou een volmaakte ambassadrice zijn. En zonder dat hij zich ervan bewust was, was hij al bezig haar daarop voor te bereiden.

'Zeg, ben je soms piloot?' vroeg ze. Ze zette grote ogen op, waardoor ze bij uitzondering haar jeugdige leeftijd verraadde. 'Jazeker, ik ben piloot.'

'Voor een luchtvaartmaatschappij?' Ze vond hem mysterieus én interessant. Ze keek toe hoe hij zijn lange benen strekte en een moment achteroverleunde in zijn stoel. Hij leek op niemand die ze kende en ze wilde meer over hem te weten komen. Hij had niets van de in het oog springende elegantie van de jongemannen uit haar kennissenkring. Toch had hij iets heel werelds. En ondanks zijn grote verlegenheid bespeurde ze een diep verankerd zelfvertrouwen bij hem. Hier zat iemand die gewend was om zijn eigen boontjes te doppen, overal, altijd, en onder elke omstandigheid. Groef je dieper, dan stuitte je bij hem op een natuurlijke distinctie, en ze kon zich heel goed voorstellen hoe hij een vliegtuig bestuurde. Het leek haar heel romantisch en indrukwekkend.

'Nee, ik vlieg niet voor een luchtvaartmaatschappij,' legde hij uit. 'Ik ontwerp vliegtuigen en test ze op snelheid en levensduur.' Het was wel iets ingewikkelder dan dat, maar voor dit moment volstond het.

'Heb je Charles Lindbergh weleens ontmoet?' vroeg ze belangstellend. Joe voelde niet de behoefte om haar te vertellen dat hij een van Charles' rokkostuums droeg, en dat ze samen naar het feest gekomen waren. Ook zijn mentor had geaarzeld of hij wel zou gaan, omdat Anne, zijn vrouw, thuiszat met een zieke baby. Joe was hem bij het begin van het feest in de drukte kwijtgeraakt. Hij vermoedde dat Charles zich ergens teruggetrokken had. Lindbergh had een hekel aan feestjes en mensenmassa's, maar hij had zijn vrouw beloofd dat hij zou gaan. Omdat zij er niet bij kon zijn, had hij Joe meegevraagd voor morele steun. 'Jazeker. We hebben een tijdje met elkaar gewerkt, samen wat gevlogen toen ik in Duitsland zat.' Door hem bevond hij zich nu in New York. Ook had Lindbergh ervoor gezorgd dat hij,

Joe, in Californië ging werken. Charles Lindbergh was zijn leidsman en vriend. Ze hadden elkaar jaren geleden ontmoet op een landingsbaan in Illinois. Lindbergh stond toen op het toppunt van zijn roem, en Joe was nog maar een broekje. Maar bij ingewijden in de luchtvaart had Joe nu bijna net zo'n grote naam als Charles. Hij mocht dan misschien niet net zo bekend zijn bij het grote publiek, of net zo gevierd, feit was dat Joe de laatste jaren het ene record na het andere gebroken had. Sommige luchtvaartkenners waren van mening dat Joe een nog betere piloot was. Lindbergh zelf had het ook eens gezegd. Dat was en bleef een hoogtepunt in Joe's leven. De twee mannen hadden grote bewondering voor elkaar en waren vrienden.

'Het moet een erg interessante man zijn. En ik heb gehoord dat zij ook erg aardig is. Vreselijk, wat er met hun baby gebeurd is!'

'Ze hebben nog meer kinderen,' zei Joe, die wilde voorkomen dat Kate geëmotioneerd zou raken. Kate was verbijsterd door zijn opmerking. Voor haar maakte dat geen verschil. De Lindberghs moesten door een onvoorstelbare hel gegaan zijn. Ze was negen geweest toen het gebeurde, en ze kon zich nog herinneren hoe haar moeder had gehuild bij het horen van het nieuws. Haar moeder had het haar uitgelegd. Verschrikkelijk had ze het gevonden, en dat vond ze nog steeds. Ze had een diep medelijden gevoeld. Voor haar had deze lijdensweg zelfs zijn prestaties overschaduwd. Dat deze man de Lindberghs zowaar kende, intrigeerde haar.

'Een bewonderenswaardig iemand,' was het enige dat Kate zei. Joe knikte.

Hij had niets toe te voegen aan de verering die de wereld voor Lindbergh koesterde. Wat Joe betrof, was die verdiend. 'Wat denk je van de oorlog in Europa?' vroeg ze hem daarop. Er verscheen een sombere blik in zijn ogen. Beiden wisten dat het Congres een kleine twee maanden geleden voor de dienstplicht gestemd had. Het was duidelijk wat voor consequenties dat had. 'Link. Ik denk dat het uit de hand gaat lopen, als er niet gauw een einde aan komt. Volgens mij zitten we er tot over onze oren in voor we er erg in hebben.' In augustus waren de nachtelijke bombardementsvluchten boven Engeland begonnen. De Royal Air Force had Duitsland al vanaf juli gebombardeerd. Joe was in Engeland geweest om advies te geven over de snelheid en doeltreffendheid van de Britse vliegtuigen. Hij wist hoe belangrijk de luchtmacht zou zijn voor het voortbestaan van de natie. Duizenden burgers waren al gedood. Kate haastte zich om zijn visie te bestrijden en dat intrigeerde hem. Een ding was zeker: zij was een vrouw die er een eigen mening op na hield en wist wat ze wilde.

'President Roosevelt zegt dat we buiten de oorlog blijven,' zei ze vastberaden. Zij en haar ouders hadden vertrouwen in hem. 'Terwijl de dienstplicht al van kracht is. Geloof je het zelf? Je moet niet blindelings vertrouwen op alles wat je leest. Ik denk dat we uiteindelijk geen keus hebben.' Hij had erover gedacht om zich als vrijwilliger aan te melden bij de RAF, maar het project waar hij met Charles aan werkte, was belangrijk voor de toekomst van de Amerikaanse luchtvaart, zeker als de Verenigde Staten in de oorlog verwikkeld zouden raken. Hij vond het van wezenlijk belang om onder deze omstandigheden thuis te blijven. Lindbergh was het met hem eens geweest toen ze het bespraken. Het was ook de reden waarom hij naar Californië ging. Lindbergh was bang dat Engeland het niet zou redden tegen de Duitsers. Hij en Joe wilden alles in het werk stellen om Amerika zo goed mogelijk voor te bereiden, mochten ze in oorlog geraken, hoewel Lindbergh fel gekant bleef tegen Amerikaanse deelname.

'Ik hoop dat je ongelijk krijgt,' zei ze zachtjes. Als dat niet zo was, zouden al deze knappe jongemannen die her en der in de zaal stonden, in ernstig gevaar verkeren. De hele wereld zoals zij die kenden, zou zwaar op de proef gesteld worden en uiteindelijk nooit meer dezelfde zijn. 'Denk je werkelijk dat we betrokken raken bij de oorlog?' vroeg ze bezorgd. Een ogenblik vergat ze waar ze zich bevond, omdat ze in beslag genomen werd door gewichtiger zaken. De oorlog had zich al in een angstaanjagend tempo over Europa verspreid.

'Daar ben ik inderdaad bang voor, Kate.' Ze hield van de manier waarop hij keek als hij haar naam noemde. Er waren heel veel dingen die ze leuk aan hem vond.

'Ik hoop dat je ongelijk krijgt,' zei ze nogmaals en op ernstige toon.

'Ik hoop het ook.'

Toen deed ze iets wat ze nog nooit gedaan had. 'Heb je zin om met me te dansen in de balzaal?' Ze voelde zich op haar gemak bij hem. Plotseling had ze het gevoel dat ze een vriend had, maar Joe leek verlegen met het voorstel. Hij keek strak naar zijn bord en toen weer naar haar. Hij was hier niet in zijn element.

'Ik weet niet hoe dat moet,' antwoordde hij een tikkeltje verbouwereerd, en tot zijn grote opluchting lachte ze hem niet uit. Ze leek verbaasd.

'Kun je niet dansen? Dan leer ik het je. Het wijst zich vanzelf. Je beweegt gewoon wat heen en weer en kijkt erbij alsof je de tijd van je leven hebt.'

'Toch maar beter van niet. De kans is groot dat ik op je tenen trap.' Hij keek omlaag en zag dat zij elegante lichtblauwe satijnen avondschoenen droeg. 'Het is misschien beter als ik je terug laat gaan naar je vrienden.' Hij kon zich niet herinneren dat hij ooit zo lang met iemand had gesproken, en zeker niet met een meisje van die leeftijd, hoewel hij er nog steeds geen flauw benul van had dat ze nog maar zeventien was.

'Verveel ik je?' vroeg ze, recht voor zijn raap en een beetje bezorgd. Zij had het gevoel alsof hij haar wegstuurde. Had ze hem misschien beledigd door hem ten dans te vragen?

'O god, nee,' antwoordde hij lachend. Hij bleek nog het meest verlegen te zijn met wat hij gezegd had. Hij was meer gewend aan hangars dan aan danszalen, maar alles bij elkaar opgeteld had hij het eigenlijk best naar zijn zin. En niemand was meer verbaasd dan hij. 'Je bent allesbehalve saai. Ik dacht alleen dat je misschien liever met iemand wilde dansen die er wat van terechtbrengt.'

'Ik heb al heel wat afgedanst deze avond.' Het was bijna middernacht en ze was tot nu toe nog niet bij het buffet geweest. 'Wat doe je het liefst in je vrije tijd?'

'Vliegen,' zei hij met een verlegen glimlach. Ze maakte het hem niet moeilijk. Praten over vliegtuigen was het enige dat hem goed afging. 'En wat zijn jouw hobby's?'

'Ik hou van lezen, reizen en tennissen. In de winter ski ik. Met mijn vader speel ik weleens een partijtje golf, maar ik ben bepaald geen kei. Toen ik klein was vond ik schaatsen erg leuk. Ik had graag willen ijshockeyen, maar mijn moeder was in alle staten en verbood het me.'

'Dat was heel verstandig van haar. Je zou geen tand overgehouden hebben.' Natuurlijk, aan haar oogverblindende glimlach was duidelijk te zien dat ze nog nooit ijshockey had gespeeld. 'Rijd je auto?' vroeg hij achterover gezeten in zijn stoel. Even kwam de dwaze vraag bij hem op of ze het leuk zou vinden om te leren vliegen. Kate glimlachte.

'Ik heb vorig jaar mijn rijbewijs gehaald, nadat ik zestien was geworden, maar mijn vader vindt het niet prettig als ik zijn auto gebruik. In Cape Cod heeft hij het me geleerd, in de zomer. Daar is het makkelijker, er is geen vrachtverkeer.' Joe knikte, maar leek verrast door wat ze zei.

'Hoe oud ben jij?' Hij zou gezworen hebben dat ze halverwege de twintig was. Ze leek zo volwassen en voelde zich zo op haar gemak bij hem.

'Zeventien. Over een paar maanden word ik achttien. Hoe oud had je me geschat?' Ze voelde zich gevleid door zijn verbaasde blik.

'Ik weet het niet precies. Ongeveer drieëntwintig, vijfentwintig misschien. Dat ze kinderen van jouw leeftijd uit laten gaan in zulke jurken. Het zou verboden moeten worden. Dat brengt deze oude man maar in verwarring.' Ze vond hem er niet oud uitzien. En al helemaal niet wanneer hij verlegen was of zich niet op zijn gemak voelde of zich jongensachtig gedroeg, wat vaak het geval was. Om de vijf minuten was er wel een moment waarop hij zich slecht op zijn gemak leek te voelen en wegkeek. Dan herstelde hij zich en keek hij haar weer aan. Ze hield van die schuchterheid. Het vormde een boeiend contrast met zijn vliegervaring en wees op een bescheiden karakter.

'Hoe oud ben jij, Joe?'

'Ik ben negenentwintig. Bijna dertig. Vliegen doe ik al vanaf mijn zestiende. Ik vroeg me af of je zin hebt om een keer met me te gaan vliegen. Maar je ouders zullen wel bezwaar maken, neem ik aan.'

'Mijn moeder wel, maar mijn vader zou het te gek vinden. Hij heeft het alsmaar over Lindbergh.'

34

'Misschien leer ik je nog weleens hoe je moet vliegen.' Terwijl hij dat zei, kreeg hij een dromerige blik in zijn ogen. Nog nooit had hij een meisje leren vliegen. Niet dat hij geen pilotes kende. Amelia Earhart en hij waren bevriend geweest voordat ze drie jaar geleden verdween. En hij had verscheidene keren gevlogen met Edna Gardner Whyte, een vriendin van Charles. Joe vond haar net zo'n kanjer als Charles. Zeven jaar geleden had ze met een vermetele solovlucht een eerste vliegrecord op haar naam gezet, en ze trainde jachtvliegers. Edna was dol op Joe.

'Kom je weleens in Boston?' vroeg Kate hoopvol. Ineens leek ze weer even een meisje. Hij moest glimlachen. Ze had iets spontaans, gevoeligs en jeugdigs, en toch vond hij haar buitengewoon zelfverzekerd.

'Zo af en toe kom ik daar. Vrienden van mij wonen op de Cape. Vorig jaar heb ik bij ze gelogeerd. Maar de komende paar maanden zit ik vast in Californië. Ik kan je wel even bellen als ik weer terug ben. Misschien heeft je vader ook zin om met ons mee te gaan.'

'Dat zal hij fantastisch vinden,' zei ze enthousiast. In haar ogen was het een prachtidee. Maar hoe verkochten ze het haar moeder? En ach, wie wist of hij werkelijk zou bellen. Waarschijnlijk niet.

'Studeer je?' vroeg hij nieuwsgierig. Hijzelf had de universiteit verlaten op zijn twintigste. De rest van zijn opleiding had plaatsgevonden in vliegtuigen, nadat Lindbergh hem eenmaal onder zijn hoede genomen had.

'In het najaar ga ik naar de universiteit.'

'Weet je al waar je gaat studeren?'

'Binnenkort hoor ik het. Ik wil graag naar Radcliffe. Mijn vader heeft in Harvard gestudeerd. Als het mogelijk was, zou ik daar het allerliefste heen gaan. Nou ja, Radcliffe is er in ieder geval nauw mee verbonden en kan er prima mee door. Mijn moeder wil dat ik naar Vassar ga, omdat zij daar gestudeerd heeft. Daar heb ik me ook ingeschreven, maar ik voel er niet zoveel voor. Ik denk dat ik trouwens het liefst in Boston zou blijven. Of Barnard, hier in New York. Ik hou van New York. En jij?' Haar grote vragende ogen ontroerden hem.

'Ik weet het niet. Ik ben meer een type voor een provinciestad.'

Ze vroeg zich af of dat nu wel waar was. Natuurlijk, zijn wortels lagen daar, maar er was iets in hem dat erop wees dat hij het leven in de provinciestad meer ontgroeid was dan hij zelf wist. Hij was deel gaan uitmaken van een veel grotere wereld. Hij besefte dat nog niet, maar zij wel.

Het gesprek ging nog steeds over de kwaliteiten van Boston en New York, toen haar vader kwam aangeslenterd. Zij stelde hem aan Joe voor.

'Ik vrees dat ik te veel beslag gelegd heb op uw dochter,' zei Joe, die zich een beetje bezwaard voelde. Hij was bang dat haar vader zich aan hem zou storen vanwege het leeftijdsverschil. Maar het was zo vanzelf gegaan... Ze waren bijna twee uur samen geweest, toen haar vader verscheen.

'Dat neem ik je niet kwalijk,' zei haar vader vriendelijk. 'Ze is tenslotte aangenaam gezelschap. Ik vroeg me al af waar ze uithing, maar nu zie ik dat ze in goede handen is.' Joe maakte een intelligente en beschaafde indruk op hem. Toen hij zijn naam vernam, was hij zichtbaar verrast. Clarke wist uit de kranten dat Joe een piloot was met een uitstekende reputatie, een toppiloot. Hij vroeg zich af hoe hij met Kate in contact gekomen was, en of zij wel wist wie hij was. Na Lindbergh kwam Joe Allbright. De laatste was nog niet zo beroemd, maar het scheelde niet veel. Clarke herinnerde zich dat Joe in de beroemde Mustang P-51 van Dutch Kindelberger verscheidene kust-tot-kust-wedstrijden voor vliegtuigen had gewonnen.

'Joe nodigt ons uit om een keertje mee te vliegen. Wat denk je, zal mamma bezwaar maken?'

'Zeker weten,' zei haar vader lachend. 'Maar misschien kan ik haar ompraten.' Toen richtte hij zich tot Joe. 'Dat is heel vriendelijk van u om ons mee te vragen, Mr. Allbright. Ik ben een groot bewonderaar van u. Dat was niet mis, dat record dat u onlangs brak.'

De lof die Clarke Jamison hem toezwaaide, bracht Joe een beetje in verlegenheid. In tegenstelling tot Charles was hij er redelijk in geslaagd om de publiciteit te mijden, maar door de prestaties van de laatste tijd werd dat steeds moeilijker. Toch vond hij het ook wel prettig dat Clarke van zijn successen op de hoogte was.

'Het was een geweldige vlucht. Ik heb nog gevraagd of Charles meewilde, maar hij had het te druk in Washington met de Nationale Adviesraad voor de Luchtvaart.'

Clarke knikte, diep onder de indruk. Even later, toen ze verwikkeld waren in een levendige discussie over de voortgang van de oorlog in Europa, voegde Kates moeder zich bij hen. Ze zei dat het al laat was en dat ze graag naar huis wilde. Clarke stelde Joe aan zijn vrouw voor. Hij leek haar verlegen, maar erg beleefd. Het was duidelijk dat allen op het punt stonden te vertrekken. Terwijl ze zich naar de deur begaven, gaf Clarke zonder een moment van aarzeling zijn visitekaartje aan Joe. 'Mocht u ooit eens een keertje in Boston komen, bel ons dan,' zei hij gastvrij. Joe bedankte hem. 'We zien nog wel of we alle twee van uw aanbod gebruik maken. Ik zal het in ieder geval doen.' Na deze woorden gaf hij Joe een knipoog, en de jongeman moest lachen. Kate glimlachte. Haar vader scheen Joe graag te mogen. Even later schudde Joe haar vader de hand. Hij ging kijken waar Charles uithing, zei hij. Hij wist dat zijn mentor feestjes net zo verafschuwde als hij. Waarschijnlijk had hij zich ergens teruggetrokken. Het viel niet mee om iemand te vinden in zo'n mensenmassa. Er waren op zijn minst nog vijfhonderd mensen die tussen het huis en de verwarmde tent op en neer liepen. Vervolgens, nadat hij ook haar moeder goedenacht gewenst had, wendde Joe zich tot Kate.

'Ik vond het een genot om met je te eten,' zei hij met ogen die zich in de hare boorden. Het waren net diepblauwe gloeiende kooltjes. 'Ik hoop je nog eens te ontmoeten.' Het klonk gemeend. Ze glimlachte. Van alle mensen die ze die avond ontmoet had, was hij de enige die indruk op haar gemaakt had. En hoe! Hij had iets bijzonders, iets wat je bijbleef. En toen de avond ten einde spoedde, wist ze dat ze een persoonlijkheid ontmoet had.

'Veel succes in Californië,' zei ze zachtjes. Ze vroeg zich af of hun wegen zich nog eens zouden kruisen. Ze was er allesbehalve zeker van dat hij zou bellen. Hij leek er de man niet naar. Hij had zijn eigen wereld, zijn eigen passie. Hij was enorm succesvol op zijn gebied. Het was dus niet erg waarschijnlijk dat hij een zeventienjarig meisje achterna zou lopen. Eigenlijk was ze er praktisch zeker van dat hij zoiets nooit zou doen, dat had hun gesprek haar geleerd.

'Dank je, Kate,' was zijn antwoord. 'Ik hoop dat je toegelaten wordt tot Radcliffe. Ik ben er zeker van dat het lukt. Ze zullen blij met je zijn, of je vader nu in Harvard gestudeerd heeft of niet.' Daarop gaf hij haar een hand, en dit keer was het Kate die haar ogen neersloeg onder zijn indringende blik. Het was of hij ieder detail van haar in zich opzoog om haar in zijn geheugen te griffen. Terwijl hij dit deed, voelde ze zich onweerstaanbaar tot hem aangetrokken. Het was een vreemd gevoel, een kracht sterker dan zij.

'Jij ook bedankt,' fluisterde ze. En toen, na een stijf buiginkje in haar richting, draaide hij zich om en verdween in de menigte om Charles te zoeken.

'Een opmerkelijk man,' zei Clarke met bewondering in zijn stem. Ze liepen langzaam naar de voordeur en namen daar hun jassen in ontvangst. 'Weten jullie wel wie hij is?' Daarop bracht hij Kate en haar moeder op de hoogte van Joe's buitengewone prestaties en van de records die hij de afgelopen paar jaar gebroken had. Clarke bleek ze uit zijn hoofd te kennen.

Ze zaten in de auto. Kate keek door het raampje. Ze dacht aan haar gesprek met hem. De records die hij had gebroken betekenden niets voor haar, hoewel ze besefte dat hij belangrijk en deskundig was in de ijle dampkring waarin hij werkte en leefde. Nee, het was zijn eigenlijke wezen dat haar aantrok. Zijn gezag, zijn kracht, zijn vriendelijkheid en zelfs zijn verlegenheid hadden haar geraakt op een manier als nooit tevoren. En op dát moment wist ze zeker dat een deel van haar bij hem gebleven was. Wat haar bleef kwellen, terwijl ze naar buiten keek, was dat ze niet wist of ze hem ooit weer zou zien.

2

NA HET BETOVERENDE DEBUTANTENBAL DAT DRIE DAGEN
voor de kerst had plaatsgevonden, hoorde Kate, zoals ze verwacht had, niets meer van Joe. Het visitekaartje dat haar vader hem had gegeven ten spijt, belde hij niet. Ze bleef voortdurend gespitst op nieuws over hem, las over hem, kwam zijn
naam in de krant tegen en zag hem in het bioscoopjournaal
wanneer hij weer eens winnaar van een race was. Joe had een
aantal races in Californië gewonnen en veel bijval gekregen voor
zijn nieuwste vliegtuig, dat hij ontworpen had met de steun van
Dutch Kindelberger en John Leland Atwood. Ze wist nu dat
Joe een fabelachtig vlieger was. Maar het was ook iemand die
in een eigen wereld vertoefde, ver van de hare. Hij was haar
vergeten. Daar was geen twijfel over mogelijk.
Het leek wel of hij van een andere planeet kwam, lichtjaren van
haar verwijderd. Ze was er nu zeker van dat ze hem nooit meer
zou zien. Haar leven lang zou ze alleen nog maar over hem lezen. En ze zou herinneringen ophalen aan die ene nacht. Die
nacht waarop ze met hem gesproken had, toen ze nog een meisje was.
In april werd ze toegelaten tot Radcliffe. Zowel haar ouders als
zij waren opgetogen. Met de oorlog in Europa ging het niet de
goede kant uit. Het was het gesprek van de dag. Haar vader
hield nog steeds vol dat Roosevelt deelname van de Verenigde
Staten niet zou toestaan. Niettemin waren de berichten alar-
merend, en twee jongemannen uit haar kennissenkring waren
naar Engeland gegaan om zich te voegen bij de RAF. De asmo-
gendheden waren in Noord-Afrika met een tegenoffensief begonnen, generaal Rommel won de ene veldslag na de andere
met zijn Afrikakorps. In Europa zelf was Duitsland Joegoslavië en Griekenland binnengevallen. Italië had Joegoslavië de

oorlog verklaard. En in Londen kwamen elke dag wel twee-
duizend mensen om bij de luchtaanvallen van de Luftwaffe.
Door de oorlog was het niet langer mogelijk om in de zomer
naar Europa te gaan en in plaats daarvan brachten ze voor het
tweede achtereenvolgende jaar de zomermaanden in Cape Cod
door. Ze bezaten daar tot grote vreugde van Kate een huis. Die
zomer was Kate meer opgewonden dan anders, omdat ze in het
najaar naar Radcliffe zou gaan. Haar moeder was blij dat het
betrekkelijk dichtbij was: Cambridge lag precies aan de overkant van de rivier. Kate en haar moeder hadden alles geregeld
wat er geregeld moest worden. Daarna waren ze naar de Cape
vertrokken. Het plan was om er tot *Labour Day* te blijven.
Clarke zou zoals gewoonlijk de weekenden komen.
De zomer stond volop in het teken van tennis, feestjes en lange strandwandelingen met vrienden. Kate zwom iedere dag in
de oceaan. Ze ontmoette daar een erg aardige jongen die dat
najaar naar Darthmouth zou gaan, en een kersverse derdejaars
van Yale. Het waren allemaal vitale jonge mensen, heel intelligent en met goede vooruitzichten. Een groot aantal van hen
deed allerlei sporten op het strand, van golf tot croquet en bad-
minton. Meestal werd er *touch football* gespeeld, terwijl de
meisjes toekeken. Het was een lange, aangename zomer die alleen overschaduwd werd door het nieuws uit Europa dat met
de dag verslechterde.
De Duitsers hadden Griekenland bezet, en er werd hevig gevochten in Noord-Afrika en het Midden-Oosten. De Britten en
de Italianen leverden luchtgevechten boven Malta. En eind juni waren de Duitsers volkomen onverwacht Rusland binnengevallen en hadden het overrompeld. Een maand later was het
Japan dat Indo-China binnendrong. Die zomer kenmerkte zich
door hevige gevechten, en door slecht nieuws van alle fronten.
Wanneer Kate niet aan de oorlog dacht, dan dacht ze aan Radcliffe. Nog even en het was zover. Het wond haar nog meer op
dan ze liet merken. Veel van haar vrienden van de middelbare
school hadden niet voor de universiteit gekozen. Ze was eerder
uitzondering dan regel. Twee van haar vriendinnen waren na
hun eindexamen getrouwd en drie anderen hadden die zomer
hun verloving bekendgemaakt. Ze voelde zich een oude vrij-

ster, en dat op haar achttiende. Binnen een jaar zouden de meesten van hen een baby hebben. Een nog groter aantal van haar vriendinnen zou dan getrouwd zijn. Ze was het echter eens met haar vader: ze wilde naar de universiteit. Wat haar hoofdvak zou zijn, wist ze nog niet.

Als de wereld anders in elkaar had gezeten, zou ze rechten gekozen hebben. Maar dan moest ze veel te veel inleveren. Ze wist dat ze door voor de rechtenstudie te kiezen wellicht nooit zou kunnen trouwen. Je moest een keuze maken, en een carrière als jurist was iets wat niet in de leefwereld van een vrouw paste. Nee, vakken als letterkunde of geschiedenis kwamen eerder in de richting. Met als bijvak Frans of Italiaans. Als er geen andere mogelijkheid was, kon ze nog altijd lesgeven. Maar behalve in de juristerij waren er geen banen die haar in het bijzonder aantrokken. Haar beide ouders namen dan ook aan dat ze zou trouwen na het afronden van haar studie. De universiteit was in hun ogen vooral een interessante tijdpassering terwijl ze wachtte op de juiste man.

In de maanden na haar ontmoeting met Joe kwam diens naam een paar keer ter sprake, niet in verband met haar toekomst, maar omdat hij iets nieuws of belangrijks had verricht. Haar vaders belangstelling voor Joe was alleen nog maar gegroeid nu hij hem ontmoet had, en meer dan eens herinnerde hij haar aan hem. Ze had geen geheugensteuntje nodig: ze was hem niet vergeten. Maar ze had ook nooit meer iets van hem gehoord. Joe was alleen nog maar een erg interessante man die ze had ontmoet, en ten slotte begon zijn charme te verbleken. Andere zaken zoals universiteit en vriendschap leefden nu veel meer voor haar.

Het was het laatste weekend van de zomer, het weekend van *Labour Day*. Zij en haar ouders gingen naar een feest dat ze elk jaar bijwoonden, doorgaans als ze terugkwamen van hun zomervakantie: de barbecue van hun buren in Cape Cod. Alle mensen uit de omgeving gingen erheen. Jong en oud, en hele gezinnen. Hun gastheer en gastdame hadden een reusachtig vuur op het strand aangelegd. Kate stond temidden van haar kameraden marshmallows en hotdogs te roosteren. Toen ze vanwege de vlammen een stapje naar achteren deed, botste ze

41

tegen iemand op die ze niet gezien had. Ze draaide zich om om haar excuses te maken voor het feit dat ze iemand op zijn tenen getrapt had, hoewel ze wel wist dat het nooit erg pijn gedaan kon hebben: ze droeg shorts en was blootsvoets. En toen ze opkeek naar haar slachtoffer, zag ze dat het Joe Allbright was. Sprakeloos van verbazing staarde ze hem aan, terwijl ze haar stokje brandende marshmallows krampachtig vasthield. Hij grijnsde.

'Let liever een beetje op. Straks steek je iemand in de brand.'

'Wat doe jij hier?

'Ik wacht tot ik een marshmallow krijg,' zei hij. 'Die van jou zien eruit alsof ze een beetje te hard gegaan zijn.' Terwijl ze hem aanstaarde en haar ogen niet kon geloven, waren de marshmallows op het stokje aan het verkolen. Hij scheen blij te zijn haar te zien. In zijn kaki broek en zijn wollen trui zag hij eruit als een jongen. Ook hij was op blote voeten.

'Wanneer ben je teruggekomen uit Californië?' vroeg ze. Ze had onmiddellijk contact met hem. Het voelde of ze oude vrienden waren. Beiden leken zich op slag niet meer bewust te zijn van hun omgeving. Zij was hier met een groepje jonge mensen, en hij was naar de Cape gereden in het gezelschap van een goede vriend.

'Ik ben niet teruggekomen uit Californië.' Hij glimlachte naar haar, zichtbaar gelukkig met hun weerzien. 'Ik zit daar nog steeds, vermoedelijk voor de rest van het jaar. Ik ben alleen maar voor een paar dagen hier. Ik was van plan je vader te bellen om mijn aanbod gestand te doen. Loop je al college?'

'Volgende week begin ik.' Het kostte haar moeite om zich te concentreren op wat hij zei. Hij zag er gebruind en aantrekkelijk uit, zijn haar was wat blonder geworden, en ze merkte dat zijn brede en sterke schouders in deze sweater veel beter tot hun recht kwamen dan in die geleende rok. Hij zag er nog beter uit dan ze zich herinnerde. Plotseling voelde het alsof ze haar tong verloren had, iets wat haar zelden overkwam.

Op haar maakte hij nog steeds de indruk van een aan de aarde gekluisterde reuzenvogel, met zijn lange armen en zijn nerveus heen-en-weergewiebel. Maar hij leek zich nu veel meer op zijn gemak te voelen bij haar. Hij had vaak aan haar gedacht, en dit was een omgeving waarin hij zich veel beter thuis voelde. Terwijl hij gezellig met haar praatte, hield ze nog steeds het geblakerde stokje met de marshmallows in haar handen, die nu niet alleen verbrand maar ook koud waren. Met een hoffelijk gebaar nam hij het stokje van haar over en gooide het in het vuur. 'Heb je al gegeten?' vroeg hij.

'Alleen wat marshmallows,' zei ze met een verlegen glimlach. Hij stond naast haar en zijn hand raakte onwillekeurig de hare.

'Voor het avondeten? Schaam je! Zin in een hotdog?' Ze knikte. Hij nam twee hotdogs van een schaal, reeg ze aan een spies en hield ze in het vuur. 'Wat heb je zoal gedaan sinds Kerstmis?' vroeg hij belangstellend.

'Ik heb mijn diploma gehaald en ben toegelaten tot Radcliffe. Dat is zo'n beetje de stand van zaken.' Van zijn doen en laten was ze op de hoogte, althans van de records die hij had gebroken. Ze had in de kranten over hem gelezen, en haar vader had het veel over hem gehad.

'Dat is goed nieuws. Ik wist dat het zou lukken met Radcliffe. Ik ben trots op je,' zei hij. Ze bloosde; gelukkig was het al donker. Ze stonden op het strand in het fijne witte zand dat koel aanvoelde onder hun voeten.

Ze vond hem zelfverzekerder dan acht maanden geleden. Misschien kwam het omdat ze elkaar al eens ontmoet hadden. Wat ze niet wist, was dat hij inmiddels zo vaak aan haar gedacht had dat ze voor zijn verstand en gevoel al vrienden waren. Hij had de gewoonte óm gebeurtenissen, omstandigheden en mensen als een film door zijn hoofd te laten lopen totdat ze hem vertrouwd werden.

'Heb je nog autogereden?' vroeg hij grinnikend.

'Mijn vader zegt dat ik een verschrikkelijke chauffeuse ben, maar ik denk dat ik eigenlijk vrij goed rijd, beter dan mijn moeder. Die rijdt de ene auto na de andere in de poeier,' zei Kate. Ze keek hem glimlachend aan.

'Dan wordt het misschien tijd voor wat vlieglessen. We moeten dat maar eens bekijken als ik weer naar het oosten kom. Ik ben van plan eind van dit jaar naar New Jersey te verhuizen om samen met Charles Lindbergh een adviseurschap te gaan bekleden bij een project. Maar eerst moet ik mijn werk in Californië afronden.' Ze wist niet precies waarom, maar ze was ontroerd toen ze hoorde dat hij met de gedachte speelde om terug naar het oosten te gaan. Ze wist dat dat dwaas was. Er was immers geen reden om te denken dat hij haar zou opzoeken. Hij was een man van dertig en buitengewoon succesvol op zijn gebied. Zij was slechts een studentje, en zelfs dat nog niet eens. Omdat ze wist wie hij was, was ze nog meer onder de indruk dan de eerste keer. Nu was zij het die verlegen was. Joe daarentegen voelde zich veel meer op zijn gemak dan de vorige keer. 'Wanneer beginnen de colleges, Kate?' Hij vroeg het bijna alsof ze zijn jongere zuster was, hoewel beiden enig kind waren. Dat hadden ze gemeen. Zijn ouders waren beiden gestorven toen hij nog een baby was en hij was opgevoed door familie van zijn moeder. Hij gaf grif toe dat hij niet van die mensen gehouden had, en ook dat hij het gevoel had gehad dat ze niet van hem hielden.

'Deze week. Dinsdag verhuis ik,' was haar antwoord op zijn vraag.

'Spannend,' zei hij, terwijl hij haar een hotdog gaf.

'Niet zo spannend als wat jij allemaal gedaan hebt. Ik heb het een beetje bijgehouden in de kranten.' Hij glimlachte naar haar toen ze dat zei. Hij was gevleid door het feit dat ze hem niet vergeten was. Ze waren nooit uit elkaars gedachten geweest, maar waren te verlegen om het toe te geven. 'Mijn vader is jouw grootste fan.' Joe herinnerde zich nog de grote belangstelling die haar vader voor hem getoond had toen ze elkaar ontmoetten. En hoe goed hij op de hoogte was. Heel anders dan Kate, die hem gewoon aardig vond en er geen idee van had wat voor hemelbestormer hij was.

Ze aten hun hotdog op en gingen op een boomstam zitten om ijs te eten en koffie te drinken. Het waren hoorntjes en Kate zat enorm te knoeien. Joe leunde achterover en keek naar haar, terwijl hij met kleine teugjes zijn koffie dronk. Hij kon zijn ogen niet van haar afhouden. Ze was zo mooi, zo jong, zo vol energie en levenslust. Ze leek op een mooie jonge *Thoroughbred*-merrie, zo'n Engels-Arabische volbloed, die dartelt en steigert en haar lange donkerrode manen over haar schoften heen en weer laat wapperen. Nooit in zijn jonge jaren had hij gedacht nog eens met iemand als zij kennis te maken. De vrouwen die hij in de loop der jaren had leren kennen, waren zoveel vlakker en meegaander geweest. Zij was als een stralende ster aan het firmament, en hij kon zijn ogen niet van haar afhouden uit angst dat ze zou verdwijnen.

'Zullen we een wandelingetje maken?' vroeg hij ten slotte toen ze klaar was met het schoonmaken van de smeertroep die het ijsje achtergelaten had. Ze knikte en glimlachte naar hem.

Ze slenterden een poosje langs het strand. Een bijna volle maan wierp zijn helder schijnsel over het water. Alles op het strand was zichtbaar. Ze liepen naast elkaar, knus bijeen en lieten de stilte een moment op zich inwerken.

Even later staarde hij naar de hemel en daarna naar haar. Hij glimlachte. 'Ik hou ervan om op nachten als deze te vliegen. Ik denk dat jij dat ook fantastisch zou vinden. Het is of je even dicht bij God bent, zo vredig is het.' Hij wilde haar deelgenoot maken van wat het meest voor hem betekende. Tijdens zijn nachtvluchten had hij een paar keer aan haar gedacht. Op zo'n moment kon hij het niet nalaten om erover te fantaseren hoe prettig het zou zijn als ze bij hem was. Om even later zichzelf weer voor gek te verklaren. Ze was nog maar een meisje. Als hij haar ooit terug zou zien, zou ze zich hem waarschijnlijk niet eens herinneren. Maar ze was hem niet vergeten en het leek of ze oude vrienden waren. Het was als een geschenk van het lot dat ze elkaar weer ontmoet hadden. En in tegenstelling tot wat hij haar verteld had, was hij er allesbehalve zeker van of hij de moed had kunnen opbrengen om haar vader te bellen. Hij had er constant tegenaan gehikt. Zijn ontmoeting met haar hier op de barbecue had de oplossing gebracht.

'Hoe komt het dat je zo verzot bent op vliegen?' vroeg ze hem. Ze vertraagden hun pas. Het was een mooie warme avond en het zand was zacht als zijde onder hun voeten.

'Ik weet het niet... Ik heb altijd al een zwak voor vliegtuigen gehad, als kind al. Misschien wilde ik wel van huis weglopen... of zover boven de wereld uitstijgen dat niemand me nog kon treffen.'

'Waar wilde je voor weglopen?' vroeg ze zachtjes.

'Mensen. Om de rottige dingen die er gebeurd waren en omdat ik me er belabberd door voelde.' Zijn vader en moeder had hij nooit gekend en de neef en nicht van moederskant die hem in hun huis hadden opgenomen toen zijn ouders stierven, hadden hem streng opgevoed. Hij en zijn oom en tante konden elkaar niet uitstaan. Zij hadden hem altijd het gevoel gegeven dat hij een indringer was. Op zijn zestiende had hij het huis verlaten. Als het aan hem gelegen had, was hij eerder weggegaan. 'Ik ben altijd graag alleen geweest. En ik hou van machines. Van al die asjes en radertjes die er gezamenlijk voor zorgen dat zo'n machine werkt, en van de bijzonderheden van de constructie. Vliegen heeft iets magisch. Het brengt al die elementen bij elkaar en voor je het weet ben je in de hemel.'

'Het klinkt geweldig zoals jij over het vliegen vertelt,' zei ze. Ze hielden stil en gingen in het zand zitten. Ze hadden een aardig eindje gelopen en waren moe.

'Vliegen is fantastisch, Kate. Als kind al ging mijn hart ernaar uit. Nu word ik er zelfs voor betaald. Het is ongelooflijk.'

'Ze betalen je omdat je er kennelijk erg goed in bent.' Even liet hij nederig zijn hoofd zakken. Ze was ontroerd door wat ze zag.

'Ik zou het leuk vinden als je een keertje meevliegt. Ik zal je niet de stuipen op het lijf jagen, dat beloof ik je.'

'Je maakt me niet bang,' zei ze kalm. Hij zat heel dicht bij haar en dat beangstigde hem meer dan Kate. Wat hem zo'n angst inboezemde waren zijn eigen gevoelens. Ze intrigeerde hem. Juist omdat ze zo nabij was, voelde hij zich aangetrokken als door een magneet. Hij was twaalf jaar ouder dan zij. Haar familie was rijk en genoot een enorm aanzien, en ze zou naar Radcliffe gaan.

Hij paste niet in haar wereld en hij wist dat. Maar het was niet haar wereld waardoor hij zich zo tot haar aangetrokken voelde. Zijzelf was het en het feit dat hij zich zo bij haar op zijn gemak voelde. In zijn leven had hij een aantal afspraakjes met vrouwen gehad. De meesten van hen waren meisjes geweest die rondhingen bij de landingsbaan of die hij via andere piloten ontmoet had, gewoonlijk hun zussen. Met geen van hen had hij ook maar de minste verwantschap gevoeld. Er was er slechts een om wie hij werkelijk iets gegeven had, maar zij was met iemand anders getrouwd omdat ze zich, naar eigen zeggen, zo eenzaam had gevoeld als hij er niet was. Hij kon zich niet voorstellen dat Kate zich eenzaam zou voelen. Ze was er te actief en te zelfstandig voor. Dat was het wat hem zo in haar aantrok. Zelfs op haar achttiende was ze al een persoonlijkheid. Voor zover hij kon zien, ontbrak er niets aan. Er waren geen wensen en verlangens waar hij niet aan zou kunnen voldoen. Geen verwachtingen en verwijten. Ze was alleen zichzelf en ging haar eigen weg, als een komeet. Het enige dat hij wilde, was haar vangen nu ze langsvloog.

Toen vertelde ze hem dat ze graag rechten had willen studeren, maar dat ze die droom op had moeten geven omdat het geen geschikte studie voor een meisje was.

'Onzin,' antwoordde hij. 'Als je dat graag wilt, moet je het doen.'

'Mijn ouders willen het niet. Ze willen dat ik naar de universiteit ga, maar ze verwachten van me dat ik daarna ga trouwen.' Ze klonk teleurgesteld. Het leek haar zo saai.

'Waarom niet beide, advocaat worden en trouwen?' Dat leek hem redelijk. Maar zij schudde slechts haar hoofd en haar haar zwierde rond haar als een donkerrood gordijn. Het verhoogde de sensuele sfeer die om haar heen hing, een sfeer waar hij zich de hele tijd sterk tegen verzet had. Dat was hem goed afgegaan, want ze had zelfs niet gemerkt dat hij haar aantrekkelijk vond. Ze had alleen maar gevonden dat hij zich vriendelijk en aardig gedroeg.

'Een man die toestaat dat zijn vrouw het beroep van jurist uitoefent, dat bestaat toch niet? Degene die met mij trouwt, wil dat ik thuis blijf en kinderen krijg.' Zo stonden de zaken nu eenmaal en beiden wisten het.

'Heb je iemand met wie je wilt trouwen, Kate?' vroeg hij met meer dan gebruikelijke belangstelling. Het kon toch zijn dat ze na hun ontmoeting iemand ontmoet had, of misschien kende ze hem al wel. Hij wist niet zoveel van haar.

'Ik heb niemand,' zei ze zonder omhaal van woorden.

'Waar maak je je dan druk over? Waarom doe je niet gewoon wat je wilt tot je de ware ontmoet? Het is zoiets als je zorgen maken over een baan die je nog niet hebt. Straks ontmoet je nog een aardige vent op de faculteit der rechtsgeleerdheid.' Toen draaide hij zich naar haar toe om haar een vraag te stellen. Ze strekten hun benen voor zich uit, en terwijl ze dit deden was er heel even lichamelijk contact. Maar hij probeerde niet om haar hand te pakken of om een arm om haar heen te leggen. 'Is trouwen dan zo belangrijk?' Bij hem was het zelfs niet aan de orde geweest, en hij was dertig. Zij was nog maar achttien. Ze had nog een heel leven voor zich om te trouwen en kinderen te krijgen. Het was vreemd haar zo te horen praten. Het was alsof ze over een loopbaan sprak die ze had gekozen, in plaats van over de bekroning van haar liefde voor iemand. Hij vroeg zich af of dat de opvatting van haar ouders was. Het was bepaald niet ongewoon. Maar zij was er zo open over, heel anders dan de meeste vrouwen die er, naar het hem toescheen, heimelijker over deden. 'Ik denk dat het huwelijk erg belangrijk is,' zei ze peinzend. 'Iedereen zegt het. En het is aannemelijk dat ook ik een keer zal trouwen. Ik kan me er alleen op dit moment nog geen voorstelling van maken. Ik heb geen haast en ben blij dat ik eerst ga studeren.' Het betekende uitstel voor haar, van haar moeders plannen met haar. 'Ik hoef er de komende vier jaar niet aan te denken, en wie weet wat er daarna zal gebeuren.'

'Je kunt weglopen en bij het circus gaan,' zei hij, alsof hij haar wilde helpen. Ze moest erom lachen. Ze ging op haar rug in het zachte zand liggen, bracht een arm naar achteren en stutte daarmee haar hoofd. Hij keek naar haar terwijl ze daar lag in het maanlicht, en nog nooit eerder had hij een vrouw gezien die zo mooi was. Hij moest zichzelf eraan herinneren dat hij niet zo jong meer was en zij nog maar een kind. Maar zoals ze daar lag had ze niets van een kind, ze was op en top vrouw. Hij keek een poosje de andere kant op om zijn evenwicht te hervinden. Kate had niet het flauwste vermoeden van wat er zich in zijn hoofd afspeelde.

'Ik zou, denk ik, best bij het circus willen.' Ze praatte tegen de achterkant van zijn hoofd, terwijl hij de avondhemel bestudeerde. 'Als klein meisje vond ik die glitterpakken helemaal te gek. En de paarden! Ik heb altijd van paarden gehouden. Voor de leeuwen en tijgers was ik bang.'

'Daar was ik ook bang voor. Ik ben maar één keer in het circus geweest. Dat was in Minneapolis. Ik vond het te lawaaiig. Aan clowns had ik een hekel. Ik vond er niets grappigs aan.' Dat was Joe zo ten voeten uit, dat ze moest lachen. Ze zag hem voor zich als het ernstige kleine jongetje dat hij geweest was, beduusd van al het spektakel. Wat de clowns betreft: ook naar haar smaak had het er te dik bovenop gelegen, ook zij gaf de voorkeur aan meer subtiliteit. Hoe verschillend ze ook waren, ze hadden een aantal dingen gemeen. En steeds was er, net onder de oppervlakte, die onweerstaanbare magnetische aantrekkingskracht geweest.

'Van de geuren van het circus heb ik nooit gehouden, maar ik denk dat het hartstikke leuk is om tussen al die mensen te leven. Er zou altijd iemand zijn om mee te praten.' Hij moest lachen toen ze dat zei, en draaide zich om om naar haar te kijken. Het was een van de weinige dingen die hij al van Kate wist: ze hield van mensen. Het gemak waarmee ze met mensen omging was een van de dingen die hem in haar aantrokken. Hij had die gave nooit bezeten en bewonderde haar erom. Bij haar was het aangeboren, ze hoefde er niet over na te denken. Het was typisch iets voor haar.

'Ik kan me niets vreselijkers indenken. Daarom houd ik ook zo van vliegen. Ik hoef met niemand te praten zolang ik in de lucht zit en van de grond ben. Op de grond zijn er altijd wel mensen die me iets willen vertellen, of ik moet hun wat vertellen. Dat is dodelijk vermoeiend.' Hij had zowaar een pijnlijke blik in zijn ogen. Er waren tijden dat een gesprek hem werkelijk pijn deed. Hij vroeg zich af of dat een typisch trekje van piloten was. Hij had verscheidene lange vluchten met Charles gemaakt waarop zij letterlijk geen woord met elkaar gewisseld hadden, dat hadden ze het prettigst gevonden. Ze hadden pas wat gezegd nadat ze geland waren en de cockpitdeur openden. Het was voor beiden een volmaakte vlucht geweest. Maar Joe kon zich niet voorstellen dat Kate acht uur lang haar mond zou houden. 'Ik vind de omgang met mensen behoorlijk afmattend. Ze verwachten zoveel van je. Ze luisteren niet goed, ze vangen een paar woorden op en verdraaien die. Op de een of andere manier maken ze de dingen altijd ingewikkelder in plaats van een-

voudiger.' Ze kreeg een interessant kijkje in zijn innerlijk.
'Is dat zoals je de dingen graag hebt, Joe?' vroeg ze vriendelijk.
'Rustig en eenvoudig?' Hij knikte instemmend. Hij haatte verwikkelingen. Hij wist dat de meeste mensen er plezier aan beleefden. Maar hij niet.
'Ik hou er ook van als de dingen simpel zijn,' zei ze, terwijl ze nadacht over dat wat hij haar zojuist gezegd had. 'Maar van dat "rustig" ben ik niet zo zeker. Ik hou van kletsen, van mensen, van muziek... en soms zelfs van lawaai. Als kind waren er momenten dat ik het huis van mijn ouders haatte, omdat het er zo stil was. Ze waren niet zo jong meer en tamelijk ingetogen, en ik had niemand om mee te praten. Ze schenen altijd van me te verwachten dat ik me als een volwassene zou gedragen, maar dan een die wat kleiner is. Het is niet gemakkelijk om aan dat beeld te beantwoorden. Ik wilde kind zijn, vies worden, lawaai maken. Ik wilde dingen kapotmaken en dat mijn haar in de war raakte. Nooit was er iets vies in ons huis. Alles was altijd smetteloos.'
Hij kon het zich eenvoudig niet voorstellen. In het huis van zijn oom en tante had hij in totale chaos geleefd. Alles was er altijd smerig. Het huis was vuil en naar de kinderen werd niet omgekeken. Toen ze klein waren huilden ze aan één stuk, en eenmaal ouder ruzieden ze en maakten voortdurend lawaai. Tot zijn vertrek had hij zich ongelukkig gevoeld. Hij kreeg nooit iets anders te horen dan dat hij niet deugde, dat hij een blok aan hun been was en dat ze hem naar een andere oom en tante zouden sturen. Hij was aan niemand gehecht geraakt. Altijd had hij in angst geleefd dat ze hem hoe dan ook zouden wegsturen. Er was dus geen reden om veel om hen te geven. En dit had doorgewerkt in zijn contacten met andere mannen en ook met vrouwen, juist met vrouwen. Hij was het gelukkigst als hij op zichzelf was.
'Jij leidt het leven waar iedereen van droomt, Kate. Het probleem is dat de mensen niet echt weten hoe het is. Ik denk dat het in sommige opzichten best benauwend kan zijn. Hoe zou jij het zelf aanpakken als je kinderen had?
Dat was een interessante vraag, waar ze even over moest nadenken. Ze had zojuist een beeld geschetst van nauwgezetheid

en perfectie. Maar het was tevens een veilige omgeving, gecreëerd door mensen die van haar hielden, en dat wist ze. Maar ze verheugde zich erop om te gaan studeren en het ouderlijk huis te verlaten. Ze was er klaar voor. 'Ik zal, denk ik, erg veel van ze houden zoals ze zijn. Ik hoef geen kopie van mezelf. Ik wil dat ze zichzelf zijn. Ik zou ze ook meer hun eigen gang laten gaan. Zoals jij. Als ze willen vliegen, dan mogen ze van mij vliegen. Ik zou me er geen zorgen maken over hoe gevaarlijk dat wel niet is of hoe bespottelijk. Ik zou hun niet zeggen dat het ongepast is en dat ze moeten doen wat van hen verwacht wordt. Ik vind niet dat ouders het recht hebben om dat te doen, om kinderen in een keurslijf te dwingen, alleen omdat het henzelf ook overkomen is.'

Het was duidelijk dat ze naar vrijheid snakte. Dat was wat ook hij zijn hele leven lang nagestreefd had. Er waren geen ketens die sterk genoeg waren om hem vast te leggen. Hij zou alles wat hem vasthield, iedere ketting en elke boei, verbroken hebben. Hij wilde zijn vrijheid niet alleen, maar had haar ook nodig om te overleven. Voor niets en niemand zou hij die ooit opgeven. 'Misschien was het voor mij makkelijker omdat ik geen ouders had.' En hij vertelde haar dat zijn ouders omgekomen waren bij een auto-ongeluk toen hij zes was en dat hij toen bij een oom en tante in huis gekomen was.

'Waren ze aardig voor je?' vroeg ze meelevend. Het klonk niet als een vrolijke geschiedenis en dat was het ook niet geweest. 'Nou, nee. Ze lieten me het huishouden doen en gebruikten me als kinderoppas. Ik was alleen maar een extra mond die gevoed moest worden. En toen de depressie toesloeg, waren ze blij dat ik vertrok. Dat maakte het gemakkelijker voor ze. Ze hadden altijd geldgebrek.'

Zij had nooit iets anders gekend dan luxe, geborgenheid en welstand. De depressie had haar familie niet financieel getroffen, althans haar moeder niet. Kates bedje was gespreid. Ze had er geen flauw idee van wat voor leven Joe geleid had. Voor hem stond vliegen gelijk aan vrijheid. Zij had die behoefte nooit gehad, er zelfs niet naar getaald. Het enige dat ze wilde was net een beetje meer speelruimte dan ze haar gaven. Ze had niet dezelfde hang naar vrijheid als hij. 'Wil je later ook kinderen?'

51

vroeg ze hem, terwijl ze zich afvroeg in hoeverre dat paste in zijn wereldbeeld en of het wel een rol speelde in zijn leven. Maar hij was tenminste oud genoeg om erover nagedacht te hebben. 'Ik weet het niet. Ik heb er niet of nauwelijks over nagedacht. Ik denk niet dat ik een echte vader ben. Ik zou er nooit zijn. Ik heb het te druk met vliegen. Kinderen hebben een vader nodig. Ik denk dat ik gelukkiger ben als ik geen kinderen heb. Als ik ze had, zou ik voortdurend denken aan wat ik ze onthouden heb en me daar bezwaard door voelen.'

'Zou je willen trouwen?' Ze was in de ban van hem. Nooit had ze iemand gekend die ook maar in de verste verte op hem leek, of die zo eerlijk was. Dat laatste hadden ze gemeen. Ze spraken vrijuit, zonder zich te bekommeren om wat andere mensen ervan zouden denken. Het kwam zelden voor dat hij zo open was als nu met haar. Maar hij had niets te verbergen voor haar en hoefde zich nergens voor te verontschuldigen. Hij had geen wrakhout in zijn kielzog achtergelaten en had, voor zover hij wist, nooit iemand gekrenkt. Zelfs de enige vrouw om wie hij ooit gegeven had, had toen ze hem verliet dat niet uit boosheid gedaan. Ze had hem verlaten toen ze besefte dat hij eenvoudig niet altijd voor haar klaar kon staan. Er waren andere zaken die belangrijker voor hem waren. Dat had hij nooit voor haar verborgen gehouden.

'Ik heb nooit een vrouw gekend die zich kon aanpassen aan mijn bezigheden zonder zich ongelukkig te voelen. Ik denk dat vliegen voor de meeste mensen een nogal solitaire bezigheid is. Ik weet niet hoe Charles erin slaagt de huwelijkse staat te voeren, maar vaak thuis is hij niet. Ik veronderstel dat Anne het druk heeft met de kinderen. Ze is een formidabele vrouw. Zoveel leed als die te verduren heeft gehad!' Dat vond Kate ook. Haar gedachten gingen vaak vol medelijden uit naar de vrouw die zo'n tragedie had doorgemaakt.

'Maar wie weet ontmoet ik iemand zoals zij!' vervolgde Joe glimlachend. 'Maar erg waarschijnlijk is dat niet. Ze is een lot uit de loterij. Ik weet het niet, ik heb altijd gedacht dat ik niet in de wieg ben gelegd voor het huwelijk. Je moet doen wat je ambieert in het leven, en zijn wie je bent. Je kunt jezelf niet dwingen iemand anders te zijn. Dat werkt niet. Daar gaat een mens aan onderdoor. Ik wil dat niemand aandoen, ook mijzelf niet. Ik moet doen wat ik doe en zijn wie ik ben.' Onder het luisteren kreeg ze het idee dat ze toch maar rechten moest gaan studeren, ook al wist ze hoe ontzet haar ouders zouden zijn. Hij was alleen op de wereld, was dat altijd geweest. Hij hoefde niemand tevreden te stellen, was niemand verantwoording schuldig. Alleen zichzelf. Haar leven was compleet anders. Zij torste de last van haar ouders' hoop en dromen op haar schouders, en ze zou nooit iets hebben gedaan wat hen pijn zou doen of teleur zou stellen. Dat kon ze hun niet aandoen. Vooral niet na alles wat haar vader voor haar en haar moeder gedaan had. Ze bleven nog een poosje samen zitten, gewoon om te ontspannen en te genieten van elkaars aanwezigheid, terwijl ze overdachten wat ze tegen elkaar gezegd hadden. Het was allemaal zo eerlijk en openhartig, zonder trucs of opsmuk. Ze voelden zich sterk tot elkaar aangetrokken, hoe verschillend ze ook waren, hoe verschillend ook hun levensloop was geweest. Ze waren als de keerzijden van een munt. En ze waren vrienden nu, echte vrienden.

Joe was de eerste die sprak. Hij draaide zich om en keek naar haar. Ze lag vredig in het zand en staarde naar de maan. Hij had het niet aangedurfd om naast haar te gaan liggen, bang als hij was voor zijn gevoelens voor haar. Het was beter om wat afstand tot elkaar te bewaren. Nooit eerder had hij zoiets gevoeld. Haar aantrekkingskracht was zo sterk als het tij. Hij zat naast haar en wist het.

'Ik denk dat we terug moeten gaan. Ik wil niet dat je ouders ongerust worden of de politie achter me aansturen. Ze denken waarschijnlijk dat je gekidnapt bent.' Kate knikte en kwam langzaam overeind. Ze had niemand verteld waar ze heen ging en met wie, maar verscheidene mensen hadden haar zien vertrekken. Ze was er niet zeker van of ze wel gezien hadden dat het Joe was die met haar meeging. Gezegd had ze het niet. Ook had ze niet de moeite genomen om haar ouders op te zoeken om het ze te vertellen. Ze was bang geweest dat haar vader hen had willen vergezellen, niet omdat hij Joe niet vertrouwde, maar omdat hij hem zo graag mocht.

Joe gaf haar een hand en hielp haar met opstaan. Op hun gemak wandelden ze terug naar het strandvuur, dat heel in de verte nog zichtbaar was. Ze verbaasde zich erover hoever ze wel niet gelopen hadden. Maar met hem naast zich was het als vanzelf gegaan. Toen ze halverwege waren, schoof ze haar hand onder zijn arm. Hij glimlachte naar haar en drukte zijn arm dichter tegen zijn zij. Ze zou een prima vriend aan hem hebben, ware het niet dat hij, ook tot zijn eigen verdriet, meer wilde dan dat. Maar hij zou het niet laten gebeuren, hij zou niet toegeven aan zijn gevoelens. Hij verkeerde niet in de positie om dat te doen. In zijn ogen verdiende ze meer dan hij haar kon geven. Met al haar ongedwongenheid en schoonheid leek ze onbereikbaar voor hem.

Het duurde een halfuur voor ze terug op het feest waren. Beiden verwonderden zich erover dat niemand hen gemist had, of zelfs maar had gemerkt dat ze weg waren.

'Ik denk dat we nog wel even hadden kunnen blijven,' zei Kate. Ze glimlachte naar hem, terwijl hij haar een mok koffie aanreikte en zichzelf een glas wijn inschonk. Hij dronk zelden, omdat hij zo vaak vloog. Maar hij wist dat dat deze avond niet het geval zou zijn.

Joe wist dat hij haar niet langer van het feestje had kunnen weghouden. Hij was er niet van overtuigd dat hij zichzelf nog volledig in de hand had in haar nabijheid. Wat hij voor haar voelde was te sterk en te verwarrend, en hij was bijna opgelucht toen haar ouders kwamen, die haar zochten omdat ze van plan waren te vertrekken. Clarke Jamison was verheugd Joe te zien.

'Wat een aangename verrassing, Mr. Allbright. Wanneer bent u uit Californië teruggekomen?'

'Gisteren,' zei Joe glimlachend, nadat hij Kates ouders de hand geschud had. 'Ik ben hier maar voor een paar dagen. Ik was van plan u nog te bellen.'

'Ik hoopte erop. Ik verlang er nog steeds naar een keer een vliegtochtje met u te maken. Misschien de volgende keer dat u hier bent.'

'Beloofd,' stelde Joe hem gerust. Hij vond het erg aardige mensen. Ze lieten Kate en hem een paar minuten alleen zodat ze afscheid konden nemen, en gingen naar hun gastheer en gastdame om hen te bedanken. Het waren oude vrienden van ze. Toen richtte Joe zich tot haar met een ongewone uitdrukking op zijn gezicht. Er was iets wat hij haar wilde zeggen, het had hem de hele avond beziggehouden. Hij was er alleen niet zeker van of het wel gepast was en of ze wel tijd zou hebben als ze eenmaal met haar studie begonnen was. Maar hij had besloten om het haar toch maar te vragen. Hij had zichzelf verteld dat het voor beiden onschuldig was, hetgeen niet helemaal waar was. Maar het laatste wat hij wilde was haar misleiden of zichzelf aan grotere verlokkingen blootstellen dan hij aankon. Hij was nu dankbaar voor de afstand die er op dit moment, althans fysiek, tussen hen was. 'Kate?' Plotseling leek hij weer verlegen en ze zag het. 'Wat zou je ervan vinden om me af en toe eens te schrijven? Ik zou het plezierig vinden iets van je te horen.'

'Echt?' vroeg ze met een verbaasd gezicht. Door alles wat hij gezegd had over trouwen en het krijgen van kinderen, had ze het idee gekregen dat hij niet op haar uit was. Ze was er nu praktisch zeker van dat het enige dat hij wilde haar vriendschap was. Aan de ene kant gaf haar dat een gevoel van veiligheid, aan de andere kant wekte het haar teleurstelling. Ze voelde zich sterk aangetrokken tot hem, en hij had niets gezegd waaruit bleek dat die gevoelens wederzijds waren. Het werd haar duidelijk dat Joe een meester was in het verbergen van zijn emoties.

'Ik zou het leuk vinden om te horen wat je zoal doet,' zei hij vriendelijk. Het was een dekmantel voor de onrust die ze in hem opriep. Maar hij wist heel goed wat hij moest doen om het niet te laten merken, althans niet aan haar. 'En ik zal je alles vertellen over mijn testvluchten in Californië. Als dat tenminste niet te saai is.'

'Dat zou ik fantastisch vinden!' Zo te horen kon ze die brieven gerust aan haar vader geven. Hij zou er ook van genieten.

Joe krabbelde het adres op een stukje papier en gaf het aan haar. 'Ik ben niet zo'n schrijver, maar ik zal mijn best doen. Ik vind het prettig als we met elkaar in contact blijven, en het lijkt me leuk te horen hoe het je op de universiteit vergaat.' Moest het dan ergens naar klinken, dan hoopte Joe maar dat het klonk als een oude vriend of een oom. Als het maar niets had van een minnaar of echtgenoot in spe. Hij was buitengewoon open-

55

hartig tegen haar geweest, of had die indruk bij haar gewekt. Maar er waren bepaalde dingen die hij verzuimd had haar te zeggen. Dat hij zich tot haar aangetrokken voelde bijvoorbeeld en hoe bang hij daarvoor was. Als hij zichzelf zou laten gaan, zou hij haar misschien verliezen en dat was iets wat hij nooit zou laten gebeuren. Als hij hun gevoelens zou kunnen omzetten in vriendschap, dan zou er voor beiden geen risico of gevaar zijn. Maar hij wist dat hij haar niet wilde verliezen, wat er ook gebeurde. Deze keer wilde hij met haar in contact blijven.

'Je hebt mijn vaders visitekaartje met ons huisadres. Zodra ik het weet, stuur ik je mijn adres in Radcliffe.'

'Ja, schrijf het me zodra je het weet.' Dat betekende dat hij iets van haar zou horen zodra hij terug was in Californië, en dat was net wat hij wilde. Hij had haar nog niet eens verlaten en nu al smachtte hij naar nieuw contact met haar. Het was een situatie die hem angst aanjoeg, maar die onontkoombaar was. Hij werd tot haar aangetrokken als tot een licht in de duisternis, als tot een warm plekje waar hij bij in de buurt wilde zijn. 'Wel thuis,' zei ze, terwijl ze een fractie van een seconde aarzelde toen hun ogen elkaar ontmoetten en vasthielden. Ze spraken boekdelen, en zo had Joe het gewild. Hij kon toch nooit de juiste woorden vinden.

Een paar minuten later wandelde ze door de duinen om zich naar haar ouders te begeven. Ze hield stil op een duintop en zwaaide naar hem. Hij zwaaide terug. Toen zag hij haar uit het gezicht verdwijnen. Bij de laatste glimp die zij van hem opving, stond hij rechtop met zijn ogen op haar gericht en een ernstige uitdrukking op zijn gelaat. En nadat ze vertrokken was, wandelde hij langzaam langs het strand. Opnieuw alleen.

3

Kates eerste weken op de universiteit waren enerve-
rend. Ze moest boeken kopen en colleges bezoeken. Ze ontmoette haar professoren. Met haar mentor plande ze haar studie-
rooster in. En er was een huis vol meisjes die ze moest leren kennen. Het was wel even omschakelen, maar al vrij snel wist ze dat
ze het heerlijk vond. Tot haar moeders grote ontzetting nam ze
zelfs niet de moeite om de weekends naar huis te gaan. Maar ze
deed tenminste haar best om haar ouders zo af en toe te bellen.
Toen ze Joe ten slotte schreef, zat ze al drie weken op de universiteit. Het was niet uit tijdgebrek dat ze niet eerder had geschreven, maar ze had willen wachten tot ze een aantal interessante nieuwtjes voor hem had. En tegen de tijd dat ze achter
haar bureau zat – het was een zondagmiddag geweest – had ze
verhalen genoeg over haar studie-ervaringen. Ze vertelde hem
over de andere meisjes, over haar professoren, de colleges en
het eten. Ze was nog nooit zo gelukkig in haar leven geweest
als hier op Radcliffe. Voor het eerst had ze de geneugten van
de vrijheid mogen smaken, en ze genoot ervan.
Ze vertelde hem niet over de studenten van Harvard die ze de
vorige week ontmoet had. Dat leek haar misplaatst. Ze vond
het niet iets om met hem te delen. Een van hen vond ze erg leuk,
Andy Scott: een derdejaars. Maar hij verbleekte bij Joe, Joe die
haar maatstaf voor mannelijke perfectie geworden was. Niemand was zo lang en zo knap als hij. Niemand zo sterk, zo interessant, zo compleet of zo opwindend. Hij doorstond iedere
vergelijking met glans. Andy vergelijken met Joe Allbright was
als het vergelijken van water met wijn. Maar hij was ontzettend leuk om mee om te gaan, en hij was captain van de zwem-
ploeg van Harvard, wat indruk maakte op de andere vrouwe-
lijke eerstejaars.

In plaats daarvan vertelde ze Joe wat haar zoal bezighield en hoe gelukkig ze zich voelde op Radcliffe. De brief die hij van haar ontving was opgetogen, enthousiast en sprankelend van toon. Al die eigenschappen die hij het meest in haar waardeerde. Dadelijk nadat hij haar brief ontvangen had, ging hij er eens goed voor zitten en schreef haar terug. Hij vertelde haar over zijn nieuwste ontwerpen en hoe hij een tot voor kort onoplosbaar probleem overwonnen had. Ook schreef hij over zijn allerlaatste testvluchten. Hij verzweeg echter dat er de vorige dag een jonge piloot om het leven gekomen was bij een testvlucht boven Nevada. Volgens het rooster had hijzelf zullen vliegen, maar hij had een ander aangewezen, om zelf een vergadering te kunnen bijwonen. Joe had diens vrouw moeten bellen. Hij was er nog steeds ondersteboven van. Maar hij wist zijn brief lichtvoetig te houden en vulde hem met alle nieuwtjes en spannende gebeurtenissen die hij kon verzamelen. Toen hij hem af had, was hij teleurgesteld in zichzelf. Zijn brief leek zo saai naast de hare. Zij had een veel vlottere pen. Desondanks verzond hij zijn brief, en hij vroeg zich af hoelang het zou duren voor ze antwoordde.

Ze ontving zijn brief precies tien dagen nadat ze die van haar gestuurd had en besteedde het weekend om hem te beantwoorden. Ze zegde een afspraakje met Andy Scott af, zodat ze thuis kon blijven om Joe een lange brief vol met nieuwtjes te schrijven. Al haar huisgenoten verklaarden haar voor gek. Maar haar hart werd al bezet door de vlieger uit Californië. Ze vertelde hun niet wie hij was. Veel liet ze niet over hem los, alleen dat hij een vriend was. En ze vertelde Andy dat ze hoofdpijn had. Niets in haar brief toonde dat ze iets anders voelde dan vriendschap voor hem. Ze gaf zichzelf niet bloot. Ze schilderde in goedgekozen bewoordingen een aantal vermakelijke portretjes voor hem. Hij zat achter zijn bureau te bulderen van het lachen toen hij haar brief las. Haar beschrijving van het studentenleven was kostelijk. Ze bezat de gave om de uitbundigste kanten van praktisch elke situatie te zien en te beschrijven. En natuurlijk vond hij het fantastisch om weer wat van haar te horen.

Het hele najaar door schreven ze elkaar brieven, waarvan de

toon ernstiger werd naarmate de toestand in oorlogvoerend Europa verslechterde. Ze wisselden meningen uit en lieten hun bezorgdheid blijken. Kate respecteerde zijn visie op de situatie. Hij geloofde nog steeds dat Amerika op elk moment in oorlog kon raken, en hij dacht erover om weer naar Engeland te gaan om de RAF van advies te dienen. Hij zei dat Charles naar Washington vertrokken was voor een ontmoeting met Henry Ford, die zijn standpunt over de oorlog deelde. Vervolgens probeerde hij haar net zo te vermaken als zij hem. Er ging nu geen dag meer voorbij zonder dat hij reikhalzend uitkeek naar een brief van haar.

Twee maanden later, het was de dinsdag voor het weekend van Thanksgiving Day, kreeg ze een telefoontje in het huis op de campus waar ze woonde. Ze was van plan om de volgende dag naar haar ouders te gaan en waarschijnlijk wilde haar moeder weten hoe laat ze zou komen. Ze zouden wat gasten krijgen, dus het beloofde een druk weekend worden. De vorige dag had ze terloops met Andy koffie gedronken, en hij had haar verteld dat hij het weekend van Thanksgiving naar zijn ouders in New York ging. Vandaar zou hij haar nog bellen. Ze had de afgelopen twee maanden een paar keer met hem gegeten, maar er was niets uit voortgekomen. Ze was veel te geboeid door haar briefwisseling met Joe om geïnteresseerd te zijn in een derdejaars. Een opwindender man dan Joe had ze nooit ontmoet.

'Met Kate,' zei ze, en ze verwachtte de stem van haar moeder te horen. Ze was stomverbaasd toen het Joe bleek te zijn. De verbinding met Californië was verrassend goed. Het meisje dat had opgenomen, had wel met de telefoniste gesproken, maar niet de moeite genomen om Kate te zeggen dat het een interlokaal gesprek was, en geen telefoontje van haar moeder. Het was de eerste keer dat hij belde. 'Wat een verrassing!' riep ze, terwijl ze bloosde als een tomaat. Maar gelukkig kon hij dat niet zien. 'Een gelukkige Thanksgiving, Joe!'

'Jij ook, Kate. Hoe is het daar op de universiteit?' Hij zinspeelde op de een of andere hilarische gebeurtenis waarover ze hem had verteld en beiden moesten ze lachen. Toch was ze verbaasd te merken hoe nerveus dit gesprek met hem haar maakte. Door hun brieven waren ze, zonder het te willen, opener naar elkaar geworden én kwetsbaarder. En het gaf haar een apart gevoel nu met hem te praten.

'Alles is prima hier. Eigenlijk had ik mijn moeder verwacht. Ik ga morgen naar huis en blijf daar het hele weekend.' Ze had hem dat al geschreven en zei het meer om de stilte te doorbreken.

'Ik weet het.' Hij van zijn kant was net zo zenuwachtig als zij. Ondanks al zijn pogingen om een zelfverzekerde indruk te maken, had hij het gevoel weer een jochie te zijn. 'Ik bel je om te vragen of je zin hebt om samen te eten.' Zijn adem stokte terwijl hij op antwoord wachtte.

'Samen eten?' Het klonk alsof ze even de kluts kwijt was. 'Waar? Wanneer? Kom je van Californië hiernaar toe?' Ze was er buiten adem van.

'Nou, ik ben hier al. Dit reisje naar New York kwam op het laatste moment. Charles is in de stad en ik had hem nodig voor advies. We eten vanavond samen. Maar in het weekend heb ik tijd om je op te zoeken.' In werkelijkheid had hij nog wel even kunnen wachten op het advies van zijn mentor, maar hij had naar een excuus gezocht om naar het oosten te gaan, en dat vrij gemakkelijk gevonden. Hij had zichzelf voorgehouden dat het verder niets te betekenen had. Hij ging gewoon een vriendin opzoeken en als ze het te druk had, ging hij wel weer terug naar Californië. Toch had hij het haar niet van tevoren gevraagd, omdat hij dacht dat het meer gewicht in de schaal zou leggen wanneer hij belde als hij er eenmaal was. Het was een listige en doeltreffende zet geweest, maar eigenlijk had hij dit soort kunstgrepen helemaal niet nodig. Ze zou verrukt geweest zijn hem te zien. En toen ze antwoordde, probeerde ze haar stem zo kalm en ongedwongen mogelijk te laten klinken.

'Wanneer kom je? Ik verheug me erop je te zien.' Het was de stem van een vriendin, niet van een vrouw die hem aanbad. Beiden speelden hun rol goed, maar ze moesten er behoorlijk hun best voor doen. Dit was nieuw voor hem en ook voor haar. Zij had nog nooit meegemaakt dat een volwassen man werk van haar maakte, en hij had nooit eerder deze angstwekkend onbekende gevoelens voor iemand gehad.

'Wanneer je maar wilt,' zei hij. Het klonk spontaan en natuurlijk. Ze moest er even over nadenken. Ze was er niet zeker van of het wel verstandig was om af te spreken. Ze wist niet hoe haar moeder erover zou denken, maar ze bedacht dat haar vader het misschien wel leuk zou vinden. Ze besloot het risico te nemen.

'Zou je het leuk vinden om met ons Thanksgiving te vieren?' vroeg ze. Ze hield haar adem in. Aan de andere kant was een korte pauze. Hij leek net zo verrast als zij was geweest toen ze de telefoon had opgenomen.

'Weet je wel zeker of je ouders het goedvinden?' Hij wilde zich niet bij hen opdringen of ze tot last zijn. Maar hij had met niemand afgesproken met Thanksgiving, ook niet met de Lindberghs. Meestal bracht hij die dag in zijn eentje door.

'Voor honderd procent,' zei ze moedig, terwijl ze vurig hoopte dat haar moeder niet al te boos zou worden. Ze hadden evenwel nog andere gasten en ook al was Joe verlegen, hij zou een interessante aanwinst bij het diner zijn. 'Lukt het je?'

'Het lijkt me erg gezellig. Ik zou donderdagmorgen het vliegtuig kunnen nemen. Wanneer eten jullie warm?'

Ze wist dat de gasten om vijf uur 's middags zouden komen en dat het diner om zeven uur zou beginnen. 'De andere gasten komen om vijf uur, maar je kunt wel eerder komen als dat je beter schikt.' Ze wilde niet dat hij zich gedwongen zou voelen om de hele middag op het vliegveld rond te hangen in afwachting van het diner.

'Vijf uur lijkt me uitstekend,' zei hij rustig. Hij zou om zes uur 's morgens gekomen zijn als ze hem dat gezegd had. Hij wist niet precies waarom, maar hij verlangde ernaar haar te zien. Na jaren van emotionele eenzaamheid was hij doof, stom en blind ten opzichte van zijn eigen gevoelens. 'Is het erg officieel?' vroeg hij, opeens een beetje zenuwachtig. Hij wilde niet in pak verschijnen wanneer alle anderen een smoking droegen. En als hij er een nodig had, zou hij die van Charles moeten lenen, om hem na gebruik weer terug te sturen.

'Nee hoor, mijn vader draagt gewoonlijk een donker pak, maar hij is tamelijk conventioneel. Jij draagt maar wat je bij je hebt.'

'Fantastisch, dan trek ik mijn vliegpak aan.' Hij plaagde haar en ze lachte.

'Ik wil het graag zien,' zei ze. Ze meende het.

'Misschien zit er nog een kort vliegtochtje in voor jou en jouw vader dit weekend.'

'Vertel het mijn moeder maar niet! Ze zal zich nog verslikken in haar kalkoen en je halverwege het diner wegsturen.'

'Ik zwijg als het graf. Zeg, ik zie je donderdag.' Hij klonk nu weer buitengewoon ontspannen. Ze namen afscheid en hingen op. Toen pas merkte ze dat haar handpalmen nat van het zweet waren. Ze moest haar moeder nog bellen om te zeggen dat hij kwam eten.

De volgende middag nadat ze thuisgekomen was, bracht ze het onderwerp uiterst behoedzaam ter sprake. Ze trof haar moeder in de keuken, terwijl ze bezig was het Chinese porselein te inspecteren. Elizabeth was vermaard om haar tafelschikkingen en verfijnde bloemsierkunst. En ze werd in haar bezigheden gestoord door Kate, die meteen de keuken in liep om de stemming van haar moeder te peilen.

'Dag, mamma. Kan ik je ergens bij helpen?' Haar moeder keek over haar schouder, met stomheid geslagen. Kate was altijd de eerste om zich te drukken als ze dacht dat haar moeder haar nodig had in de keuken. Ze zei steeds dat huishoudelijke karweitjes haar verveelden en dat ze zo vernederend waren.

'Hebben ze je van de universiteit gestuurd?' zei haar moeder met een geamuseerde blik. 'Als jij me aanbiedt me te helpen bij het tellen van mijn porselein, moet je wel iets heel vreselijks gedaan hebben. Biecht maar op!'

'Zou het niet zo kunnen zijn dat ik volwassener ben nu ik naar de universiteit ga?' Kate zei het met een hooghartige uitdrukking op haar gezicht en haar moeder deed of ze er even over na moest denken.

'Dat is mogelijk, maar niet erg waarschijnlijk, Kate. Je zit daar nog maar drie maanden. Ik denk dat volwassenheid begint te komen in je derde jaar en dat je daar pas echt van kan spreken als je in je laatste jaar zit.'

'Leuk hoor. Ben je me soms aan het vertellen dat ik na mijn afstuderen pas echt Chinees porselein wil tellen?'

'Zeker weten. Vooral als je het voor je man doet,' zei haar moeder resoluut.

'Mamma... Nu goed dan, ik heb iets gedaan in wat volgens jou

62

de geest van Thanksgiving Day is.' Kate keek haar moeder aan. Ze leek de onschuld zelve.

'Heb je een kalkoen gekeeld?'

'Nee, ik heb een thuisloze kennis voor het diner gevraagd. Of eigenlijk niet thuisloos, maar zonder familie.' Wat ze zei, klonk redelijk.

'Dat is lief, schat. Een van de meisjes uit je studentenhuis?'

'Nee, een kennis uit Californië.' Ze draaide er nog wat omheen in een poging haar moeder milder te stemmen voordat ze het vertelde.

'Ze is welkom, dat spreekt vanzelf. Natuurlijk mag je haar uitnodigen. Achttien mensen komen er dineren, dus plek genoeg.'

'Fantastisch, dank je wel mam,' zei Kate zichtbaar opgelucht. Er was tenminste plaats. 'Het is trouwens geen meisje.' Kate wachtte in ademloze spanning.

'Een jongen?' Haar moeder scheen verbaasd.

'Je bent warm.'

'Van Harvard?' Dat deed haar moeder waarachtig plezier. Het idee dat Kate een afspraakje had met een student van Harvard, vond ze heerlijk. Het eerste, voor zover ze wist. En het collegejaar was nog maar drie maanden oud.

'Nee, niet van Harvard. Het is Joe Allbright.' Het kwam een beetje als een koude douche.

Een lange pauze volgde, waarin haar moeder haar met een blik vol vragen aankeek. 'Die piloot? Hoe dat zo?'

'Hij belde ineens, gisteren. Hij brengt een bezoek aan de Lindberghs en heeft niets te doen met Thanksgiving.'

'Is het niet een beetje merkwaardig dat hij nu juist jou belt?' Haar moeder keek wantrouwig.

'Misschien wel.' Ze vertelde haar niet over de brieven. Het was al moeilijk genoeg om uit te leggen waarom ze hem voor Thanksgiving had uitgenodigd. Zelf wist ze het ook niet precies, maar ze had het gedaan. Nu moest ze de een of andere plausibele verklaring zien te vinden.

'Krijg je wel vaker telefoontjes van hem?'

'Nee, nooit.' Ze kon het zeggen met de hand op haar hart. Haar moeder vroeg niet of hij haar weleens geschreven had. 'Ik denk dat hij gewoon pappa graag mag, en misschien is hij eenzaam.

Volgens mij heeft hij totaal geen familie meer. Ik weet echt niet waarom hij belde, mamma, maar toen hij zei dat hij geen plannen had voor Thanksgiving, had ik met hem te doen. Ik ging ervan uit dat jij en pappa het geen probleem zouden vinden. Het past een beetje bij Thanksgiving,' zei ze vrolijk en pakte een wortel uit de koelkast. Maar haar moeder liet zich niet compleet in de luren leggen. Ze kende Kate langer dan vandaag, hoewel ze haar dochter nog nooit zo gezien had. Op haar achtenvijftigste was ze nog niet helemaal vergeten hoe het voelde om door een oudere man het hof gemaakt te worden, of om dolverliefd op hem te worden. Toch was er in Joe Allbright iets wat haar zorgen baarde. Hij was zo teruggetrokken en afstandelijk, en tegelijkertijd zo gedreven. Hij behoorde tot het slag mannen die verpletterend konden zijn als ze al hun aandacht op je richtten. En ook al wist Kate het niet omdat ze er geen ervaring mee had, haar moeder wist het wel, en dat was nu precies waarom ze zo inzat over hem.

'Dat hij komt eten vind ik prima, maar ik zou er problemen mee hebben als hij achter je aan zat,' zei Elizabeth Jamison eerlijk. 'Hij is een stuk ouder en, als ik het goed zie, niet de juiste persoon voor je om verliefd op te worden.' Hoe kwam je erachter op wie je wel en op wie je niet verliefd moest worden? En hoe kon je het sturen? Maar Kate knikte enkel naar haar moeder.

'Ik ben niet verliefd op hem, mam. Hij komt hier gewoon kalkoen eten.'

'Soms gaat dat zo. Je bent eerst vrienden, en van het een komt het ander,' waarschuwde haar moeder.

'Hij woont helemaal in Californië,' zei Kate laconiek.

'Dat is een hele opluchting, kan ik je wel zeggen. Goed, ik zal het je vader vertellen. Het spijt me dat ik het zeg, maar hij zal het fantastisch vinden. Maar ik zweer het, als hij je vader aanbiedt om met hem in zo'n rotding de lucht in te gaan, stop ik rattenkruit in de vulling van zijn kalkoen. Zeg hem dat maar.'

'Bedankt, ma.' Ze keek met een stralend gezicht haar moeder aan en wandelde nonchalant de keuken uit.

'Ik dacht dat je me zou helpen!' riep haar moeder haar achterna, vlak voordat Kate de keukendeur sloot.

'Ik moet nog een referaat schrijven voor maandag. Ik kan er maar beter aan beginnen!' gilde ze terug, maar haar moeder liet zich niet voor de gek houden. De blik die ze in Kates ogen had gezien toen ze zei dat Joe ook mocht aanzitten aan het diner, had haar volkomen verbijsterd. Zelf had ze die blik ooit in haar ogen gehad toen een vriend van haar vader haar stiekem het hof gemaakt had en haar hart had gebroken. Haar ouders hadden het gelukkig ontdekt en waren tussenbeide gekomen voor er iets vreselijks kon gebeuren. En een paar weken later al ontmoette ze Kates vader. Maar nu was ze bezorgd om Kate en Joe Allbright. Later die avond, toen ze in bed lagen, sprak ze er in alle rust en openheid over met Clarke. Ze vertelde hem dat Joe aanwezig zou zijn op het Thanksgiving-diner, maar hij deelde haar angst niet.

'Hij komt alleen maar dineren, Elizabeth. Het is een interessante man. Veel te intelligent om achter een meisje van achttien aan te hollen. Het is een knappe vent. Hij kan iedere vrouw krijgen die hij hebben wil.'

'Volgens mij ben je een beetje naïef,' zei ze verstandig. 'Kate is een prachtige vrouw. Ik vermoed dat ze in de ban is van hem. Hij is een heel romantische verschijning. De helft van de vrouwen in dit land zou zich gelukkig prijzen als ze Charles Lindbergh konden inpalmen, en ik weet zeker dat sommigen van hen het ook geprobeerd hebben. Joe heeft hetzelfde soort aura en charme. Al die afstandelijkheid en het feit dat hij piloot is, maken hem tot een romantische figuur in de ogen van een jong meisje.'

'Ben je bang dat Kate iets in hem ziet?' Clarke was stomverbaasd. Zijn dochter had een goed stel hersens en haar moeder had daar blijkbaar geen vertrouwen in.

'Misschien. Maar hij zou ook weleens achter haar aan kunnen zitten. Daar maak ik me eigenlijk veel meer zorgen over. Waarom heeft hij naar de universiteit gebeld? Waarom niet naar jou, naar je kantoor?'

'Goed, goed, ik geef toe dat ze een stuk aantrekkelijker is dan ik. Maar Kate is een verstandig meisje en hij lijkt me een gentleman.'

'En als ze nou verliefd op elkaar worden?'

'Het kan beroerder. Hij is niet getrouwd, geniet aanzien en niet zo'n beetje ook, en heeft een baan. Toegegeven, het is geen bankier in Boston. Maar zoiets kan gebeuren, dat weet je. De kans dat ze een man ontmoet die geen dokter, advocaat of bankier is, zit erin. Ze zou een Aziaat of een Indiase prins kunnen tegenkomen op Harvard. Zelfs een Fransman of, erger nog, een Duitser. Ze zou aan de andere kant van de wereld terecht kunnen komen. Maar we moeten haar toch een keer loslaten. En als het Joe Allbright wordt, als hij haar gelukkig maakt en goed voor haar is dan heb ik daar vrede mee. Het is een goed mens, Elizabeth. Maar eerlijk gezegd denk ik niet dat het zal gebeuren.'

'En als hij omkomt bij een vliegtuigongeluk en haar als weduwe achterlaat met een huis vol kinderen, hoe moet dat dan?' zei Elizabeth paniekerig. Hij lachte.

'Wat als ze trouwt met een man die op de bank werkt en hij wordt overreden door een auto... of erger nog: wat als ze trouwt met eentje die haar slecht behandelt? Of als ze alleen maar trouwt om ons te plezieren? Ik heb liever dat ze met iemand trouwt die echt van haar houdt,' zei Clarke op rustige toon tegen zijn vrouw. Maar zij leek zelfs nog meer ontdaan.

'Denk je dat hij verliefd is op haar?' zei ze met een benepen stem.

'Nee, dat denk ik niet. Hij is vermoedelijk een eenzame kerel die met Thanksgiving nergens terechtkon, en Kate kennende heeft ze medelijden met hem gehad. Ik geloof dat geen van beiden verliefd is op de ander.'

'Dat zei Kate ook, dat ze met hem te doen had.'

'Zie je nu wel. Let op mijn woorden,' zei hij, terwijl hij een arm om haar heen sloeg. 'Jij maakt je zorgen om niks. Het is een goed meisje met een teder hart, net zoals haar moeder.' Elizabeth zuchtte. Ze probeerde zichzelf ervan te overtuigen dat Clarke gelijk had. Maar de volgende dag, toen Joe verscheen, zag Kate er niet uit alsof ze medelijden met hem had. Ze was vrolijk, zag er mooi uit en leek verrukt hem te zien. En Joe leek wel bedwelmd toen hij Kate volgde naar de eetkamer en naast haar ging zitten. En terwijl Clarke Joe onder het diner uithoorde en hem aanspoorde om over zijn vliegtuigen te praten, sloeg

Kate hem gade. Ze leek diep onder de indruk. Elizabeth keek allesbehalve gerustgesteld toen ze de blikken van verstandhouding en bewondering zag die ze uitwisselden. En ze had de stellige indruk dat ze elkaar beter kenden dan elk van hen wilde toegeven. Ze schenen zich erg op hun gemak te voelen in elkaars nabijheid, terwijl ze samen aan het kletsen waren.

De brieven hadden een ontspannen sfeer tussen hen geschapen die onmogelijk voor haar ouders verdoezeld kon worden, en Kate probeerde dat ook niet. Het was duidelijk dat Joe en zij vrienden waren, en evenzeer dat ze zich tot elkaar aangetrokken voelden. Toch moest ook Elizabeth bij zichzelf toegeven, dat hij intelligent, beleefd en charmant was, en dat hij Kate liefdevol en met respect behandelde. Maar er was iets in hem dat haar moeder beangstigde. Hij had iets kouds en ongenaakbaars over zich, iets wat grensde aan angst. Het was alsof iets of iemand hem op een bepaald moment in zijn leven gekwetst had, waardoor een deel van hem ernstig beschadigd was. In bepaalde opzichten was hij onbereikbaar, hoe vriendelijk hij ook was. Wanneer Joe over vliegen sprak, dan deed hij dat met zoveel passie, dat Elizabeth zich onwillekeurig afvroeg of er een vrouw te vinden was die daarmee kon wedijveren. Ze wilde wel geloven dat het een goede man was, maar dat betekende nog niet dat hij dat automatisch ook voor Kate was. Volgens Elizabeth had Joe niet de kwaliteiten van een goede echtgenoot. Zijn leven was vol gevaar en risico, en dat was niet wat ze wenste voor Kate. Ze wilde graag dat ze een gelukkig en comfortabel leven zou leiden met een man wiens enige gevaarlijke bezigheid het was om het huis te verlaten voor de ochtendkrant. Elizabeth had Kate haar hele leven lang beschermd tegen gevaren, onrecht, ziekte en pijn. Het enige waar ze haar niet tegen zou kunnen beschermen, vreesde ze nu, was een gebroken hart. Kate had al genoeg hartzeer gehad toen haar vader stierf. En Elizabeth wist dat als Kate en Joe verliefd op elkaar zouden worden, er geen enkele manier was om haar te beschermen. Hij was veel te aantrekkelijk en veel te opwindend. Zelfs zijn terughoudendheid oefende aantrekkingskracht uit. Je voelde je geroepen om je hand uit te steken om hem over de muur te helpen die hij rondom zichzelf opgericht had. En ze zag Kate dat doen tijdens het diner. Ze was voortdurend in de weer om hem op zijn gemak te stellen en om hem aan de praat te krijgen. Kate wilde het hem naar de zin maken, ervoor zorgen dat hij zich thuis voelde. Ze was zich er zelfs niet van bewust dat ze het deed. En terwijl Elizabeth hen gadesloeg, wist ze dat het kwaad al geschied was. Want eerder dan Kate het zelf wist, voelde haar moeder al aan dat ze verliefd op Joe was. Alleen wist Elizabeth niet zeker wat hij voor haar voelde. Hij voelde zich beslist tot haar aangetrokken. Het was een soort van magnetische kracht die hij met moeite kon weerstaan. Maar wat daarachter lag wist niemand en, in dit stadium, zelfs Joe niet. Elizabeth was er zeker van dat hij pogingen deed om zijn gevoelens voor Kate, van welke aard ook, de kop in te drukken en dat hij daar niet in slaagde.

Toen ze van tafel opstonden, sloeg haar man zijn arm om haar schouder. 'Zie je wel, Liz, het zijn gewoon vrienden, ik zei het toch,' fluisterde hij haar geruststellend toe. Het was duidelijk dat ze niet hetzelfde zagen.

'Waarom denk je dat?' vroeg ze bedroefd.

'Kijk maar. Ze praten als oude vrienden. Hij behandelt haar bijna voortdurend als een kind. Hij plaagt haar alsof het zijn kleine zusje is.'

'Ik denk dat ze verliefd zijn op elkaar,' zei ze. Ze hadden zich even afgezonderd van de anderen. Het was een leuk groepje vrienden dat ze te dineren hadden, en Joe was een waardevolle aanwinst. Het waren dan ook niet zijn tafelgesprekken die haar verontrustten, maar zijn bedoelingen met Kate.

'Schatje toch, je bent ongeneeslijk romantisch,' zei Clarke en hij kuste haar.

'Nee, dat ben ik niet, jammer genoeg,' zei ze bedachtzaam. 'Ik denk dat ik een beetje cynisch ben of misschien gewoon een realist. Hij zou haar veel pijn kunnen doen. Ik wil niet dat haar dat overkomt. Ik wil niet dat hij haar pijn doet.'

'Maar ik toch ook niet! Joe doet zoiets niet. Hij is een gentleman.'

'Dat weet ik nog zo net niet. Hij is en blijft een man. En een heel romantische natuur. Ik vermoed dat hij in elk opzicht net zo geboeid is door haar als zij door hem, maar iets in hem lijkt beschadigd. Hij praat niet graag over zijn familie. Zijn ouders stierven toen hij nog een baby was. God alleen weet wat er met hem als kind is gebeurd en wat voor trauma's hij met zich meedraagt. En waarom is hij nog niet getrouwd?' Het was niet gek dat ouders zich deze vragen stelden, maar Clarke vond nog steeds dat ze zich te veel zorgen maakte.

'Hij heeft het druk gehad,' probeerde Clarke haar gerust te stellen, terwijl ze de eetkamer binnenwandelden om zich bij hun gasten te voegen. Kate en Joe zaten in een hoekje en waren in gesprek gewikkeld. En toen haar moeder naar hen keek, wist ze het. Er was geen twijfel over mogelijk. Ze hadden alleen maar oog voor elkaar en hij keek alsof hij voor haar zou willen sterven, en zij voor hem. Er was geen weg terug. Het enige dat Elizabeth nu nog kon doen, was bidden.

4

De vrijdag na Thanksgiving had Joe Kate van huis opgehaald en de middag met haar doorgebracht. Ze hadden een wandeling gemaakt in de Boston Garden. Daarna hadden ze thee gedronken in de Ritz. Kate had hem de hele tijd vermaakt, eerst met verhalen over hun reis naar Singapore en Hongkong, daarna met haar avonturen in Europa. Geen van de mensen die weleens met hem hadden gevlogen, zou hem herkend hebben. Hij was spraakzamer met haar dan hij ooit in zijn leven geweest was. De hele middag hadden ze groot plezier.

Die avond nam hij haar mee uit eten. Daarna gingen ze naar de film. Ze draaiden *Citizen Kane*. Beiden vonden hem geweldig. Het liep tegen middernacht toen hij haar thuisbracht. Toen ze hem goedenacht wenste, liep ze al een tijdje te gapen.

'Ik vond het heel gezellig.' Ze keek naar hem op en glimlachte. Hij, blik omlaag, keek haar blij aan.

'Ik ook, Kate.' Hij leek op het punt te staan nog iets tegen haar te zeggen, maar deed het niet. Even later ging ze naar binnen, en boven aan de trap liep ze haar moeder tegen het lijf. Die was net in de keuken geweest om iets te controleren.

'En, was het leuk?' vroeg Elizabeth haar, terwijl ze probeerde om niet bezorgd te lijken. Ze wilde haar vragen wat Joe gezegd en gedaan had. Of hij haar gekust had. Of dat hij iets gedaan had wat hij niet had moeten doen. Maar ze volgde het advies van haar man op en oefende geen druk op Kate uit.

'Het was echt fantastisch, mam,' zei Kate. Ze zag er voldaan uit. Nooit had ze gedacht dat het zo plezierig met iemand kon zijn. Het was nauwelijks te geloven dat dit nog maar de vierde keer was dat ze hem zag. De briefwisseling van de afgelopen drie maanden had hen oneindig veel nader tot elkaar gebracht. Het was net alsof ze oude vrienden waren. Ze voelde geen leeftijdsverschil. Af en toe leek hij meer op een kind dan op een volwassene.

'Zie je hem morgen weer?' Kate had kunnen liegen tegen haar, maar dat wilde ze niet. Ze knikte. 'Zeg, hij wil toch zeker niet met je gaan vliegen?'

'Natuurlijk niet,' zei Kate. Hij had het er die dag geen moment over gehad. En zondag ging hij terug naar Californië.

Daarna wenste haar moeder haar goedenacht. In gedachten verzonken liep Kate terug naar haar eigen kamer. Er was veel om over na te denken. Het belangrijkste was om erachter te komen wat ze voor Joe voelde. Of misschien was dat wel helemaal niet zo belangrijk. Niets had hij tegen haar gezegd wat erop wees dat er ook andere gevoelens dan vriendschappelijke in het spel waren. Een niet mis te verstane zinspeling op de liefde was er niet geweest. Er was alleen die aantrekkingskracht die ze ten opzichte van elkaar voelden. Zij voelde zich tot hem aangetrokken als door een magneet. Maar het enige dat hij wilde was vriendschap. Daarvan was ze overtuigd.

De volgende morgen, toen Kate op weg was naar de keuken om wat te eten te halen, hoorde ze de telefoon rinkelen in de hal. Het was nog vroeg, haar ouders sliepen nog, en het was een prachtige herfstdag. De klok van acht had nog maar net geslagen. Ze had er geen idee van wie er op dat uur kon bellen. Ze nam de telefoon op. Tot haar verrassing bleek het Joe te zijn.

'Heb ik je wakker gemaakt?' vroeg hij. Hij klonk bezorgd en een tikkeltje verlegen. Hij was een beetje bang geweest dat haar moeder zou opnemen en voelde zich opgelucht nu het Kate was.

'Nee hoor, ik was al op. Ik wilde juist wat gaan eten,' zei ze.

Ze stond in de hal in haar peignoir. Ze waren van plan die dag samen te lunchen, en ze nam aan dat hij belde om haar te zeggen hoe laat hij langs zou komen. Maar het was wel erg vroeg om te bellen. Ze was blij dat zij het was die de telefoon had opgenomen. Haar moeder zou een beetje nijdig geweest zijn.

'Vind je het geen prachtige dag?' vroeg hij. Het was alsof hij iets anders op zijn lever had. 'Ik... ik heb een verrassing voor je... Het is iets waarvan ik denk dat je het erg leuk vindt... Tenminste, dat hoop ik.' Hij klonk als een jongetje dat net een nieuwe fiets gekregen heeft. Ze glimlachte. Ondertussen sprak hij verder.

'Heb je de verrassing bij je als je straks komt?' Ze had er geen idee van wat het was, maar uit zijn mond klonk het opwindend.

Hij aarzelde even voor hij antwoordde. 'Ik dacht dat ik jou maar naar de verrassing moest brengen. Het omgekeerde gaat niet zo makkelijk. Als je het goed vindt tenminste, Kate.' Het enige dat hij wilde, was dat ze ja zou zeggen. Het betekende alles voor hem. Het was het geschenk dat hij haar het liefst wilde geven. Het allermooiste wat hij had, en ook het enige. Haar vader zou het misschien geraden hebben, maar Kate wist van niets.

'Het klinkt heel interessant,' zei Kate met een brede glimlach, terwijl ze haar hand door haar donkerrode haren liet gaan. 'Wanneer kan ik hem zien?' De gedachte kwam in haar op dat het weleens een nieuwe auto zou kunnen zijn. Maar eigenlijk had het voor hem geen zin om in het oosten een auto te kopen zolang hij nog in Californië woonde. Toch kon ze in zijn stem die bepaalde emotie horen doortrillen die mannen gewoonlijk bewaren voor machines en bijzondere auto's.

'Zullen we afspreken dat ik je over een uur ophaal?' vroeg hij in ademloze spanning. 'Lukt dat?'

'Vast wel.' Ze wist niet of haar ouders dan al wakker zouden zijn, maar ze kon altijd een briefje achterlaten met de mededeling dat ze wat eerder weggegaan was dan aanvankelijk de bedoeling was. Haar moeder wist al dat ze met Joe zou lunchen. 'Ik haal je om negen uur op,' zei hij haastig, 'en vergeet niet iets warms aan te trekken.' Ze vroeg zich af of ze soms ergens gingen wandelen, maar wat het ook was, ze beloofde hem dat ze een warme jas zou aandoen.

Toen Joe een uur later langskwam in een taxi om haar af te halen, stond ze buiten al te wachten. Ze had een duffelse jas aan, een gehaakt mutsje op en haar college-sjaal om.

'Je ziet er leuk uit,' zei hij glimlachend. Ze droeg instappers en wollen sokken, en een geruite rok en kasjmieren trui, die ze al jaren had. En natuurlijk een parelkettinkje. Het was het soort kleding dat ze dagelijks aan had op college. 'Is dat wel warm

genoeg?' vroeg hij bezorgd. Kate knikte en moest lachen. Ze vroeg zich plotseling af of ze zouden gaan schaatsen. En daarop hoorde ze hem tegen de taxichauffeur zeggen dat hij hen naar een buitenwijk aan de rand van de stad moest rijden.
'Wat is daar te doen?' vroeg Kate verbaasd.
'Wacht maar.' En toen, als bij ingeving, wist ze het. Het was zelfs niet bij haar opgekomen dat hij haar zou meenemen om zijn vliegtuig te zien.
Ze vroeg niets. Onderweg praatten ze over koetjes en kalfjes. Hij vertelde haar hoe hij de afgelopen twee dagen genoten had, en dat hij nu iets bijzonders voor haar wilde doen. Ze wist dat voor hem het allerbeste wat hij kon bedenken het laten zien van zijn vliegtuig was. Ze had uit zijn brieven al begrepen dat hij er erg trots op was. Hij had het zelf ontworpen en Charles Lindbergh had hem bij het bouwen geholpen. Ze vond het alleen jammer dat ze haar vader niet meegenomen hadden. Ook haar moeder kon toch geen bezwaar maken als ze alleen maar naar een vliegtuig gingen kijken? Even later arriveerden ze op Hanscom Field, een klein particulier vliegveld, net buiten Boston. Er stonden verscheidene kleine hangars en er lag een lange, smalle landingsbaan. Een kleine rode Lockheed Vega was bezig met landen toen ze uit de taxi stapten.
Joe betaalde de chauffeur, pakte Kates hand en trok haar snel mee naar de dichtstbijzijnde hangar, opgewonden als een kind dat de kerstcadeautjes gaat uitpakken. Hij leidde haar binnen door een zijdeur. Ze stond paf toen ze het sierlijke kleine vliegtuig zag. Joe liet liefdevol zijn hand over de romp glijden en opende glunderend de deur om haar de cockpit te laten zien.
'Joe, wat een schitterend vliegtuig.' Kate wist niets van vliegtuigen. Ze had alleen wat ervaring met de commerciële luchtvaart door de reizen die ze met haar ouders gemaakt had. Maar voor het eerst was ze ontroerd, alleen al door het kijken naar het vliegtuig. En omdat Joe het ontworpen had, natuurlijk. Het was een prachtmachine.
Hij hielp haar de cockpit in. Een halfuur lang was hij in de weer om haar alles te laten zien en haar te vertellen hoe alles werkte. Hij had nog nooit een nieuweling ingewijd en hij stond verbaasd over haar snelheid van begrip en haar enthousiasme. Ze

73

luisterde aandachtig naar ieder woord en ze onthield bijna alles wat hij zei. Ze verwarde alleen twee wijzers, maar dat was een vergissing die veel beginnende jonge piloten maakten. Als hij met haar praatte, leek het wel of er overal om hem heen deuren en ramen opengingen. Hij kon haar inkijkjes geven in een wereld waar ze zelfs niet van gedroomd had. Dit samen te delen was voor hem zelfs nog opwindender dan voor haar. Hij genoot er enorm van. En hij vond het hartverwarmend om te zien hoe ze met een geconcentreerde blik in haar ogen ieder woord en het allerkleinste detail in zich opzoog.

Een uur later vroeg hij of ze zin had om wat met hem te vliegen, alleen maar om te weten hoe het voelde als het vliegtuig los van de grond was. Hij was het eigenlijk niet van plan geweest, maar gezien haar nieuwe en intense belangstelling was het veel te verlokkelijk, en Kate hapte toe.

'Nu meteen?' Ze keek verbaasd en was net zo opgewonden als hij. Dit was echt het beste geschenk dat hij haar kon geven. Simpelweg zij tweeën en dit kleine vliegtuig, ze vond het heerlijk. Hoe kalm en, nu en dan, onbeholpen hij zich ook op de grond gedroeg, wanneer Joe ergens in de buurt van een vliegtuig kwam, was het alsof hij zelf vleugels kreeg. 'Ik zou het fijn vinden, Joe... maar kan het?' Joe ging weg om iemand te vertellen wat ze van plan waren, en een minuut later kwam hij vrolijk en breed glimlachend terug. Alle waarschuwingen en geboden van haar moeder had ze ter plekke vergeten.

Technisch gezien was het een klein vliegtuig, maar het had toch nog een behoorlijke grootte en dankzij enkele aanpassingen die hij met behulp van Lindbergh aangebracht had, was het mogelijk om een aanzienlijke afstand af te leggen. Hij startte soepeltjes de motor en ze rolden langzaam uit de wijd openstaande deur van de hangar.

Even later taxieden ze over de startbaan, maar niet voordat Joe de gebruikelijke controles had uitgevoerd en haar had uitgelegd wat hij aan het doen was. Hij was slechts van plan haar mee te nemen voor een korte vlucht, zodat ze zou kunnen ervaren wat het was om te vliegen. Terwijl ze loskwamen van de grond, schoot hem plotseling een vraag te binnen die hij vergeten was te stellen.

'Kate, je wordt toch niet luchtziek?' Ze lachte en schudde van nee, en dat verbaasde hem niet. Hij had ook niet gedacht dat ze een type was om luchtziek te worden. Hij was er blij om. Het zou alles bedorven hebben als dat wel het geval was.

'Daar heb ik geen aanleg voor. Ben je soms van plan om op zijn kop te vliegen?' Ze keek hoopvol, en hij lachte naar haar. Nooit had hij zich zo dicht bij haar gevoeld als op dit moment, nu ze samen vlogen. Het was net een droom.

De eerste paar minuten kletsten ze gezellig door het geluid van de motor heen, maar gaandeweg ging hun gesprek over in een ontspannen stilzwijgen. Vol ontzag keek ze om zich heen. En toen naar Joe. Zwijgend sloeg ze hem gade. Hij beantwoordde geheel aan het beeld dat ze altijd van hem had gehad. Hij was zelfverzekerd, beheerst, sterk, vastberaden en zeer bekwaam. Hij had de volledige controle over het door hem gebouwde vliegtuig en was heer en meester over de ruimte rondom hem. Nooit in haar hele leven had ze iemand gekend die zo'n krachtige, welhaast magische indruk op haar maakte. Het was alsof hij als piloot geboren was, en ze was er zeker van dat er niemand op aarde was die het beter zou kunnen, zelfs Charles Lindbergh niet. Had ze zich al aangetrokken gevoeld tot Joe, vanaf het eerste ogenblik dat ze hem zag vliegen werd hij onweerstaanbaar. Ze zou zichzelf geweld aan moeten doen om dit niet te voelen. Alles waar ze ooit van gedroomd had, alles wat ze ooit bewonderd had, was in hem samengebald. Hij verpersoonlijkte alles wat haar moeder minder geschikt voor haar vond. Gezag, kracht, vrijheid en vreugde. Het leek of hijzelf een fiere vogel was die behoedzaam zijn weg zocht boven het land onder hem, en het enige dat ze verlangde toen ze een uur later landden, was om nog een keer met hem te vliegen. Nog nooit in haar hele leven was ze zo gelukkig geweest, of had ze zoveel plezier gehad. Nog nooit had ze iemand zo graag gemogen als Joe. Het was of het lot het gewild had dat ze precies dit tijdsmoment met elkaar doorbrachten, en het schiep terstond een band tussen hen.

'Mijn god, Joe, wat fantastisch... dank je wel,' zei ze, terwijl hij het vliegtuig tot stilstand bracht en de motor uitzette. Vliegen kon hij het beste, hij was ervoor gemaakt. En hij had haar deelgenoot gemaakt. Voor beiden had het veel weg van een diepe religieuze ervaring. Hij keek haar rustig aan en een tijdlang zei hij niets. Hij kon zijn ogen niet van haar afhouden.

'Ik ben zo blij dat je het leuk vond, Kate,' zei hij kalm. Hij wist dat hij teleurgesteld geweest zou zijn als dat niet zo was. Maar ze had het fijn gevonden. Hij wist dat welke obstakels er ook tussen hen gestaan hadden, ze nu opgeruimd waren. Nooit eerder in zijn leven had hij zich zo dicht bij een ander menselijk wezen gevoeld.

'Niet alleen leuk, Joe. Ik vond het zalig.' Ze zei het bijna plechtig: daar in de lucht had ze zich niet alleen dichter bij Joe gevoeld, maar ook bij God.

'Ik hoopte ook dat je het fijn zou vinden,' zei hij teder. 'Heb je misschien zin om te leren vliegen?'

'Nou en of, geweldig!' zei ze met helder fonkelende ogen die tintelden terwijl ze hem aankeek. Haar liefste wens was om weer met hem de lucht in te gaan. 'Ik weet niet hoe ik je moet bedanken.' Toen schoot haar iets te binnen. 'Wat je ook doet, vertel het mijn moeder niet. Ze vermoordt me, of jou. Of, wat waarschijnlijker is, ons allebei. Ik had haar beloofd het niet te doen.' Desondanks was ze niet in staat geweest zichzelf ervan te weerhouden, had dat ook niet gewild. Het was een heftige, emotionele ervaring voor haar geweest, en dat gold niet alleen het vliegen, maar meer nog het feit dat ze hem in zijn natuurlijke omgeving gezien had. Op dat moment had ze geweten dat ze nooit een opwindender man zou ontmoeten. Er was niemand in de wereld zoals hij. Alleen zijn vaardigheid al onderscheidde hem van alle anderen en de stijl waarmee hij het deed, maakte hem nog aantrekkelijker voor haar. Wat ze daarnet had gezien, was precies datgene waardoor Charles Lindbergh zo geïmponeerd was toen hij Joe ontmoette, die toen nog praktisch een jongen was. Vliegen vormde zijn diepste wezen. Hij was een zeldzaamheid en helemaal zoals ze vermoed had dat hij zou zijn. Beiden hadden een grandioze ochtend gehad. Nadat hij de motor afgezet had, wendde Joe zich tot Kate. Trots keek hij haar aan.

'Kate, je bent een fantastische copiloot,' prees hij haar. Ze had precies geweten wat te vragen en wat te zeggen, en ook wanneer ze stil moest zijn om samen met hem de pure vreugde en schoonheid van het uitspansel te beleven. 'Binnenkort zal ik je, wanneer we wat tijd hebben, leren vliegen.' Kate zag er niet tegenop: het vliegen zag er zo gemakkelijk uit als hij het deed, met zijn aangeboren gevoel ervoor, en bovendien was hij in staat om de basisbeginselen uit te leggen op een manier die Kate begreep. Joe van zijn kant was onder de indruk van haar natuurlijke aanleg voor het vliegen.

'Ik wilde dat we hier de hele dag konden blijven,' zei ze weemoedig, terwijl hij haar uit het vliegtuig hielp.

Joe keek blij. 'Ik ook. Maar je moeder zou me een kopje kleiner maken alleen al bij de gedachte dat ik een uur met je gevlogen had, Kate. Het is veiliger dan autorijden, maar ik betwijfel of ze het daar mee eens zou zijn.' Beiden wisten dat dat niet het geval was.

Ze reden in harmonieuze stemming terug naar de stad om in het Union Oyster House de lunch te gebruiken. Zodra ze in het oesterrestaurant zaten, had Kate het alleen nog maar over het vliegtochtje, zijn indrukwekkende kalmte en kundigheid, en hoe mooi het vliegtuig wel niet was. Het was *de* manier geweest om hem te leren kennen.

Ze waren nog niet in het restaurant of Joe maakte weer een stille en enigszins afstandelijke indruk. Hij leek echt op een vogel die het ene moment nog moeiteloos langs de hemel vliegt en het volgende moment onbeholpen waggelt op het land. Zodra hij uit zijn vliegtuig stapte, was het een andere man. Toch was het de geboren piloot en de geweldige vakman die ze vanaf het begin in hem had onderkend. Het was die kant van hem waartoe ze zich onherroepelijk aangetrokken voelde.

Maar toen ze zo zaten te lunchen en ze hem verhalen vertelde over Radcliffe, begon hij weer te ontdooien. Het lukte haar altijd om hem op zijn gemak te stellen, en hij voelde zich zelfs nóg prettiger in haar gezelschap nu ze hem gezien had in zijn eigen omgeving. Dit was wat hij haar al vanaf het begin had willen laten zien. Hij had nu het gevoel dat ze hem begreep. Dat ze niet alleen begreep hoeveel vliegen voor hem betekende, maar begreep wie hij was.

En terwijl ze hem aan de praat kreeg, ontspande hij en liet hij zijn defensieve houding varen. Het was een van de vele dingen die hij in haar waardeerde. Zelfs als hij vastzat, hielp ze hem om contact te maken en vrijuit te spreken, hoe verlegen hij ook was. Het was als het neerlaten van de ophaalbrug over een slotgracht. Zij vergemakkelijkte dat proces en hij was haar er dankbaar voor.

Er waren zó veel dingen die hij prettig vond in haar, dat het hem af en toe benauwde. Hij wist niet wat hij moest doen. Ze was veel te jong voor hem, en dan was er haar nadrukkelijk aanwezige familie. Ze had verstandige, waakzame ouders die erop toezagen dat haar niets overkwam en die niet van plan waren haar al te veel vrijheid te geven. Maar hij wilde haar niets afnemen. Hij wilde alleen maar in haar nabijheid zijn en zich koesteren in het licht en de warmte die ze uitstraalde. Soms voelde hij zich in haar nabijheid als een hagedis, die op een rots de zon in zich opzuigt. Door haar voelde hij zich gelukkig en warm, voelde hij zich op zijn gemak. Maar zelfs bij deze gevoelens had hij af en toe de gedachte dat hij op moest passen. Hij wilde zich niet kwetsbaar opstellen tegenover haar. Ze zou hem dan o zo gemakkelijk pijn kunnen doen. Joe hoefde het niet te analyseren, hij wist het gewoon in zijn hart. Hij zei tegen zichzelf dat het wellicht anders zou zijn als ze ouder was geweest. Maar dat was niet zo. Ze was een meisje van achttien en hij was dertig en dat bleef zo, met hoeveel plezier hij ook met haar gevlogen had. Toch, ondanks al zijn verzet en ondanks de muren die hij de afgelopen jaren om zich opgebouwd had, waren die zestig minuten daarboven in de lucht voor beiden betoverend geweest.

Hun laatste dag was voorbij voor ze er erg in hadden. Ze keerden voor een poosje terug naar haar huis en speelden kaart in de bibliotheek. Hij leerde haar blufpoker. Ze was er verbazend goed in en versloeg hem warempel twee keer. Ze was opgetogen, klapte in haar handen en schaterde als een kind. Die avond nam hij haar mee uit eten. Het was een fantastisch weekend geweest. Toen hij haar goedenacht wenste, had hij er geen idee van wanneer hij haar weer zou zien. Hij probeerde het zo te regelen dat hij met Kerstmis terug was in New York, maar hij en Charles Lindbergh waren nog volop in de weer met het ontwerp van een nieuwe vliegmachine. Joe wist dat hij nauwelijks beroep kon doen op Charles' tijd. Deze had het erg druk met zijn activiteiten voor de America First-beweging. Hij hield er spreekbeurten en verscheen op manifestaties. Joe zelf had ook een boel te doen. Hij betwijfelde of hij tijd had om naar Boston te gaan, de eerstkomende maanden tenminste. Hij schroomde haar te vragen om naar hem toe te komen. Dat leek hem wat al te voortvarend en hij dacht niet dat haar ouders het zouden goedkeuren.

Kate was stiller dan gewoonlijk toen hij afscheid van haar nam. Ze stonden op de bovenste treden van het bordes en voor de eerste keer in drie dagen leek hij weer pijnlijk verlegen met zichzelf.

'Pas goed op jezelf, Kate,' zei hij, terwijl hij niet naar haar, maar naar de punt van zijn schoenen staarde. Ze keek naar hem en glimlachte. Kate had hem bij zijn kin willen pakken om hem te dwingen haar aan te kijken, maar ze deed het niet. Ze wist dat als ze maar lang genoeg wachtte, hij haar vanzelf weer zou aankijken. En meteen daarop gebeurde dat ook.

'Bedankt voor het vliegen,' fluisterde ze. Het was een geheim dat ze voortaan deelden. 'En behouden thuiskomst. Hoelang doe je erover naar Californië?'

'Zo'n achttien uur, afhankelijk van het weer. Er waait nu een stevige storm in de Midwest, dus er bestaat een kans dat ik tamelijk ver zuidwaarts moet vliegen, over Texas. Ik bel je wel als ik weer thuis ben.'

'Dat is fijn,' zei ze zachtjes. In haar ogen stond heel wat te lezen. De nieuwe band bijvoorbeeld die tussen hen ontstaan was in zijn vliegtuig. Maar ook alles wat onuitgesproken was gebleven. De dingen waarvan ze zelfs niet wist of ze ze wel begreep. Nog steeds had ze er geen idee van of hij meer voor haar voelde dan de genegenheid die een broer voor zijn zus voelt – als hij al iets voelde. Ze was er vrijwel zeker van geweest dat de enige reden voor zijn komst naar Boston vriendschap was. Hij had op geen enkele manier aangegeven dat het anders zat. Ook nu niet. En toch was er altijd een onderstroom van iets diepers, iets mysterieuzers tussen hen. Soms leek hij bijna vaderlijk. Ze wist niet zeker of ze het zich verbeeldde, maar misschien was er iets anders, iets wat hun beiden vrees aanjoeg. 'Ik zal je schrijven,' beloofde zij en hij wist dat ze het zou doen. Hij vond het heerlijk om brieven van haar te krijgen. Het vernuft en de vaardigheid waarmee zij ze schreef, deden hem versteld staan. Het waren bijna verhaaltjes en doorgaans ontroerden ze hem of brachten ze hem aan het lachen.

'Ik zal zien of we elkaar tijdens de kerstdagen kunnen ontmoeten, maar Charles en ik hebben het knap druk,' zei Joe. Ondertussen bedacht zij hoe graag ze hem zou hebben gezegd dat ze wel naar hem toe wilde komen, maar ze durfde niet. Ze wist dat haar ouders hevig geschokt zouden zijn. Haar moeder maakte zich er al zorgen over dat ze met Thanksgiving zoveel tijd met hem had doorgebracht. Zelfs Joe had dat gemerkt. Hij wilde Kates ouders niet voor het hoofd stoten door het te forceren.

'Pas maar goed op jezelf, Joe. Zorg dat je geen brokken maakt.' Ze zei het op een toon die hem ontroerde door de onmiskenbare bezorgdheid die erin doorklonk. Ze zag er zo lief uit toen ze die woorden uitsprak.

'Jij ook, en zorg dat je niet van school gestuurd wordt,' plaagde hij. Ze moest lachen. Toen, terwijl hij haar een grappig klein tikje op haar schouder gaf, opende hij met haar sleutel de voordeur voor haar. Daarna rende hij snel de trap af en wuifde naar haar vanaf het trottoir. Het was alsof hij weg moest, voor hij iets deed waarvan hij wist dat hij het niet moest doen. Glimlachend liep ze door de voordeur naar binnen en deed die zachtjes achter zich dicht.

Het waren drie gedenkwaardige dagen geweest vol warmte, plezier en vriendschap. En dan was er het wonder van het vliegen met hem. Terwijl ze de trap op liep, zei ze tegen zichzelf dat ze blij was dat ze hem ontmoet had. Op een dag zou ze haar kinderen over hem vertellen. Maar het zouden vast niet zijn kinderen zijn. Hij had het te druk met zijn vliegtuigen, met vliegen, testvluchten en machines. In zijn leven was geen plaats voor een vrouw, althans niet veel, en zeker niet voor vrouw en kinderen. Zoiets had hij ook tegen haar gezegd op Cape Cod tegen het einde van de zomer, en hij had het herhaald tijdens het weekend. Sociaal contact was een offer dat hij bereid was te brengen ter wille van zijn passie voor vliegen en vliegtuigen. Hij beschikte niet over voldoende tijd voor wie dan ook, had hij meer dan eens gezegd. Ze begreep dat heel goed. Maar tegelijkertijd verzette een of ander diepgeworteld instinct zich ertegen. Iets diep in haar wilde het niet geloven. Hoe kon het dat hij zijn vliegtuigen verkoos boven de mogelijkheid om een gezin te stichten? Maar het was niet voor háár weggelegd om daarover met hem in discussie te gaan. Ze moest zich er maar bij neerleggen. Ze hield zichzelf voor dat alles wat ze voor hem voelde en alles wat ze dacht dat hij voor haar voelde, slechts een illusie was, een droom.

Die zondag, de dag waarop Kate weer terugging naar de universiteit, had haar moeder het niet met haar over hem. Ze had besloten om de raad van haar man op te volgen en af te wachten wat er zou gebeuren. Misschien had hij gelijk en zou Joe niet verder achter haar aan zitten. Misschien was er alleen maar sprake van een ongewone vriendschap tussen een volwassen man en een jong meisje. Ze hoopte het maar. Maar hoe ze ook haar best deed om te geloven wat Clarke had gezegd, overtuigd was ze niet.

Eenmaal terug in haar studentenhuis voelde Kate zich rusteloos. Waarom wist ze niet. De meisjes druppelden een voor een binnen, terug van weggeweest, en brachten verslag uit van wat ze gedaan hadden tijdens het Thanksgiving-weekend. Sommigen hadden hun vriend meegenomen naar huis, anderen waren naar de familie van hun vriend gegaan. Ze praatte wat met haar vriendinnen, maar vertelde geen van hen over het bezoek van Joe. Het was te gecompliceerd om uit te leggen. Iedereen zou geloofd hebben dat ze smoorverliefd op hem was. Ze wist van zichzelf dat ze het niet langer met overtuiging kon ontkennen. Het was Sally Tuttle die haar ten slotte vroeg naar de man van het telefoontje uit Californië.

'Studeert hij daar? Is het een vriendje van vroeger?' Ze was nieuwsgierig naar hem, maar Kate gaf zich niet bloot en ontweek haar blik.

'Nee, hij is gewoon een vriend. Hij heeft daar zijn werk.'

'Hij klonk aardig over de telefoon.' Het was het understatement van de eeuw. Het enige waartoe Kate in staat was, was knikken. 'Ik stel je wel aan hem voor, mocht hij naar Boston komen,' plaagde Kate haar. Vervolgens gingen allen zich voorbereiden op de colleges van de volgende dag. Een meisje dat het weekend bij familie in Connecticut had doorgebracht, keerde terug met de mededeling dat ze zich met Thanksgiving verloofd had. Het maakte alles wat Kate voelde en waarvan ze ontkende dat ze het voelde, nog vreemder. Ze was smoorverliefd op een twaalf jaar oudere man, die volhield nooit te willen trouwen. Hij had er zelfs geen idee van dat ze stapelgek op hem was. Het was werkelijk belachelijk. Die avond, tegen de tijd dat ze naar bed ging, was ze tot de slotsom gekomen dat ze ongelooflijk stom bezig was. Als ze niet oppaste, zou ze hem nog tot last worden. Ze zou zijn vriendschap totaal verspelen. Hij zou haar nooit meer meenemen op een vliegtochtje, en dat mocht niet gebeuren. Ze hoopte nog steeds dat hij haar op een dag zou leren vliegen.

Tot haar stomme verbazing belde Joe haar de volgende dag. Hij zei dat hij zojuist was geland op zijn thuishaven. Het was een barre vlucht geweest. Hij had drie keer moeten bijtanken en had twee sneeuwstormen getrotseerd. Hij had zelfs zijn toestel een tijdje aan de grond moeten houden vanwege hagel boven Waynoka, Oklahoma. Kate meende te horen dat hij uitgeput was. De tocht had hem tweeëntwintig uur gekost.

'Wat aardig dat je me belt,' zei ze met een verbaasde en verheugde uitdrukking op haar gezicht. Ze had niet verwacht iets van hem te horen en het verwarde haar een beetje, maar ze meende dat hij gewoon aardig wilde zijn. Zijn volgende woorden bevestigden dat. Hij klonk nonchalant en een beetje afstandelijk.

'Ik wilde niet dat je je ongerust maakte. Hoe gaat het op de universiteit?'

'Prima.' In feite voelde ze zich triest sinds zijn vertrek en dat nam ze zichzelf kwalijk. Er was geen reden voor haar om zich aan hem te hechten. Hij had haar niet aangemoedigd en geen pogingen gedaan om haar te verleiden. Toch miste ze hem op de een of andere manier, ook al wist ze dat ze dat niet moest doen. In haar ogen was het als smoorverliefd zijn op de gouverneur of de president, of op een of andere voorname persoon die voor haar toch altijd onbereikbaar zou zijn. Het enige verschil was dat zij en Joe vrienden waren en dat ze zo graag in zijn gezelschap was. Het was niet gemakkelijk om afstand te doen van de vreugde die het samenzijn haar bood. Bovendien had zij hem hoog boven in de lucht zien vliegen, een kant van hem die maar weinigen kenden. Hoezeer het ook hem diep ontroerd had, daarvan had ze geen idee.

'Ik hoop dat het snel kerstvakantie is.' Ze liet het klinken alsof haar opwinding werd veroorzaakt door de vakantie en niet door het feit dat hij weer naar het oosten zou komen om een tijdje met Charles Lindbergh te werken. Maar ze vond het een prettige gedachte dat hij dichterbij zou zijn. Ze vroeg zich af of haar ouders haar toestemming zouden geven om naar New York te gaan om hem te ontmoeten. Misschien als een van haar vriendinnen mee zou gaan? Maar ze begon er tegen Joe niet over. Instinctief voelde ze dat het hem benauwd zou hebben als ze het gedaan had.

'Ik bel over een paar dagen,' zei hij. Het klonk alsof hij aan het eind van zijn Latijn was. Hij verlangde hevig naar wat slaap na de barre tocht van tweeëntwintig uur dwars over het land.

'Is dat niet vreselijk kostbaar? Misschien moeten we ons tot brieven beperken.'

'Ik kan je af en toe bellen,' zei hij voorzichtig, 'tenzij je het liever niet hebt.' Het klonk alsof hij klaarstond om te vluchten. Hij was lang niet zo ontspannen als hij met haar geweest was gedurende het weekend. Zijn verlegenheid leek toe te nemen als hij belde. Het was een hele stap voor hem om haar te bellen.

'Nee, ik vind het leuk,' zei Kate snel. 'Ik wil gewoon niet dat je voor mij een sloot geld uitgeeft.'

'Maak je daar maar geen zorgen over.' Het was per slot van rekening goedkoper dan een dineetje. Hij had haar meegenomen naar enkele buitengewoon aardige gelegenheden, iets wat hij zelden of nooit deed. Eigenlijk nooit. Hij gebruikte iedere cent die hij verdiende om nieuwe machines en vliegtuigen te ontwikkelen. Maar hij had voor haar iets bijzonders willen doen. Ze verdiende het. En toen klonk het bedrukt aan de andere kant. 'Kate?' Ze wachtte, maar hij zei niets meer totdat ze antwoordde, alsof hij er zeker van wilde zijn dat ze er nog was voor hij zich blootgaf.

'Ja?' Ze voelde zich plotseling gespannen. Ze wist niet wat er zou komen, maar ze bespeurde iets breekbaars in hem.

'Blijf je me schrijven? Ik ben erg gesteld op je brieven.' Ze moest glimlachen. Ze wist niet of ze nou opluchting of teleurstelling voelde. Hij had zo ernstig geklonken toen hij haar naam noemde. Ze had zich even zorgen gemaakt. Het was alsof hij op het punt stond iets belangrijks te zeggen, en dat was het ook. Voor hem. Maar het was niet wat Kate had verwacht of waar ze op gehoopt had.

'Natuurlijk doe ik dat,' stelde ze hem gerust. 'Maar volgende week heb ik tentamens.'

'Ik ook.' Hij lachte. Voor de hele week stonden testvluchten gepland. Sommige zouden tamelijk gevaarlijk zijn, maar hij wilde ze zelf maken voordat hij uit Californië vertrok. Hij vertelde het haar maar niet. 'Ik heb het de komende paar weken behoorlijk druk, maar ik bel je zo gauw als ik tijd heb.' Even later hing hij op en ging Kate terug naar haar kamer om te studeren. Ze probeerde hem een beetje uit haar hoofd te zetten.

Het hele weekend lang had ze zich iets afgevraagd. Ze had er niets over gezegd tegen Joe, maar haar ouders waren bezig een groot feest voor haar te organiseren in de Copley Plaza ter gelegenheid van haar introductie in de grote wereld, vlak voor Kerstmis. Zij zou haar opwachting maken op het debutantenbal. Haar eigen feest zou schitterend worden, maar lang niet zo overdadig als dat waar ze Joe ontmoet had. Ze had het niet aangedurfd om het onderwerp nu al ter sprake te brengen, maar ze was van plan haar ouders te vragen of ze hem mocht uitnodigen. Ze was er niet zeker van dat hij kon komen, maar ze wilde het hem in ieder geval vragen. Ze hoopte dat hij zou kunnen. Ze wist dat ze veel meer plezier zou hebben als hij ook van de partij was. Haar moeder had echter zo zenuwachtig gedaan over Joe, dat Kate het niet wilde forceren. Er was nog tijd genoeg. Het zou nog drie weken duren voor het feest plaatsvond en Joe was nog steeds in Californië. Ze was ervan overtuigd dat hij nog wel een plaatsje vrij had in zijn agenda als hij terugkwam.

Het ging allemaal heel anders dan gedacht. Precies een week later, op een zondag tijdens lunchtijd, voerde ze met haar moeder een telefoongesprek over het bal en over de vragen die haar nog bezighielden, toen een van de meisjes uit haar huis huilend aan kwam rennen door de gang. Kate was er zeker van dat haar iets vreselijks overkomen was. Een of ander verschrikkelijk bericht van thuis. Misschien was een van haar ouders overleden. Ze mompelde iets onverstaanbaars, terwijl Kate nog steeds luisterde naar haar moeder. Elizabeth had een waslijst met vragen, variërend van taarten en hors-d'oeuvres tot de juiste afmetingen van de dansvloer. Kates japon was in oktober al klaar. Hij bestond uit een effen wit satijnen lijfje en een tulen rok. De japon stond haar geweldig. Over haar schouders droeg ze een sluier van witte tule, waardoorheen je het lijfje zag glanzen. Ze was van plan haar donkere kastanjebruine haar naar achteren te dragen in een elegant knotje, als een ballerina van Degas. Alleen de balletschoenen ontbreken nog, had de naaister gezegd terwijl ze met bewondering naar Kate keek. Haar hoofd zat nog vol jongemeisjesbesognes, toen het geluid van mensen die tegen elkaar schreeuwden tot haar doordrong. Een groep meisjes had net het huis verlaten om te gaan lunchen toen het onverklaarbare geschreeuw begon.

'Wat zei je, mam?' Kate vroeg haar om de vraag te herhalen. Ze kon er geen woord van verstaan, zoveel lawaai was er in het huis.

'Ik zei... goeie god... wat?... het is toch niet waar?... Clarke...' Ze hoorde dat haar moeder begon te huilen en wist niet wat er gebeurd was.

'Is er iets met pappa? Mam wat is er gebeurd?' Haar hart begon wild te kloppen. Toen, terwijl ze om zich heen keek, bemerkte ze plotseling dat een aantal meisjes in de hal ook aan het huilen was. En het greep ook haar naar de keel. Dit had weliswaar niets met haar vader te maken, maar er moest toch iets verschrikkelijks zijn gebeurd. 'Mam, wat gebeurt er toch allemaal? Weet jij het?'

'Je vader luisterde zoëven naar de radio.' Hij had in de keuken gestaan en haar vol ongeloof het ongelooflijke verteld. Een hele natie was in rouw gedompeld. 'Pearl Harbor is een halfuur geleden door de Japanners gebombardeerd. Ze hebben een heleboel schepen tot zinken gebracht en veel mensen gedood en verwond. Mijn god, het is verschrikkelijk!' Toen Kate door de hal naar de kamers keek, kon ze zien dat het hele huis in rep en roer was. Ze hoorde hoe op iedere kamer wel een radio aanstond, en er werd voortdurend gehuild. Heel veel meisjes beseften dat hun vaders en broers, verloofden en vriendjes plotseling gevaar liepen. Er was geen sprake van dat Amerika zich nog langer afzijdig kon houden. De Japanners hadden de oorlog bij hen thuis gebracht, en ondanks al zijn vroegere beloften zou president Roosevelt wel tot drastische maatregelen moeten overgaan. Kate beëindigde het telefoongesprek en haastte zich naar haar kamer om de reacties op het nieuws te peilen.

Ze zaten allemaal stil naar de radio te luisteren en de tranen stroomden over hun wangen. Een van de meisjes uit haar huis kwam van Hawaï en zij wist te vertellen dat er op een kamer een verdieping hoger twee Japanse meisjes woonden. Ze kon het zich niet eens voorstellen wat deze moesten doormaken, opgesloten in een vreemd land zover van huis.

Pas later op de avond belde ze haar moeder terug. Iedereen had toen de hele dag door naar de radio geluisterd. Het was onvoorstelbaar en toch zo aannemelijk dat op zeer korte termijn een groot deel van de Amerikaanse jongemannen zou worden uitgezonden om heel ver van huis deel te nemen aan de oorlog. En alleen God wist hoeveel van hen het zouden overleven.

Het enige waar de Jamisons aan konden denken toen ze het nieuws hoorden, was dat ze dankbaar waren dat ze geen zoon hadden. Overal in het land, van gehucht tot grote stad, werden jongemannen geconfronteerd met het feit dat ze hun familie moesten verlaten om hun land te verdedigen. Het was niet denkbeeldig dat de Japanners weer zouden aanvallen, en men maakte zich er ernstig zorgen over. Iedereen was er zeker van dat het volgende doelwit Californië zou zijn en daar heerste totale chaos.

Generaal-majoor Joseph Stilwell kwam snel in actie, en al het mogelijke werd gedaan om de steden aan de westkust te beschermen. Er werden schuilkelders gebouwd en medische voorzieningen getroffen. Er heerste een algehele toestand van ingehouden paniek. Zelfs in Boston waren de mensen bang. Kates ouders vroegen haar om thuis te komen en ze zei dat ze dat de volgende dag zou doen. Maar ze wilde de instructies van het universiteitsbestuur afwachten, en niet zonder meer vertrekken. Het bleek dat alle colleges werden afgelast. De meisjes werden naar huis gestuurd tot de kerstvakantie voorbij zou zijn. Iedereen verlangde er verschrikkelijk naar om terug te gaan naar huis en bij zijn of haar familie te zijn. Terwijl Kate de dag na de aanval haar spullen aan het pakken was, belde Joe. Het had hem uren gekost om erdoorheen te komen. Alle lijnen waren bezet. Ook de andere meisjes hadden naar huis gebeld. De Verenigde Staten hadden ondertussen Japan de oorlog verklaard. Japan had de oorlog verklaard aan de Verenigde Staten en Groot-Brittannië, Groot-Brittannië had op zijn beurt Japan de oorlog verklaard.

'Geen erg opwekkend nieuws, hè Kate?' zei Joe. Zo te horen bleef hij er verrassend kalm onder. Hij wilde haar niet meer van streek maken dan ze al was.

'Afschuwelijk. Wat is er aan de hand daarginds?' Hij zat zoveel dichter bij Hawaï.

'Iemand heeft het omschreven als ingehouden paniek. Niemand wil openlijk toegeven dat hij bang is, maar men is het en misschien heel terecht. Het is onvoorspelbaar wat de volgende stap van de Jappen zal zijn. Er gaan stemmen op om alle Japanners in de westelijke staten te interneren. Ik heb geen flauw idee wat voor gevolgen dat voor Californië zal hebben.' Ze leefden daar, hadden er hun huis en werk. Ze konden dat toch niet zomaar in de steek laten?

'En jij, Joe?' vroeg Kate. Ze klonk bezorgd. Hij was de afgelopen twee jaar al verscheidene malen in Engeland geweest om de RAF van advies te dienen. Het was niet moeilijk om te bedenken wat er zou gebeuren. Nu ook Amerika ging deelnemen aan de oorlog in Europa, zou men hem vrijwel zeker daarnaar toe sturen. En anders zou hij ingeschakeld worden bij de oorlog tegen Japan. Maar in beide gevallen zou hij ergens als piloot ingezet worden. Hij was precies de man die ze nodig hadden.

'Ik vlieg morgen naar het oosten. Mijn werk hier kan ik niet afmaken. Ze willen dat ik zo snel mogelijk naar Washington kom om mijn orders in ontvangst te nemen.' Hij had een telefoontje van het ministerie van oorlog gehad. Kate had het goed gezien, hij zou al spoedig afreizen. 'Ik weet niet hoeveel tijd me dat kost, maar als het even kan probeer ik naar Boston te komen om je te zien voor ik vertrek. Als ze me tenminste voldoende tijd geven; zo niet...' Zijn stem zakte weg. Alles stond op losse schroeven nu. Niet alleen voor hen, maar voor het hele land. Veel mannen stonden op het punt om de oorlog in gestuurd te worden.

'Ik kan ook naar Washington komen om afscheid te nemen,' zei ze spontaan. Op dat moment realiseerde ze zich dat het haar niets meer kon schelen wat haar ouders ervan zouden zeggen. Als zijn vertrek ophanden was, wilde ze hem zien. Het was het enige waaraan ze kon denken, terwijl ze naar hem luisterde. Ze probeerde zich te verzetten tegen haar vertwijfeling. De gedachte dat hij naar het front gezonden zou worden, vervulde haar met angst.

'Doe niets voordat ik je gebeld heb. Het kan zijn dat ze me een paar dagen naar New York sturen. Het hangt ervan af of ze willen dat ik hier oefen, of dat ik rechtstreeks naar Londen ga om daar mijn militaire opleiding te ontvangen.' Hij had al het idee dat hij daarheen zou gaan. De vraag was alleen wanneer. 'Ik ga liever naar Engeland dan naar Japan.' Ze hadden er die morgen met hem over gesproken en hij had gezegd te gaan, waar ze hem ook naar toe stuurden.

'Ik wou dat je nergens heen hoefde,' zei ze droevig.

Haar gedachten waren op dat ogenblik bij al de jongemannen die ze kende, degenen met wie ze was opgegroeid, met wie ze op school had gezeten, en bij de jonge vrouwen die hun zusters, vriendinnen of echtgenotes waren. Het was verschrikkelijk voor iedereen. Een aantal vriendinnen van Kate was al getrouwd en bezig een gezin te stichten. Het leven van eenieder stond op het punt ontwricht te worden. Niet alleen dat van haar, van Joe of van haar vrienden, maar de levens van een heel land. Niemand kon wegkruipen voor het feit dat velen van hen niet zouden terugkeren. Het was alsof er over alles een grauw waas hing. Er was een constant praten, fluisteren en snikken, en iedereen zat in angst over wat de volgende stap zou zijn. Er ging zelfs een gerucht dat alle steden aan de oostelijke zeekust aangevallen zouden worden door Duitse onderzeeërs. Pearl Harbor was een keerpunt geweest. Van het ene moment op het andere voelde geen Amerikaan zich meer veilig.

'Hou je taai, Kate! Vind ik je bij je ouders of op de universiteit?' Hij wilde graag weten waar hij haar kon bereiken. Het zou slechts een kwestie van uren kunnen zijn dat hij moest vertrekken. Zo ja, dan wilde hij weten waar ze was, ingeval de mogelijkheid zich voordeed haar te zien. Er bleef een kans dat de tijd hem ontbrak, maar hij hoopte op tenminste een paar minuten met haar.

'Ik ga vanmiddag naar mijn ouders. Na de kerstvakantie beginnen we weer. Tot zolang hebben we vrij.' Hoe dan ook zou het dit jaar een akelige Kerstmis worden.

'Over een paar uur begin ik al aan mijn vlucht naar het oosten. Ik wil niet het risico lopen in zwaar weer terecht te komen. Ik moet morgen absoluut in Washington zijn. Ik baal ervan dat ik weg moet, terwijl het werk nog maar half af is.' Maar hij had geen keus, er was geen andere weg. Dat gold voor het hele land. Overal lieten mannen hun werk in de steek en trokken ze ten strijde.

'Laat het weer het wel toe?' Kate klonk nu nog ongeruster. Hij wilde haar graag beloven dat alles in orde zou zijn, maar hij kon het niet. Toch beurde het haar al op als ze gewoon wat met hem praatte. Hij maakte zo'n solide, bezonnen en onverstoorbare indruk. Hij leek niets te hebben van de hysterische opwinding van de anderen. Hij was als een rots in de branding en dat paste volmaakt bij hem.

'Het is prima weer hier,' zei hij kalm, 'maar als we oostelijker komen, moet ik het nog zien.' Er gingen nog twee mannen mee. 'Ik moet nu naar huis om te pakken, Kate. We gaan over twee uur vertrekken. Zodra ik kan, bel ik je.'

'Ik zal thuis zijn.' Het had geen zin om spelletjes te spelen. Al haar pogingen en zintuigen waren erop gericht om hem te zien voor hij ingescheept werd en vertrok met overzeese bestemming, om het even waarheen. De tijd was voorbij om te doen alsof het haar niets kon schelen. Dat was wél zo, en niet zo'n klein beetje ook.

De meisjes namen huilend afscheid van elkaar. De een na de ander vertrok naar huis. De een woonde hier, de ander daar. Sommigen hadden een lange reis voor de boeg. Het meisje uit Hawaï reisde naar huis met een vriend uit Californië. Haar ouders wilden echter niet dat ze terugkeerde naar Honolulu. De Japanners zouden nog een keer kunnen aanvallen. Duizenden militairen waren gedood en gewond geraakt in Pearl Harbor, samen met een aantal burgers.

De meisjes uit Japan moesten zich vervoegen bij het Japanse consulaat in Boston. Ze waren nog banger dan de anderen en hadden er geen notie van wat er met hen zou gebeuren. Ze hadden geen enkele mogelijkheid om met hun ouders in contact te treden en wisten niet wanneer, hoe, en óf ze wel thuis zouden kunnen komen.

Het was al laat in de middag toen Kate arriveerde. Haar beide ouders zaten op haar te wachten. Ze zagen er bang en bedroefd uit. De radio stond de hele dag aan, en ze wisten dat het slechts een kwestie van uren of dagen was voor de Amerikaanse troepen zouden gaan vechten.

'Heb je nog wat van Joe gehoord?' vroeg haar vader, terwijl ze haar koffer in de vestibule neerzette. Clarke had een chauffeur gestuurd om haar te helpen met haar koffers, hij had haar moeder niet alleen willen laten. Elizabeth zag er bleek uit en maakte een nerveuze indruk. Haar vader was onder de indruk van Kates evenwichtige gemoedstoestand. Ze leek verbazend kalm en knikte toen hij naar Joe informeerde.

'Hij komt morgen in Washington aan met zijn vliegtuig. Waar ze hem heen zullen sturen, weet hij nog niet.' Haar vader antwoordde met een knikje en haar moeder wierp een bezorgde blik op haar, maar maakte geen opmerkingen over Joe. Klaarblijkelijk hadden Kate en Joe veelvuldig contact en dat verontrustte haar, maar ze moest toegeven dat het ongewone tijden waren. Elizabeth kon er niets aan doen dat ze zich afvroeg hoe vaak hij haar al gebeld had.

Ze aten die avond in de keuken. De radio stond aan. Niemand zei een woord. Het eten op hun bord bleef onaangeroerd en werd koud. Uiteindelijk hielp Kate haar moeder de tafel afruimen en schoof de inhoud van de nog volle borden in de vuilnisbak. De nacht duurde lang. Kate lag in bed en moest de hele tijd denken aan Joe. Ze vroeg zich af hoe ver oostelijk hij al zat en of ze hem nog zou treffen voor hij per schip naar het front vertrok.

De volgende dag belde hij. Het was bijna twaalf uur 's middags. Hij was net in Washington geland op Boling Field Airport.

'Ik wilde je even laten weten dat ik veilig aangekomen ben.' Ze was opgelucht iets van hem te horen, maar geen van hen kon verklaren waarom hij zich verplicht voelde haar te bellen. Dit was beslist meer dan vriendschap, maar geen van hen wilde erover praten. Ze hoefden het elkaar ook niet te bekennen. Het was duidelijk dat hij zich op de een of andere stille, verborgen manier met haar verbonden voelde. Ze waren alleen nog niet zover dat ze hun gevoelens voor elkaar konden uitspreken. 'Ik ga nu naar het ministerie van oorlog. Ik bel je straks, Kate.'

'Ik ben wel thuis.' Hij hield haar op de hoogte van iedere stap die hij deed. Vier uur later ging de telefoon weer. De hele middag had hij instructie gekregen. Ze hadden hem zijn orders gegeven en hem tot officier benoemd. Hij werd kapitein van het Army Air Corps en zou samen met de RAF luchtgevechtsacties gaan uitvoeren. Over twee dagen vertrok hij vanuit New York naar Londen. Hij zou in Engeland zijn onderricht ontvangen in militaire procedure en formatievliegen. Tijdens vliegshows had hij daar al ruime ervaring mee opgedaan. Het was iets waar hij buitengewoon goed in was. Die middag kondigde president Roosevelt de natie aan dat Amerika Duitsland de oorlog verklaard had.

'Dat is het dan, kindje. Over twee dagen zal ik hier weg zijn. Maar waar ik terechtkom zit je nog niet zo beroerd.'

Joe ging naar East Anglia. Hij was daar al eerder geweest, toen hij een bezoek aan de RAF bracht. Er werd van hem verwacht dat hij binnen twee weken aan luchtgevechtshandelingen zou deelnemen. De gedachte daaraan boezemde haar angst in, vooral toen ze zich realiseerde dat de Duitsers verbeten jacht op hem zouden maken als ze eenmaal wisten dat hij deel uitmaakte van

91

de geallieerde oorlogsmachine. Juist omdat hij een piloot van naam en faam was, zou hij een geliefd doelwit zijn. Ze was er zeker van dat ze alles in het werk zouden stellen om hem neer te schieten. Hij liep veel meer gevaar dan de anderen. Het idee alleen al deed haar maag omdraaien. Het was een onverdraaglijke gedachte dat hij voor God weet hoelang wegging en bijna elk moment gevaar zou lopen. Ze kon zich er in de verste verte geen voorstelling van maken hoe ze zou kunnen leven met deze gedachte en met het feit dat ze niets van hem zou horen. Het zou vast en zeker onmogelijk zijn voor hem om haar te bellen. Maar ze hadden nog twee dagen, of beter gezegd, wat ervan overbleef. Ze gingen er beiden van uit dat hij zoveel mogelijk tijd met haar zou doorbrengen voor hij naar Europa vertrok. In enkele uren was alles tussen hen veranderd. De tijd dat ze voorwendden alleen maar vriendschap voor elkaar te voelen liep op zijn eind. Ze waren nu in een ander stadium van hun relatie aangeland.

Het bleek dat hij nog uniformen en allerlei papieren moest ophalen. Pas de volgende dag kon hij uit Washington weg. De dag erop zou hij om zes uur 's morgens vertrekken. Om er zeker van te zijn dat hij het vliegtuig niet zou missen, moest hij om middernacht in New York zijn. Het was tien uur in de morgen toen hij het vliegtuig van Washington naar Boston nam en tegen enen toen hij daar landde. Zijn vliegtuig naar New York ging om tien uur die avond. Ze hadden precies negen uur om samen door te brengen. In het hele land stonden jonge paartjes voor hetzelfde dilemma. Sommigen traden in het huwelijk in de weinige tijd die hun nog restte, anderen gingen naar het hotel om maar troost te zoeken bij elkaar. Weer anderen zaten in station of koffiebar, of op een bankje in het park in de vrieskou. Ze deelden er hun laatste momenten van vrijheid en vrede en hielden elkaar vast. Meer wilden ze niet. En als Kates moeder aan hen dacht, voelde ze nog meer medelijden met de moeders die hun zonen vaarwel moesten zeggen. Ze kon zich niets verschrikkelijkers indenken.

Kate stond Joe op te wachten toen hij op East Boston Airport landde. Hij stapte uit het vliegtuig en zag er belangrijk en tiptop uit in zijn gloednieuwe uniform, dat hem als gegoten zat.

Hij leek zelfs knapper dan bij hen thuis met Thanksgiving. Glimlachend liep hij over de landingsbaan naar haar toe. Hij zag eruit alsof er niets aan de hand was, en ditmaal sloeg hij toen bij haar aangekomen was, een arm om haar heen.

'Rustig maar, Kate, rustig. Alles komt goed.' Hij zag met een oogopslag hoe angstig ze was dat hem wat zou overkomen. 'Ik ben iemand die weet wat hij doet. Ook daarginds. Vliegen blijft vliegen.' Ze moest meteen denken aan zijn enorme zelfverzekerdheid en kennis van zaken toen ze met hem vloog, nog geen twee weken geleden.

Maar beiden wisten dat er onder normale omstandigheden niemand op uit was om hem naar beneden te halen. In weerwil van wat hij gezegd had om haar angst weg te nemen, zou dit heel anders worden. 'Wat zullen we vandaag eens doen?' vroeg hij, alsof het een dag was als alle andere en ze geen afscheid hoefden te nemen binnen negen uur. In het hele land brachten paartjes samen hun laatste uren door, net als zij.

'Zullen we naar ons huis gaan?' vroeg ze. Ze leek onzeker. Het was lastig om je gedachten bij elkaar te houden en niet de hele tijd het gevoel te hebben dat je een klok hoorde tikken. De minuten verdwenen de een na de ander. Bijna voor hij begonnen was, zou de laatste dag die ze samen hadden voorbij zijn. Dan was hij weg. Bij de gedachte voelde ze een huivering over haar rug lopen. Hoewel ze zich er niet precies bewust van was, had ze zich sinds de dood van haar vader niet meer zo angstig of op zichzelf teruggeworpen gevoeld.

'Waarom gaan we niet lunchen? We kunnen daarna wel naar jullie toegaan. Ik wil graag afscheid nemen van je ouders.' Ze vond het heel attent van hem. En zelfs haar moeder was opgehouden om zich openlijk zorgen te maken over zijn bedoelingen. Hoe ze ook over hem dacht, ze hield het van nu af aan voor zich en Kate was haar er dankbaar voor. Ze hadden allemaal met hem te doen, net als met de miljoenen andere jongemannen zoals hij.

Hij nam haar mee naar Locke-Ober's restaurant om te lunchen. Ondanks de elegante gelegenheid en het heerlijke eten, kreeg ze bijna geen hap door haar keel. Ze kon alleen maar denken aan waar hij binnen enkele uren heen zou gaan, niet aan waar ze nu waren. De verfijnde maaltijd was verspild aan haar. Ze waren om drie uur weer bij haar thuis. Haar moeder zat in de woonkamer en luisterde naar de radio. Dat was ze de laatste tijd gewoon. Haar vader was nog niet terug van kantoor.

Ze gingen zitten, kletsten een tijdje met haar moeder en luisterden naar het nieuws. Om vier uur kwam haar vader thuis. Hij gaf Joe een hand en klopte hem vaderlijk op de schouder. Zijn ogen spraken voor zich, en geen van hen kon de juiste woorden vinden om uitdrukking te geven aan zijn gevoelens. Na een poosje troonde Clarke Elizabeth mee naar boven, zodat de jongelui het rijk alleen hadden. Clarke vond dat ze te veel aan hun hoofd hadden om zich ook nog eens te moeten bekommeren om het bezighouden van Kates ouders. Beiden, Kate en Joe, waren dankbaar dat ze een tijdje samen konden zijn. Het zou uitgesloten geweest zijn om hem mee te nemen naar haar slaapkamer, gewoon om wat te ontspannen en te praten. Hoe fatsoenlijk ze zich ook gedroegen, de ongepastheid ervan zou haar moeder ontstemd hebben. Kate bespaarde zich dan ook de moeite om het voor te stellen. In plaats daarvan zaten ze kalmpjes op de bank in de woonkamer. Ze kletsten met elkaar en probeerden niet aan de minuten te denken die de klok gestaag wegtikte.

'Ik zal je schrijven, Kate. Iedere dag als het kan,' beloofde hij. Hij zag er bezorgd uit, en in zijn blik broeide van alles en nog wat. Maar hij gaf geen verklaring voor wat hem bezighield en zij was bang om ernaar te vragen. Ze wist nog steeds niet wat hij voor haar voelde, of ze gewoon elkaar zeer toegewijde vrienden waren of dat er iets meer was. Over haar gevoelens voor hem had ze veel meer duidelijkheid. Ze besefte nu dat ze al maanden verliefd op hem was, maar durfde dat nu niet te zeggen. Ergens tijdens hun briefwisseling die ze sinds september voerden, moest het gebeurd zijn en haar ontmoeting met hem in het Thanksgiving-weekend had haar gevoelens nog eens versterkt. Toch had ze er sindsdien voortdurend tegen gevochten. Ze had er geen idee van of bij Joe dezelfde gevoelens leefden en het zou ongepast zijn om het hem te vragen. Zelfs zij met al haar dapperheid, had niet de moed om dat te doen. Welke reden hij ook mocht hebben om deze laatste uren met haar door te brengen, ze moest gewoon haar gevoel volgen en ervan genieten. Maar ze bracht zichzelf ook in herinnering dat hij niemand anders had om deze uren mee door te brengen. Behalve zijn neven en nichten, die hij in jaren niet gezien had, waren er geen andere verwanten, en een vriendin had hij ook niet. De enige persoon die er voor hem toe leek te doen was Charles Lindbergh. Buiten deze was hij alleen op de wereld. En hij had bij haar willen zijn.

Terwijl ze dicht bij elkaar op de bank zaten en zachtjes praatten, bedacht ze dat er geen noodzaak was voor hem om naar Boston te komen. Hij had het alleen gedaan omdat hij haar wilde zien. Hij was in nauw contact met haar gebleven vanaf het moment dat ze het nieuws gehoord hadden van de aanval op Pearl Harbor. Kate vertelde hem dat haar ouders hadden besloten het debutantenfeest dat ze voor haar aan het organiseren waren niet door te laten gaan. Ze had nog niet met hem over het feest gesproken, maar was het wel voornemens geweest. Ze had niet te gretig willen lijken, maar dat speelde nu niet meer. Alle drie de Jamisons waren het erover eens dat het van een bijzonder slechte smaak zou getuigen om een groot feest te geven, en er zouden vermoedelijk toch maar weinig jongemannen komen. Haar vader had beloofd om na de oorlog een feest voor haar te geven.

'Ik heb er vrede mee,' zei ze tegen Joe. Hij knikte.

'Zou het zoiets worden als het feest waar wij elkaar ontmoet hebben, vorig jaar?' vroeg hij belangstellend. Het was een prima onderwerp om haar wat afleiding te bezorgen. Ze zag er zo verdrietig uit dat zijn hart ineenkromp. Hij besefte meer dan ooit hoe fortuinlijk hij was geweest toen hij haar ontmoette. Het had weinig gescheeld of hij was vorig jaar niet met Charles Lindbergh meegegaan naar het feest. Het lot moest het zo gewild hebben. Voor beiden.

Kate moest glimlachen om zijn vraag over het afgelaste feest. 'Nee hoor, lang niet zo chic.' Het zou gegeven worden in de Copley, voor ongeveer tweehonderd personen. Op het bal waar zij elkaar ontmoet hadden, waren zevenhonderd mensen geweest, en de hoeveelheid champagne en kaviaar was toereikend voor de jaarconsumptie van een kleine stad. 'Ik ben blij dat mijn ouders het niet door laten gaan,' zei ze rustig. Het beeld van Joe in Engeland die zijn leven in de waagschaal stelde, dat was het enige waar ze zich nu om bekommerde. Ze had zich al als vrijwilligster opgegeven bij het Rode Kruis om te helpen bij alles wat de organisatie in verband met de oorlog zou ondernemen. En Elizabeth had haar voorbeeld gevolgd.

'Je gaat toch weer terug naar de universiteit?' vroeg hij. Kate knikte.

Ze zaten rustig naast elkaar en spraken urenlang. Na een poosje bracht haar moeder hun twee borden met eten. Ze vroeg de jongelui niet om hen in de keuken gezelschap te houden. Clarke vond dat ze alleen moesten zijn, en hoewel ze het liever anders had gezien, was ze het met hem eens. Ze wilde het beiden zo gemakkelijk mogelijk maken. Zonder de noodzaak een hoffelijke conversatie te onderhouden hadden ze het al moeilijk genoeg. Joe stond op en bedankte haar voor de maaltijd die ze hun had gebracht. Maar ze konden nauwelijks eten. Zo zaten ze naast elkaar. Ten slotte draaide hij zich naar Kate toe. Hij zette hun beide borden op de tafel en nam haar hand in de zijne. Voor hij iets tegen haar kon zeggen, vulden haar ogen zich met tranen.

'Je moet niet huilen,' zei hij vriendelijk. Het was iets waar hij altijd moeilijk mee uit de voeten had gekund, maar op dit moment nam hij het haar niet kwalijk. Overal werden in huiskamers tranen vergoten. 'Het komt allemaal goed. Ik heb negen levens zolang ik in een vliegtuig zit.' In al de jaren dat hij vloog was hij een paar keer stevig gecrasht, maar hij was er altijd zonder kleerscheuren vanaf gekomen.

'Maar als je er nu eens tien nodig hebt?' vroeg ze. De tranen stroomden over haar wangen. Ze had zich groot willen houden, maar merkte opeens dat ze het niet kon. Ze kon de gedachte niet verdragen dat hem iets zou overkomen. Haar moeder had gelijk. Ze hield van hem.

'Als ik twintig levens nodig heb, dan héb ik twintig levens. Daar kun je op vertrouwen,' zei hij om haar gerust te stellen. Beiden wisten dat het een belofte was die hij misschien niet gestand kon doen. Juist daarom had hij geen stommiteiten begaan met haar voor hij vertrok.

Het was niet Joe's bedoeling om haar achter te laten als achttienjarige weduwe. Ze verdiende een veel beter lot dan dat. Als hij het haar niet kon geven, dan zou een ander het wel doen. Hij wilde dat ze in zijn afwezigheid met onbezwaard gemoed alles zou doen wat ze wilde. Maar Kate kon alleen maar aan Joe denken. Het was te laat om zichzelf te redden. Ze had zich al veel meer aan hem gehecht dan elk van hen beiden gewild had. Terwijl ze naast elkaar op de bank zaten, hij met zijn arm om haar heen, keerde ze zich naar hem toe en vertelde hem dat ze van hem hield. Hij keek naar haar en er was een lange, pijnlijke stilte. Er was zo'n immens verdriet in haar ogen. En hij had geen flauwe notie van het verlies dat zij geleden had als kind. Kate had nooit met wie dan ook over de zelfmoord van haar vader gesproken, en zover Joe wist was Clarke de enige vader die Kate ooit had gehad. Maar plotseling had dit nieuwe verlies het verdriet uit het verleden weer opgeroepen. Dit maakte het feit dat hij naar het front ging een stuk erger voor Kate. 'Ik wilde niet dat je dat zou zeggen,' zei Joe bedroefd. Hij had zo zijn best gedaan om het tij te keren. Niet alleen het tij van haar liefde, maar ook van de zijne. 'Ik heb het niet tegen je willen zeggen. Ik wil niet dat je je aan mij verplicht voelt, als er iets gebeurt. Je betekent veel voor me, vanaf de dag dat ik je ontmoette. Iemand zoals jij heb ik nooit gekend. Maar het zou niet eerlijk zijn om je een belofte te ontlokken, of om iets van je te verwachten, of om je te vragen op mij te wachten. Er bestaat altijd een kans dat ik niet terugkom, en ik wil je absoluut niet het gevoel geven dat je mij iets verschuldigd bent. Want dat is niet zo, je bent me niets schuldig. Ik wil dat je je vrij voelt om te doen en te laten wat je wilt tijdens mijn afwezigheid. Alles wat we sinds onze ontmoeting voor elkaar gevoeld hebben, uitgesproken of onuitgesproken, was meer dan voldoende voor mij, en ik draag het altijd met me mee.' Hij trok haar dichter naar zich toe en hield haar zo stevig vast dat ze zijn hart kon horen slaan, maar hij kuste haar niet. Heel eventjes voelde ze teleurstelling. Ze wilde graag dat hij zei dat hij van haar hield. Dit zou misschien hun laatste kans zijn, althans voor onbepaalde tijd, of erger nog, de enige die ze ooit zouden hebben. 'Ik hou van jou,' zei ze kort en krachtig. 'Ik wil dat je dat weet, dan kun je het mee nemen en bij je dragen. Ik wil niet dat je het je afvraagt, terwijl je daar in de loopgraven ligt.' Maar hij trok zijn wenkbrauwen op bij haar mededeling.

'Loopgraven? Dat is voor de infanterie,' zei hij enigszins uit de hoogte. 'Ik zit hoog in de lucht en haal Duitsers neer. En 's avonds lig ik in mijn warme bed. Het zal niet zo erg zijn als jij denkt, Kate. Voor sommigen wel, maar niet voor mij. Jachtvliegers vormen een elitegroep,' stelde hij haar gerust. En als je Lindbergh niet meerekende, stak Joe met kop en schouders boven iedereen uit. Dat moest toch een geruststelling zijn voor hem en voor haar?

De uren vloog onverdraaglijk snel voorbij. Voor ze er erg in hadden, was het tijd om naar het vliegveld te gaan. Het was een koude, heldere nacht, en Joe nam haar met zich mee in een taxi. Haar vader bood aan hen te rijden, maar Joe gaf de voorkeur aan een taxi. En Kate wilde graag alleen zijn met Joe.

Bij het vliegveld wemelde het van de mensen. Als uit het niets waren er hele horden jongemannen in uniform opgedoken. Zelfs in Kates ogen waren het nog kinderen. Het waren jongens van achttien, negentien jaar, en ze leken bijna te jong om weg te gaan bij hun moeders. Sommigen van hen waren nog nooit van huis geweest.

De laatste minuten die ze samen doorbrachten waren hartverscheurend. Kate probeerde haar tranen te bedwingen, maar tevergeefs. Zelfs Joe leek gespannen. Dit alles was uiterst emotioneel voor beiden. Geen van hen had er ook maar een idee van of en wanneer ze elkaar weer zouden zien. Ze beseften dat de oorlog nog jaren kon duren. Kate restte slechts de hoop dat het niet zo zou zijn. Het kwam als een verlossing toen hij ten slotte moest instappen. Alles was al gezegd en Kate begon zich in wanhoop aan hem vast te klampen. Ze wilde hem niet loslaten, wilde niet dat hem ook maar iets overkwam. Ze wilde de enige man van wie ze ooit had gehouden niet verliezen.

'Ik hou van jou,' fluisterde ze, en weer keek hij pijnlijk getroffen. Dit was niet wat hij in gedachten had toen hij kwam om de dag met haar door te brengen. Ergens leefde bij hem het idee dat ze een stilzwijgende afspraak hadden om dit soort dingen niet tegen elkaar te zeggen. Maar zij hield zich er niet aan. Ze kon het gewoon niet. Zonder tegen hem te zeggen dat ze van hem hield, kon ze hem niet weg laten gaan. Naar haar mening had hij er recht op. Wat ze niet begreep was hoeveel moeilijker het voor hem was nu ze deze woorden eenmaal uitgesproken had. Tot die tijd had hij zichzelf voorgespiegeld dat ze slechts goede vrienden waren, ongeacht zijn gevoelens voor haar of de sterke aantrekkingskracht die hij op haar uitoefende. Nu kon hij niet meer weglopen voor het feit dat het anders zat. Ze waren veel meer dan zomaar vrienden, hoe hard hij ook zijn best deed om te doen alsof dat niet zo was.

Deze woorden waren haar laatste geschenk aan hem, het enige waardevolle dat ze te geven had. En deze woorden confronteerden hen beiden met de realiteit. Voor een ondeelbaar ogenblik voelde hij hoe kwetsbaar hij was en zag hij de mogelijkheid onder ogen dat hij misschien niet terug zou komen. Hij keek naar haar, en plotseling was hij dankbaar voor ieder moment dat ze samen gedeeld hadden. Hij wist dat hij nooit een andere vrouw zou ontmoeten met zoveel uitstraling, blijmoedigheid en enthousiasme als zij, en waar hij ook heen ging of wat er ook gebeurde, ze zou altijd in zijn herinnering zijn.

Toen zijn vlucht voor de laatste keer werd omgeroepen, boog hij zich voorover en kuste haar. Hij stond op de luchthaven met zijn armen om haar heen. Het was te laat om het tij te keren. Hij wist dat hij zichzelf voor de gek zat te houden als hij dacht dat hij het terug kon draaien of tegen kon houden. De gevoelens die ze voor elkaar hadden, waren net zo onafwendbaar als het verstrijken van de tijd. Wat er ook tussen hen plaatsgevonden had, beiden wisten dat het iets unieks was. Iets blijvends, en iets wat geen van beiden ooit elders zou vinden.

'Pas goed op jezelf,' zei hij met een brok in zijn keel.

'Ik hou van jou,' herhaalde ze. Ze keek hem recht in zijn ogen, terwijl ze dat zei. Hij knikte. Hoeveel hij ook voor haar voelde, hij kreeg die woorden niet over zijn lippen. Het waren woorden, geëigend om juist die gevoelens te beschrijven waarvoor hij zich al dertig jaar afsloot.

Hij hield haar dicht tegen zich aan en kuste haar opnieuw. Toen wist hij dat het moment gekomen was om haar te verlaten. Hij moest instappen. Met inspanning van al zijn krachten verliet hij haar. Bij de gate hield hij nog één keer stil. Ze stond nog steeds naar hem te kijken en tranen rolden langzaam over haar wangen. Hij maakte vervolgens aanstalten om zich om te draaien, aarzelde en wierp haar een laatste blik toe. En toen, nog net voor het te laat was, schreeuwde hij naar haar: 'Kate, ik hou van je!' Ze hoorde het en zag hem zwaaien, en terwijl ze door haar tranen heen lachte, verdween hij door de gate.

5

IEDEREEN HAD EEN BEROERDE KERST DAT JAAR. TWEEËNHAL-
ve maand na Pearl Harbor trilde de wereld nog steeds na van
de schok. De eersten van Amerika's zonen waren zojuist vertrokken. Ze werden naar Europa en de Stille Oceaan gediri-
geerd. De namen van plaatsen waar eerder nog nooit iemand
van gehoord had, waren plotseling op ieders lip. De wetenschap
dat Joe in Engeland zat bood Kate wat troost. Uit de enige brief
die ze tot dusver van hem had gekregen, was op te maken dat
hij een tamelijk gerieflijk leven leidde.

Joe was gestationeerd in Swinderby. Hij vertelde haar slechts
zoveel over zijn activiteiten als de censors toestonden. Het
grootste deel van zijn brief had blijk gegeven van zijn bezorgdheid om haar, en haar verteld over de mensen die hij daarginds ontmoet had. Hij beschreef het platteland en ook hoe aardig de Engelsen voor hem waren. Maar hij zei niet dat hij van
haar hield. Eenmaal had hij het gezegd. Hij zou zich er echter
ongemakkelijk bij gevoeld hebben het haar te schrijven.

Het was haar beide ouders ondertussen duidelijk hoe verliefd
ze op hem was, en hun enige troost was dat ze het gevoel hadden dat hij ook van haar hield. Maar als ze samen waren, gaf
Elizabeth Jamison tegenover Clarke nog steeds uiting aan haar
diepe bezorgdheid. Die was nu zelfs nog toegenomen, omdat
ze bang was dat Kate voor altijd van rouw vervuld zou zijn als
hem iets overkwam. Het was geen man om gauw te vergeten.

'God vergeve me dat ik het zeg,' zei Clarke rustig, 'maar als
hem iets overkomt, komt ze daar overheen, Liz. Het is ook andere vrouwen overkomen. Ik hoop alleen maar dat het niet gebeurt.'

Het was niet alleen de oorlog die Elizabeth zorgen baarde. Het
was iets veel fundamentelers. Vanaf het moment dat ze hem

ontmoette, had ze bij Joe iets waargenomen, al kon ze nooit de juiste woorden vinden om Clarke duidelijk te maken wat het was. Ze had het gevoel dat Joe niet in staat was om met hart en ziel lief te hebben, om zich volledig te geven. Hij liet niemand tot zich toe, hield zich altijd afzijdig. Zijn hartstocht voor de vliegtuigen die hij ontwierp en bestuurde en voor de wereld die daarmee voor hem openging, was voor hem een manier om de werkelijkheid te ontvluchten. Ze was er allerminst zeker van dat hij Kate ooit gelukkig zou maken, zelfs al overleefde hij de oorlog.

Wat ze ook voelde was hun stilzwijgende verbondenheid en de diepe, bijna magnetiserende fascinatie die ze voor elkaar hadden. Het waren in elk opzicht elkaars tegenpolen, ze verhielden zich tot elkaar als licht en donker. Maar wat Kates moeder bespeurde en waar ze geen verklaring voor had, was dat ze op de een of andere geheimzinnige wijze een gevaar voor elkaar vormden. Ze had er geen idee van waarom ze bang was dat Kate van hem hield, maar ze was het.

De dag van Kates afgelaste debutantenfeest kwam en ging voorbij. Die was er niet echt rouwig om dat het niet doorgegaan was. Ze had er niet haar zinnen op gezet. Het was meer iets wat ze aan haar ouders verplicht was, vond ze. Ze zat die avond een studieboek te lezen toen de telefoon ging. Tot haar verbazing was het Andy Scott. Bijna iedere jongen die ze kende vertrok tegen die tijd naar het opleidingskamp voor mariniers, was al vertrokken of werd klaargestoomd om naar het oorlogstoneel vervoerd te worden. Maar Andy had haar enkele weken daarvoor al verteld dat hij vanaf zijn kindertijd hartgeruis had. Hij had er helemaal geen last van, maar het maakte hem ongeschikt voor het leger, zelfs in oorlogstijd. Hij was er ondersteboven van en had getracht de keuringsartsen over te halen om hem toch maar te nemen, maar ze hadden hem categorisch geweigerd. Aan Kate vertelde hij dat hij een bordje wilde dragen dat de mensen uitlegde, waarom hij niet in uniform was en waarom hij nog steeds thuis was. Hij had het gevoel alsof hij een verrader was als hij thuis zat bij de vrouwen. Andy was nog steeds erg van streek toen hij haar belde en ze kletsten een poosje. Hij wilde haar mee uit eten nemen, maar zij vond het raar om nu uit te gaan. In het licht van haar gevoelens voor Joe en het feit dat hij in Engeland zat, leek haar dat oneerlijk. Ze legde het Andy uit en zei dat ze niet meeging. En hij probeerde haar over te halen om dan maar naar een film te gaan. Maar ze was er niet voor in de stemming. Ze waren nooit meer dan kameraden geweest, maar ze wist van wederzijdse vrienden dat hij gek op haar was. En hij had voortdurend gepoogd iets met haar te beginnen vanaf het moment dat ze op Radcliffe arriveerde, afgelopen herfst.

'Ik vind dat je uit moet gaan,' zei haar moeder beslist, toen ze Kate vroeg naar het telefoontje van Andy. 'Je kunt niet eeuwig thuisblijven. De oorlog zou nog weleens lang kunnen duren.' Niets bond haar aan Joe. Hij had haar niet ten huwelijk gevraagd. Ze waren niet verloofd. Er waren geen beloften gedaan. Ze hielden alleen maar van elkaar. Haar moeder had veel liever gezien dat ze met Andy uitgegaan was.

'Ik heb er geen goed gevoel over,' zei Kate. Ze ging terug naar haar kamer om verder te lezen. Ze wist dat het een lange oorlog zou worden als ze de godganse tijd bij haar ouders zou blijven, maar ze vond het niet erg.

'Ze kan toch warempel niet dag in dag uit thuiszitten,' beklaagde Elizabeth zich bij haar man. 'Ze hebben zich toch tot niets verbonden? Ze hebben elkaar geen toezeggingen gedaan en verloofd zijn ze ook niet.'

'Voor wat ik ervan begrijp, is het een hartsverbondenheid,' zei haar vader kalm. Hij was bezorgd om Joe en voelde met zijn dochter mee. De vermoedens die zijn vrouw had met betrekking tot Joe waren hem vreemd. Hij vond het een fantastische vent.

'Ik ben er niet van overtuigd of Joe bereid is tot meer dan dat.'

'Ik vind dat hij heel verantwoordelijk bezig is. Hij wil niet dat ze al jong weduwe wordt. Volgens mij doet hij daar verstandig aan.'

'Ik denk niet dat mannen zoals hij ooit een echte relatie aangaan,' hield ze vol. 'Vliegen is zijn passie. Al het andere in zijn leven zal altijd op de tweede plaats komen. Hij zal Kate nooit dat kunnen geven waar ze behoefte aan heeft. Zijn eerste liefde zal altijd het vliegen zijn,' voorspelde ze grimmig. Clarke moest glimlachen.

'Dat hoeft niet per se waar te zijn. Kijk naar Lindbergh. Die is getrouwd en heeft kinderen.'

'Weet jij veel of zijn vrouw gelukkig is?' zei ze sceptisch.

Maar hoe haar ouders er ook over dachten, Kate volhardde in haar gedrag. Ze bleef de hele vakantie bij haar ouders, en toen ze in januari weer naar de universiteit ging, zagen de andere meisjes er net zo ongelukkig uit als zij. Vijf van hen waren met hun vriend getrouwd voor deze naar het front vertrok, een twaalftal had zich verloofd en alle anderen schenen iets met jongens te hebben die zeer binnenkort de overtocht zouden maken. Hun hele leven draaide al om brieven en foto's. Het herinnerde Kate eraan dat ze nog geen enkele foto van Joe had. Maar ze had al wel een groeiende stapel brieven van hem.

Ze stortte zich ijverig op haar studie. Andy zag ze zo nu en dan. Ze weigerde nog steeds afspraakjes met hem te maken, maar ze waren vrienden en hij kwam haar dikwijls opzoeken op Radcliffe. Meestal maakten ze lange wandelingen over de campus en aten daarna in het zelfbedieningsrestaurant. Hij plaagde haar en noemde hun etentjes spottend 'haute cuisine'. Maar zolang ze alleen maar op de campus aten, had ze niet het gevoel dat het telde als *date* en bleef ze Joe trouw. Andy vond slechts dat ze dwaas deed en probeerde haar zover te krijgen dat ze met hem uitging.

'Waarom mag ik je niet meenemen naar een behoorlijke gelegenheid?' zei hij op klagende toon toen ze aan een achteraftafeltje droog gehaktbrood en onappetijtelijke kip zaten te eten. De mensa was berucht vanwege haar beroerde eten.

'Ik vind het niet juist. En dit is prima,' zei ze nadrukkelijk.

'Prima? Noem je dit prima?' Hij plonsde zijn vork in de aardappelpuree. Het leek wel stijfselpap, en haar kip was oneetbaar taai. 'Iedere keer als ik met jou eet, heb ik twee dagen nodig om te herstellen van mijn maagpijn.' Maar het enige waar Kate aan kon denken, waren de rantsoenen die Joe kreeg in Engeland. Ze zou het een vreselijk idee vinden als ze met Andy naar dure restaurants zou gaan. Ze vertikte het. Als hij bij haar wilde zijn dan was de mensa de enige mogelijkheid.

Uitgaan met Kate zat er voor Andy dus niet in, maar voor de rest leidde hij een druk sociaal leven. Hij was lang, donker en knap en een van de weinige begeerlijke mannen die er op de campus overgebleven waren en die niet ten strijde waren getrokken. De meisjes stonden bijna in de rij om met hem uit te gaan en hij had zowat iedereen kunnen krijgen, behalve het enige meisje dat hij wilde. Hij wilde Kate.

Andy bleef haar trouw bezoeken, en in de loop der maanden ontstond er een sterke vriendschapsband. Ze was buitengewoon op hem gesteld, maar ze voelde niets van wat ze voor Joe voelde. Haar gevoel voor Andy was solide, rustig en ongecompliceerd. Het had niets van het vuur en de passie en de onweerstaanbare aantrekkingskracht die ze voor Joe voelde. Andy was meer als een broer. Ze tennisten een aantal keren per week en ten slotte liet ze zich tegen Pasen door hem meetronen naar de bioscoop, maar ze voelde zich er schuldig over. De film heette *Mrs. Miniver*, met Greer Garson in de hoofdrol, en Kate huilde aan een stuk door.

Ze kreeg verscheidene keren per week een brief van Joe en ze kon alleen raden dat hij in een Spitfire vloog en opdrachten uitvoerde voor de RAF. Maar zolang er brieven kwamen, wist ze dat hij leefde. Ze verkeerde in constante angst dat ze in de krant zou lezen dat zijn vliegtuig neergehaald was. Iedere morgen als ze de krant opensloeg, trilden haar handen. Omdat hij zo bekend was, en door zijn vriendschap met Charles Lindbergh, zou ze erover lezen voor iemand de gelegenheid zou hebben om haar te waarschuwen. Maar tot nu toe scheen hij opgeruimd en gezond te zijn, tenminste als je zijn brieven mocht geloven. Hij had de hele winter geklaagd over het koude weer en het slechte eten in Engeland. Nu, in mei, schreef hij hoe mooi de lente was. Hij zei dat er overal bloemen waren en dat zelfs de armste mensen prachtige tuinen hadden. Maar hij had haar sinds zijn vertrek niet meer verteld dat hij van haar hield.

Eind mei vond er een nachtelijk bombardement op Keulen plaats waaraan werd deelgenomen door een duizendtal bommenwerpers van de RAF. Joe maakte er geen gewag van, maar toen Kate erover las, wist ze zeker dat hij erbij geweest was. In juni studeerde Andy in Harvard af. Hij had er drie jaar over gedaan via een versneld programma. Hij zou in het najaar meteen doorgaan voor zijn tweede fase, aan de faculteit der rechtsgeleerdheid. Kate rondde haar eerste jaar af, ze ging naar Andy's afstuderen, en tijdens de zomer werkte ze hele dagen voor het Rode Kruis. Ze rolde verband in en vouwde winterkleding voor het buitenland. Ze verstuurde postpakketten, deelde medicijnen uit en besteedde een groot deel van haar tijd aan kleine, nuttige dingen. Het was geen woest opwindend werk, maar het leek haar wel het minste dat ze kon doen voor de oorlogsinspanning. Zelfs in haar kleine vriendenkring hadden al tragedies plaatsgevonden. Twee meisjes in haar huis hadden een broer verloren. Beiden kwamen om nadat hun schepen door de Duitsers getorpedeerd waren. Een ander had twee broers verloren. Een van haar kamergenoten was naar huis gegaan om haar vader in de zaak te helpen. Verscheidene verloofden waren gedood en van de vijf meisjes die met Kerstmis getrouwd waren, had er al een haar man verloren. Dat meisje was naar huis gegaan. Het was moeilijk om de zinnen te verzetten als je voortdurend geconfronteerd werd met bedroefde ogen en bezorgde gezichten. De gedachte aan een telegram van het ministerie van oorlog beklemde ieders gemoed.

Andy deed die zomer vrijwilligerswerk in een militair hospitaal. Hij had niet met de andere mannen naar het front kunnen gaan omdat hij afgekeurd was, en hij wilde dat goedmaken. Toen hij Kate belde, kreeg ze verschrikkelijke verhalen te horen over de gewonden en hun oorlogservaringen. Hij zou het aan niemand toegegeven hebben, behalve misschien aan Kate, maar als hij naar hen luisterde waren er momenten dat hij blij was dat hij niet in staat was geweest om naar het front te gaan. De meeste mannen die zij zagen waren in Europa geweest; zij die gewond raakten in de Pacific, gingen voor hun herstel naar militaire ziekenhuizen aan de westkust. Velen van hen hadden ledematen verloren, of waren blind, of hun gezicht was gruwelijk verminkt. Ze hadden op een mijn getrapt of waren getroffen door een regen van granaatscherven. Andy zei dat een complete ziekenzaal bezet werd door mannen die hun verstand verloren hadden door het trauma dat ze hadden opgelopen. Alleen de gedachte al vervulde hen beiden met afgrijzen. En ze wisten dat het in de komende maanden alleen maar erger kon worden.

Nadat ze tweeënhalve maand voor het Rode Kruis had gewerkt,

vertrok Kate met haar ouders naar Cape Cod om er de laatste twee weken van de zomer door te brengen. Het was een van de weinige plaatsen waar het leek alsof alles bij het oude gebleven was. Het was een kleine gemeenschap met hoofdzakelijk oudere mensen. Bijna alle vertrouwde gezichten waarmee ze was opgegroeid waren er dan ook. Hun kleinzonen echter zouden er dit jaar niet zijn, en de meeste jongens waarmee Kate opgegroeid was lieten verstek gaan. Maar veel van de meisjes die ze kende waren er, en op Labour Day gaven hun buren net zoals anders een barbecue. Kate ging er met haar ouders heen. Ze had toen al bijna een week niets meer van Joe gehoord. De brieven die ze ontving waren altijd weken daarvoor geschreven en kwamen soms met meerdere tegelijk. Hij zou al weken dood kunnen zijn, terwijl zij nog steeds brieven ontving. Die gedachte bezorgde haar iedere keer weer koude rillingen.

Ze had Joe in bijna negen maanden niet gezien. Het leken wel eeuwen. Ze had Andy een paar maal gesproken sinds ze op de Cape zat. Hij bracht de laatste week van zijn vakantie door bij zijn grootouders in Maine, na drie maanden in het hospitaal gewerkt te hebben. Uit haar gesprekken met hem kon ze opmaken dat hij in de loop van de zomer een stuk volwassener geworden was. Hij zou met zijn rechtenstudie in Harvard beginnen als zij teruggingen. Hij had zijn bachelorgraad gehaald in drie in plaats van vier jaar. Aangezien hij niet aan de oorlog kon deelnemen, verlangde hij ernaar om aan het werk te gaan. Het leek de aangewezen weg voor hem, temeer daar zijn vader aan het hoofd stond van een gerenommeerd advocatenkantoor. Ze stonden met open armen op hem te wachten.

Het was moeilijk om niet aan Joe te denken. Kate stond bij de barbecue marshmallows te roosteren en herinnerde zich het ogenblik waarop ze hem gezien had, daar, op diezelfde plek een jaar geleden. Het was het begin van hun romance geweest. Beiden waren elkaar kort daarna gaan schrijven en vervolgens had ze hem uitgenodigd voor Thanksgiving Day. Kate kon zich nog bijna woordelijk herinneren wat hij had gezegd toen ze langs het strand wandelden. Ze stond daar in gedachten verzonken toen iemand achter haar haar mijmeringen verstoorde. Terwijl ze dacht aan Joe, was ze mijlenver weg geweest.

'Waarom laat je ze altijd verbranden?' zei de stem. Hevig geschrokken draaide ze zich om. Het was Joe, die vlak achter haar stond. Hij zag er met zijn rijzige gestalte mager en bleek uit, en leek ietwat ouder geworden. Hij glimlachte naar haar, en in een fractie van een seconde had zij het stokje met de smeulende marshmallows in het zand gesmeten en had hij haar stevig in zijn armen gesloten. Hij was het mooiste dat ze ooit aanschouwd had.

'Mijn god, Joe... wat ben ik blij...' Het kon niet waar zijn en toch was het zo. Ze had geen flauw idee waarom hij hier was. Bezorgd deed ze een stapje naar achteren. Ze zag niets aan hem, dus hij was in ieder geval niet gewond. 'Maar wat doe jij hier?'

'Ik heb twee weken verlof. Dinsdag moet ik rapport uitbrengen aan het ministerie van oorlog. Ik zal mijn quotum aan Duitsers gehaald hebben, denk ik. Daarom hebben ze me naar huis gestuurd om een beetje op jou te letten. Ik vind dat je er prima uitziet. Hoe gaat het met je, schat?' Nou, met haar ging het oneindig veel beter nu ze hem zag. Het enige waaraan ze kon denken was wat een geluk ze had hem weer te zien. En hij zag er in elk opzicht net zo gelukkig uit als zij. Hij kon zijn handen niet van haar afhouden, terwijl ze dicht tegen elkaar stonden. Hij streelde haar haar en hield haar dicht tegen zich aan, en telkens weer kuste hij haar en dan verstevigde hij zijn greep.

Haar vader ontdekte hen een paar minuten later. Eerst had hij er geen idee van wie die lange blonde man was die naast Kate stond. Toen hij zag dat hij haar kuste, besefte hij dat het Joe was. Hij haastte zich naar hem toe, dwars over het zand.

Hij omhelsde Joe allerhartelijkst en keek hem daarna aan met stralende blik, terwijl hij hem op de schouder klopte. 'Fijn je weer te zien, Joe. We hebben allemaal in de rats gezeten om jou.'

'Met mij is alles oké. Jullie zouden je zorgen moeten maken om de Duitsers. We hebben ze platgeschoten.'

'Eigen schuld,' zei Kates vader ferm. Hij glimlachte. Het was net of Joe zijn zoon was.

'Ik doe het alleen maar omdat ik dan weer naar huis mag,' zei Joe stralend. Hij was een gelukkig man en Kate leek buiten zinnen van geluk. Ze kon het niet geloven wat haar zojuist overkomen was. Het was een welkome onderbreking van de martelende maanden van wachten en bidden. Twee weken! Het leek een wonder. Naar hem kijken en hem vasthouden, dat was het enige dat ze wilde. En hij was geen moment van haar zijde geweken sinds zijn verrassende komst. Hij wilde zo dicht mogelijk bij haar zijn en haar aanwezigheid in zich opzuigen.

'Hoe gaat het daar, jongen?' vroeg Clarke hem op ernstige toon, terwijl Kate zich heel eventjes losrukte om haar moeder te zoeken en haar te vertellen dat Joe weer in het land was.

'De Britten maken een zware tijd door,' zei Joe eerlijk. 'De Duitsers snijden dwars door hun verdediging heen en bombarderen alle grote steden. Ik denk dat we ze uiteindelijk op de knieën krijgen, maar het zal niet eenvoudig zijn.' Het nieuws van de afgelopen twee maanden was weinig bemoedigend geweest. Duitsland had Sebastopol ingenomen en vervolgens een hevige en genadeloze aanval geopend op Stalingrad. Rommel gaf de Britten in Noord-Afrika een pak slaag. En de Australiërs waren in Nieuw-Guinea in een felle strijd verwikkeld met de Japanners.

'Ik ben blij dat je nog heel bent, mijn jongen,' zei Clarke tegen Joe. Het was alsof hij al deel uitmaakte van de familie, hoewel er over en weer nog geen beloften gedaan waren. Zelfs Elizabeth leek milder gestemd. Ze wandelde samen met Kate naar hem toe, en omhelsde en kuste hem. Ze zei hem hoe gelukkig ze was dat hem niets mankeerde. Het was oprecht gemeend: ze was gelukkig omwille van haar dochter.

'Je bent afgevallen, Joe,' merkte Elizabeth bezorgd op. Hij was erg mager geworden, maar hij maakte dan ook veel vlieguren en at erg weinig. De rantsoenen die ze kregen waren tamelijk afschuwelijk, zoals Kate uit zijn brieven wist. 'Je voelt je toch wel goed?' vroeg Elizabeth aan Joe. Ze keek hem onderzoekend aan.

Hij knikte. 'Nou en of, zeker nu ik twee weken hier ben. Ik moet morgen voor twee dagen naar Washington, maar donderdag ben ik weer terug. Ik voel er veel voor om naar Boston te komen.' De reden was duidelijk, en Kate straalde.

'Je bent van harte welkom,' zei Clarke meteen, na snel een blik op zijn vrouw te hebben geworpen. Maar zelfs zij kon de uitdrukking van pure vreugde op het gezicht van haar dochter niet weerstaan.

'Zou je het leuk vinden om bij ons te logeren?' bood Elizabeth aan. Kate moest bijna huilen van geluk toen ze haar moeder bedankte. Maar ook Elizabeth wist dat je op een gegeven moment de bakens moest verzetten. Als hem ooit iets zou overkomen, wilde ze niet dat Kate het gevoel had dat zij alles in het werk gesteld hadden om hen uit elkaar te houden. Het was waarschijnlijk beter voor alle betrokkenen om grootmoedig te zijn, mits Kate geen dwaasheden beging. Haar moeder was van plan om er met haar over te praten nu zij ze zo samen gezien had. Joe was per slot van rekening een man van eenendertig, met behoeften en verlangens waar Kate in dit stadium nog lang niet aan toe was. Toch was Elizabeth genegen hem bij hen te laten logeren, als de jongelui zich maar gedroegen. Die last zou op Kates schouders rusten.

De rest van de avond was in een ommezien voorbij. Joe verliet haar ver na middernacht. Hij wilde tegen de volgende morgen in Washington aankomen. Eerst moest hij met de auto naar Boston en dan met de trein naar Washington. Hij had geen vliegtuig tot zijn beschikking. Toen hij wegging kuste hij haar lang en innig, en beloofde dat hij haar over drie dagen in Boston zou komen opzoeken. Ze had er de pest aan dat ze weer naar de universiteit moest terwijl hij er was, maar haar ouders hamerden erop dat ze geen colleges mocht missen. Beiden moesten de tijd die overbleef dan maar zo goed mogelijk besteden. De enige concessie die ze deden was dat Kate bij hen en Joe kon blijven, als ze maar elke dag naar college ging.

'Ik zal haar wel naar de universiteit brengen en ervoor zorgen dat ze er blijft,' beloofde Joe hun. Plotseling had ze het gevoel dat ze twee vaders had in plaats van een. Joe had altijd iets heel vaderlijks en beschermends gehad. Dat was een van vele redenen waarom ze zich zo prettig bij hem voelde.

Toen hij haar laat die nacht verliet om terug te rijden, hield hij haar een poosje tegen zich aan en vertelde haar hoezeer hij haar had gemist en hoeveel hij van haar hield. Kate keek naar hem en dronk zijn woorden in. Ze had ze in lange tijd niet gehoord. 'Ik hou ook van jou, Joe. Ik heb me zulke zorgen gemaakt.' Veel meer dan ze hem ooit zou kunnen vertellen.

'We redden het wel, schatje. Dat beloof ik het je. En wanneer het allemaal voorbij is, zullen wij samen een geweldige tijd hebben.' Het was niet het soort belofte waar haar moeder op hoopte, maar Kate kon het niet schelen. Gewoon bij hem te zijn, was voldoende voor haar.

Twee dagen later kwam Joe uit Washington terug, en dat was eerder dan verwacht. Hij trok bij hen in. Hij was hoffelijk, attent, beleefd en welgemanierd, en hij behandelde Kate uiterst respectvol, tot vreugde van haar ouders. Zelfs haar moeder was onder de indruk van zijn goede manieren. Maar hij vroeg niet naar haar hand en juist dit zou hen het meeste plezier gedaan hebben.

Haar vader bracht het zijdelings en tactvol ter sprake toen hij op een middag vroeg van kantoor thuiskwam en Joe in de keuken trof. Deze was ontwerpen aan het schetsen voor een nieuw vliegtuig. Er was geen sprake van dat het nu gebouwd kon worden, maar na de oorlog zou het zijn droomtoestel worden. Hij had al diverse notitieboekjes volgeschreven met ingewikkelde details.

Clarke zag het, en dat leidde tot een korte discussie over Charles Lindbergh, die Henry Ford hielp om de productie van bommenwerpers te organiseren. Lindbergh had graag dienst willen nemen in het leger, maar Roosevelt had het geweigerd. Wat hij met Ford aan het doen was, was waardevoller en belangrijker voor de oorlogsinspanning. De pers bleef evenwel kritisch gestemd jegens hem, een gevolg van de politieke standpunten die hij voor de oorlog ingenomen had. Net zoals de rest van het land was Clarke teleurgesteld geweest door Lindberghs uitspraken ten behoeve van de America First-beweging. Het had geleken of hij sympathiseerde met de Duitsers, en zoals vele anderen had Clarke wat van het respect dat hij vroeger voor hem had gehad, verloren. Hij had Lindbergh altijd gezien als een patriot, en het leek zo strijdig met diens karakter en zo naïef van hem om zich door de Duitsers te laten imponeren. Maar dat was voor de oorlog. Nu had hij zich in Clarkes ogen gerehabiliteerd door zich volledig in te zetten voor de oorlogsinspanning.

Het gesprek ging geleidelijk over van Lindbergh op Kate. Clarke vroeg er niet rechtstreeks naar, maar liet doorschemeren dat hij nieuwsgierig, zo niet bezorgd was naar Joe's bedoelingen met zijn dochter. Joe vertelde hem onmiddellijk dat hij van haar hield. Hij was eerlijk en openhartig, en hoewel hij de indruk maakte zich niet op zijn gemak te voelen, terwijl hij erover sprak, draaide hij er niet omheen en noemde hij de dingen bij hun naam. Hij staarde een moment naar zijn handen en toen weer naar Kates vader. Clarke had van meet af waardering voor Joe gehad, en ook nu maakte diens gedrag een goede indruk op hem. Nee, Joe had hem tot nu toe niet teleurgesteld. Het ging gewoon wat langzamer bij hem, langzamer dan Kates moeder graag had gezien, maar Kate vond het klaarblijkelijk niet erg en Clarke moest dat respecteren. Welke gevoelens ze ook voor elkaar hadden, ze leken op weg naar wat ze wilden, en ze voelden elkaar uitstekend aan. Ze waren onafscheidelijk vanaf het moment dat hij weer thuis was, en ontegenzeggelijk smoorverliefd.

'Ik ben niet van plan om nu met haar te trouwen,' zei Joe zonder omwegen, terwijl hij probeerde wat te gaan verzitten in zijn nauwe keukenstoel, als een reuzenvogel die met gevouwen vleugels op een stok zit. 'Dat zou verkeerd zijn. Als er daar met mij iets gebeurt, laat ik een weduwe achter.' Clarke had niet de behoefte om te zeggen dat ze er hoe dan ook kapot van zou zijn, getrouwd of ongetrouwd. Beiden wisten het. Ze was nog erg jong. Op haar negentiende was hij de eerste man in haar bestaan op wie ze verliefd was, en als Kates moeder haar zin kreeg, dan was hij ook meteen de laatste. Ze had Clarke de vorige avond verteld dat ze vond dat ze zich moesten verloven. Het zou in ieder geval duidelijkheid geven en van respect voor Kate getuigen. 'We houden van elkaar. Er is geen ander daar in Engeland. Ik heb er geen vriendin, en dat zal ook niet gebeuren,' legde Joe haar vader uit. Hij had dat niet met zoveel omhaal van woorden tegen Kate gezegd, maar ze wist het instinctief. Ze vertrouwde hem volkomen en had voor hem haar hart geopend. Ze had haar innerlijk niet afgeschermd, geen verdedigingsmuur opgeworpen, ze was zonder enige reserve, en dat was nu net waar haar moeder zo bang voor was. Elizabeth was er niet zeker van of voor Joe hetzelfde gold. Ze vermoedde dat dat niet zo was. Hij had genoeg levenservaring en was voorzichtig genoeg om iets voor zichzelf te houden. Hoeveel precies, dat was de vraag waar het op aankwam. Kate was een stuk jonger. Ze was naïever, veel kwetsbaarder en buitengewoon goed van vertrouwen. Natuurlijk, ook zij van haar kant had de ander diep kunnen kwetsen, maar zoiets zou ze nooit doen. Daar hoefde Joe niet aan te twijfelen.

'Zie je jezelf nog weleens definitief ergens neerstrijken?' vroeg Clarke ernstig. Voor het eerst zou hij een dieper inzicht krijgen in wat Joe met zijn leven wilde. Ze hadden voor de oorlog nooit de kans gehad om erover te praten.

'Ik denk van wel, wat dat ook mag betekenen. Zolang ik maar kan blijven vliegen en vliegtuigen kan bouwen. Dat is mijn roeping. Zolang al het andere daarin past, denk ik dat ik me wel kan settelen. Ik heb er nooit zo over nagedacht.' Het had weinig weg van toekomstplannen of van een ferme intentieverklaring, maar meer van een mogelijkheid. Het volwassenwordingsproces had bij hem lang geduurd, en blijkbaar had hij geen sterke emotionele behoefte om zich te binden aan wie of wat ook. Zoals hij Kate had verteld, had hij zich nooit wezenlijk bekommerd om het hebben van een gezin met kinderen. Alleen om vliegtuigen. 'Het is bepaald niet gemakkelijk om aan de toekomst te denken, als je verscheidene keren op een dag je leven op het spel zet. Wanneer je daarmee bezig bent, is dat het enige dat telt.' Hij ging wel drie keer per dag de lucht in voor een actie, en iedere keer wanneer hij opsteeg, wist hij dat hij misschien niet zou terugkeren. Het was dan lastig om aan andere dingen te denken, en in feite wilde hij dat ook niet. Het enige dat hij kon doen was zich concentreren op zijn taak: het neerhalen van een vijandelijke vlieger. Al het andere was onbelangrijk op die allesbepalende momenten, zelfs Kate. Zij was een luxe die hij zichzelf kon veroorloven, nadat de belangrijke zaken waren afgerond. Zo zag hij momenteel zijn leven. Er waren dingen die hij moest doen. Had hij ze gedaan, dan was er tijd voor haar. Het werk kwam voor het meisje. En op dit ogenblik was zijn werk de oorlog.

'Ik hou van Kate, Mr. Jamison,' zei Joe tegen Clarke. Deze reikte hem een glas bourbon aan. Joe pakte het aan en nipte ervan. 'Denkt u dat ze gelukkig zal zijn met een vent als ik? Bestaat zo iemand wel? Vliegen komt bij mij op de eerste plaats. Dat moet ze weten.' Hij was een genie op zijn terrein. Hij had briljante ideeën over vliegtuigbouwkunde en hij was vertrouwd met ieder minuscuul onderdeeltje van zijn toestellen. Hij kon vliegen onder elke denkbare omstandigheid en had dat ook gedaan. Van vrouwen begreep hij een stuk minder, en dat wist hijzelf ook. Pas nu begon het Clarke te dagen. Kates moeder had het allemaal vanaf het begin bespeurd.

'Ik denk dat ze gelukkig wordt, als je voor zekerheid en stabiliteit in haar leven zorgt en om haar geeft. Zij wil dezelfde dingen die alle vrouwen uiteindelijk willen: een man op wie ze kan rekenen, een fatsoenlijk thuis en kinderen. Tamelijk basaal allemaal.' Een luxeleventje konden zij, haar ouders, haar bezorgen, niet alleen nu maar ook straks door de erfenis. Maar de emotionele ondersteuning en stabiliteit, de zekerheid, zou van hem moeten komen. Als hij daartoe in staat was.

'Dat lijkt me niet zo ingewikkeld,' zei Joe dapper. Hij nam een slok van zijn bourbon.

'Soms is het gecompliceerder dan je denkt. Vrouwen raken van de kook van de gekste dingen. Je kunt ze niet zomaar als een koffer in de kofferbak van een auto gooien. Als je ze boos maakt of als je ze, emotioneel of anderszins, geen aandacht geeft, dan lopen de dingen stroef.' Dat was een wijs advies, maar Clarke had zo zijn twijfels of het bij Joe in vruchtbare aarde viel.

'Ik denk dat u gelijk heeft. Ik heb er nooit zo over nagedacht. Dat was eigenlijk nooit nodig.' Hij draaide weer in zijn stoel heen en weer en sloeg zijn ogen neer. Hij keek in zijn glas en niet naar Clarke, toen hij een minuut later de draad van het gesprek weer oppakte. 'Het lukt me niet om al deze zaken nu helder te krijgen. Aan de ene kant is nog te vroeg. Kate en ik kennen elkaar nauwelijks. Aan de andere kant ben ik met al mijn gedachten bij het afschieten van die Duitsers. Later, wanneer de oorlog is afgelopen, kunnen we kijken welke kleur linoleum we willen en of we gordijnen nodig hebben. Op dit ogenblik hebben we het huis niet eens. Volgens mij zijn we geen van beiden al zover dat we belangrijke beslissingen kunnen nemen.'

114

Onder de gegeven omstandigheden klonk het redelijk en waarschijnlijk klopte het ook, maar Clarke was toch teleurgesteld. Hij had de hele tijd gehoopt dat Joe hem om Kates hand zou vragen. Maar Joe had niet gezegd dat hij het niet zou doen, maar wel toegegeven dat hij er nog niet klaar voor was. Misschien was het ook maar beter dat hij er eerlijk over was. Naar Clarkes idee zou Kate dolgelukkig zijn geweest als Joe wél zover geweest was dat hij een aanzoek kon doen. Op haar negentiende was ze er meer klaar voor om te trouwen en gesetteld te raken – althans met Joe – dan hij op zijn eenendertigste. Diens leven was tot nu toe heel anders geweest. Hij had al die tijd rond de wereld gezworven, van startbaan naar landingsbaan en zich toegelegd op het vliegen en de toekomst van de luchtvaart. Hij had toekomstdromen zolang ze over vliegtuigen gingen, maar weinig of geen als het het leven van alledag betrof. Naar de mening van Clarke zou hij zich als de oorlog voorbij was meer moeten richten op wat er op de grond gebeurde, in plaats van aldoor maar naar de hemel te kijken. In bepaalde opzichten was Joe Allbright een dromer. De vraag was of Kate deel uitmaakte van zijn dromen.

'Wat heeft hij gezegd?' Elizabeth hoorde hem die nacht uit, nadat ze Joe en Kate goedenacht gezegd hadden. De deur van hun slaapkamer hadden ze achter zich dichtgedaan. Ze had hem gevraagd of hij met Joe wilde spreken zodra hij daar kans toe zag. Om haar te plezieren was hij eerder van kantoor weggegaan om wat tijd te hebben om met Joe te praten voor Kate thuiskwam van college.

'Wat hij heeft gezegd komt in het kort hierop neer: hij zei dat hij er nog niet klaar voor was, of om preciezer te zijn, dat zíj er nog niet klaar voor waren.' Clarke probeerde zijn teleurstelling wat te verbergen, want hij wilde zijn vrouw niet van streek maken.

'Als hij het was, zou Kate het ook zijn,' zei Elizabeth bedroefd. 'Dat denk ik ook. Maar je kunt het niet forceren. Hij is nu militair en het is oorlog. Hij riskeert iedere dag opnieuw zijn leven. Het is een beetje lastig om hem ervan te overtuigen dat hij zich moet verloven.' Omdat Kate zoveel van hem hield, waren ze het erover eens dat ze moesten doen wat ze konden om haar te helpen. Ze hadden het prettig gevonden als ze de zaak hadden kunnen regelen voor hij weer vertrok. Die twee weken verlof waren een geschenk uit de hemel, maar Clarke zag nu in dat er, in ieder geval deze keer, geen verloving zou plaatsvinden. Later wellicht. 'Ik denk dat hij hoe dan ook geen huisje-boompje-beestjetype is. Maar hij zou het kunnen worden, ter wille van Kate. Ik ben er rotsvast van overtuigd dat hij van haar houdt. Hij heeft dat ook gezegd, en ik geloof hem. Hij rommelt niet maar wat aan, hij is gek op haar. Maar hij is ook gek op zijn vliegtuigen.' Dat was precies waar Elizabeth vanaf het begin zo bevreesd voor geweest was.

'Maar wat gebeurt er als ze de hele oorlog op hem zit te wachten en hij komt nadien tot de slotsom dat hij zich niet wil binden? Ze verspilt jaren en hij breekt haar hart.' Dat was nu juist het scenario dat ze niet voor haar dochter wilde, en een garantie dat het anders zou gaan, was er niet. Zelfs als hij haar trouwde, kon hij doodgaan en zou ze weduwe zijn. Beiden wisten het. Maar misschien zou ze in dat geval een baby hebben. Dat was tenminste wat. Maar het waren geen van alle dingen die ze haar toewensten. Waar ze op hoopten was een man die van haar hield en bij haar wilde zijn. Een man die een degelijk en gesetteld leven leidde. Bij Clarke begon de gedachte post te vatten dat Joe misschien altijd een beetje buitenissig zou blijven. Natuurlijk, een genie mocht wel een beetje vreemd zijn. Clarke wist niet zeker of dat wel zo'n slechte zaak was, maar het maakte het wat moeilijker om spijkers met koppen te slaan. Zijn conclusie was dat ze geduld moesten hebben. Hij zei dat ook tegen Elizabeth en deed haar nu wat uitvoeriger verslag van het gesprek. 'Probeerde hij je te vertellen dat hij nooit wilde trouwen, wat denk je?' Een gevoel van paniek maakte zich van haar meester, maar Clarke bleef kalm.

'Nee, dat denk ik niet, Liz. Ik denk dat hij uiteindelijk met haar zal trouwen. Ik heb meer kerels zoals hij gekend. Het duurt alleen wat langer om ze op stal te krijgen.' Hij glimlachte naar zijn vrouw. 'Niet alle paarden zijn zo gewillig, en dit is nogal een wild paard. Heb gewoon wat geduld. Kate lijkt zich er in ieder geval niet druk om te maken.'

'Daar maak ik me juist zorgen over. Ze zou nog met hem meegaan naar de maan. Ze is stapelgek op hem, en ik denk dat ze met alles instemt wat hij haar voorstelt. Ik wil niet dat ze in een tent kampeert naast de startbaan van een of ander vliegveld.'

'Volgens mij zal het zover nooit komen. Desnoods kopen we een huis voor ze.'

'Het is niet het huis waar ik me zorgen over maak, maar wie er woont. En wie niet.'

'Hij zal er zijn,' stelde Clarke haar gerust, en het klonk gemeend.

'Ik hoop dat ik het nog meemaak,' zei ze verdrietig. Hij gaf haar een zoen.

'Kom, kom, meisje. Je bent nog een jonge blom!' Maar zij voelde zich de laatste dagen vermoeid, en het feit dat ze de zestig naderde, deprimeerde haar. Bovendien wilde ze vreselijk graag dat Kate onder de pannen kwam en gelukkig werd. Maar de tijd zat tegen. Het was oorlog.

Kate intussen voelde zich niet ongelukkig, behalve dan door het feit dat Joe in Engeland aan het oorlog voeren was. Maar haar moeder vond dat haar toekomst geenszins verzekerd was. Joe leek op een wilde, trotse vogel. Het was een volledig onafhankelijke geest. Het was onvoorspelbaar wat hij zou doen als hij terugkwam, althans voor Elizabeth. Zij was er minder zeker van dan Clarke dat ze erop konden rekenen dat hij met hun dochter zou trouwen. Maar ze hadden het in ieder geval geprobeerd.

Ook Joe maakte die avond melding van het gesprek, en Kate reageerde geschokt. 'Dat is walgelijk,' zei ze gekwetst. Ze had het gevoel dat haar ouders hem probeerden te dwingen om met haar te trouwen, en dat wilde ze niet. Ze wilde hem alleen als hij ook haar wilde, als hijzelf echt wilde trouwen. 'Waarom heeft mijn vader dat gedaan? Het is alsof hij jou probeert te dwingen om met me te trouwen.'

'Ze zijn gewoon bezorgd,' zei hij rustig. Hij had er begrip voor, hoewel hij zich er ook ongemakkelijk bij gevoeld had. Hij had nooit tekst en uitleg over zijn doen of laten hoeven geven. 'Ze bedoelen het niet kwaad, Kate. Ze hebben het beste met je voor, en waarschijnlijk ook met mij. Eigenlijk voel ik me best wel gevleid. Ze hebben me niet gezegd dat ik maar weg moest gaan, of dat ik niet goed genoeg voor hun dochter was. Allemaal dingen die ze hadden kunnen zeggen. Ze willen weten of ik van plan ben honkvast te worden, en of ik echt van je hou. Ik heb je vader gezegd dat dat zo is, dan weet je dat alvast. We moeten als ik weer terug ben uit Engeland maar zien hoe het verder gaat. Alleen God weet waar ik dan zal zijn.' Maar ook die woorden bevielen haar niet. Hij had zich altijd door de wind mee laten voeren naar de meest aantrekkelijke landingsbaan. Maar ze wilde hem er niet naar vragen. Die ene middag met haar vader was wel genoeg geweest, ze was echt boos op hem, hoe gemoedelijk Joe het ook opnam. Ze was blij dat het gesprek hem niet van zijn stuk gebracht had en dat hij er geen probleem in zag. Joe's houding zat haar ouders niet helemaal lekker, en ze wist dat ze haar daarmee zouden blijven confronteren. Maar ze kon zich er nu niet druk om maken.

Hun tijd samen in die septembermaand van 1942 was sprookjesachtig. Ze ging iedere dag naar college en na afloop kwam hij haar afhalen. Ze brachten uren door met praten en wandelen. Regelmatig zaten ze onder een boom te praten over dingen die ze belangrijk vonden in het leven. Joe had het meestal over zijn vliegtuigen, maar ook wel over andere zaken. Over mensen en plaatsen, en over zijn plannen. Doordat hij iedere dag oog in oog met de dood stond, was het leven nog kostbaarder voor hem geworden. Op lome namiddagen hielden ze elkaars hand vast en kusten ze elkaar. Ze hadden al besloten om niet met elkaar te slapen. Naarmate de dagen voorbijgingen, werd de verleiding steeds groter, maar ze gedroegen zich voorbeeldig. Net zomin als hij haar als weduwe wilde achterlaten, mocht hij omkomen, wilde hij dat ze zwanger was wanneer hij weer naar het front vertrok. En als ze op een dag trouwden, moest het uit eigen verkiezing zijn, en niet omdat het moest. Ze was het met hem eens, hoewel ze ergens bijna wilde dat ze een baby van hem zou hebben als hem iets overkwam. Maar het enige dat ze nu konden doen, was vertrouwen op de toekomst. Er waren geen beloften, geen waarborgen, geen zekerheden. Alleen hun hoop en hun dromen, en de tijd die ze samen hadden doorgebracht. Het overige was volkomen onbekend.

Toen hij haar ten slotte verliet, hielden ze meer van elkaar dan ooit. Ze kenden geen geheimen voor elkaar. Het leek alsof ze elkaar volmaakt aanvulden. Ze waren verschillend, maar pasten zo goed bij elkaar dat Kate meende dat ze voor elkaar geboren waren, en Joe was het ermee eens. Hij maakte soms nog een hulpeloze indruk, was zo nu en dan nog verlegen, nog stil, verzonken in zijn eigen gedachten, maar Kate kon het nu plaatsen. Ze vond al zijn kleine hebbelijkheden alleen maar vertederend. En bij zijn vertrek stonden er tranen in zijn ogen toen hij haar kuste en zei dat hij van haar hield. Hij beloofde dat hij haar zou schrijven zodra hij terug was in Engeland. Het was de enige belofte die hij deed voor hij vertrok. Voor Kate was het voldoende.

6

De oorlog laaide op in oktober van dat jaar, en sommige van de berichten waren bemoedigender dan tevoren. De Australiërs en hun bondgenoten waren bezig de Japanners uit Nieuw-Guinea te verdrijven, en de laatsten leken aan kracht in te boeten op Guadalcanal. De Britten op hun beurt putten de Duitsers uit in Noord-Afrika. En Stalingrad hield stand tegen de Duitsers, hoewel toegegeven moest worden dat het erom spande.

Joe nam deel aan de ene luchtactie na de andere. Het luchtgevecht boven Gibraltar maakte geschiedenis. Hij en drie andere Spitfire-piloten haalden twaalf Duitse Stuka-duikbommenwerpers neer op een verkenningsvlucht die voorafging aan de reusachtige geallieerde invasie die bekend staat onder de naam Operation Torch. Die actie was een groot succes geweest.

Joe werd onderscheiden. Hij ontving een Britse onderscheiding, het Distinguished Flying Cross, en daarna vloog hij naar Washington om uit handen van de Amerikaanse president de United States Distinguished Flying Cross in ontvangst te nemen. Ditmaal kreeg Kate ruim van tevoren een seintje van zijn komst. Ze nam om hem te ontmoeten de trein van Boston naar Washington. Het was drie dagen voor Kerstmis. Ze hadden twee dagen voor hij weer terug moest naar Engeland. Maar opnieuw kwam het voor hen als een geschenk uit de hemel, een geschenk dat geen van beiden verwacht had. Het ministerie van oorlog boekte een hotelkamer voor hem, en Kate nam een kamer op dezelfde verdieping. Ze woonde de plechtigheid in het Witte Huis bij en kreeg een hand van de president, waarna Joe en zij poseerden met hem voor een foto. Voor Kate had het allemaal iets van een film.

Na afloop nam Joe haar mee uit eten. Ze bestelden en ze glimlachte naar hem. Hij had zijn medaille nog steeds opgespeld. En hij was knapper dan ooit.

'Ik kan nog altijd niet geloven dat je hier bent,' zei ze, en keek hem stralend aan. Hij was een echte held. De plechtigheid was een vreemde mengeling van vreugde en verdriet geweest voor Kate. Ze besefte dat zijn leven aan een zijden draad gehangen had. Het hele leven leek tegenwoordig bitterzoet. Elke dag dat hij leefde, was een geschenk. Bijna elke dag hoorde ze van jongemannen die omgekomen waren in Europa of de Pacific. Haar studiegenootjes met wie ze naar school was gegaan, hadden al zoveel dierbaren verloren. Tot dusverre was ze er heel goed vanaf gekomen. Iedere dag hield ze haar hart vast, terwijl ze bad voor Joe.

'Ik kan het niet geloven dat ik hier ben,' zei Joe. Hij nam een slokje van zijn wijn. 'En voor ik het weet zit ik weer in Engeland te vernikkelen van de kou.' Hier leken de dingen feestelijker omdat de oorlog niet zo dichtbij was. Overal stonden kerstbomen en werden kerstliederen gezongen. Kinderen wachtten lachend op de kerstman. Je zag nog blije gezichten. Heel anders dan de gepijnigde, hongerige en angstige gezichten in Engeland. Daar zagen zelfs de kinderen er uitgeput uit. Iedereen had schoon genoeg van de bommen en de luchtaanvallen. Huizen verdwenen in een oogwenk, vrienden werden vermist, kinderen gedood. Het leek bijna niet mogelijk om in deze dagen gelukkig te zijn. Niettemin waren de mensen die Joe daar kende erg dapper.

Washington maakte op hem, en op Kate, de indruk van een sprookjesparadijs. Na het diner wandelden ze terug naar hun hotel en zaten daar uren te kletsen in de zithoek die men in de lounge van het hotel ingericht had. Ze wilden bij elkaar blijven en hadden nog geen zin om naar hun kamers te gaan. En naarmate de avond vorderde, werd het in de lounge steeds killer, maar zij vond het niet netjes om samen op een van de kamers te gaan zitten. Haar ouders hadden samen met haar naar Washington willen gaan, niet om een oogje in het zeil te houden, maar om deel te nemen aan de plechtigheid. Maar uiteindelijk moesten ze verstek laten gaan. Er waren belangrijke cliënten van haar vader overgekomen uit Chicago en Elizabeth moest bij hem blijven. Haar ouders vertrouwden haar onvoorwaardelijk en ze mocht alleen gaan. Bovendien wisten ze dat Joe iemand met verantwoordelijkheidsgevoel was. Maar ten slotte waren ze zo verkild door het zitten in de lounge, dat hij voorstelde om naar zijn kamer te gaan. Hij beloofde dat hij zich zou gedragen. Ondertussen waren Kates handen zo verstijfd van de kou dat ze ze met moeite kon bewegen, en haar tanden klapperden. Buiten sneeuwde het onophoudelijk en was het bitter koud.

Ze beklommen de nauwe trap naar hun kamers. Het was een piepklein hotel en de kamerprijs was waanzinnig laag voor militairen. Dat was ook de reden waarom ze daar een kamer voor hem geboekt hadden. Kates kamer was nauwelijks duurder. De kamers waren heel klein en vrij sober, maar voor twee nachten maakte het hun niet uit. Het enige kerstcadeau dat ze graag wilde was een weerzien met hem, en ze had niet verwacht het te krijgen. Het was het antwoord op al haar smeekbeden. Ze had hem ontzettend gemist sinds september. En ze voelde zich bijna schuldig nu ze hem weerzag. Ze kende vrouwen die hun broers en verloofden sinds Pearl Harbor niet meer gezien hadden. Zij had haar Joe twee keer gezien de afgelopen vier maanden.

Dankzij de afmetingen van de kamers waren deze in ieder geval warmer dan de lounge. In iedere kamer stond een bed, een stoel en een toilettafel. Er was een fonteintje, en in wat ooit een ingebouwde kast moest zijn geweest, bevonden zich een douche en toilet. De enige plaats om je kleren op te hangen was aan de achterkant van de deur, maar Kate was allang blij dat ze een eigen badkamer had.

Zodra ze op zijn kamer waren, ging Joe op het bed zitten en zij nam de stoel. Hij opende een kleine fles champagne die hij gekocht had bij zijn aankomst in Washington om zijn onderscheiding, waarvan het uiterlijke kenteken op zijn uniformjasje bengelde, te vieren

Kate was er nog steeds vol van dat ze in het Witte Huis was geweest. Mrs. Roosevelt had heel aardig tegen haar gedaan en er precies zo uitgezien als Kate zich voorgesteld had. Het was haar opgevallen dat de first lady mooie handen had, en ze was er gebiologeerd door geweest. Kate wist dat iedere bijzonderheid van die middag voor altijd in haar geheugen gegrift stond. Joe maakte de indruk er veel ongevoeliger voor te zijn, maar hij was dan ook met Charles in de loop der jaren op een aantal behoorlijk interessante plaatsen geweest, en er waren andere dingen die hem meer interesseerden, zoals buitengewone vliegprestaties en belangrijke piloten. Maar hij was toch blij met zijn onderscheiding, hoewel hij begaan was met de mannen die hij gekend had en die omgekomen waren bij de luchtgevechtshandelingen waar hij aan deelgenomen had. Het was hem veel liever geweest als hij de medaille niet had gekregen en samen met hen naar huis gekomen was. Het maakte het er voor hem niet makkelijker op om de gebeurtenis te vieren of om echt in zijn sas te zijn met de medaille. Hij had al zoveel kameraden verloren. Ze spraken erover toen hij haar het glas champagne aanreikte.

De stoel waarop Kate plaatsgenomen had zat zo ongemakkelijk dat hij haar uitnodigde om bij hem op bed te komen zitten. Ze wist dat ze het lot tartten, maar wist ook dat ze elkaar konden vertrouwen. Ze zouden geen dwaasheid begaan zomaar, omdat ze op een bed in een hotelkamer zaten. En zonder te aarzelen kwam ze naast hem zitten en vervolgden ze hun gesprek. Ze had slechts een half glas champagne gehad en Joe twee glazen. Geen van beiden was drank gewend en na een poosje zei ze dat ze terugging naar haar kamer.

Voor ze opstond, kuste hij haar. Het was een lange, sensuele kus die alle droefheid en verlangen in zich had die beiden al zolang voelden, en de vreugde van hun samenzijn. Toen hij ophield haar te kussen, snakte ze naar adem en hij ook. Het was plotseling of ze uitgehongerd waren, alsof alle ontberingen van het afgelopen jaar bij elkaar kwamen, en ze konden geen genoeg krijgen van elkaar. Kate had zich nog nooit zo overweldigd door verlangen gevoeld en Joe ook niet. Hij legde haar languit op bed, en zonder er ook maar over na te denken kuste hij haar en bedekte haar teder met zijn lichaam. Tot haar grote verbazing hield ze hem niet tegen. Beiden wisten dat ze moesten stoppen met wat ze aan het doen waren, dat ze een adempauze moesten inlassen voor ze verder gingen, anders waren ze er niet meer toe in staat. Zijn stem klonk hees toen hij fluisterde hoe veel hij van haar hield. Hij meende het. Ja, hij hield van haar, meer dan hij ooit gedaan had.

'Ik hou ook van jou,' fluisterde ze hijgend. Het enige dat ze wilde was hem kussen en vasthouden en hem boven op zich voelen, en zonder erbij na te denken, begon ze een voor een de knopen van zijn jasje los te maken. Ze wilde zijn huid voelen, zijn geur opsnuiven. Ze kon niet genoeg van hem krijgen, en hij wist dat hij zichzelf niet langer in de hand had.

'Wat doe je?' fluisterde hij, terwijl ze zijn jasje openmaakte. Hij begon haar bloesje los te knopen. Binnen een paar seconden hield hij haar borsten in zijn handen en boog zich vorover om ze te kussen. Ze kreunde toen hij haar bloesje uittrok en haar beha losmaakte. Een ogenblik later had ze zijn jasje uitgedaan en hij had zijn T-shirt uitgetrokken. Het voelen van elkaars naakte huid bracht hen in een roes. 'Lieveling... als je wilt stoppen?' vroeg hij haar. Hij probeerde greep op de situatie te houden, maar het tegendeel gebeurde. Het leek wel of zijn denkvermogen was aangetast, alleen maar door naar haar te kijken en haar onder zich te voelen.

'Ik weet wel dat we zouden moeten stoppen,' fluisterde ze onder zijn kussen, maar ze wilde het niet. Ze kon het niet. Ze wilde alleen hem. Ze hadden zich zo lang ingehouden, en nu plotseling was het enige dat ze wilde bij hem zijn. Terwijl ze op het punt stond zich aan hem over te geven, rukte hij zich van haar los en keek naar haar, met alle zelfbeheersing die hij kon opbrengen, omdat hij zoveel van haar hield.

'Kate, luister naar me... we hoeven niet, als je niet wilt...' Het was zijn laatste poging om haar te behoeden, maar ze wilde zich dit keer niet laten weerhouden. Het enige dat ze wilde was beminnen en bemind worden.

'Ik vind je zo lief... Ja, ik wil het, Joe...' Ze wilde met hem naar bed voor hij weer vertrok. Vandaag, na de plechtigheid, had ze meer dan ooit begrepen hoe kort en vluchtig het leven is. Misschien zou hij nooit bij haar terugkomen, en nu wilde ze dit met hem. Hij kuste haar weer als antwoord op wat ze tegen hem gezegd had, en ontdeed haar teder van de rest van haar kleding. Hij trok zijn eigen kleding uit en een ogenblik later lagen ze in bed. Hun kleren lagen in een hoopje op de grond. Joe liet zijn vingers over haar prachtige lichaam gaan en kuste haar overal. Hij genoot van het moment en het geluid en het gevoel toen ze kreunend zuchtte onder zijn vingers en kussen. Ze gaf hem kus na kus, terwijl hij in haar kwam. Het deed maar even pijn, en binnen enkele seconden gaf ze zich helemaal aan hem over. Beiden werden overspoeld door hartstocht. Hij had nooit iemand zo lief gehad als haar of zichzelf zo totaal gegeven. Hij was er helemaal voor haar, en toen het voelde alsof hij in haar opging, met haar versmolt, zijn lichaam om haar schreeuwde, werd hij bijna bang. Ze vrijden lange tijd, en nadien waren ze te moe om ook maar iets te doen. Joe was de eerste die bewoog. Hij draaide zich voorzichtig op zijn zij en keek zo teder naar haar als hij zelfs nog nooit naar een vliegtuig gekeken had. Kate had deuren in hem geopend waarvan hij het bestaan niet had geweten.

'Ik hou van je, Kate,' fluisterde hij in haar haar. Hij liet zijn vinger lui langs haar zij lopen en bedekte haar toen zorgzaam met het laken. Ze sliep half en glimlachte naar hem. Ze voelde geen schaamte, geen spijt, geen pijn. Ze was in haar hele leven nog nooit zo gelukkig geweest. Eindelijk behoorde ze hem toe. Ze ging niet meer terug naar haar kamer die nacht, ze bleef bij hem. Hij stopte haar in en gleed toen naast haar. Hij wilde weer met haar vrijen, maar wilde haar geen pijn doen. Maar de volgende morgen was het Kate die hem aanraakte, en even later vonden ze elkaar en gingen nieuwe hoogtepunten tegemoet. Nieuwe plaatsen hadden zich in hun gezamenlijk leven geopend, nieuwe gevoelens waren geboren. En later, toen Kate opstond en naar hem keek, besefte ze dat er een diepere band tussen hen ontstaan was. Het deed er niet toe waar hij was geweest of waar hij nu heen ging. Ze wist instinctief dat zij voor de rest van hun beider levens de zijne zou zijn en dat hij onlosmakelijk met haar verbonden was. Ze zou niet geweten hebben hoe ze het hem had moeten zeggen, maar ze wist terwijl ze met hem de douche in stapte, dat ze de zijne was. Haar ziel en diepste wezen behoorden hem.

7

Het afscheid van Joe in Washington viel Kate moeilijker dan toen hij haar verliet in Boston in september. Hij was nu een deel van haar en hij was nog liever voor haar. Het was alsof hij voelde dat ze echt de zijne was, en hij wilde haar beschermen met heel zijn wezen. Hij waarschuwde haar wel duizend keer om voorzichtig te zijn op weg naar huis, om goed op zichzelf te passen en geen domme dingen te doen. Hij wilde dat hij daar met haar had kunnen blijven, maar hij moest terug naar Engeland om opdrachten uit te voeren.

Zijn vertrek was voor beiden hartverscheurend. Voor de eerste keer in zijn leven had hij al zijn reserves laten varen. Zoals zij zich aan hem had gegeven, had hij zich aan haar gegeven. Hij was tegelijkertijd kwetsbaar en sterk geweest. Niet omdat hij met haar geslapen had, maar omdat hij zich verantwoordelijk voor haar getoond had. En om nu te vertrekken was verschrikkelijk voor beiden.

'Schrijf me iedere dag... Kate, ik hou van je,' zei hij voor hij afscheid nam. En toen hij haar op de trein zette in Union Station en de trein langzaam het station verliet, dacht ze dat haar hart zou breken. Hij holde met de trein mee, zolang hij kon. Daarna bleef hij staan wuiven en zij wuifde naar hem. De tranen rolden over haar wangen. Ze kon zich niet langer een leven zonder hem voorstellen, en ze was ervan overtuigd dat ze niet verder zou kunnen leven als hij nu stierf. Ze wilde hem geen uur overleven. De trein verwijderde zich van het station en ze moest weer denken aan de pijn die ze gehad had toen haar vader uit haar leven verdween. Joe maakte gevoelens van liefde in haar wakker die ze nooit eerder ervaren had. Haar halve leven had ze geprobeerd bepaalde gevoelens van verlies te vergeten. Dit afscheid bracht ze weer in haar herinnering terug.

Het grootste deel van de reis zat ze in gedachten verzonken, met haar ogen gesloten. Het was kerstavond; ze wist dat hij in het vliegtuig naar Engeland zou zitten voor ze thuis was. Ze zou laat in Boston aankomen en haar ouders zouden nog op haar wachten. Maar ze kon nauwelijks een woord uitbrengen toen ze uit de trein stapte en een taxi aanriep. Ze had er geen idee van hoe het verder moest, zo zonder hem. Wat hij haar gegeven had en wat zij hem had mogen geven, was de lijm die hen voor altijd onlosmakelijk met elkaar verbond. Alles was op zijn plaats gevallen. Hij had haar niet ten huwelijk gevraagd, maar dat hoefde ook niet. Ze voelde, net als hij, dat ze nu tot in de kern een harmonieus geheel vormden en waarachtig één geworden waren.

Toen Kate die avond thuiskwam, werd ze door haar ouders opgewacht in de woonkamer. Ze besefte dat haar moeder bij haar aanblik wel moest denken dat er iets ergs gebeurd was. Maar het enige dat er was veranderd, was dat Kate hem deze keer zo ondraaglijk miste. Ze kon zich er zelfs geen voorstelling van maken hoe het zou zijn als ze hem maanden of jaren niet zou zien, of erger nog, als hem iets vreselijks zou overkomen. Alles was nu anders. Ze hadden hun muren geslecht.

'Is er iets mis?' vroeg haar moeder paniekerig; Kate zag eruit alsof er iemand gestorven was. Kate schudde haar hoofd en realiseerde zich toen dat er toch iets gestorven was. Het was haar vrijheid. Ze was niet langer gewoon een meisje dat van een man hield. Ze was deel van een groter geheel, en ze had het gevoel alsof ze zonder hem niet kon functioneren. De afgelopen dagen hadden haar hele leven veranderd.

'Nee,' zei Kate met een dun stemmetje, maar het klonk niet overtuigend.

'Echt? Hebben jullie onenigheid gehad voor hij vertrok?' Dat gebeurde soms, puur van de spanning.

'Nee, hij was fantastisch.' Daarop barstte Kate in tranen uit en dook in haar moeders armen. Haar vader keek bezorgd toe. 'Wat als hij gedood wordt, mam? Wat als hij niet terugkomt?' Alle hartstocht, vrees, hunkering, dromen, behoeften, opwinding en teleurstelling bij elkaar zorgden voor een enorme explosie. Door het feit dat hij vertrok en terugging naar Engeland was het alsof er een bom op haar gegooid werd. Ze kon de gedachte niet verdragen dat ze weer iemand zou verliezen van wie ze hield, en alleen al de angst daarvoor gaf haar het gevoel klein en weerloos te zijn.

'We kunnen alleen maar hopen en bidden dat hij terugkomt. Als hij daartoe voorbestemd is, zal hij terugkomen. Je moet nu flink zijn.' Haar moeder sprak op vriendelijke toon, terwijl ze droevig over Kates schouder naar haar man keek. Haar ogen stonden vol verdriet.

'Ik wil niet flink zijn,' snikte Kate. 'Ik wil dat hij thuiskomt... Ik wil dat de oorlog voorbij is.' Ze klonk als een kind, en haar ouders hadden verschrikkelijk met haar te doen. Het was ellendig, maar de halve wereld was onderhevig aan dezelfde kwellingen als zij. Haar verdriet was niet uniek. In feite had ze meer geluk dan de meesten. Anderen hadden mannen verloren van wie ze hielden, zonen, broers en echtgenoten. Kate had Joe nog. Nog wel.

Ten slotte ging ze met haar ouders op de bank zitten en hervond ze haar kalmte. Haar moeder gaf haar een zakdoek en haar vader hield haar tegen zich aan. Beiden hadden medelijden met haar. En nadat haar moeder haar die nacht als een klein kind toegedekt had, ging ze terug naar haar man in de slaapkamer. Ze sloot de deur met een zucht en ging zitten aan haar toilettafel.

'Dit is nu precies waar ik bang voor was,' zei Elizabeth. 'Ik wilde niet dat ze hem op zo'n manier zou beminnen. Nu is het te laat. Ze zijn niet verloofd of getrouwd. Hij heeft geen toezeggingen gedaan. Niets van dat alles. Alleen maar liefde.'

'Dat is heel wat, Liz. Misschien wel het enige dat ze nodig hebben. Simpel getrouwd zijn zou hen niet in leven houden. Het is in Gods hand. Ze houden in ieder geval van elkaar.'

'Als er nu iets met hem gebeurt, Clarke, zal ze daar nooit overheen komen.' Ze zei het niet tegen Clarke, maar Kates huilbui die avond had haar eraan herinnerd hoe ontroostbaar het meisje geweest was door het verlies van haar vader.

'De helft van de vrouwen in dit land zit in hetzelfde schuitje. Ze zal er wel overheen moeten komen, als er wat gebeurt. Ze is jong. Ze zou er weer bovenop komen.'

'Ik hoop dat het nooit zover zal komen,' zei Kates moeder heftig. De volgende morgen was Kate niet in kerststemming. Ze was somber. Haar moeder had haar een prachtig saffieren halssnoer gegeven met bijpassende saffieren oorbellen, en haar vader bood aan om een auto voor haar te kopen die hij gezien had. De auto was twee jaar oud en verkeerde in goede staat. Haar rijvaardigheid moest er dan wel op vooruitgaan. Nu de benzine op rantsoen was, waren er niet veel mogelijkheden voor haar om te oefenen, en Elizabeth vond het geen goed idee. Kate had voor elk van hen schitterende cadeaus gekocht. Maar ze kon alleen maar denken aan Joe, terwijl ze stilletjes aanzat aan het kerstdiner. Ze was niet in staat een woord te zeggen. Ze wist dat hij omstreeks deze tijd alweer terug was in Engeland en aan luchtacties deelnam.

Gedurende de eerste weken bleef Kate gedeprimeerd. Haar moeder maakte zich ernstig zorgen en dacht er zelfs over om met haar naar een dokter te gaan. Telkens wanneer ze na de colleges eens een nachtje thuiskwam in het weekend, zag ze er moe en bleek uit. Het leek wel of ze helemaal geen sociaal leven meer had. Andy belde een aantal keren naar haar huis en beklaagde zich erover dat hij haar al tijden niet gezien had. Het leek erop alsof ze alleen nog maar wilde slapen en de brieven van Joe wilde herlezen. Hij klonk bijna alsof hij ongelukkig was in Engeland. Het was bepaald niet meegevallen om weer terug te gaan. Het was gemeen weer geweest. Ze hadden verscheidene acties gecanceld en de mannen waren rusteloos en verveelden zich.

Het was op Valentijnsdag dat bij Kates moeder ten slotte de paniek begon toe te slaan. Ze had Kate de dag ervoor gezien toen ze thuiskwam voor het zondagsmaal. Ze had het eten nauwelijks aangeraakt, zag er moe en bleek uit en iedere keer dat ze over Joe sprak, was ze in tranen uitgebarsten. Nadat ze vertrokken was, zei Elizabeth tegen Clarke dat ze met haar naar een dokter wilde gaan.

Clarke voelde er niets voor. 'Ze is alleen maar eenzaam. Het is koud en donker en ze studeert hard op de universiteit. Het komt allemaal goed, Liz. Je moet haar gewoon de tijd gunnen. En wie weet krijgt hij binnenkort weer verlof.' Maar in februari 1943 vloog hij vaker dan ooit tevoren.

Joe had deelgenomen aan de nachtaanval op Wilhelmshaven. Hij vloog meestal overdag, omdat de Britten zelf er de voorkeur aan gaven 's nachts te vliegen. Maar ondanks dat werd hij uitgenodigd om met hen deel te nemen aan het nachtelijk bombardement op Neurenberg.

Een paar weken later, zo tegen het einde van februari, sloeg bij Kate zelf de paniek toe. Het was nu acht weken geleden dat ze Joe gezien had. Ze had het al eerder vermoed en de afgelopen maand had haar zekerheid gebracht: ze was zwanger geworden, die nacht met Joe in Washington. Ze had geen idee wat ze moest doen en ze wilde het haar ouders niet vertellen. Van een van haar medestudentes had ze de naam gekregen van een dokter in Mattapan, onder het voorwendsel dat het voor een vriendin van haar was, maar ze kon zichzelf er niet toe brengen om hem te bellen. Ze wist dat alles in het honderd zou lopen als ze nu een baby kreeg. Ze zou de universiteit moeten verlaten en iedereen te schande maken, en ook al zou ze het willen, dan nog zou ze niet kunnen trouwen. Joe had haar onlangs geschreven dat hij elke hoop op een spoedig verlof had laten varen. Kate had hem niet verteld waarom ze het vroeg. Ze had alleen geschreven dat ze hem miste. Nooit zou ze hem hebben willen dwingen met haar te trouwen, ze wilde het zelfs niet vragen. Maar ze wist ook dat ze het zichzelf nooit zou vergeven als ze zich liet aborteren en er overkwam hem iets. Of ze nou wel of niet getrouwd was, ze wilde de baby. In plaats van een beslissing te nemen, liet ze de tijd voorbijgaan en uiteindelijk wist ze dat het te laat was om de zwangerschap te beëindigen. Ze had zich in de verste verte nog geen voorstelling gemaakt van wat ze tegen haar ouders zou zeggen of van de gêne die ze zou voelen als ze op de universiteit zei dat ze in verwachting was.

Andy kwam op een avond langs om haar te bezoeken in de eetzaal. Hij vroeg of ze griep had. Iedereen op Harvard was ziek geweest, en hij vond dat ze er beroerd uitzag. Ze was vanaf begin januari ontzettend misselijk geweest; nu was het bijna maart. Op dat moment wist ze voor zichzelf al dat ze de zwangerschap niet af wilde breken. Ze wist dat er geen weg terug was, en eigenlijk wilde ze de baby. Het was Joe's baby. Ze zou het haar ouders pas vertellen als ze geen andere keus meer had. Als het tegen Pasen zichtbaar werd, zou ze de universiteit moeten verlaten, vond ze. Het zou prettiger zijn geweest om het te rekken tot juni en haar tweede jaar af te maken. Dan zou ze in het najaar, vlak na de bevalling, kunnen terugkeren naar de universiteit. Maar tegen de maand juni, wanneer de vakantie begon, zou ze bijna zes maanden zwanger zijn. Dan was er geen mogelijkheid meer om het te verbergen. Vroeg of laat zou ze de consequenties moeten aanvaarden. Het enige verbazingwekkende was, voor zover het Kate betrof, dat haar moeder niets vermoedde. Zodra die het doorhad zou het huis te klein zijn, en ze wist dat haar ouders het Joe niet licht zouden vergeven.

Kate had er niets over tegen Joe gezegd, hoewel ze hem iedere dag schreef. Ze had het overwogen, maar ze had hem niet van streek of boos willen maken. Hij had al zijn geestkracht nodig om zijn opdrachten uit te voeren en ze wilde hem niet afleiden. Zodoende stond ze er helemaal alleen voor. Iedere morgen stond ze te kokhalzen boven haar badkamervloer en sleepte ze zich naar haar colleges. Ook haar huisgenoten hadden gemerkt dat ze constant sliep, en de huismoeder vroeg of ze een dokter nodig had. Kate hield vol dat ze zich prima voelde en dat ze gewoon een beetje te hard werkte. Maar haar prestaties begonnen minder te worden, en dat was ook aan haar professoren niet onopgemerkt voorbijgegaan. Haar leven veranderde binnen de kortste keren in een nachtmerrie, en ze was doodsbenauwd voor wat haar ouders zouden zeggen wanneer ze hun vertelde dat ze in september een baby zou krijgen, en dat zonder getrouwd te zijn. Kate was bang dat haar vader Joe zou proberen te dwingen om met haar te trouwen wanneer deze terug zou komen. Dat kon ze niet toelaten. Ze kende Joe's onafhankelijke geest, en hij was heel duidelijk geweest over het feit dat hij geen kinderen wilde. Misschien zou hij er zich eens in schikken uit liefde voor de baby, maar ze zou niet toestaan dat wie ook pressie op hem uitoefende om haar te trouwen. Het enige waar ze nu temidden van al haar zorgen nog zeker van was, was haar grote liefde voor hem, en ze wist ook hoe graag ze zijn kind wilde. Begin maart verzoende ze zich ermee. Ze was er zelfs een beetje opgewonden over. Het was haar geheim. Ze had het niemand verteld en was ook absoluut niet van plan dit binnenkort te doen.

'Zo, waar hou jij je zoal mee bezig tegenwoordig?' vroeg Andy toen hij op een middag langskwam. Hijzelf was bezig met het eerste jaar van zijn rechtenstudie en had het waanzinnig druk. Ze wandelden kalmpjes door Harvard Yard. Ondertussen praatte hij met haar. Zijn lange, jongensachtige schoonheid en donker haar trokken de aandacht van elk meisje dat langsliep. Ze begonnen er nu wanhopig uit te zien, en Andy stond voortdurend in de belangstelling bij de meisjes van Radcliffe.

'Je bent door en door verwend,' plaagde Kate hem. Andy grinnikte. Hij had een prachtige glimlach en grote, donkere ogen die vol waren van warmte en vriendelijkheid.

'Nou zeg, iemand moet zich toch bekommeren om deze meisjes nu onze jongens het land verdedigen. Het is pittig, maar dankbaar werk.' Hij genoot er werkelijk van om in deze tijd thuis te zijn, en zoetjesaan kwam hij over de schok heen die de afkeuring voor militaire dienst bij hem teweeggebracht had. Hij had het zo vaak uitgelegd dat hij er niet langer gevoelig voor was. En er waren momenten dat hij heimelijk blij was thuis te zijn.

'Je bent afschuwelijk, Andy Scott,' verzekerde Kate. Ze genoot van zijn gezelschap. De afgelopen twee jaar waren ze goede vrienden geworden.

Hij was van plan om die zomer weer in het hospitaal te gaan werken. Zij had geen werk gemaakt van een zomerbaantje, omdat ze wist dat het tegen die tijd zichtbaar zou zijn. Niemand zou haar aannemen als ongehuwde moeder. Ze dacht erover om in hun huis op Cape Cod te verblijven totdat de baby er was. Over een paar weken zou ze Radcliffe informeren dat ze vanaf Pasen een tijdje vakantie zou nemen. Het betekende dat ze straks niet tegelijk met haar jaargenoten zou afstuderen. Maar met wat geluk kostte het haar slechts een semester. En ze zou er heel wat voor over hebben, als ze haar terugnamen. Alleen, ze zou moeten vertellen waarom ze wegging. Ach, ze was niet de eerste vrouw die dit overkwam en ze had zich ermee verzoend. Wel vroeg ze zich af wat Joe ervan zou denken als hij het te weten kwam. Ze was niet van plan het hem te vertellen voor hij weer thuiskwam, ook al betekende dat dat ze de baby kreeg zonder dat hij het wist. En ze was nu zo goed bevriend met Andy dat ze het bijna jammer vond om het hem niet te vertellen. Maar ze wist dat ze dat niet zou kunnen. Hij zou waarschijnlijk geschokt zijn wanneer hij het hoorde. Ze maakte zich er nu af en toe zorgen over dat hij minder positief over haar zou gaan denken zodra hij erachter kwam. Maar het was een prijs die ze bereid was te betalen.

'En wat doe jij van de zomer, Kate? Weer het Rode Kruis?'

'Zou kunnen,' zei ze onzeker. Hij merkte niet dat ze ergens over inzat. Kate zag er beter uit dan in februari, en hij probeerde haar over te halen om met hem naar de film te gaan. Ze ging af en toe met hem mee. Dat was makkelijker nu hij haar aanvaardde als een vriend en de hoop had opgegeven dat ze misschien zijn vriendinnetje zou worden. Maar ze had een opdracht die de volgende dag af moest en zei dat ze deze keer niet kon. 'Je bent niet erg gezellig. Maar goed, je ziet er tenminste beter uit. De laatste keer dat ik je zag, was je net een lijk.' Haar misselijkheid begon momenteel af te nemen. Ze was bijna drie maanden zwanger en praktisch aan het eind van haar eerste trimester. Kate begon enthousiast te worden over de baby en hoopte dat het een jongetje zou worden dat sprekend op Joe leek.

'Ik had griep,' herhaalde ze, en hij geloofde haar, zoals hij haar steeds had geloofd. Andy had geen reden haar te wantrouwen of om te denken dat ze weleens zwanger kon zijn. Die gedachte was geen moment bij hem opgekomen.

'Ik ben blij dat je weer beter bent. Maak je werkstuk af, dan kunnen we volgende week naar de film,' zei hij, toen hij op zijn fiets sprong. Hij reed weg en wuifde naar haar. Zijn bruine ogen lachten naar haar, en door de wind was zijn donkere haar in de war geraakt. Het was een aardige jongen en ze was erg gesteld geraakt op hem.

Ze vroeg zich soms af of het anders gegaan zou zijn tussen hen als Joe er niet geweest was. Het was moeilijk te zeggen. Ze had een diepe genegenheid voor Andy, maar die viel in het niet bij wat ze voor Joe voelde. Andy had iets warms, iets vertederends en vriendelijks, maar hij riep niets van de opwinding en passie op die ze bij Joe voelde. Maar eens zou Andy trouwen, en hij zou een goede echtgenoot zijn, daarvan was Kate overtuigd. Hij had verantwoordelijkheidsgevoel en was liefdevol en fatsoenlijk, allemaal dingen die vrouwen hopen te vinden bij een man. Andy was een totaal ander iemand dan Joe, die onzeker, verlegen en geniaal was, en die geheel in beslag genomen werd door zijn vliegtuigen. Joe, die niet de wens koesterde om zich te settelen. Ze had nooit gedacht dat ze verliefd zou worden op iemand als Joe Allbright, en al helemaal niet dat ze een baby van hem zou krijgen. En dan ook nog eens zonder getrouwd te zijn. Haar leven had onlangs een scherpe wending genomen in een totaal onverwachte richting. Maar nu zijn baby in haar groeide, was ze verliefder dan ooit.

Ze voelde zich inderdaad heel goed dat weekend en lang niet zo moe als ze geweest was. Ze had het werk dat ze moest doen afgemaakt en ze had op één dag drie brieven van Joe gekregen. Soms kwamen er meerdere tegelijk, zoals nu. Het had te maken met de manier waarop de censors de brieven verzonden, nadat ze ze vrijgegeven hadden. Zo werd voorkomen dat iemand gevoelige informatie over veiligheidsmaatregelen onthulde, of de lokatie van een actie prijsgaf. Joe's brieven aan haar waren nooit een probleem geweest. Hij schreef haar over de mensen en het platteland, en over zijn gevoelens voor haar, allemaal buitengewoon veilige onderwerpen.

Ze was van plan geweest om het weekend naar huis te gaan, maar had op het allerlaatste moment anders besloten. Ze ging naar de film met een stel vrienden. Daar zag ze Andy met een meisje dat ze van college kende. Het was een lange blondine uit het Midwesten. Ze had een brede glimlach en lange benen, en was onlangs van Wellesley overgestapt naar Radcliffe College. Kate grijnsde naar Andy toen het meisje zich half omdraaide om haar jasje aan te trekken, en hij trok een gezicht naar haar. Kate en de meisjes met wie zij naar de film gegaan was, gingen na afloop met zijn allen op de fiets naar huis. Het was de handigste manier om je te verplaatsen op de campus, en tussen de campus en de stad Cambridge. Ze waren bijna thuis toen uit het niets een jongen op een fiets aan kwam suizen. Hij door-

brak met een kreet het groepje en raakte Kate zo hard dat deze van haar fiets vloog, op het wegdek viel en een ogenblik bewusteloos was. Tegen de tijd dat de andere meisjes van hun fiets
af gestapt waren, was Kate weer bijgekomen, maar ze was nog
een beetje dizzy. En de jongen die haar had aangereden, stond
naast haar en zag er angstig en verdwaasd uit. Het was duidelijk dat hij dronken was.
'Ben je gek geworden?' schreeuwde een van de meisjes hem toe,
terwijl twee andere Kate op de been hielpen. Ze had haar arm
en haar heup bezeerd en ze was hard op haar achterste gevallen, maar het zag ernaar uit dat ze niets gebroken had. Maar
het enige waaraan ze kon denken toen ze terugstrompelde naar
haar kamer, was haar baby. Ze zei niemand iets, maar zocht
meteen haar bed op zodra ze thuis was. Een van haar vriendinnen bracht haar een paar ijszakken voor haar arm en haar
heup.
'Gaat het?' vroeg Diana met haar wat lijzige zuidelijke accent.
'Die noordelijke jongens hebben bepaald geen manieren.'
Kate glimlachte naar haar en bedankte haar voor de ijszakken.
Maar het waren niet haar arm of haar heup die haar hinder-
den. Al een aantal minuten voelde ze hevige krampen en ze wist
niet wat ze er aan moest doen. Zou ze naar het ziekenhuis gaan.
Nee, dat was te ver om te lopen, en ze was bang de dingen nog
erger te maken. Misschien zou het beter gaan als ze gewoon in
bed zou blijven, dacht ze. Het was duidelijk dat de baby door
de val tamelijk hard door elkaar geschud was. Maar hopelijk
zou hij weer tot rust komen.
'Roep me als je me nodig hebt,' zei Diana en ze verliet Kate.
Ze ging naar beneden om een sigaret te roken met een jongen
van het MIT, de beroemde technische universiteit van Mas-
sachusetts, die was langsgekomen om haar een bezoek te brengen. Toen ze een uur later terugkwam om poolshoogte te nemen, sliep Kate. Iedereen was in diepe slaap gedompeld toen
Kate weer wakker werd. Het was vier uur in de ochtend. Ze
verging van de pijn en toen ze zich omdraaide om in een andere houding verlichting voor de pijn te zoeken, zag ze dat ze
bloedde. Ondanks de pijn probeerde ze stil te zijn om de meisjes, die vlakbij sliepen, niet wakker te maken. Op weg naar de

badkamer kromp ze ineen van de pijn. Zonder het te merken liet ze onder het lopen een spoor van bloed achter. Haar arm en heup deden ook pijn door de botsing met de fiets, maar haar buik het allermeest. Ze kon zich nauwelijks staande houden. Ze sloot de deur van de badkamer zo zacht ze kon en deed het licht aan. Toen ze in de spiegel keek, zag ze dat ze vanaf haar middel bedekt was met bloed. Ze wist wat er gebeurde: ze verloor Joe's baby. Maar ze was bang dat als ze iemand riep, ze misschien van de universiteit gestuurd zou worden, of men zou haar ouders kunnen bellen. Ze had geen idee wat de gevolgen zouden zijn als de leiding erachter zou komen dat ze zwanger was. Waarschijnlijk zou ze verzocht worden om te vertrekken. Zo had Kate het niet gewild. Ze wist niet wat ze moest doen of wie ze moest roepen, had geen idee wat haar te wachten stond. Maar ze had geen tijd om erover na te denken. De pijn die haar wakker gemaakt had was plotseling zo hevig, dat ze met moeite kon ademen. Kate werd nu getroffen door de ene krachtige wee na de andere. Ze zat op haar knieën op de vloer temidden van bloed en snakte naar adem, toen Diana binnenstapte om wat water te drinken en haar daar op de grond zag. 'Mijn hemel... Kate... wat is er aan de hand?' Ze slaagde er zelfs niet in haar zin af te maken. Maar opeens meende het meisje uit New Orleans te begrijpen wat er met Kate aan de hand was.

'Ben je soms zwanger? Je moet me de waarheid zeggen, Kate.' Diana wilde haar helpen, maar dan moest ze weten wat eraan scheelde. Haar moeder was verpleegster en haar vader dokter, en zelf had ze ruime ervaring met het geven van eerste hulp. Maar ze had nog nooit zoveel bloed gezien als de plas die zich in rap tempo om Kate uitbreidde. Ze was bang dat ze dood zou bloeden als ze niet iemand zouden bellen om hen te helpen. Het leek te riskant om Kate niet naar het ziekenhuis te brengen. 'Ja, ik ben zwanger...' Kate snakte naar adem. Ondertussen hielp Diana haar zich zo te draaien dat ze op een stapeltje handdoeken kwam te liggen. Kate schreeuwde het nu bijna uit. Bij iedere pijnscheut beet ze in een handdoek om maar stil te blijven en geen lawaai te maken. 'Bijna drie maanden...' 'Shit! Ik heb een keer een abortus gehad. Het had weinig gescheeld of mijn vader had me vermoord. Ik was zeventien en durfde het hem niet te vertellen, dus ging ik naar een adresje buiten de stad... Ik was er net zo slecht aan toe als jij... arme schat.' Diana legde een vochtige handdoek op Kates hoofd en hield haar hand vast bij iedere wee. Ze had de deur op slot gedaan, zodat niemand hen kon verrassen. Wat ze het meest van alles vreesde was dat het Kate haar leven zou kosten als ze geen hulp haalde. De bloeding was afschuwelijk, maar leek wat minder te worden naarmate de pijnscheuten erger werden. Geen van beiden wist precies wat er gebeurde, maar het lag voor de hand dat Kate een miskraam kreeg. Met al dat bloeden was het onmogelijk dat de baby nog in leven was.

Er ging nog een uur van ondraaglijk lijden voorbij voor Kates hele lichaam onder helse pijn ineenkromp, en ze binnen enkele seconden de baby verloor. Ze verloor meer bloed, maar zodra de foetus eruit was, leek het bloeden minder te worden. Diana maakte alles zo goed mogelijk met handdoeken schoon. De foetus had ze in een handdoek gewikkeld en uit het zicht van Kate gelegd. Die was zelfs te zwak voor een emotionele uitbarsting. Toen ze probeerde overeind te komen, ging ze bijna van haar stokje. Diana moest haar helpen om weer te gaan liggen.

Voordat Diana Kate weer in bed kon helpen, liep het tegen zevenen. Ze waren drie uur lang in de badkamer geweest. Alles was opgeruimd, en zodra ze er zeker van was dat Kate veilig onder de wol lag, rende Diana naar beneden naar de afvalcontainer om zich te ontdoen van de handdoek die het getuigenis bevatte van wat Kate overkomen was.

De bloeding had zich gestabiliseerd. Ze had nog steeds pijn, maar die was draaglijk. Diana legde uit dat het haar baarmoeder was die zich samentrok om het bloeden te laten ophouden. De pijnlijke contracties eerder dienden om de vrucht uit te drijven. Diana hoopte dat alles goed zou komen als ze niet al te veel meer bloedde. Ze had Kate al verteld dat ze een ambulance zou laten komen en haar zou laten opnemen als haar toestand ook maar iets verslechterde, hoeveel bezwaar de patiënte er ook tegen mocht hebben. Kate had erin toegestemd. Ze was te verontrust en te zwak om ertegenin te gaan. Bovendien verkeerde ze in een lichte shocktoestand door het verlies van zoveel bloed. Ze had hevige rillingen en Diana legde drie extra dekens op haar bed. De andere meisjes waren inmiddels bezig met opstaan.

'Is alles goed?' vroeg er eentje toen ze was opgestaan. Ze hadden die morgen college. 'Je ziet nogal bleek, Kate. Misschien heb je een hersenschudding opgelopen toen die jongen je afgelopen nacht van je fiets slingerde.' Het meisje stevende gapend op de badkamer af. Kate zei dat ze verschrikkelijke hoofdpijn had. Ze lag onder de dekens en het was te zien dat ze nog steeds rilde.

Diana bleef zich over haar ontfermen, en een meisje uit een andere kamer kwam langs om een paar handdoeken te lenen. Het meisje keek bezorgd toen ze Kates krijtbleke gezicht en asgrauwe lippen zag.

'Wat is er met jou gebeurd vannacht?' vroeg het meisje. Ze kwam bij Kate staan om haar de pols te voelen.

'Ze is van haar fiets gevallen en op haar hoofd terechtgekomen,' dekte Diana haar. Maar het andere meisje wist wel beter. Net als Diana kwam zij uit een artsengezin, maar dan uit New York, en ze wist voldoende om te begrijpen dat er met Kate meer aan de hand was dan hoofdpijn of een hersenschudding. Ze zag zo grauw dat het leek alsof ze een hoop bloed verloren had en mogelijk zelfs in een lichte shocktoestand verkeerde.

Ze bracht haar gezicht dicht bij Kates oor en tikte zachtjes tegen haar schouder. 'Kate, vertel me de waarheid... Bloed je?' Kate kon alleen maar knikken en rillen. Haar tanden klapperden zo hard dat ze zelfs niet kon spreken. 'Ik denk dat je een shock hebt... Heb je een abortus laten doen?' fluisterde ze. Kate had haar altijd graag gemogen en was bereid haar in vertrouwen te nemen. Ze wist dat ze in de problemen zat. Ze voelde zich duizelig en haar lichaam had zo'n opduvel gehad dat ze het ijzig koud had en niet kon ophouden met rillen, ondanks de stapel dekens waarmee Diana haar toegedekt had. Beide meisjes stonden naast haar bed en leken dodelijk bezorgd.

'Nee,' fluisterde Kate tegen het meisje, dat Beverly heette. 'Het was een miskraam.'

'Bloed je nog?' Kate dacht van niet, waar ze lag voelde het niet vochtig. Ze was bang om te kijken.

'Ik denk van niet.'

'Ik ga vandaag niet naar college, maar blijf bij jou. Je moet hier niet alleen zijn. Wil je naar het ziekenhuis?' Kate schudde haar hoofd. Dat was wel het laatste wat ze wilde.

'Ik blijf ook,' bood Diana spontaan aan. Ze ging meteen een kop thee voor haar halen. Een halfuur later waren alle andere meisjes naar college. Haar twee verzorgsters zaten aan weerskanten van Kates bed. Ze was klaarwakker en huilde onophoudelijk. De hele geschiedenis had haar behoorlijk aangegrepen en ze zat helemaal in de put.

'Het komt allemaal weer goed,' zei Beverly rustig. 'Ik heb vorig jaar mijn baby laten weghalen. Het was vreselijk. Probeer maar wat te slapen en over een dag of twee voel je je een stuk beter. Je zult er verbaasd van staan hoe snel je beter wordt.' Toen schoot haar iets te binnen. 'Wil je dat ik iemand voor je bel?' Het was duidelijk dat er nog een persoon in het geding was, en zij kende Kates situatie niet. Maar Kate schudde haar hoofd.

'Hij zit in Engeland,' fluisterde ze tussen haar tanden door. Haar kaken begonnen te klemmen. Nooit eerder in haar leven had ze zich zo ellendig gevoeld. Het bloedverlies had haar hele organisme totaal ontregeld.

'Weet hij ervan?' vroeg Diana. Ze streelde Kates schouder en Kate keek haar dankbaar aan. Zonder haar had ze het niet gered. Op deze manier zou niemand het te weten komen, Radcliffe niet, haar ouders niet en ook Joe niet.

'Ik heb het hem niet verteld. Ik wilde eerst mijn baby krijgen.'

'Je kan een andere krijgen wanneer hij thuiskomt.' Het 'als hij dan nog leeft' voegde Beverly er niet aan toe, maar dat was wel wat ze alle drie dachten. Kate begon weer te huilen. Het was een lange, eenzame dag voor haar en het duurde nog twee dagen voor ze zich weer een beetje mens begon te voelen.

Diana en Beverly gingen de volgende dag weer naar college. Kate lag daar maar te liggen in bed en huilde de godganse dag. Pas op woensdag kwam ze uit bed. Ze zag er toen uit als een spook en was tien pond afgevallen. Al vanaf zondag had ze niets gegeten, maar het bloeden was vrijwel opgehouden. Ze zag er verschrikkelijk uit en zo voelde ze zich ook. Onder haar ogen had ze dikke wallen, maar alle drie de meisjes waren het erover eens dat ze buiten gevaar was. Kate wilde hen bedanken voor wat ze voor haar gedaan hadden, maar iedere keer dat ze het probeerde, begon ze weer te huilen.

'Dat zal zo nog wel een tijdje doorgaan,' waarschuwde Beverly. 'Ik heb een maand lang gehuild. Het zijn de hormonen maar.' Maar het waren niet alleen maar de hormonen, het was hun baby. Ze had een deel van Joe verloren.

Niemand had in de gaten wat er met Kate was gebeurd. Al haar huisgenoten dachten dat ze het bed hield vanwege het fietsongeluk van zondagnacht. Natuurlijk liet ze hen in die waan. Ze had het gevoel dat ze een aantal dagen op een andere planeet geweest was. Alles leek onwerkelijk en anders, en het enige dat haar opvrolijkte waren Joe's brieven. Maar ze huilde opnieuw toen ze besefte dat ze zelfs hem niet kon vertellen wat er gebeurd was en wat ze verloren hadden.

Het weekend daarop bracht ze in bed door met haar studieboeken. Ze was stil en zag er nog steeds niet florissant uit met haar bleke gezicht, toen Andy langskwam. Het was zaterdagmiddag. Er was sinds haar miskraam een week verlopen, maar ze zag er nog steeds vreselijk uit. Uiterst behoedzaam liep ze de trap af om hem te ontmoeten. Beverly en Diana hadden haar de hele week eten van het snelbuffet gebracht. De eerste maal dat ze haar kamer verliet was om Andy te zien, die op haar wachtte in de woonkamer beneden.

'Mijn hemel, Kate, het lijkt wel of je overlijdensakte getekend is. Wat is er met jou gebeurd?' Ze zag er zo broos en bleek uit dat het hem ongerust maakte. Ze was net een geestverschijning. 'Ik ben afgelopen zondag aangereden door een fietser, 's nachts. Ik denk dat ik een hersenschudding heb gehad.'

'Ben je in het ziekenhuis geweest om het te laten onderzoeken?'

'Nee, alles is in orde,' zei ze, terwijl ze in een stoel naast hem zat. Andy was er niet gerust op.

'Ik vind dat je naar een dokter moet. Misschien ben je wel hersendood,' zei hij grijnzend.

'Heel grappig. Ik voel me al veel beter.'

'Dan ben ik blij dat ik je maandag niet gezien heb.'

'Ja, dat had je vast niet leuk gevonden.' Zijn bezoek bracht haar weer terug in de wereld en ze was minder terneergeslagen toen ze terugging naar haar kamer, hoewel ze bekaf was. Diana had haar gewaarschuwd dat ze een tijdje last zou hebben van bloedarmoede en haar verteld dat ze heel veel lever moest eten.

Maar een week later leek ze zichzelf al enigszins hervonden te hebben, en voelde ze zich goed genoeg om weer naar college te gaan. Niemand had enig idee wat haar overkomen was, en in de loop van de weken wist ze zich er zoetjesaan overheen te zetten. Joe zou het nooit te weten komen.

8

De rest van haar tweede jaar was Kate ijverig aan de studie. Ze kreeg voortdurend brieven van Joe, maar er was geen zicht op verlof. Het was in de lente van 1943 en Kate ging als het maar even kon naar het bioscoopjournaal kijken, in de hoop dat ze een glimp op zou vangen van Joe's gezicht.

De RAF ging door met het bombarderen van Berlijn en Hamburg en andere steden. In Noord-Afrika was Tunis ingenomen door de Britten en de Amerikanen hadden er Bizerte op de Duitsers heroverd. Aan het oostfront waren de Duitse en de Russische legers bijna van het ene moment op het andere tot stilstand gekomen. Met de lente was de dooi ingevallen en ze zaten tot aan hun knieën in de modder.

Kate zag haar ouders geregeld in de weekends, schreef brieven aan Joe en ging zo nu en dan met Andy naar de film. Hij had dat voorjaar een nieuwe vriendin, een studente van Wellesley, die zijn aandacht opeiste. Daardoor had hij minder tijd voor Kate, maar dat vond ze niet erg. Diana, Beverly en zij waren dikke vriendinnen geworden na haar miskraam. En die zomer werkte ze wederom voor het Rode Kruis.

Ze gingen aan het eind van augustus naar Cape Cod, maar deze keer verscheen Joe niet om haar te verrassen bij de barbecue. Na hun ontmoeting in Washington met de kerst, acht maanden geleden, was hij niet meer thuis geweest. En op haar lange, eenzame wandelingen langs het strand moest ze er onwillekeurig aan denken dat ze nu acht maanden zwanger zou zijn als ze haar baby niet verloren had. Haar ouders waren er nooit achter gekomen wat er was gebeurd. Nog steeds was haar moeder er vol van dat Joe nooit toezeggingen had gedaan over een toekomst met haar. Ze herinnerde Kate er onophoudelijk aan dat zij wachtte op een man die haar niets beloofd had. Geen huwelijk. Geen ring. Geen toekomst. Hij verlangde gewoon van haar dat ze maar op hem wachtte en maar moest zien wat er gebeurde als hij thuiskwam. Zij was twintig en hij was tweeëndertig, oud genoeg om te weten wat hij wilde doen wanneer hij terugkeerde.

Haar moeder herinnerde Kate er iedere keer aan als ze thuiskwam, en ging daarmee door toen eind oktober de bladeren geel begonnen te worden. Kate was aan het studeren voor haar eindtentamens, het was haar derde jaar, toen de huismoeder binnenkwam om haar te zeggen dat er beneden een bezoeker wachtte. Kate ging er zonder meer vanuit dat het Andy was. Hij was nu bijna meester in de rechten en werkte als een paard. Ze rende snel de trap af, met haar studieboek nog in haar hand en een blauwe trui over haar schouders. Ze droeg een grijze rok en tweekleurige molières. Toen ze de laatste tree nam, zag ze hem. Het was Joe. Hij leek lang en ongelooflijk knap in zijn uniform. Hij wachtte op haar en keek heel ernstig. Haar adem stokte toen hun ogen elkaar ontmoetten. Hij leek even te aarzelen en toen, zonder een woord te zeggen, vloog ze in zijn armen. Hij drukte haar tegen zich aan. Terwijl hij haar vasthield had ze het gevoel dat hij een zware tijd achter de rug had. Het leek alsof hij de juiste woorden niet kon vinden, maar ze wist dat zij niet alleen hém nodig had. Hij had haar óók nodig. De oorlog eiste zijn tol van iedereen, zelfs van Joe.

'Ik ben zo blij je te zien,' zei ze. Ze was nog steeds in zijn armen en hield haar ogen gesloten. De afgelopen tien maanden waren een lijdensweg geweest voor haar. Ze had voortdurend in de rats gezeten over hem, altijd in het ongewisse hoe het met hem ging. En ze had hun baby verloren.

'Ik ook,' zei hij, terwijl hij zich ten slotte van haar losmaakte en in haar ogen keek. Je zag meteen hoe moe hij was. Hij had het gevoel alsof hij de laatste tijd bijna constant in de lucht geweest was, en een betreurenswaardig aantal van hun vliegtuigen was neergehaald. De Duitsers waren bezig aan een wanhoopsoffensief en sloegen dikwijls hard toe. Zijn blik versomberde, en ze besefte dat hij zich weer verlegen voelde bij haar. Het kostte hem soms tijd om weer aan haar te wennen en los te komen. Zijn brieven waren zo ongedwongen en openhartig dat ze af en toe vergat hoe verlegen hij was. 'Ik heb maar vierentwintig uur, Kate. Morgenmiddag moet ik in Washington zijn en morgenavond ga ik terug.' Hij was in Amerika om te beraadslagen over een uiterst geheime missie, en op de heenvlucht hadden ze ernstige problemen ondervonden. Maar hij mocht haar er niets over zeggen en ze had er niet naar gevraagd. Iets in de manier waarop hij keek, zei haar dat er erg weinig was wat hij zou kunnen zeggen. Nog vreemder was het te bedenken dat als ze in maart de baby niet verloren had, hij bij zijn thuiskomst ontdekt zou hebben dat hij een kindje van een maand had. Maar van dat alles wist hij niets. 'Kun je er even tussenuit breken of heb je het te druk met je colleges?' Het was bijna etenstijd en ze had geen plannen. Ze zou ze trouwens afgezegd hebben. 'Natuurlijk. Zullen we thuisblijven of wil je ergens anders naar toe?' Wat meer privacy dan in de huiskamer van haar studentenhuis zou wel prettig zijn. Na tien maanden wilden beiden wel wat meer vrijheid.

'Kunnen we ergens alleen zijn?' Hij wilde zich alleen maar ontspannen en met haar samen zijn. Zelfs na zo'n lange tijd wilde hij niet praten, hij was te moe om de juiste woorden te vinden. Hij wilde gewoon naar haar kijken en haar dicht bij zich voelen. Kate bespeurde instinctief hoe terneergeslagen hij was.

'Wil je naar een hotel?' vroeg ze zachtjes, zodat niemand het kon horen. Joe keek haar opgelucht aan en knikte. Hij wilde alleen maar een poosje naast haar liggen. Kate dacht koortsachtig na. Wat voor plannetje zou ze bedenken? 'Waarom bel je het Palmer House niet, of Statler? Buiten staat een telefooncel. Ik ben over een paar minuten terug.' Ze ging naar de huismoeder om door te geven dat ze de nacht bij haar ouders zou doorbrengen, en ze belde haar moeder via de telefoon boven. Tegen haar zei ze dat ze de nacht bij een vriendin zou doorbrengen, zodat ze rustig voor hun examens konden studeren en ook dat ze niet wilde dat haar moeder zich ongerust zou maken, als ze belde. Haar moeder vond het lief van haar en zei dat ze het telefoontje op prijs stelde. Kate wist dat het eenvoudigweg niet bij haar zou opkomen dat het een smoes was.

Vijf minuten later was Kate weer beneden in de hal. Buiten wachtte Joe op haar. Ze had een paar spulletjes, waaronder een pessarium, in een reistas gedaan. Beverly had haar de naam van een dokter gegeven. Kate was naar hem toe gegaan en had gezegd dat ze verloofd was. Na wat er de laatste keer gebeurd was, wilde ze goed voorbereid zijn als Joe zou thuiskomen. 'Er was nog een kamer vrij in het Statler,' zei hij gespannen. Ze voelden alle twee een lichte gêne om zomaar rechtstreeks naar een hotel te gaan, maar ze hadden weinig tijd en ze wilden alleen zijn. Hij had een auto gehuurd en onderweg kletsten ze wat. Ze kon haar ogen niet van hem afhouden. Hij was even knap als altijd, maar erg mager. En hij maakte een aanzienlijk oudere indruk dan een jaar tevoren. Of misschien was hij gewoon volwassener geworden. Er waren zoveel dingen die ze hem wilde zeggen, dingen die zich in een brief lastig lieten schrijven; er waren zoveel dingen die hij haar wilde vragen.

Terwijl ze naar het hotel reden, voelden ze de spanning wegebben. Het was of ze elkaar gisteren nog gezien hadden, maar in een ander opzicht had ze het gevoel alsof dat alweer jaren geleden was. Maar het merkwaardige was dat ze door met hem te slapen en door het verlies van hun baby bijna het gevoel had gekregen met hem getrouwd te zijn. Ze had geen trouwbriefje, huwelijksceremonie of trouwring nodig. Ook zonder die formaliteiten was ze de zijne.

Joe pakte een kleine koffer uit de kofferbak van de auto toen ze bij het hotel arriveerden en parkeerde de auto in de garage. Hij trof Kate in de hal en ze lieten zich inschrijven onder de naam majoor Allbright en Mrs. Allbright. Ze werden met veel egards behandeld: de baliemedewerker had Joe's naam herkend. Een piccolo bood aan om zijn koffer naar boven te brengen.

'Nee, we redden ons wel,' zei Joe glimlachend tegen hem. De receptionist overhandigde hem de sleutel.

Joe en Kate namen de lift. Op weg naar boven zeiden ze niets tegen elkaar. Toen hij de deur opende, zag ze tot haar opluchting dat het een mooie kamer was. Ze had verwacht dat hij klein en naargeestig zou zijn. Niet dat het hun iets uitmaakte, maar met een man naar een hotel gaan had iets goedkoops. Ze had dat nog nooit eerder gedaan en het leek haar heel gewaagd. Maar ze was niet van plan de kans te missen om met hem de nacht door te brengen, zeker niet als het zijn enige vrije avond was. Zoals alle mensen in hun omstandigheden, leefden ze alsof iedere dag hun laatste kon zijn. Misschien was dat ook wel zo.

Zodra ze de kamer binnentraden, voelden ze zich weer een ogenblik ongemakkelijk, maar toen Joe zich op de bank onderuit liet zakken en met een gespannen blik op de plaats naast hem klopte, glimlachte ze en ging zitten.

'Ik kan het nog niet geloven dat je er bent,' zei ze. De blik in haar ogen vertelde hem hoezeer ze hem gemist had.

'Ik heb hetzelfde gevoel,' zei hij. Twee dagen daarvoor hadden ze met een aantal jachtvliegtuigen nog bommenwerpers geëscorteerd boven Berlijn, waarbij ze vier vliegtuigen hadden verloren. En nu zat hij plotseling met haar in een hotelkamer in Boston. Ze was mooier dan ooit. Ze zag er zo jong en fris uit, leek zover verwijderd van het leven dat hij nu bijna twee jaar leidde. Twee uur van tevoren hadden ze hem van de reis op de hoogte gesteld en hij had mazzel dat ze hem verlof gegeven hadden, hoe kort ook. Op zijn reis hierheen was hij bang geweest dat het hem niet vergund zou zijn haar te zien. De avond in het Statler was een geschenk uit de hemel. Het had iets onwerkelijks, althans voor Joe. Ze waren net twee postduiven die altijd weer bij elkaar terugkwamen, waar ze ook geweest waren. Ze vonden elkaar, of het nu in Cape Cod, Washington of hier was, en ze zouden de vertrouwde draad weer oppakken. Het was opmerkelijk dat het vuur en de betovering er altijd waren, om het even hoelang ze elkaar niet hadden gezien.

Toen kuste hij haar, zonder nog een woord te zeggen. Het was alsof hij haar nodig had om hem te troosten, om de wonden in zijn ziel te verzachten. Hij hoefde zich alleen maar te laven aan de vredige bron die ze hem bood. En omgekeerd, als zij samen met hem was, wist ze zich altijd bemind, hoe spaarzaam ook de woorden. Het was een volmaakte wisselwerking.

Vijf minuten later liep hij met haar naar het bed. Terwijl ze zich uitkleedden, voelde hij zich een beetje schuldig. Hij was van plan geweest met haar uit eten te gaan om wat bij te praten alvorens te vrijen, maar geen van beiden had zin in de drukte van een restaurant. Ze wilden gewoon met zijn tweetjes zijn, alleen met hun gevoelens. Ze hadden zelfs geen woorden nodig.

146

Ze lagen in bed en hij kuste haar teder en hartstochtelijk, en terwijl hij haar van haar laatste kleren ontdeed, besefte hij zich hoe sterk hij naar haar had verlangd. Tot zijn eigen grote verrassing was er niemand anders geweest. In de tien maanden dat ze elkaar niet gezien hadden, had hij niemand behalve haar gewild. En Kate wilde alleen hem.

Ze was verlegen toen ze hem verliet om zich een ogenblik terug te trekken in de badkamer, en pas lang na het vrijen, toen ze voldaan en kalm in elkaars armen lagen, dobberend in hun eigen, veilige, kleine wereld, vroeg hij haar ernaar. Met een verlegen gevoel vertelde ze hem over het pessarium. Het scheen hem op te luchten.

'Daar heb ik me de vorige keer maandenlang zorgen over gemaakt,' zei hij eerlijk. 'Ik vroeg me voortdurend af wat we moesten doen als je zwanger werd. Ik had zelfs niet terug kunnen komen om met je te trouwen.' Ze was geroerd door zijn woorden. Het was fijn om te weten dat hij zo bezorgd om haar was. Ze had niet geweten hoe hij zou reageren. Nu voelde ze dat ze hem met een gerust hart kon vertellen wat haar overkomen was.

'Ik ben vorige keer zwanger geworden, Joe,' zei ze zachtjes, terwijl hij haar dicht tegen zich aan hield. Haar hoofd lag op zijn schouder en haar haar beroerde zijn wang. Hij draaide zijn hoofd en keek naar haar.

'Wát zeg je? Kate! En wat heb je gedaan?' Hij was als door de bliksem getroffen. Hij was zijn aanvankelijke ongerustheid allang vergeten. Ze had er nooit iets over gezegd en het was nooit bij hem opgekomen dat ze ondertussen een kind zouden kunnen hebben. 'Of hebben we… Of heb je…' Ze moest glimlachen om de uitdrukking op zijn gezicht. Hij keek eerder verbaasd dan bevreesd. En hij wilde weten waarom ze hem nooit iets gezegd had. Ze groeide onnoemelijk in zijn ogen toen hij besefte dat wat er ook gebeurd was, ze zich er helemaal alleen doorheen geslagen had.

'In maart heb ik het verloren. Ik wist niet wat ik moest doen, maar ik wist dat ik het mezelf nooit zou vergeven als ik het weg had laten halen en er was jou iets overkomen. Ik móést het hebben, als dat mijn lotsbestemming was. Ik was bijna drie maanden zwanger toen ik het verloor,' zei ze. De tranen stonden in

Kates ogen. Zonder iets te zeggen drukte hij haar steviger tegen zich aan.

'Weten je ouders het?' Ze waren vast woedend op hem, en terecht. Hij voelde zich enorm schuldig nu hij wist wat ze doorgemaakt had.

'Nee, ze weten van niets,' stelde ze hem gerust, terwijl ze nog dichter tegen hem aankroop. Alle troost die hij niet had kunnen geven, gaf hij nu. 'Ik was van plan om Radcliffe in april te verlaten en het hun dan te vertellen. Er was geen andere mogelijkheid. Ik werd aangereden door een jongen op een fiets en ik denk dat daar alle ellende mee begon. Hij raakte me behoorlijk hard en ik was even weg. Die nacht heb ik de baby verloren.'

'Heb je in het ziekenhuis gelegen?' vroeg Joe ontzet. Dit was hem nooit eerder overkomen. Hij kende de verhalen van vrienden. Zelf was hij altijd erg voorzichtig geweest, behalve die ene keer met haar.

'Ik was op de universiteit, maar twee meisjes uit mijn huis hebben me onder hun hoede genomen.' Uit tact bespaarde ze hem de details. Als hij gezien had in wat voor staat ze had verkeerd, zou hij nog meer van streek geweest zijn, wist ze. Ze had zoveel bloed verloren dat het maanden geduurd had voor ze weer helemaal de oude was. Maar op dit ogenblik voelde ze zich prettig. Joe was ook verbaasd bij de gedachte dat ze nu een baby van een maand zouden hebben als alles goed gegaan was. Hij kon er met zijn verstand niet bij.

'Weet je wat zo grappig is. Dat het me een hele tijd beziggehouden heeft. Ik bleef maar denken dat je me zou schrijven dat dát nu juist gebeurd was. Dat je zwanger was, bedoel ik. Waarom weet ik niet, maar terug in Engeland beheerste het al mijn gedachten. Maar je zei helemaal niets en ik wilde het niet vragen. Bovendien wist ik niet of iemand op de universiteit je post zou lezen. En ik denk dat ik het toen vergat. Maar een paar maanden lang heb ik me er vreemd bij gevoeld. Waarom heb je me het niet verteld, Kate?' Het stemde hem verdrietig dat ze het niet gedaan had, maar hij begreep het. En meer dan ze besefte, bewonderde hij haar erom. Ze had zelf alles moeten opknappen en ze was er weer bovenop gekomen, blijkbaar zonder bittere gevoelens jegens hem. Hij was haar er dankbaar voor en haar dapperheid trof hem. Uit de manier waarop ze erover sprak kon hij opmaken dat het een moeilijke periode voor haar geweest was. In meer dan één opzicht.

'Ik dacht dat je zonder dat al genoeg aan je hoofd had.' Hij knikte en trok haar opnieuw dicht tegen zich aan.

'Het was ook mijn kind.' Het zou ook zijn baby geweest zijn, en alle gevoelens van spijt kwamen weer boven. Ze wilde niets liever dan bij hem zijn en een kind van hem hebben, maar het lot had anders beschikt, althans tot dusver. En gezien de omstandigheden waaronder ze leefden, scheen het zo het beste, zeker voor hem, maar ook voor haar. 'Ik ben blij dat je nu op je hoede bent.' Hijzelf had deze keer condooms meegenomen. Hij wilde zich niet onverantwoordelijk gedragen tegenover haar, wilde geen enkel risico lopen. Het laatste wat ze op dit moment konden gebruiken was de complicerende factor van een kind.

Ze hadden het vervolgens een poosje over de oorlog en ze vroeg hem hoelang hij dacht dat het nog zou duren. Zijn antwoord kwam met een zucht. 'Dat is moeilijk te zeggen. Kon ik maar zeggen dat het vlug voorbij is. Ik weet het niet, Kate. Misschien een jaar, als we de moffen geweldig op hun donder geven.' Dat was trouwens een van de redenen waarom hij naar Washington ging. Ze wilden kijken of het mogelijk was om met speciale nieuwe vliegtuigen de afloop van de oorlog te bespoedigen. Tot nu toe was het weinig bemoedigend geweest. De Duitsers bleven maar komen, in genadeloze golven. Hoeveel Duitsers de geallieerden ook doodden, of hoeveel steden, fabrieken en munitiedepots er ook vernietigd werden, altijd schenen ze reserves te hebben. Het leek een niet kapot te krijgen machine. In de herfst van 1943 was de stemming onder de geallieerden somber.

Met de oorlog in de Pacific was het ook niet al te voorspoedig gegaan. Ze vochten tegen een volk waarvan de cultuur hun vreemd was, en ook met het gebied hadden ze geen ervaring. Kamikazepiloten vlogen zich te pletter tegen vliegdekschepen, schepen werden tot zinken gebracht, vliegtuigen neergeschoten. Kate had het idee dat er ongelooflijk veel mensen die ze kende, gestorven waren. Het was verschrikkelijk. Een aantal jongens die ze de afgelopen twee jaar had ontmoet op Harvard en het MIT, was al gesneuveld. Ze kon alleen maar dankbaar zijn dat Joe niets was overkomen.

Die avond voerden ze hele gesprekken, wat ongebruikelijk voor hem was, maar ze hadden zo weinig tijd, er werd zo aan hen getrokken. Ze hadden geen tijd om te ontspannen, om in de stemming te komen, om te freewheelen. In de weinige tijd die ze hadden, moesten ze er maar het beste van maken. En gedurende de rest van de avond probeerden ze niet aan de oorlog te denken. Laat die avond gingen ze weer met elkaar naar bed, en ze verlieten het hotel niet. Ze lieten het diner op hun kamer serveren en de roomservice vroeg of het soms hun huwelijksreis was. Beiden moesten lachen. Ze spraken die avond geen woord over de toekomst of over welke plannen dan ook. Haar enige wens was dat hij zou blijven leven. Ze kon niets voor zichzelf bedenken, ze wilde alleen maar bij hem zijn, wanneer en waar ze maar kon en het liefst zo lang mogelijk. Nu om meer vragen was vragen om een wonder, was een kinderlijke droom. Ze wist dat haar moeder het afgekeurd zou hebben, maar verloving en huwelijk interesseerden haar nu even niet. Een verlovingsring om haar vinger zou niets aan de situatie veranderen, was geen garantie dat hij zou blijven leven. En Joe verwachtte niet meer van haar dan wat ze hem uit eigen vrije wil geven wilde en ze gaf het, alles, zo goed ze kon.

Beiden sliepen ze onrustig die nacht. Telkens omhelsden ze elkaar in hun slaap om vervolgens wakker te schrikken in het besef dat het geen droom was, en dat ze echt bij elkaar waren.

De volgende morgen werd ze vroeg wakker. Ze opende een oog. 'Goeiemorgen,' zei ze slaperig, met één oog open en een glimlach op haar gezicht. Ze had zijn warmte de hele nacht naast zich gevoeld en ze kon zijn lange, gespierde benen voelen als ze zich uitstrekte. Hij boog zich naar haar over en kuste haar. De nacht die hij met haar doorgebracht had, was mijlenver verwijderd van wat hij nu gewend was.

'En, heb je lekker geslapen?' vroeg hij. Hij sloeg zijn arm om haar heen en zij kroop dichter tegen hem aan. Ze lagen op hun rug en spraken fluisterend. Ze vond het zalig om naast hem wakker te worden.

'Ik dacht de hele tijd dat ik droomde als ik je naast me voelde.'
De een noch de ander was eraan gewend iemand naast zich te
hebben en daardoor hadden ze niet erg diep geslapen, hoe gelukkig ze ook waren samen te zijn.

'Ik ook.' Hij glimlachte en dacht aan hun vrijage van de vorige avond. Hij wilde intens genieten van ieder moment dat ze
samen waren en de herinnering eraan met zich meenemen.

'Hoe laat moet je weg?' vroeg ze. Het klonk een beetje verdrietig. Het was onmogelijk om te vergeten dat dit slechts geleende uren waren.

'Om een uur vertrekt mijn vliegtuig naar Washington. Ik zal je
rond halftwaalf bij de universiteit afzetten.' Ze had al haar colleges voor die morgen afgezegd, zonder zich druk te maken over
de eventuele gevolgen. Niets zou haar ertoe kunnen bewegen
om hem eerder te verlaten dan noodzakelijk was. 'Wil je al ontbijten?' Ze had geen zin in eten, alleen in hem en een moment
later kusten ze elkaar en dwaalden zijn handen over haar lichaam. Opnieuw vonden ze elkaar.

Ze stonden om negen uur op en lieten het ontbijt komen. Toen
de roomservice kwam, hadden ze zich elk apart gedoucht en
zich gehuld in de badstoffen kamerjassen van het hotel. Ze hadden sinaasappelsap, geroosterd brood en eieren met spek, en
deelden samen een pot koffie. Het was luilekkerland voor Joe,
die al zo lang leefde op militaire rantsoenen dat hij de smaak
van echt voedsel bijna was vergeten. Voor Kate was het verre
van bijzonder, maar wat wel heel bijzonder was, was de pure
vreugde die ze voelde als ze over de tafel naar hem keek, terwijl hij zijn koffie dronk en vluchtig de krant las. Prachtig vond
ze zijn bijna strenge, scherp gebeeldhouwde gelaat. Zijn ogen
vingen de hare en hij glimlachte.

'Precies het echte leven. Wie zou zeggen dat er een oorlog aan
de gang was?' Behalve dan dat de krant er vol mee stond en
dat geen van de berichten goed klonk. Hij legde de krant neer
en glimlachte over de tafel naar Kate. Het was een schitterende avond die ze in elkaars gezelschap hadden doorgebracht, en
iedere keer dat hij met haar was, was het alsof hij een ontbre-
kend stukje van zichzelf terugvond. Het was alsof er een leem-
te in hem was waarvan hij zich niet bewust was, behalve wan-

neer hij haar zag. De rest van de tijd leek dit gat gevuld te worden door andere dingen. Hij was niet het type dat veel mensen nodig had, maar juist deze vrouw roerde hem diep. Het trof hem opnieuw, nu hij tegenover haar zat en naar haar keek. Haar blik was zo intens en zo krachtig, ze had iets zo spontaans, opens en onvervaards over zich. Ze was als een jonge hinde die de lucht opsnuift en het prettig vindt wat ze ruikt. Ze maakte altijd de indruk dat het leven haar een kick gaf en alsof ze op het punt stond in lachen uit te barsten, en deze morgen was daarop geen uitzondering. Terwijl ze haar koffiekopje neerzette, lachte ze plotseling naar hem.

'Waar lach je om?' vroeg hij met een geamuseerde blik in zijn ogen. Haar goede humeur werkte aanstekelijk. Van nature was hij veel minder uitgelaten dan zij. Niet omdat hij ongelukkig was; hij was nu eenmaal ernstig en bedaard en ze waardeerde dat in hem.

'Ik vroeg me zojuist af hoe mijn moeder zou kijken als ze ons kon zien.'

'Niet doen, bij die gedachte alleen al voel ik me schuldig. En je vader zou me vermoorden, en ik kan het hem niet kwalijk nemen ook.' Vooral na wat ze hem had verteld over de zwangerschap en de miskraam. Hij wist dat de Jamisons verbijsterd zouden zijn geweest, en terecht. 'Ik weet niet of ik ze ooit nog onder ogen kan komen,' zei Joe bezorgd.

'Nou, misschien moet het wel, dus je kunt je er maar beter overheen zetten.' Zoals zij zich over het gebeurde had heen gezet, vooral nu ze Joe terugzag. Ze had er bijna spijt van dat ze het anticonceptivum gebruikt had. Ze zou echt graag een baby van hem willen hebben. Ze wilde dat veel liever dan trouwen. Omdat Joe het nooit over trouwen had, en omdat ze daar vrede mee probeerde te hebben, begon ze zichzelf wijs te maken dat het huwelijk iets voor oude mensen was, dat iedereen het geweldig opblies en dat haar vrienden die getrouwd waren wel onnozele kinderen leken, en meer van dat soort dingen. Ze beweerde, tegen Joe in ieder geval, dat het enige waar ze zich druk over maakten de cadeaus en de bruidsmeisjes waren en dat ze zich er naderhand over beklaagden dat de mannen met wie ze getrouwd waren, te veel tijd doorbrachten met hun vrienden of te veel dronken of gemeen waren tegen hen. Het waren net kinderen die deden alsof ze volwassenen waren. Maar het hebben van een baby van hem vormde een unieke band. Die was echt, diep en belangrijk en had niets te maken met andere mensen. Toen ze zwanger was, had ze het idee dat ze een kind van hem zou krijgen fantastisch gevonden, ondanks de problemen die het zou veroorzaken. Ze wist dat ze dan voor altijd een deel van hem bij zich zou hebben, en waarschijnlijk het beste deel. Ze had de hoop gekoesterd dat het een jongetje zou zijn en ze was van plan om in dat geval hem alles over vliegtuigen te leren, net zoals Joe gedaan zou hebben. Kate zat nu altijd in angst dat de oorlog Joe van haar af zou nemen. Een baby zou een deel van hem zijn, voor altijd.

Toen Joe naar haar keek, zag hij dat Kates liefdevolle aandacht bij hem was. Hij stak zijn hand uit over de tafel, pakte haar hand, bracht die naar zijn lippen en drukte er een kus op. 'Kijk niet zo bedroefd, Kate. Ik kom terug. Dit verhaal is nog niet uit. Het zal nooit uit zijn.' Hij wist niet hoe profetisch zijn woorden waren. Maar zij voelde precies hetzelfde als hij.

'Pas alleen goed op jezelf, Joe. Dat is het enige dat telt.' Het was nu een zaak van het lot. Hij stelde daar iedere dag zijn leven in de waagschaal en de beslissing over leven en dood was in Gods handen. Daarbij viel al het andere in het niet.

Na het ontbijt kleedden ze zich aan en ze vertrokken nog net op tijd. Hij hield haar tegen zich aangedrukt en gaf haar de ene kus na de andere, ze konden nauwelijks hun handen van elkaar afhouden. Maar hij moest haar bij de universiteit afzetten en zelf op tijd op het vliegveld zijn. Hij mocht niet te laat op de vergadering in Washington komen, of erger nog, zijn vliegtuig missen. Ernstige zaken die van doorslaggevende betekenis waren voor de afloop van de oorlog in Europa hadden hem uit Engeland doen terugkeren. Hij hield van Kate, maar hij moest de dingen in hun perspectief zien. Hij had belangrijke zaken te doen waarbij voor haar geen plaats was.

Onderweg naar de universiteit zaten ze stil naast elkaar in de auto. Kate sloeg hem gade. Ze wilde de herinnering aan juist dit moment vasthouden, om er zich in de dagen die zouden komen aan te verwarmen. Ze had het gevoel alsof alles wat ze deden in slow motion verliep. Al te snel bereikten ze de campus van Radcliffe. Ze stapten uit en ze keek naar hem op, met tranen in haar ogen. Het was onverdraaglijk hem weer te zien vertrekken, maar ze wist dat ze zich moest verbijten. De nacht die ze zojuist samen hadden doorgebracht, was een onverwacht geschenk geweest.

'Zorg goed voor jezelf,' fluisterde ze, terwijl hij haar dicht tegen zich aandrukte. 'Blijf alsjeblieft leven!' was wat ze werkelijk had willen zeggen. 'Ik hou van je, Joe.' Meer kon ze niet zeggen, omdat een onderdrukte snik haar keel dichtschroefde. Ze wilde het voor hen beiden niet moeilijker maken dan het al was.

'Ik hou ook van jou... en een volgende keer dat er iets belangrijks speelt, wil ik dat je het me vertelt!' Er was immers de kans dat ze weer zwanger zou worden, zelfs met een voorbehoedmiddel. Dat kwam wel vaker voor. Maar hij vond het nog steeds groots dat ze hem niet had willen belasten, en hij beminde haar er des temeer om. 'Pas jij ook goed op jezelf. En doe je ouders de groeten, mocht je ze vertellen dat je mij gezien hebt.' Maar ze was dat niet van plan. Ze wilde bij hen niet het vermoeden wekken dat ze met hem naar een hotel gegaan was. Als in vredesnaam nu maar niemand hen het hotel in of uit had zien gaan! Vele seconden lang omhelsden ze elkaar, biddend dat de goden hen welgezind zouden zijn. Vervolgens zag ze hem wegrijden, en toen pas gaf ze haar tranen de vrije loop. Het was tegenwoordig een vertrouwd beeld, zoals zo vele andere. Er waren de gewonde soldaten in iedere stad en plaats, die gewond en verminkt teruggekomen waren van het front. Er hingen Amerikaanse vlaggetjes achter de ramen om de teerbeminden te eren die ergens aan het vechten waren. Je zag soldaten en jonge meisjes die onder tranen afscheid van elkaar namen en hoorde de vreugdekreten als ze terugkeerden. Kleine kinderen stonden aan het graf van hun vader. Kate en Joe waren niet anders dan anderen. Ze waren zelfs fortuinlijker dan sommigen. Het was een moeilijke tijd voor iedereen, en voor veel te veel mensen was het een tragedie. Het enige dat Kate zeker wist, was dat ze zich gelukkig mocht prijzen dat ze Joe had.

De rest van de dag bleef ze op haar kamer. Ook die middag

ging ze niet naar college. Het avondeten sloeg ze over. Hij zou eens kunnen bellen! En dat deed hij, om acht uur, na zijn vergadering. Hij stond op het punt om naar het vliegveld te vertrekken. Hij kon haar niet vertellen hoe de vergadering was verlopen, op welke tijd zijn vliegtuig vertrok of waarheen hij vloog. Dat was allemaal geclassificeerde informatie. Ze wenste hem een behouden vlucht en zei hem dat ze veel van hem hield. Hij zei dat hij ook veel van haar hield. Daarna keerde ze terug naar haar kamer, ging op haar bed liggen en dacht aan hem. Het was nauwelijks te geloven dat ze elkaar pas een kleine drie jaar kenden. Er had zich zoveel afgespeeld sinds hun ontmoeting op het debutantenbal in New York, toen hij een rok droeg en zij een avondjapon. Ze was toen zeventien geweest en in velerlei opzicht nog een kind. Nu, op haar twintigste, voelde ze heel sterk dat ze een vrouw was. En meer nog, ze was de zijne.

Dat weekend ging ze naar haar ouders om voor haar eindtentamens te studeren en om even weg te zijn van haar huisgenoten. Ze wilde niemand zien. Ze was in zichzelf gekeerd en stil sinds het vertrek van Joe. Het viel haar moeder op dat ze de hele maaltijd lang geen woord zei. Ze vroeg Kate of alles goed was, en of ze nog wat van Joe gehoord had. Kate beweerde dat ze zich prima voelde, maar geen van haar ouders hechtte daar geloof aan. Het leek of ze iedere dag volwassener werd. De universiteit had haar zeker doen rijpen, maar haar verhouding met Joe had haar in een sterk versneld tempo volwassen gemaakt. En haar voortdurende bezorgdheid om hem maakte dat ze er nog ouder uitzag, dat ze zich nog ouder voelde. Iedereen werd tegenwoordig bijna van de ene op de andere dag volwassen.

Haar ouders spraken er die nacht in hun slaapkamer over. Beiden waren het erover eens dat de zorgen die Kate om Joe had bepaald niet uniek waren. De meeste jonge vrouwen in het land hadden wel iemand over wie ze zich ongerust maakten. Een broer, een vriendje, een echtgenoot, een vader of een goede kameraad. Bijna iedere man die ze kenden was naar het front. 'Het is doodzonde dat ze niet verliefd op Andy geworden is,' zei Elizabeth spijtig. 'Hij zou uitstekend bij haar passen. Bovendien zit hij niet in het leger.' Maar misschien lag die keuze te veel voor de hand, of vond ze hem te saai. Dat had Elizabeth goed gezien. Ondanks zijn vriendelijkheid en goede opvoeding kon Andy eenvoudig niet tippen aan Joe. Alles aan Joe was indrukwekkend en opwindend. Hij was in alles het toonbeeld van de held.

Gedurende de vier daaropvolgende weken was Kate druk bezig op de universiteit. Haar tentamens gingen goed, ondanks het feit dat ze concentratieproblemen had. Ze kreeg geregeld brieven van Joe en ze was zowel teleurgesteld als opgelucht toen ze drie weken na zijn vertrek constateerde dat ze niet zwanger was. Ze wist dat het zo beter was. Haar kwellende bezorgdheid om hem bezorgde haar al genoeg hoofdbrekens.

Toen ze naar huis ging om daar het weekend van Thanksgiving door te brengen, zag Kate er beter uit dan de laatste keer dat haar ouders haar gezien hadden. En ze leek wat evenwichtiger. Tijdens het diner praatte ze met haar vrienden over Joe en ze was verrassend goed op de hoogte van wat er zich afspeelde in Europa. Begrijpelijk genoeg hield ze er krasse meningen over de Duitsers op na, en wond ze daar geen doekjes om.

Uiteindelijk en tot ieders grote opluchting, bleek het een heel plezierige Thanksgiving te zijn. Toen Kate die avond naar bed ging, was ze er dankbaar voor dat ze Joe een maand daarvoor nog gezien had. Ze had geen idee wanneer hij weer zou thuiskomen, maar ze wist dat de intimiteit die ze gedeeld hadden haar zolang het nodig was op de been zou houden. Het was nauwelijks te geloven dat hij al twee jaar weg was.

Die nacht sliep ze slecht. Ze had bizarre dromen, waaruit ze telkens wakker werd. De volgende morgen vertelde ze het haar moeder. Die plaagde haar en zei dat ze vermoedelijk te veel gegeten had van de kastanjefarce waarmee de kalkoen gevuld was..

'Als kind hield ik veel van tamme kastanjes,' zei Elizabeth, die het ontbijt voor haar man aan het klaarmaken was, 'en mijn oma zei altijd dat mijn maag erdoor van streek zou raken. Dat is nog steeds zo, maar toch ben ik er dol op.' In de loop van de morgen begon Kate zich beter te voelen. 's Middags ging ze winkelen met een vriendin en ze dronken thee bij Statler, wat haar deed denken aan Joe en aan de nacht die ze er doorgebracht hadden. Tegen de tijd dat ze thuiskwam, was ze in een stralend humeur. Maar zelfs op zulke momenten was ze ernstiger dan vroeger. Ze maakte een bezonnener en minder speelse indruk dan voor ze naar de universiteit ging. Het was alsof het feit dat ze Joe kende, of misschien alleen maar het feit dat ze zich zorgen maakte om de situatie waarin hij verkeerde, haar introverter had gemaakt. Ze was meer op zichzelf dan ooit tevoren.

Zondagavond keerde ze terug naar de universiteit. Opnieuw had ze nachtmerries. Toen ze ontwaakte uit een boze droom, kon ze zich herinneren dat ze overal om zich heen vliegtuigen had zien neerstorten. De droom was zo beeldend geweest dat het allemaal werkelijkheid leek. Het had haar dermate angstig gemaakt dat ze was opgestaan en zich had aangekleed, lang voor de anderen uit bed kwamen. Ze ging heel vroeg naar de eetkamer om te ontbijten en zat daar stilletjes alleen.

Waarom wist ze niet, maar ze had de hele week door nachtmerries, die haar uit haar slaap hielden. Ze was aan het eind van haar Latijn toen ze op donderdagmiddag een telefoontje van haar vader kreeg. Ze schrok bij het horen van zijn stem. Hij had haar nooit eerder gebeld op de universiteit. Hij vroeg of ze zin had om 's avonds bij hen te eten. Ze zei dat ze moest studeren. Maar hoe meer ze eronderuit probeerde te komen, des temeer hij aandrong, tot ze ten slotte zwichtte en toestemde. Ze vond het vreemd en was een tikkeltje bezorgd. Zou een van beiden ziek zijn en wilden ze haar dat vertellen? vroeg ze zich af. Ze hoopte maar van niet.

Zodra Kate het huis binnenliep, wist ze dat er iets gebeurd was. Haar ouders stonden haar in de woonkamer op te wachten. Haar moeder had zich omgedraaid, zodat Kate niet kon zien dat ze huilde. Ze had verschrikkelijk met haar dochter te doen. Haar vader vertelde haar het nieuws. Hij was van mening dat het hem beter af zou gaan dan zijn vrouw. Zodra Kate zat, keek hij haar recht in de ogen en vertelde haar dat hij die morgen een telegram gekregen had. Hij had zelf Washington gebeld om zoveel mogelijk te weten te komen.

'Ik heb slecht nieuws,' zei hij. Kates ogen werden groot van schrik. Plotseling besefte ze dat het geen betrekking had op henzelf, maar op haar en ze voelde haar hart bonzen. Ze wilde niet horen wat hij te zeggen had, maar ze wist dat het moest. Sprakeloos staarde ze hem aan. 'Joe heeft jou op een lijst gezet als naaste verwant, samen met een paar neven en nichten die hij in jaren niet gezien heeft.' Kates moeder had het afschuwelijke telegram in ontvangst genomen en had na opening meteen Clarke op kantoor gebeld. Clarke had dadelijk iemand die hij kende op het ministerie van oorlog gebeld om meer bijzonderheden te vernemen. Wat hij gehoord had was allesbehalve geruststellend. Daarna had hij geen tijd verspild en onmiddellijk zijn dochter gebeld.

Kate hield haar adem in. 'Hij is afgelopen vrijdagmorgen boven Duitsland neergehaald.' Dat was een week geleden en donderdagnacht waren die akelige dromen over neertuimelende vliegtuigen begonnen. In Europa was het toen vrijdagmorgen. 'Ze zagen zijn vliegtuig omlaag dwarrelen en ze weten ongeveer waar hij neergekomen is. Zijn parachute ging vrij laat open. Het kan zijn dat hij tijdens zijn sprong gedood is. Een andere mogelijkheid is dat ze hem gevangengenomen hebben. Maar hun informanten uit de ondergrondse hebben sindsdien nog niets over hem bericht. Op de lijsten met krijgsgevangen officieren is geen spoor van hem te vinden. Hij vloog onder een andere naam, maar noch zijn gefingeerde, noch zijn werkelijke naam is opgedoken. Er bestaat enige vrees dat hij in het geheim vastgehouden wordt, of dat de Duitsers hem vermoord hebben. Mogelijk beschikt hij over geheime informatie en dat zou hem heel interessant maken. Tenminste, als ze op de hoogte zijn van zijn identiteit. Op zichzelf is het al een prachtvangst. Hij is het neusje van de zalm voor hen, omdat hij een nationale held is.' Ze staarde haar vader sprakeloos aan, terwijl ze probeerde te bevatten wat hij haar had verteld. Een moment lang was ze niet in staat tot enige reactie. 'Kate... de inlichtingendienst van de geallieerden denkt niet dat hij het heeft gehaald,' vatte hij het trieste relaas voor haar samen. 'En zelfs als dat wel zo is, zullen de Duitsers korte metten met hem maken. Op dit ogenblik is hij waarschijnlijk dood, anders zouden de Amerikanen of de Britten wel iets van hem gehoord hebben.' Ze staarde met opengesperde ogen naar haar vader en wist niet zo gauw iets te zeggen, zo verbijsterd was ze. Haar moeder liep op haar toe en sloeg een arm om haar schouders. 'Mam... is hij dood?' vroeg Kate op de toon van een kind dat de weg kwijtgeraakt is en probeert te begrijpen wat iemand die een vreemde taal spreekt haar zojuist heeft verteld. Het ging haar bevattingsvermogen te boven. Haar hart wilde er niet van weten. Het was als een angstaanjagende echo van de dag waarop haar moeder haar had verteld dat haar vader gestorven was. In zeker opzicht was dit erger. Ze had te veel van Joe gehouden.

'Die kans is groot, schat,' zei haar moeder zachtjes. Ze had erg met haar dochter en enig kind te doen. Kate was zo wit als een laken. Het leek wel of ze een shock had. Ze ging staan en toen weer zitten, en haar vader keek naar haar met ogen vol mededogen en verdriet.

'Het spijt me, Kate,' zei hij bedroefd. Ze kon zien dat de tranen in zijn ogen stonden. Niet alleen om Joe, maar ook om haar.

'Dat is niet nodig,' zei Kate scherp. Ze stond op. Dit overkwam haar niet, dát kon niet. Dit overkwam hem niet. Ze geloofde het niet. Ze zou het pas geloven als ze er zeker van waren. 'Hij is nog niet dood. Als dat zo was, zou iemand het toch moeten weten,' hield ze halsstarrig vol. Haar ouders wierpen elkaar een ongelukkige blik toe. Het was niet de reactie die ze verwacht of beoogd hadden. Hun dochter weigerde het te aanvaarden.

'We moeten erop vertrouwen dat alles goed komt met Joe, dat verwacht hij van ons, daar heeft hij recht op.'

'Kate, hij is neergekomen in Duitsland, omringd door Duitsers die het op hem gemunt hebben. Joe is een wereldberoemd piloot. Ze zullen hem niet levend laten gaan, ook al was hij nog in leven toen hij neerkwam. Je moet dat onder ogen zien,' zei haar vader op besliste toon. Hij wilde niet dat zij zichzelf een rad voor ogen draaide.

'Ik hoef helemaal niets voor ogen te houden,' schreeuwde ze tegen hem. Ze rende de eetkamer uit, vloog de trap op en knalde haar slaapkamerdeur dicht.

Clarke en Elizabeth keken haar verbijsterd na en wisten absoluut niet wat ze moesten zeggen. Ze hadden verwacht dat hun dochter door verdriet overmand zou zijn geweest. In plaats daarvan was ze laaiend op hen en op de rest van de wereld. Maar zodra Kate zich in haar kamer had verschanst, wierp ze zichzelf op bed en barstte in tranen uit. Uren achtereen lag ze daar te huilen. Ze kon de gedachte aan wat er met hem gebeurd was niet verdragen, met hem voor wie ze zoveel bewondering had. Het kon niet waar zijn. Het was oneerlijk. Het enige waaraan ze kon denken waren die verschrikkelijk dromen van de afgelopen week, en hoe hij zich gevoeld moest hebben toen hij werd neergeschoten. En hij had haar beloofd dat hij honderd levens had.

Het was al laat die avond toen haar moeder het uiteindelijk aandurfde om haar kamer binnen te glippen. Toen Kate zich omdraaide, zag haar moeder dat ze rode, opgezwollen ogen had. Ze ging naast haar op het bed zitten en Kate viel haar huilend in de armen.

'Ik wil niet dat hij dood is, mamma...' zei ze. Ze huilde als een kind, terwijl tranen van verdriet om haar enig kind langs haar moeders wangen gleden.

'Ik ook niet,' zei Elizabeth. Niettegenstaande haar twijfels, was het een fatsoenlijk man geweest, die het niet verdiende om op zijn drieëndertigste dood te gaan. En Kate verdiende geen gebroken hart. Het was allebei zo oneerlijk. Niets was eerlijk geweest de afgelopen twee jaar. 'Het enige dat ons overblijft is bidden dat alles toch goed zal aflopen.' Ze wilde niet opnieuw met Kate redetwisten over het feit dat hij vermoedelijk al dood was. Dat was van later zorg. Het was al moeilijk genoeg om te aanvaarden dat zijn vliegtuig was neergehaald. En als ze hem ten slotte niet vonden, zou zelfs Kate zijn dood moeten accepteren. Ze hoefde het niet nu onder ogen te zien. Het was duidelijk veel te pijnlijk voor haar. Haar moeder bleef tot diep in de nacht bij Kate zitten en streelde liefdevol haar haar, totdat ze in slaap viel – na wat gesnotter, zoals kleine kinderen dat doen als ze te veel gehuild hebben. Het brak bijna haar moeders hart.

'Ik wou dat ze niet zoveel van die man hield,' zei Elizabeth tegen Clarke toen ze ten slotte haar bed opzocht. 'Er is iets tussen die twee dat me bang maakt.' Ze had het een jaar eerder in Joe's ogen gezien en zag het nu in die van Kate. Het was iets dat verstand, tijd en woorden te boven ging. Het was een soort zielsverwantschap die zelfs zij niet begrepen. En waar Kates moeder nu beducht voor was, was of die band ook na de dood onverbrekelijk zou blijken. Dan stond Kate een verschrikkelijk lot te wachten.

De volgende dag aan de ontbijttafel was Kate zwijgzaam en nors. Iedere poging om een gesprek met haar aan te knopen stuitte op stilzwijgen. Ze zei tegen geen van beiden iets, dronk alleen een kop thee en verdween toen weer naar boven, als een geest. Ze ging niet naar de universiteit en sloot zich de rest van het weekend in haar kamer op. Gelukkig had ze nog maar een week te gaan. Dan was het kerstvakantie.

Maar zondagavond kleedde Kate zich aan en ging terug naar Radcliffe, zonder zelfs maar afscheid van haar ouders te nemen. Ze was als een ziel zonder lichaam. Ze sprak met geen van haar huisgenoten, en toen Beverly kwam om haar te begroeten en vroeg of ze tijdens het weekend ziek was geweest, had Kate het met geen woord over het neerhalen van Joe's vliegtuig. Ze kreeg de woorden niet over haar lippen. Iedere avond huilde ze tot- dat ze in slaap viel.

Iedereen in haar studentenhuis op Radcliffe wist dat haar iets overkomen was. Een paar dagen later las iemand in een klein krantenartikel dat Joe Allbright was neergehaald. De militaire inlichtingendienst had besloten om het nieuws zo onopvallend mogelijk te brengen, om het thuisfront niet te ontmoedigen. Er werd alleen meegedeeld dat hij tijdens een actie vermist was ge- raakt, en het bericht was opmerkelijk vaag. Maar alles wat ze weten moesten, stond erin. Al haar huisgenoten wisten dat Joe Allbright bij Kate op bezoek was geweest.

'Wat vreselijk voor je...' fluisterden sommigen van hen als ze haar passeerden in de hal. Ze kon alleen knikken en wegkij- ken. Toen ze naar huis ging om er de kerstvakantie door te brengen, zag ze er verschrikkelijk uit. Ze was afgevallen en maakte een zieke en vermoeide indruk. Alle pogingen van haar moeder om haar op te beuren waren tot mislukken gedoemd. Kate wilde alleen maar met rust gelaten worden, terwijl ze wachtte op nieuws van Joe.

Ze vroeg haar vader of hij voor de feestdagen opnieuw wilde

bellen met zijn contact in Washington, maar er waren geen nieuwe berichten. Er was geen spoor van Joe, en ook het ondergrondse verzet repte met geen woord van hem. De Duitsers hadden niet gemeld dat ze hem gevangengenomen hadden. Ze hadden het zelfs met zoveel woorden ontkend toen ernaar gevraagd werd. Nergens was iemand opgedoken met de naam die op zijn papieren stond. Als ze wisten dat ze Joe Allbright gevangengenomen hadden, zouden ze er zeker mee voor de draad gekomen zijn en het beschouwd hebben als een echte overwinning op de geallieerden. Sinds hij neergehaald was, had niemand gezien dat hij ontsnapte, had niemand hem dood of levend gezien. Joe was spoorloos.

Voor geen van hen was het dat jaar kerst. Kate deed hoegenaamd geen kerstinkopen, wilde zelf geen enkel cadeautje en deed er eindeloos lang over om wat ze toch kreeg uit te pakken. Het grootste gedeelte van de tijd bracht ze op haar kamer door. Joe nam al haar gedachten in beslag. Waar hij was, wat er met hem gebeurd was, of hij nog leefde en of ze hem ooit weer zou zien. Ze dacht voortdurend aan de tijd dat ze samen waren geweest. Nu speet het haar zelfs nog meer, dat ze de baby verloren had die hij vorig jaar bij haar had verwekt. Ze was ontroostbaar en onbereikbaar, sliep bijna niet meer en was broodmager.

Ze ploos de kranten uit op zoek naar een woord over hem, hoewel haar vader haar al verzekerd had dat ze gebeld zouden worden voordat er iets in de pers verscheen. Hij vermoedde echter dat dat nooit het geval zou zijn. Waarschijnlijk was hij al weken dood en lag hij ergens in Duitsland in een haastig gedolven graf. Het was een gedachte die Kate bijna tot waanzin dreef. Het was alsof een wezenlijk deel van haar bestaan was weggesneden, alsof er diep uit haar innerlijk iets was weggerukt, waarvan ze zelfs niet wist dat het er was geweest. Ze lag of op bed naar de muur te staren, of liep te ijsberen in haar kamer, met een gevoel alsof haar huid op springen stond. Niets bood soelaas. Op een avond werd ze zelfs dronken. Haar ouders spraken er niet over de volgende dag. Ze waren wanhopig. Nooit hadden ze iemand gezien die zo overmand was door verdriet. Ze weeklaagde om hem en alleen de tijd kon uitkomst bieden.

Weer terug op de universiteit, zakte ze voor de eerste keer voor een tentamen. Haar mentrix nodigde haar uit voor een gesprek en vroeg of er tijdens de vakantie iets gebeurd was. Kate zag er verschrikkelijk uit en vertelde met verstikte stem dat een dierbare vriend van haar bij een luchtactie boven Duitsland neergehaald was. Dat verklaarde in ieder geval haar cijfers. De vrouw betuigde haar deelneming en sprak de hoop uit dat Kate zich spoedig beter zou voelen. Ze was heel vriendelijk en lief. Zelf had ze het vorig jaar haar zoon verloren in Salerno, tijdens de geslaagde landing van de geallieerden in Italië. Maar wat men ook zei, niets bood Kate enige troost. Wanneer ze niet volledig van de kaart was, werd ze verteerd door woede op de Duitsers, op het lot, op de man die hem neergehaald had, op Joe zelfs, omdat hij het had laten gebeuren en op zichzelf omdat ze zo van hem hield. Ze wilde er zich van losmaken, maar ze wist dat niets haar ooit van hem zou kunnen bevrijden. Daar was het te laat voor.

Toen Andy haar zag nadat ze teruggekomen was van de kerstvakantie, had hij eerst met haar te doen. Daarna voer hij tegen haar uit. Hij zei haar dat het zelfbeklag was, dat ze altijd geweten had dat het hem kon overkomen. En in Joe's geval had het op ieder moment en overal kunnen gebeuren, terwijl hij halsbrekende stunts met zijn vliegtuigen uithaalde en snelheidsrecords brak. Duizenden vrouwen zaten in hetzelfde schuitje. Zij en Joe waren niet getrouwd en hadden geen kinderen. Ze was niet eens verloofd. Maar wat Andy tegen haar zei, had slechts tot gevolg dat ze woedend op hem werd.

'Denk je dat ik me daardoor beter voel? Je bent net mijn moeder. Denk je dat een ring om mijn vinger het ook maar iets anders voor me zou maken? Het zou me geen moer kunnen schelen, Andy Scott, en het zou niets veranderen aan wat er met hem gebeurd is. Waarom is iedereen zo geobsedeerd door sociale rituelen? Wie interesseert zich daar nu voor? Hij zit waarschijnlijk in zo'n godvergeten akelig krijgsgevangenkamp en wordt gemarteld om wat hij weet. Denk je dat een ring om mijn vinger hun iets kan schelen? Joe zou het ook niets uitmaken. Hij zou er mij niet meer om bemind hebben en ik hem niet. Ik geef niets om een ring.' Ze begon te huilen. 'Ik wil alleen maar dat hij naar huis komt.' Ze viel in Andy's armen en hing daar als een kapotte pop.

'Hij komt niet terug, Kate, dat weet je toch? De kans dat hij thuiskomt is een op de miljoen, en dan ben ik misschien nog te optimistisch.'

'Het kan toch? Misschien ontsnapt hij.' Ze weigerde de hoop op te geven.

'Volgens mij is hij dood,' zei Andy, die haar probeerde te dwingen de waarheid onder ogen te zien. Waarschijnlijk had hij gelijk, maar Kate wilde het van niemand horen. Ze kon het nog niet aanvaarden. 'Kate, ik begrijp best dat het heel moeilijk voor je is, maar je moet je eroverheen zetten. Je kunt je er niet door laten verscheuren.' Het ergste van alles was, dat ze geen keus had. Ze deed zo goed mogelijk haar best, maar ze verdronk in haar angst om hem, voelde zich totaal verloren. Ze had geen idee hoe ze verder moest als hij dood was. En toch, zelfs nu het water haar aan de lippen stond, had ze het onverklaarbare gevoel dat hij nog leefde. Het was alsof er iets in haar was dat hem nog niet had losgelaten, en ze vroeg zich af of ze dat ooit zou kunnen. Ze voelde zich met hem verbonden voor het leven.

Andy en zij gingen in het zelfbedieningsrestaurant eten. Hij keek erop toe dat ze wat at. En hij drong erop aan dat ze dat weekend naar hem kwam kijken als hij meedeed aan een zwemwedstrijd tegen het MIT. Ze vond het warempel leuk, ondanks zichzelf, en vergat voor even haar ellende. En iedereen was opgetogen toen Harvard won.

Na afloop wachtte ze op hem en ze gingen uit eten. Daarna bracht hij haar terug naar huis. Ze zag er beter uit dan een paar dagen geleden, en hij had met haar te doen toen ze vertelde dat ze over Joe had gedroomd. Kate was ervan overtuigd dat hij nog leefde, en Andy was er zeker van dat haar verstand haar in de luren legde. Ze was niet bereid om de mogelijkheid te aanvaarden dat Joe was omgekomen, toen hij omlaaggehaald werd. Ten slotte begonnen haar familie en vrienden het pijnlijk te vinden om er steeds weer met haar over te praten. Als iemand zei hoe begaan hij met haar was door het gebeurde met Joe, hield zij vol dat hij vermoedelijk ergens in een krijgsgevangenkamp zat. Op den duur vermeden de mensen het onderwerp.

Tegen de tijd dat het zomer werd, was Joe al zeven maanden weg. Zijn laatste brieven aan haar had ze ontvangen een maand nadat hij neergehaald was. Ze las ze 's nachts en lag urenlang in bed aan hem te denken. Iedereen zei dat ze hem moest loslaten, maar haar hart weigerde open te gaan om hem te laten wegvliegen als een vogel uit een kooitje. Ze hield hem diep in zich verborgen, op een geheime plaats in haar hart, een plaats die nooit door een ander opgevuld zou worden. Ze wist dat de mensen gelijk hadden als ze zeiden dat ze het drama moest verwerken, maar ze had geen idee hoe. Hij was als een kleur die ze had aangenomen, een visioen dat ze gezien had, een droom die ze gehad had, en er was op dit ogenblik geen denken aan dat ze zich van hem kon scheiden.

Haar ouders spoorden haar aan om die zomer een reis te maken. Na veel heen-en-weergepraat stemde ze erin toe. Ze ging op bezoek bij haar grootmoeder in Chicago en vandaar naar Californië, naar een kennis die naar de Stanford-universiteit zou gaan. Het was een interessante reis en ze vermaakte zich wel, maar ze bleef het gevoel houden dat ze er niet echt bij betrokken was. Het was uiteindelijk een opluchting voor haar toen ze op de trein stapte om naar huis te gaan. Ze had drie dagen alleen voor zichzelf om uit het raam te staren en over hem te mijmeren, over alles wat hij geweest was en hopelijk nog was. Maar zelfs zij was nu geneigd te geloven dat hij niet langer in leven was. Toen ze eind augustus naar Boston terugkeerde was hij negen maanden weg. Niemand had ook maar iets over hem gehoord of hem in een van de krijgsgevangenkampen gezien. Zowel Washington als de RAF waren tot de slotsom gekomen dat hij dood was.

Die zomer ging Kate niet naar Cape Cod. Die plek was te beladen met herinneringen, ook al had ze hem er maar twee keer gezien. Ze keerde juist op tijd uit Californië terug om aan haar laatste jaar in Radcliffe te beginnen. Haar hoofdvakken waren geschiedenis en kunstgeschiedenis, al had ze geen idee wat ze ermee zou doen. Lesgeven sprak haar niet aan en er was geen andere loopbaan waar ze echt voor voelde. Eigenlijk had ze nergens zin in.

Ze zag Andy een paar keer per week nadat ze terug waren van

hun zomervakantie. Hij begon aan zijn derde jaar rechten en had bijna geen tijd meer om haar nog te zien. Hij vond het een prachtstudie en werkte eigenlijk veel te hard. Verscheidene van haar vriendinnen waren dat najaar niet teruggekomen op de universiteit. Twee van hen waren in de loop van de zomer getrouwd en een ander meisje was naar de westkust verhuisd. Weer een ander was gaan werken om haar moeder te ondersteunen; haar vader en twee van haar broers waren het jaar ervoor in de Pacific gesneuveld. Het leek alsof vrouwen de wereld draaiende hielden. Alle posten die voorheen door mannen werden bemand, werden nu door vrouwen ingenomen. Iedereen was eraan gewend geraakt. Kate plaagde haar ouders door te zeggen dat ze later als ze groot was buschauffeur wilde worden. Helaas was er niets anders wat ze liever wilde.

Ze was eenentwintig en zou spoedig afstuderen aan Radcliffe College. Ze was intelligent, mooi, interessant, sociaal en kon over de dingen meepraten. Terecht beweerde haar moeder dat als de oorlog er niet geweest was, ze nu getrouwd zou zijn en kinderen zou hebben, was het niet met Joe dan wel met iemand anders. Maar ze had sinds zijn dood zelfs geen afspraakje meer gehad. Ze was mee uit gevraagd door verschillende studenten van Harvard, door enkele hoogbegaafden van het MIT en zelfs door een aardige jongen van de universiteit van Boston, maar ze had ze allemaal afgewezen. Ze had voor niemand belangstelling en verwachtte nog steeds een telefoontje uit Washington met de boodschap dat Joe nog in leven was, of sterker nog, van de ontvangstruimte beneden dat er iemand op haar wachtte. Ze verwachtte hem te zien als ze met de bus reisde, als ze een hoek omsloeg of als ze de straat overstak. Het was onmogelijk om aan het idee te wennen dat hij in het niets opgelost was, dat hij niet langer een plekje had op deze planeet en dat hij, om het even hoeveel ze van hem hield, nooit meer naar haar zou terugkeren. Het hele begrip 'dood' was onbegrijpelijk voor haar. De vakantie zei haar niet zoveel, hoewel deze minder pijnlijk was dan die van het jaar ervoor. Ze was veel rustiger geworden en was hartelijk en vriendelijk tegen haar ouders, maar als haar moeder haar aanspoorde om uit te gaan, veranderde Kate gewoonlijk van onderwerp, of ze verliet de kamer. Haar ouders begonnen de hoop verliezen. Elizabeth had Kates vader toevertrouwd dat ze bang was dat Kate een oude vrijster zou worden.

'Daar geloof ik niets van.' Hij moest een beetje om Elizabeth lachen. 'In 's hemelsnaam, Liz, ze is eenentwintig en het is oorlog. Wacht maar tot onze jongens weer thuiskomen.'

'Wanneer zal dat dan zijn?' zei Elizabeth met sombere blik.

'Ik hoop snel.'

Maar daar zag het nog niet naar uit. In augustus was Parijs eindelijk bevrijd. Rusland had de overhand gekregen op de Duitsers en Russische troepen waren Polen binnengetrokken. Maar de Duitsers hadden vanaf september hun luchtbombardementen op Engeland geïntensiveerd. Het Ardennenoffensief bracht de geallieerden in verlegenheid. Dit Duitse offensief in december en januari had een enorm aantal levens gekost en iedereen aan het thuisfront ontmoedigd.

De laatste dag van de kerstvakantie kwam Andy Scott langs met een stel vrienden. Hij haalde Kate over om mee te gaan schaatsen op een nabijgelegen meer. Kates moeder was opgelucht toen ze haar met hen zag wegrijden. Ze hoopte nog steeds dat Kate op een dag meer aandacht aan Andy zou schenken, maar Kate hield vol dat ze geen relatie met hem wilde. Hij was gewoon een vriend. Toch het was duidelijk te merken dat ze ieder jaar meer naar elkaar toe gegroeid waren, en Elizabeth had nog niet alle hoop opgegeven. Ze was van mening dat hij de volmaakte echtgenoot voor Kate zou zijn. Kates vader was het daarmee niet oneens, maar vond dat men dat het best aan Kate zelf kon overlaten.

Ze hadden een fantastische schaatsmiddag op het meer. Ze vielen, schaatsten achteruit en duwden elkaar omver. De jongens speelden een vriendschappelijk partijtje ijshockey en Kate schaatste gracieuze figuren in het midden van het meer. Als kind was ze dol geweest op kunstrijden en ze was er behoorlijk goed in. Na afloop gingen ze met zijn allen hete grog drinken. Vervolgens maakten ze een lange avondwandeling in de tintelende vrieslucht. Na een poosje bleef Kate wat achter en voegde Andy zich bij haar. Hij was blij te zien dat ze er beter uitzag en nu zelfs wat plezier had. Ze zei dat de kerstvakantie niet slecht geweest was, hoewel ze toegaf dat ze niet veel had uitgevoerd. Het viel hem op dat ze ditmaal niet repte van Joe. Hij hoopte dat het een keerpunt was.

'Wat doe je van de zomer?' vroeg hij rustig, terwijl hij haar in een handschoen gehulde hand in de holte van zijn elleboog stopte. Hij had glanzend donker haar en diepbruine ogen, en hij droeg oorwarmers en een warme sjaal vanwege het uitje naar het meer.

'Ik heb er nog niet over nagedacht,' zei ze vaag. De damp van hun adem waaierde uit in de koude avondlucht. 'En jij?'

'Ik kreeg ineens een leuk idee,' zei hij, terwijl ze de anderen volgden. 'We studeren beiden in juni af, jij aan Radcliffe en ik aan Harvard. Mijn vader zegt dat ik pas in september op het advocatenkantoor hoef te beginnen. Ik dacht dat het misschien leuk zou zijn om op huwelijksreis te gaan.' Ze luisterde en knikte, om onmiddellijk daarna haar voorhoofd te fronsen. Ze keek hem aan.

'Met wie dan wel?' Haar adem stokte haar een moment in de keel. Er was een merkwaardige blik in zijn ogen toen hij stilstond en naar haar keek.

'Met jou misschien?' zei hij zachtjes. Kate slaakte een diepe zucht. Ze had gedacht dat ze dát nu wel achter de rug hadden. Jarenlang had ze hem als een broer behandeld. Maar Andy was altijd stapelgek op haar geweest. En net als haar ouders dacht hij dat ze prima bij elkaar zouden passen.

'Maak je een grapje?' vroeg ze hoopvol, maar hij schudde zijn hoofd. Zij liet haar hoofd op zijn schouder rusten.

'Dat kan ik niet, Andy, dat weet je toch. Ik hou van je als van een broer.' En vervolgens, met een droevige glimlach: 'Het zou incest zijn als ik met je trouwde.'

'Kate, ik weet dat je van Joe hield,' zei hij eerlijk, 'maar hij is er nu niet meer. En ik heb altijd van je gehouden. Ik denk dat ik je gelukkig kan maken.' Ja, dacht Kate, maar niet zoals Joe dat kon. Joe had voor hartstocht en opwinding en gevaar gestaan. Andy stond voor warme chocolademelk en schaatsen. Beiden waren belangrijk voor haar, maar op een verschillende manier en ze was er zeker van dat ze voor hem nooit hetzelfde zou voelen wat ze voor Joe gevoeld had. Ze stonden stil nu. De anderen waren ver vooruit en hadden geen idee van wat er achter hen gebeurde.

'Ik vind het niet eerlijk tegenover jou,' zei Kate oprecht. Ze drukte zich dicht tegen hem aan, terwijl ze hun wandeling vervolgden. Hij had het haar de hele dag willen vragen, maar er bij het meer niet de goede gelegenheid voor gehad. Het ijshockeyspel met zijn vrienden had hem te veel in beslag genomen. En zij was in haar eentje gaan schaatsen. Kate was tegenwoordig erg op zichzelf. Het mocht dan lijken of ze de laatste tijd wat beter met haar verdriet uit de voeten kon, in werkelijkheid ging het gewoon niet, leven zonder Joe. En vermoedelijk zou het ook nooit gaan.

'Weet je, Andy, ik kan nog steeds niet geloven dat hij weg is en nooit meer terugkomt.'

'Je bent zelfs niet verloofd met hem geweest, Kate. Zoveel mensen hebben iets met een ander voor ze trouwen. Sommige mensen verbreken zelfs hun verloving als ze iemand anders ontmoeten.' Andy keek haar aan, heel ernstig nu. 'Er zullen na de oorlog heel veel vrouwen in dezelfde positie verkeren als jij. Er zijn weduwen die nog jonger zijn, en sommigen hebben kinderen. Die kunnen zich toch niet de rest van hun leven afzonderen? Ze zullen de draad van het leven weer op moeten pakken. Dat moet jij ook. Je kunt je niet eeuwig verstoppen.'

'Reken maar van wel!' De gedachte begon bij haar op te komen dat wat ze had gehad met Joe zó ongewoon en bijzonder was, dat het haar de rest van haar leven steun zou geven en dat er geen plaats was voor een ander.

'Het is niet goed voor je. Jij kunt niet zonder een man en kinderen en een aangenaam leven. Je hebt iemand nodig die van je houdt en om je geeft.' Wat hij zei zou haar moeder als muziek in de oren geklonken hebben, maar zo klonk het niet in die van Kate. Ze was er nog niet klaar voor om aan iets anders te denken. Ze hield nog steeds van Joe.

'Jij verdient iets beters dan iemand die verliefd is op een geest.' Het was voor het eerst dat ze toegaf dat Joe weleens dood kon zijn. Andy beschouwde het als een eerste stap.

'Misschien is er in ons leven plaats voor een geest.' Andy was er zeker van dat Kate zich uiteindelijk op een dag van Joe zou losmaken.

'Ik weet het niet,' antwoordde ze. Het klonk vaag. Maar tot dusverre had ze tenminste geen nee gezegd, dat was al wat.

'We hoeven deze zomer niet te trouwen, Kate. Ik zei het alleen maar om te kijken wat je zou zeggen. Ik laat het aan jou over. Misschien kunnen we gewoon een poosje met elkaar gaan.'

'Als mensen van vlees en bloed, bedoel je?' Ze kon zich niet voorstellen dat ze een relatie met hem had. Ze vond hem nog zo kinderlijk, ook al was hij drieëntwintig. Joe was precies tien jaar ouder dan hij. En ze waren heel verschillend. Kate had zich vanaf het moment dat ze Joe ontmoette tot hem aangetrokken gevoeld. Het was alsof de zon was opgegaan in haar hart. Andy was meer een gezelligheidsmens, meer een goede vriend geweest. Volgens haar moeder was dat precies wat je van een goede man mocht verwachten.

'Wat denk je ervan?' zei hij hoopvol. Ze moest lachen. Het was alsof een jongen je vroeg of je zijn boomhut wilde zien, of zijn eerste afspraakje maakte. Ze kon hem niet serieus nemen.

'Volgens mij ben je gek dat je juist mij wilt,' zei ze eerlijk.

'En?' hield hij aan.

'Ik weet het niet. Ik kan me er geen voorstelling van maken hoe het zal zijn om met jou uit te gaan. Ik moet erover nadenken.' De afgelopen drie jaar had ze geprobeerd om hem aan een van haar huisgenoten te koppelen, maar Andy was altijd meer geïnteresseerd in haar geweest. 'Mij lijkt het een waanzinnig idee.' Het klonk niet erg romantisch, maar hij liet zich niet ontmoedigen. De dingen liepen beter dan verwacht en hij zag er blij uit. Maandenlang was hij bezig geweest moed te verzamelen om het haar te vragen, maar steeds was hij bang dat het nog te vroeg was. Maar nu was het al meer dan een jaar geleden dat Joe verdwenen was.

'Misschien is het niet zo gek als je denkt,' zei Andy zachtjes. 'Waarom kijken we niet gewoon hoe de dingen zich ontwikkelen de komende paar maanden?' Kate knikte. Ze had hem altijd graag gemogen, en misschien had haar moeder gelijk. Maar 's avonds, nadat hij haar bij haar ouders afgezet had, werd ze somber als ze erover nadacht. Alleen al het feit dat ze Andy toestond om over Joe te praten, voelde ze als verraad. Als ze aan Andy dacht, miste ze Joe des temeer. Niet alleen hun karakter was verschillend, ze leefden in een totaal verschillende wereld. Alles wat Joe deed was opwindend, fascinerend, magnetiserend. Ze was altijd in de ban geweest van zijn verhalen over vliegen, en het vliegtochtje met Joe was een van de hoogtepunten van haar leven geweest. Maar buiten dat wat Joe zei en wat ze samen deden, was er altijd een sterke, bijna onweerstaanbare, onuitgesproken aantrekkingskracht tussen hen geweest. Het was een bepaalde chemie waar geen van beiden een verklaring voor had. Tussen haar en Andy was er niets van dit alles. In plaats van een helder licht in haar te laten branden, nam Andy in haar geest slechts een aangenaam warm plekje in. Het zou een enorme omschakeling vereisen. Toen Kate hem een paar dagen later weer op de universiteit tegenkwam, probeerde ze hem dat uit te leggen. 'Sst,' zei Andy resoluut. Hij legde een vinger op haar lippen. 'Ik weet wat je wilt gaan zeggen. Laat maar. Ik wil het niet horen. Je bent alleen maar bang.' Maar dat was het probleem niet. Het probleem was dat ze niet van hem hield. Ze had tegen haar ouders met geen woord gerept van wat Andy tegen haar gezegd had. Ze wilde bij haar moeder geen verwachtingen wekken, of haar gek van enthousiasme maken. Kate liep zelf nog niet erg warm voor het idee. Verre van dat. Zelfs voor een afspraakje kneep ze hem al. Ze vond het dwaas om met hem uit te gaan. 'Geef het gewoon een kans,' hield hij vol. 'We kunnen vrijdagavond uit eten gaan, wat vind je daarvan? En dan zaterdag naar de film.' Plotseling had ze het gevoel alsof een middelbare scholier haar om verkering vroeg. Hij was intelligent, aardig, vriendelijk en degelijk, maar omdat hij thuis was gebleven terwijl iedereen naar het front ging, was hij in Kates ogen ook minder volwassen. Zeker minder volwassen dan Joe.

Ondanks haar reserves stond ze vrijdagavond klaar voor het diner. Ze droeg een zwarte jurk die ze met Kerstmis van haar moeder had gekregen, schoenen met hoge hakken, een kort bontjasje en een parelketting. Met haar glanzende, roodbruine haar zag ze er heel mooi uit toen hij haar kwam ophalen. Hij droeg een donker pak en zag eruit als de droom van iedere vierdejaarsstudente. Maar niet als Kates droom.

Ze hadden het echt naar hun zin in het Italiaanse restaurant op het North End. En na het eten nam hij haar mee uit dansen. Maar ergens, al deed ze nog zo haar best, had ze het gevoel dat het slechts een farce was. Ze zou veel liever met hem in het snelbuffet gegeten hebben, zoals ze altijd deden. Maar dat zei ze niet tegen hem.

Andy was heel behoedzaam toen hij haar aan het eind van de avond naar huis bracht en kuste haar niet. Hij was zich er goed van bewust dat het nog te vroeg was en wilde haar niet afschrikken. De volgende avond nam hij haar mee naar de film en zagen ze *Casablanca* voor de tweede keer. Na afloop gingen ze hamburgers eten. Ze hoefde zich minder te forceren en was verbaasd hoeveel plezier ze had. Het was eigenlijk heel prettig om uit te gaan, en het was een ongedwongen samenzijn met hem. Maar het was niet opwindend of romantisch, althans voor haar niet. Hij was gewoon een vriend en ze kon zich niet voorstellen dat ze meer dan dat voor hem zou voelen. Nog niet, tenminste. Maar ze deed in ieder geval een poging om het een kans te geven.

Pas op Valentijnsdag waagde hij een poging om haar te kussen. Joe was nu al vijftien maanden weg. Toch waren al haar gedachten bij Joe toen ze Andy's lippen op de hare voelde. Hij was knap, sexy en jong en in velerlei opzichten een aantrekkelijke man. Toch had ze het gevoel alsof er iets verschrikkelijk fout bij haar zat, alsof alles binnen in haar, in haar hart, hoofd en ziel, gevoelloos was. Toen Joe's licht in haar doofde, was alles in haar donker geworden. Met hem was haar hart vertrokken.

Andy scheen het niet te merken. In de paar maanden die volgden hadden ze eens per week een afspraakje, en wanneer hij haar thuisbracht, kuste hij haar. Tot haar opluchting probeerde hij nooit om verder te gaan. Ze wist dat Andy nooit van haar zou verwachten dat ze haar reputatie op het spel zette en ze vermoedde dat hij er geen idee van had dat ze ooit met Joe naar bed geweest was. Hij werd niet moe te zeggen dat hij van haar hield, en zij hield op haar eigen manier ook van hem. Haar ouders waren dolenthousiast dat ze met hem uitging, maar ze bleef erop hameren dat het nog niet serieus was. En toen haar vader in haar ogen keek, kromp zijn hart ineen. Het kostte hem geen moeite om daarin te lezen wat er wel of niet was. Hij zag alleen maar onnoemelijke pijn. Het was alsof hij in een bodemloze vijver van verdriet keek. Hij liet zich niet om de tuin leiden door het feit dat ze weer babbelde, glimlachte en soms in lachen uitbarstte.

Op een dag, toen Elizabeth en Clarke samen aan het avondeten zaten en zij weer eens de loftrompet over Andy stak, probeerde hij haar af te remmen. Hij was van mening dat wat ze aan het doen was, schadelijk was voor Kate.

'Forceer het niet, Liz. Laat ze hun eigen weg gaan.'

'Zo te zien gaat alles uitstekend. Ik ben er vast van overtuigd dat ze zich zullen verloven.' Maar wat betekende dat? vroeg hij zich af. Dat ze heel veel van een man had gehouden en nu moest trouwen met een vervanger, of ze die nu beminde of niet? Dat leek hem een afgrijselijk lot. Hij en Liz waren dertien jaar getrouwd en hij hield nog steeds van haar, iedere dag weer. Hij wilde hetzelfde voor Kate.

'Ik vind niet dat ze met hem moet trouwen,' zei Clarke op bezonnen toon.

'Waarom niet?' Elizabeth was ontstemd. Ze wilde niet dat hij roet in het eten zou gooien.

'Liz, ze houdt niet van hem,' zei hij rustig. 'Kijk naar haar. Ze houdt nog steeds van Joe.'

'In 's hemelsnaam, Clarke, hij was geen man voor haar. Trouwens, hij is er niet meer.'

'Dat verandert niets aan haar gevoel voor hem. Het kan nog wel jaren duren voor ze er overheen is.' Wat hij het meest van alles begon te vrezen, was dat Kate niet in staat zou zijn het te verwerken. En trouwen met Andy zou de dingen misschien alleen maar erger maken, zeker als ze het deed om hun een plezier te doen. In dat geval was ze beter af als ze alleen bleef, hoe aardig Andy ook was. 'Gewoon niet mee bemoeien, Liz. Laat ze het zelf maar uitzoeken,' drukte hij haar op het hart. Elizabeth keek hem hoofdschuddend aan.

'Het is goed als ze trouwt en kinderen krijgt, Clarke. Hoe moet het verder als ze in juni klaar is met haar studie, heb je daar al over nagedacht?' Ze maakte dat de woorden 'huwelijk' en 'kinderen' klonken als bezigheidstherapie, wat hem ergerde.

'Ik heb liever dat ze een baan neemt dan dat ze met de verkeerde man trouwt.' Zijn toon was heel stellig.

'Er is niets verkeerds aan Andy Scott.' Ze begon zich af te vragen waar haar man zijn rare ideeën vandaan had. Misschien was hij ook een beetje verblind geweest door Joe Allbright. Maar hoe dan ook, Joe Allbright was dood. En Kate moest verder met haar leven.

Ondanks haar ouders' discussies en hun bezorgdheid om haar, bleef Kate ieder weekend met Andy uitgaan en bleef ze haar best doen om meer dan alleen vriendschap voor hem te voelen. Het bleef een zware strijd. Dat voorjaar was ieders aandacht gericht op Engeland en Frankrijk en Duitsland. De kansen begonnen te keren.

In maart behaalden Amerikaanse troepen de overwinning in de slag om de Ruhr. Ze hadden Iwo Jima in de Stille Ocaan ingenomen. Neurenberg was in geallieerde handen gevallen. Op hun beurt hadden de Russen de voorsteden van Berlijn bereikt. Eind april werden Mussolini en zijn voornaamste ministers geëxecuteerd en de volgende dag gaven de Duitse legers in Italië zich over, precies twee weken na de dood van Roosevelt. Harry Truman was toen de nieuwe Amerikaanse president. Duitsland capituleerde op zeven mei en Truman riep acht mei uit tot *Victory in Europe Day.*

Kate en Andy volgden met gretige belangstelling het nieuws en bediscussieerden wat ze lazen. De oorlog betekende meer voor haar dan voor veel van haar leeftijdgenoten, omdat hij haar zo zwaar getroffen had. Maar er waren er ook die voortdurend hun adem inhielden en baden dat hun mannen thuis zouden komen. Tegen die tijd, bijna twee jaar nadat hij neergehaald was, had Kate zelfs de hoop opgegeven dat Joe aan het einde van de oorlog zou opduiken. Hij was nu zeventien maanden weg en iedereen nam aan dat hij dood was, ook Kate. Zijn dossier werd gesloten, hoewel zijn vliegrecords nog ongebroken waren en nog lang ongebroken zouden blijven.

Kate had college op V-E Day toen ze het nieuws hoorde. De deur stond open en een docente kwam binnen. De tranen stroomden over haar wangen. Ze had drie jaar eerder in Frankrijk haar man verloren. Alle meisjes rezen op en juichten en omhelsden elkaar. Het was voorbij, afgelopen, gedaan. De jongens konden eindelijk naar huis. Het enige dat nu nog restte was een overwinning in Japan, maar iedereen was ervan overtuigd dat die ophanden was.

's Middags ging Kate bij haar ouders op bezoek. Haar vader was in juichstemming. Zij en haar vader praatten een tijdje over de gebeurtenissen, en tijdens hun gesprek zag hij de intens droevige blik in haar ogen. Het was niet moeilijk te raden wat er in haar omging. De tranen stonden haar in de ogen toen ze naar hem opkeek. Hij begreep het onmiddellijk en legde zijn hand op de hare.

'Ik vind het heel erg dat hij het niet gehaald heeft, Kate.'

Ze knikte naar hem. 'Ja,' zei ze, terwijl ze de tranen wegveegde die langs haar wangen liepen. Kate ging terug naar huis, het huis waar ze nog maar korte tijd zou wonen. Ze lag op haar bed en haar gedachten waren weer bij Joe. Hij was er altijd, ergens dicht bij haar. Nooit was hij ver weg. Toen een van de meisjes haar kwam vertellen dat Andy aan de telefoon was, vroeg ze haar hem te zeggen dat ze er niet was. Ze kon gewoon niet met hem praten. Haar gedachten en hart waren te zeer bij Joe.

9

Haar afstuderen was een beetje een anticlimax na de overwinning in Europa. Kate zag er fantastisch uit met haar korte toga en baret. Haar ouders waren trots op haar. Andy was er ook. Hij had het met haar gehad over een eventuele verloving die week, maar ze had hem gevraagd nog even te wachten. Hij was van plan om in de zomer wat rond te reizen in de noordwestelijke staten. In het najaar wilde hij bij zijn vader in New York gaan werken.

Daarna studeerde Andy af in de rechten en ze ging erheen. Zoals te begrijpen was, waren er vanwege de oorlog tamelijk weinig mensen, maar het was allemaal heel waardig en ze was blij voor hem. Ze had hem zover gekregen dat hij erin had toegestemd om het onderwerp van een huwelijk met haar tot de zomer te laten rusten. Het gaf Kate een gevoel van opluchting.

Maar toen hij eenmaal op reis was, in juni, constateerde ze bij zichzelf dat ze hem sterker miste dan ze had gedacht. Het was een opluchting te merken dat ze werkelijk gevoelens voor hem had. Ze was er nooit echt zeker van wat ze voor hem voelde, en ze wist dat het door Joe kwam. Haar emoties waren nog steeds vlak, alsof er een schakelaar was omgedraaid. Maar ze kwamen langzaam terug. Kate was Andy dankbaar voor zijn vriendelijkheid en geduld. Ze was er zich van bewust dat ze hem een moeilijke tijd bezorgd had, en tegen het einde van juni verlangde ze zowaar naar zijn terugkeer. Hij belde haar zo vaak hij kon en zond overal vandaan ansichtkaarten. Hij was op weg naar het nationale park Grand Tetons in de Rocky Mountains en zijn uiteindelijke doel was Lake Louise. Hij had vrienden in de staat Washington. Vervolgens zou hij op de terugweg San Francisco aandoen. Uit wat hij haar vertelde kon ze opmaken dat hij het erg naar zijn zin had. Wel miste hij haar erg, schreef hij, en het verbaasde haar te merken hoezeer zij hem miste. Kate speelde inmiddels met de gedachte om zich in de herfst met hem te verloven en misschien in juni van het jaar daarop te trouwen. Maar ze wist dat ze in ieder geval nog een jaar nodig had.

Ze werkte weer hele dagen voor het Rode Kruis. Er kwamen iedere dag hordes jongemannen uit Europa aan. De gewonden werden met hospitaalschepen vervoerd. Ze had zojuist opdracht gekregen om in de haven het medisch personeel te assisteren bij de opvang van de mannen die van het schip dromden. Vervolgens moest ze ervoor zorgen dat deze naar de ziekenhuizen werden vervoerd waar ze dan verscheidene maanden, zo niet jaren, zouden doorbrengen. Nooit had Kate mensen gezien die zo blij waren weer thuis te zijn, hoe erg ze er soms ook aan toe waren. Ze knielden en kusten de grond, ze kusten haar en, als er geen moeder of geliefde was, iedereen die maar in de buurt was. Hoewel buitengewoon zwaar, was het ook dankbaar werk. Velen hadden gruwelijke verwondingen, maar toch zagen ze er allemaal nog zo jong uit, totdat je hun ogen zag. Ze hadden te veel gezien. Maar ze waren dolgelukkig dat ze weer thuis waren. Wanneer ze alleen maar naar hen keek zoals ze het schip af strompelden of hun geliefden kusten, sprongen Kate de tranen al in de ogen.

Kate bracht uren bij hen door. Ze hield hun hand vast, wiste hun voorhoofd af en schonk aandacht aan hen die hun gezichtsvermogen waren kwijtgeraakt. Ze hielp ze de ambulance in en deed ze in legertrucks plaatsnemen. Iedere dag kwam ze vies en moe thuis, maar ze had tenminste het gevoel dat ze haar tijd nuttig gebruikte.

Op een avond kwam ze heel laat thuis, na een lange werkdag in een overvolle ziekenzaal. Omdat ze zo laat was, wist ze dat haar ouders ongerust zouden zijn. Maar meteen toen ze bij het binnenkomen het gezicht van haar vader zag, wist ze dat er iets vreselijk mis was. Haar moeder zat naast hem op de bank en veegde met een zakdoek haar ogen af. Kate nam onmiddellijk aan dat er iemand gestorven was. Wie wist ze niet. Ze voelde een rilling over haar ruggengraat lopen.

Kate liep verder de kamer in. 'Is er iets naars gebeurd, pappa?' vroeg ze kalm.

'Niets, Kate. Kom, ga zitten.' Ze deed wat haar gevraagd werd en streek haar uniform glad. Overal zaten vlekken en haar kapje zat scheef. Het was een onvoorstelbaar lange dag geweest en ze was verhit en moe.

'Is alles goed, mam?' vroeg ze vriendelijk. Haar moeder knikte, maar zei geen woord. 'Wat is er gebeurd?' Ze keek van de een naar de ander en er viel een lange stilte. Haar grootouders leefden niet meer. Ooms of tantes had ze ook niet. Het moest dus een van hun vrienden zijn of misschien een zoon van hen. Sommige gewonden hadden de thuisreis niet overleefd.

'Ik kreeg vandaag een telefoontje uit Washington,' zei haar vader, maar het zei Kate nu niets. Alles wat zij aan slecht nieuws kon krijgen, had ze gehad. Juist dit zorgde voor een sterke emotionele betrokkenheid bij het werk dat ze deed. Ze wist wat het was om degene te verliezen van wie je het meeste houdt. Ze keek naar haar vaders ogen voor een antwoord op de vraag wat hen zo van streek had gemaakt. Haar vader aarzelde en ging verder. 'Ze hebben Joe gevonden. Hij leeft.' Het sloeg in als een bom. Ze stond perplex en de woorden bleven haar in de keel steken.

'Wat?' Haar gezicht was lijkbleek. 'Ik begrijp het niet.' Meer kon ze niet zeggen. Ze had het gevoel alsof ze in shocktoestand zou geraken. Het herinnerde haar aan de nacht waarin ze haar kind verloren had. 'Wat bedoel je, pap?' Ondanks het feit dat ze zo lang hoop gekoesterd had, leek het haar niet langer mogelijk dat Joe leefde. Uiteindelijk was ze gaan geloven dat Joe dood was. En nu, terwijl ze die woorden hoorde, woorden waarvan ze de hoop opgegeven had ze ooit te horen, duizelde het haar en was ze helemaal in de war.

'Hij werd neergehaald net ten westen van Berlijn,' zei haar vader. De tranen rolden langs zijn wangen. 'Zijn parachute ging te laat open en hij liep ernstige verwondingen aan beide benen op. Hij dook onder bij een boer en probeerde later de grens te bereiken, maar hij werd krijgsgevangen gemaakt en overgebracht naar slot Colditz bij Leipzig. Hij had geen gelegenheid om zich voor die tijd met iemand in verbinding te stellen. We weten uit eerdere berichten van het ministerie van oorlog dat op zijn identiteitsbewijs een valse naam stond. Ze waren bang om hem boven Duitsland te laten vliegen met papieren waarop zijn werkelijke naam stond. Dat zou het nog gevaarlijker hebben gemaakt voor hem.' Hij veegde zijn tranen weg, terwijl Kate hem aanstaarde. Het kostte haar moeite om zich te concentreren op wat hij zei, ze kon het bijna niet bevatten. Ze had het gevoel alsof niet alleen Joe, maar ook zij uit de dood was opgestaan. 'Ze hielden hem afgezonderd van de andere gevangenen en om een of andere reden hebben ze zijn naam niet op de lijst van krijgsgevangenen gezet, ook niet zijn schuilnaam. Niemand weet waarom, maar het kan zijn dat ze er een vermoeden van hadden dat de naam die hij gebruikte inderdaad niet klopte en dat ze geprobeerd hebben alle informatie die hij had uit hem te wringen. Hij is zeven maanden in Colditz geweest en ten slotte ontsnapt. Hij was op dat ogenblik bijna een jaar in Duitsland. Ditmaal was hij op weg naar Zweden. Toen hij probeerde aan boord te komen van een vrachtschip, werd hij opnieuw gepakt. Hij werd daarbij neergeschoten en raakte zwaargewond. Men vermoedt dat hij toen verscheidene maanden in coma gelegen heeft of ijlkoortsen heeft gehad en dat ze hem daarna weer opgesloten hebben in Colditz. Hij had gebruik gemaakt van valse Zweedse papieren en dat verklaart waarom hij opnieuw niet op een lijst van Amerikaanse gevangenen terechtkwam. Ik weet niet zeker of ze wel beseften wie hij was. Een aantal weken geleden trof men hem aan in een isoleercel in Colditz, maar hij was pas gisteren in staat hun te vertellen wie hij was. Hij bevindt zich nu in een militair ziekenhuis in Berlijn. En Kate... naar het zich laat aanzien is zijn toestand tamelijk slecht. Ze' hebben gezegd dat hij halfdood was toen ze hem eruit haalden. Maar goddank is hij er op de een of andere manier in geslaagd het tot nu toe vol te houden. Ze denken dat hij het zal halen als er zich verder geen complicaties voordoen. Het is hem gelukt om al die tijd in leven te blijven en zijn identiteit hebben ze ook niet kunnen achterhalen. Zijn benen zijn nog steeds zwaar beschadigd. Ze waren opnieuw gebroken. Hij had nog kogelwonden in armen en benen. Hij heeft al die tijd in een hel geleefd. Als het hun lukt om hem zover op te lappen dat hij kan reizen, zijn ze van plan hem over twee weken met een hospitaalschip naar huis te sturen. Hij zou dan ergens in juli hier aankomen.'

Kate had nog geen woord gezegd. Net als haar vader kon ze alleen maar huilen. Elizabeth keek haar dochter vertwijfeld aan. Niemand hoefde haar te vertellen dat Kates leven op het punt stond ingrijpend te veranderen. Ze wist het. Andy Scott en alles wat hij haar te bieden had, was zojuist in rook opgegaan. Kates moeder was er zeker van dat Joe haar leven zou vernietigen, niet ondanks maar juist door haar sterke liefde voor hem. Maar het was de beide ouders duidelijk dat Joe heel veel voor Kate betekende. Dat was de afgelopen twee jaar ontegenzeggelijk gebleken. Het enige dat Clarke op het oog had was het geluk van zijn dochter, wat het haar ook mocht kosten en welke inhoud ze er ook aan gaf. Hij had altijd een diep respect voor Joe gehad.

'Kan ik met hem spreken?' vroeg ze ten slotte met een stem die niet meer was dan een schorre piep. Haar vader betwijfelde of ze zou kunnen bellen. Hij had de naam van het ziekenhuis voor haar opgeschreven, maar de verbinding met Duitsland was op dat moment allerberoerdst.

Later op de avond probeerde Kate te bellen, maar de telefoniste zei dat het onmogelijk was de verbinding tot stand te brengen. Ze ging naar haar kamer, keek door het raam de maanverlichte avond in en dacht aan hem. Het enige dat ze zich op dat ogenblik kon herinneren, was hoe zeker ze er lange tijd van geweest was dat hij nog leefde. Pas de laatste paar maanden was ze gaan geloven dat hij inderdaad dood was.

De eerste weken had ze het gevoel alsof ze zich onder water voortbewoog. Iedere dag ging ze naar de haven om te werken in de rodekruispost tussen de schepen. Ze ging op bezoek bij mannen in het ziekenhuis, schreef brieven voor hen en hielp hen met overeind komen en eten en drinken. Ze hoorde duizenden smartelijke verhalen aan. En als Andy belde, hield ze zich op de vlakte. Ze wilde hem niet door de telefoon vertellen, dat Joe nog leefde en ze wist niet wat ze moest zeggen. Ze had zo haar best gedaan om liefde voor hem te voelen, misschien was het er op een dag ook van gekomen, maar met Joe's thuiskomst in het verschiet kon ze nauwelijks nog met Andy praten. Maar het leek haar niet eerlijk om het te zeggen terwijl hij weg was en zijn reis te vergallen.

De dag waarop Joe's schip moest aankomen, ging ze om vijf uur naar haar werk. Ze wist dat ze om zes uur werden verwacht, wanneer ze zouden binnenlopen bij hoogwater. Het schip was de avond ervoor buitengaats voor anker gegaan en had via de radio contact opgenomen. Kate droeg een schoon uniform en haar kapje. Haar handen trilden toen ze het vastspeldde. Ze kon zich in de verste verte geen voorstelling maken van hun weerzien. Het begon allemaal iets weg te hebben van een heel vreemde droom.

Kate nam de bus naar de haven, meldde zich bij haar coördinatrice en controleerde de voorraden. Er waren zevenhonderd gewonden aan boord van het schip, het was een van de eerste uit Duitsland. De andere waren uit Engeland en Frankrijk gekomen. Er stonden rijen ziekenauto's en militaire transportvoertuigen langs het hele havengebied, waarmee de mannen zouden worden vervoerd naar ziekenhuizen verspreid over een afstand van ettelijke honderden mijlen. Ze had er geen idee van waar ze Joe heen zouden sturen. Maar waar het ook was, zij zou daar bij hem zijn zoveel ze kon. In de afgelopen paar weken was ze er niet één keer in geslaagd hem in Duitsland telefonisch te bereiken, en men had haar verteld dat zelfs een brief te laat zou arriveren. Sinds oktober twee jaar geleden hadden ze helemaal geen contact meer gehad.

Het schip stoomde langzaam op naar de kade. De dekken waren bezaaid met mannen die ingezwachteld waren en krukken hadden. Lang voordat het schip de haven bereikte, kon je ze horen schreeuwen, gillen en fluiten, en zag je ze zwaaien. Het was een tafereel dat ze op dat moment al dikwijls gezien had en ze kreeg er altijd tranen in haar ogen van. Maar deze keer wachtte ze op hém. Ze spande haar ogen in en liet haar blik over de dekken dwalen op zoek naar hem, hoewel ze betwijfelde of hij eigenlijk wel in staat was om te staan. Naar wat ze uit de verhalen begrepen had, zou hij een van de mannen kunnen zijn die op de uitgeklapte brancards op het dek lagen. Ze had er al met haar coördinatrice over gesproken om aan boord te gaan.

'Is hij een kennis?' Gewoonlijk wachtten de vrijwilligers tot de mannen de kade op geholpen waren, maar af en toe gingen ze aan boord om een handje te helpen. De gepensioneerde verpleegster die de vrijwilligsters begeleidde, zag echter het angstige verlangen op het met donkerrood haar omlijste gezicht van Kate. Zelden had ze iemand gezien die er zó lijkbleek uitzag en toch nog op de been was.

'Ik... mijn... mijn verloofde is aan boord,' stamelde ze ten slotte. Het was te ingewikkeld om uit te leggen wat het voor haar betekende en waar hij twee jaar lang verbleven had. Een diplomatiek leugentje was gewoon gemakkelijker.

'Wanneer heb je hem voor het laatst gezien?' vroeg ze Kate, terwijl ze toekeken hoe het schip de haven binnenvoer. Ze had Kate al toestemming gegeven om aan boord te gaan.

'Eenentwintig maanden geleden.' En toen ze de jonge vrouw met de grote, donkerblauwe ogen onderzoekend aankeek: 'We dachten tot voor drie weken dat hij dood was.' De vrouw kon zich maar al te goed voorstellen wat dat voor haar vrijwilligster betekend had. Zelf was ze door een hel gegaan. Ze was weduwe en had drie zonen verloren.

'Waar hebben ze hem gevonden?' vroeg ze, meer om Kate af te leiden. Het arme meisje zag eruit alsof ze op het punt stond in te storten.

'In Duitsland. In een gevangenis,' zei ze zonder omwegen. De zuster kon wel raden wat dat voor fysieke en psychische verwoestingen had aangericht. 'Hij werd neergehaald toen hij deelnam aan een luchtaanval.' Kate had nog geen idee van de aard en omvang van zijn verwondingen. Ze was alleen maar dankbaar dat hij leefde.

Het aanmeren nam meer dan een uur in beslag. Vervolgens kwamen de mannen een voor een via de loopplanken aan land. De mensen juichten en huilden. In de haven speelden zich talloze hartverscheurende taferelen af. Maar dit keer huilde Kate niet om hen. Ze huilde om Joe en tijdens het wachten stroomden de tranen haar over de wangen. Het duurde nog een uur voor ze het schip op kon. Nu waren de gewonden op de brancards aan de beurt. Met een groepje hospitaalsoldaten die hen aan land zouden brengen, ging ze aan boord. Kate moest zichzelf bedwingen om hen niet weg te duwen en voorbij te snellen. Ze had geen idee waar ze hem moest zoeken op het reusachtige schip. Met een oogopslag zag ze dat de hospitaalsoldaten op het schip samen met bemanningsleden de brancards met de gewonden naar buiten brachten en ze op het opperdek neerlegden. Voorzichtig zocht ze zich een weg tussen de gewonde en stervende mannen. Er hing een doordringende stank van zieke en zwetende lichamen en het kostte haar moeite om niet te kokhalzen.

Sommigen reikten naar haar, probeerden haar hand te pakken en haar benen aan te raken. Om de paar stappen moest ze halt houden en met hen praten. Wat ze ook voelde, ze kon hen niet eenvoudigweg voorbijlopen. Behoedzaam was ze tussen hen door gelopen om te vermijden dat ze op iemand zou stappen. Toen ze voor de honderdste keer stilhield, richtte een man zonder benen zich op en pakte haar hand. Zijn halve gezicht was weg en uit de manier waarop hij zijn hoofd draaide kon ze opmaken dat hij aan zijn overgebleven oog blind was. Hij wilde alleen maar met haar praten en haar zeggen hoe blij hij was weer thuis te zijn. Naar zijn accent te horen kwam hij uit het uiterste Zuiden. Ze stond nog in gebogen houding met hem te praten, toen een hand van achteren zacht haar arm aanraakte. Ze beëindigde haar gesprek met de man en draaide zich toen om om te kijken wat ze kon doen voor de man die haar arm had aangeraakt. Daar lag hij. Met een brede glimlach op zijn gezicht keek hij naar haar op. Zijn gezicht was bleek en smal en je zag kleine littekens van de slaag die hij van de Duitsers had moeten verduren, maar ondanks dat herkende ze hem. Ze viel naast hem op haar knieën en hij ging overeind zitten en nam haar in zijn armen. Tranen rolden langs zijn wangen en vermengden zich met de hare. Het was Joe.

'O, mijn god...' was alles wat ze kon zeggen.

'Dag, Kate,' zei hij rustig. Zijn stem was zwak, maar klonk desalniettemin vertrouwd. 'Ik heb je toch gezegd dat ik honderd levens had?' Ze huilde zo hevig dat ze niet in staat was om met hem te praten, en met een ruw aanvoelende hand veegde hij teder de tranen van haar gezicht. Hij was sterk vermagerd en toen ze wat achteroverleunde en naar hem keek, kon ze zien dat zijn beide benen in het gips zaten. Ze hadden ze in Duitsland opnieuw gezet, maar de dokters waren er nog niet zeker van of hij weer zou kunnen lopen. Degenen die hem gevangengenomen hadden, hadden ze tijdens de ondervragingen gebroken en hem in beide benen geschoten toen hij probeerde te ontvluchten. Zijn leven had aan een zijden draadje gehangen, maar hij was bij haar teruggekomen. Kate kon zich in de verste verte geen voorstelling maken van de toestand waarin hij had verkeerd. Het was moeilijk te geloven dat het erger kon zijn geweest dan wat ze nu zag. Maar ze wist dat dat zo was.

'Ik had nooit gedacht dat ik je nog eens zou zien,' zei Joe zachtjes, terwijl de hospitaalsoldaten zijn brancard het schip af droegen. Kate liep naast hem en hield zijn hand vast. Met zijn vrije hand veegde hij zijn ogen af.

'Ik jou ook niet,' zei ze. Haar coördinatrice had hen de kade op zien komen en huilde geluidloos. Het was een tafereel dat ze nu wel duizend keer gezien hadden, maar deze keer werd zij meer geraakt dan anders omdat ze Kate zo graag mocht. We hoeven toch niet allemaal verliezer te zijn, hield ze zichzelf voor. Er was de afgelopen vier jaar genoeg ellende geweest.

'Ik zie dat je je geliefde gevonden hebt. Welkom thuis, jongen,' zei de vrouw. Ze gaf hem een klopje op zijn arm. Joe hield intussen Kates hand krampachtig vast. 'Wil je met hem mee in de ambulance, Kate?' Joe werd naar een ziekenhuis voor veteranen even buiten Boston gestuurd. Het zou eenvoudig voor haar zijn om hem te bezoeken. Eindelijk hadden ze het tij mee. Kate wist dat ze voor eeuwig dankbaar zou zijn voor het geschenk van Joe's leven, wat er verder ook met hen mocht gebeuren.

Ze stapte in de ziekenauto en ging naast hem zitten op de vloer. Ze had een reep chocolade voor hem meegebracht en gaf die aan hem, terwijl de auto wegreed. Er reden nog drie mannen met hen mee, en ze verdeelde een andere reep tussen hen. Een van de mannen begon te huilen.

Allen kwamen uit Duitsland. Twee van hen hadden in krijgsgevangenschap gezeten, de derde was gepakt toen hij naar Zwitserland probeerde te vluchten. Ze hadden hem vier maanden lang gemarteld en toen achtergelaten om te creperen. Ze waren allemaal beestachtig behandeld toen ze in Duitse gevangenschap zaten, maar burgers hadden hun het leven gered. Bij Joe lag dat anders. Hij zat eerst ondergedoken bij een boer, maar had zich later in de gevangenis eenvoudig in het leven vastgebeten, net zolang tot hij gevonden werd.

'Alles goed?' Joe waakte over haar als een kloek. Hij had nooit iets mooiers gezien dan haar haar, haar huid en haar ogen. Ook de andere drie mannen die met hen meereden, konden hun ogen niet van haar afhouden. Ze lagen daar maar op hun brancards en staarden naar haar, terwijl Joe haar hand vasthield.

'Prima. Ik heb er nooit aan getwijfeld dat je nog leefde,' fluisterde ze. 'Ik wist het gewoon dat je niet dood was, ook al beweerde iedereen het tegendeel.'

'Je bent toch niet getrouwd of zoiets, hoop ik?' Hij lachte en ze schudde van nee. Als hij nog langer weggebleven was, zou het er misschien om gespannen hebben... 'Ben je afgestudeerd?' Hij wilde alles weten. Wel een miljoen keer had hij aan haar gedacht. Als hij 's nachts in slaap viel dacht hij aan haar en vroeg hij zich af of hij haar ooit weer zou zien. In haar belang en het zijne had hij geweigerd te sterven.

'Ik ben in juni afgestudeerd,' begon ze, maar het lukte haar niet meteen om verder te vertellen. Achttien maanden moesten ze invullen en dat zou tijd kosten. 'Ik werk als vrijwilligster bij het Rode Kruis.'

'Ongelooflijk,' zei Joe met een pijnlijk lachje vanwege zijn gebarsten lippen – lippen die ze al verscheidene malen gekust had. Hij wist heel zeker dat er niets zoeters in het leven was dan Kates kussen. 'Ik verkeerde in de veronderstelling dat je zomaar een vriendelijke verpleegster was.' Hij had het niet kunnen geloven toen hij haar naast zich zag staan op het schip. Hij was zelfs niet in staat geweest om vóór de afvaart contact met haar op te nemen. Nog een geluk dat ze hem naar Boston vervoerd hadden en niet naar New York! Hier kon ze hem tenminste iedere dag bezoeken.

Zij bleef bij hem terwijl ze hem onderbrachten in het hospitaal, maar daarna moest ze met de ambulance terug naar de haven om haar werk af te maken.

'Ik kom vanavond terug,' beloofde ze hem. Toen ze na het werk weer bij haar ouders was en hun auto geleend had, was het al over zessen. Het liep tegen zevenen toen ze bij hem was. Schoongewassen en zorgvuldig ingestopt in schone lakens, sliep hij tegen die tijd al de slaap der rechtvaardigen. Ze ging naast hem zitten zonder hem te storen, en ze was verbaasd toen hij zich twee uur later bewoog. Hij draaide zich om, terwijl zijn gezicht vertrok van de pijn. Toen hij voelde dat ze naar hem keek, opende hij zijn ogen.

'Droom ik? Of ben ik in de hemel?' zei hij met een slaperige glimlach. 'Jij, Kate, kunt het niet zijn die daar zit... Ik heb nooit in mijn leven iets gedaan dat zo'n beloning rechtvaardigt.'

'Toch wel.' Ze kuste teder zijn wangen en toen zijn lippen. 'Ik ben de gelukkige. Mijn moeder was bang dat ik een oude vrijster zou worden.'

'Ik had gedacht dat je zo langzamerhand al getrouwd zou zijn met dat studentje Andy, van wie je altijd zei dat hij zomaar een vriend was. Dat soort lui krijgt op het eind wanneer de held sterft altijd het meisje.'

'Mooi niet,' zei ze cryptisch, 'de held bleef leven.'

'Ja,' zei Joe, terwijl hij zich onder het slaken van een zucht op zijn rug draaide. 'Ik had niet gedacht dat ik ooit weer uit die gevangenis zou komen. Iedere dag opnieuw was ik ervan overtuigd dat ze me zouden vermoorden. Ik denk dat ze te veel plezier hadden om me dood te laten gaan.' Ze hadden hem genadeloos gemarteld. Kate kon zich absoluut geen voorstelling maken van de achttien maanden durende hel waarin hij geleefd had, of van de manier waarop hij het had overleefd. Maar goddank hád hij het overleefd.

Ze bleef tot even na tienen bij hem en ging toen eindelijk naar huis, niet zozeer omdat ze weg wilde, maar vooral omdat ze zag hoe moe hij was. De artsen waren van plan hem medicijnen te geven tegen de pijn in zijn benen. Joe was weer aan het indommelen toen ze wegging. Een paar ogenblikken stond ze te kijken naar het wilskrachtige, karakteristieke gezicht waarvan ze zo oneindig vaak gedroomd had.

Toen ze thuiskwam, stond haar vader haar op te wachten. 'Hoe gaat het met hem, Kate?' vroeg hij bezorgd. Hij was nog op kantoor geweest, toen ze de auto kwam halen.

'Hij leeft,' zei ze stralend, 'en zijn conditie is verrassend goed. Zijn benen zitten in het gips en zijn gezicht ziet er uit...' Het haar hing tot op zijn middel toen ze hem opdiepten, maar in het Duitse ziekenhuis hadden ze het geknipt. Joe had gezegd dat hij er toen een stuk slechter uitzag. 'Pa, het is een waar wonder dat hij bij ons is.' Hij glimlachte om de uitdrukking op haar gezicht. Het was jaren geleden dat hij haar zo had zien glimlachen. Het was hartverwarmend om te zien dat ze zich weer gelukkig voelde.

'Als ik hem een beetje ken, zal hij binnen de kortste keren weer vliegen,' glimlachte Clarke.

'Je zou weleens gelijk kunnen krijgen, ben ik bang.' Er moest nog naar zijn benen gekeken worden en misschien zouden ze hem opnieuw opereren, en er was een kans dat hij mank zou blijven lopen. Maar het kon allemaal veel erger. Hij was uit de doden opgestaan. Alles wat er van hem overbleef zou voldoende voor haar zijn.

Vervolgens werd haar vader even ernstig. 'Andy heeft gebeld toen je weg was. Wat ga je tegen hem zeggen?'

'Ik vertel hem nu niks, dat doe ik pas als hij weer terug is.' Ze had er op de terugweg naar huis over nagedacht en had erg met hem te doen. Het was gewoon stom toeval en ze hoopte dat hij het zou begrijpen. 'Ik vertel hem de waarheid,' zei ze oprecht. 'Zodra ik hem vertel dat Joe terug is, zal hij het begrijpen. Ik weet niet of ik ooit met hem had kunnen trouwen, pappa. Hij wist dat ik nog steeds van Joe hield.'

'Je moeder en ik wisten het ook. We hoopten dat je eroverheen zou komen, mocht hij dood zijn. Het was voor je eigen bestwil. We wilden niet dat je de rest van je leven om hem zou treuren. Hebben jullie nu trouwplannen?' Hij ging ervan uit dat ze die hadden na alles wat ze hadden doorgemaakt. Hem was het in ieder geval duidelijk dat ze een band voor het leven hadden.

'We hebben er nog niet over gesproken. Hij is nog steeds behoorlijk ziek, pappa. Het heeft nu geen prioriteit.'

Toen Clarke Jamison de volgende dag bij Joe op bezoek ging, kon hij zien waaróm het geen prioriteit had. Het schokte hem om te zien hoe vreselijk Joe eruitzag. Het was erger dan hij had gedacht. Kate had inmiddels zoveel gewonden gezien dat de schok niet zo hard aankwam als hij anders gedaan zou hebben. Eigenlijk had ze verwacht dat hij er veel slechter uit zou zien. Joe was opgetogen hem te zien en ze spraken lang met elkaar. Clarke vroeg hem niet naar zijn ervaringen in Duitsland. Hij dacht dat het zo beter was. Maar ten slotte vertelde Joe hem van zijn wederwaardigheden en over hoe het kwam dat hij neergehaald werd. Het was een ongelooflijk verhaal, maar ondanks dat was Joe verbazingwekkend opgeruimd. En zijn ogen begonnen te schitteren toen hij Kate zag. Ze kwam op bezoek, terwijl haar vader er nog was. Na vijf minuten liet hij hen alleen. Kate vroeg hem naar zijn benen. De dokters hadden hem onderzocht en wat ze gezien hadden, gaf hun reden tot optimisme. Ze hadden in Duitsland met het zetten van zijn benen een mooi stukje werk verricht.

De eerste maand ging Kate iedere avond na haar werk bij hem op bezoek en zat ze ieder weekend bij hem. Dan reed ze hem in zijn rolstoel de tuin in. Hij noemde haar zijn beschermengel. Wanneer er niemand keek, kusten ze elkaar en hielden ze elkaars hand vast. Toen hij twee weken thuis was, dreigde hij dat hij het ziekenhuis zou verlaten om met haar naar een hotel te gaan. Kate lachte hem uit.

'Daarmee kom je niet erg ver,' zei ze, en wees naar zijn gipsbenen. Maar haar verlangen om aan hem te zitten was al even sterk. Voorlopig moesten ze zich echter tevredenstellen met heimelijke kussen. Hij voelde zich nog niet goed genoeg om ergens naar toe te gaan, maar met de dag kon hij zijn benen beter bewegen, ondanks het gips. Toen na vier weken het gips eraf ging, begon Joe tot ieders verbazing te lopen. Aanvankelijk kon hij maar een paar stappen doen en liep hij op krukken, maar de vooruitzichten waren erg goed.

Kates ouders waren bij hem op bezoek geweest en haar moeder had boeken en bloemen voor hem meegebracht. Ze was heel aardig tegen hem, maar de dag na het bezoek hield ze Kate in de keuken staande. De blik in haar ogen was ernstig.

'Hebben jij en Joe het al over trouwen gehad?' vroeg ze.

Kate slaakte een zucht van ergernis. 'Mam, heb je gezien in wat voor toestand hij verkeert? Waarom wachten we niet tot hij weer wat opgekrabbeld is?'

'Je hebt twee jaar lang om hem getreurd, Kate. En je kent hem bijna vijf jaar. Is er een of andere reden waarom jullie geen plannen maken, of is er iets wat ik niet mag weten? Is hij getrouwd?'

'Natuurlijk niet. Ik vind het simpelweg niet belangrijk. Mam, hij leeft en dat is het voornaamste.'

'Dat is niet normaal. En Andy dan?'

Kate ging zitten en keek ernstig toen ze antwoord op haar vraag gaf. 'Hij komt deze week thuis. Dan vertel ik het hem.'

'Wat moet je hem vertellen? Het lijkt mij dat er niet zoveel te vertellen valt. Je doet er misschien beter aan om nog eens goed na te denken over je besluit dat je niet langer met hem om kunt gaan. Let op mijn woorden, Kate: zodra Joe weer op de been is, zal hij niet met jou naar het altaar schrijden. Welnee! Hij zoekt met een noodgang de eerste de beste startbaan op. Gisteren heeft hij de godganse tijd over vliegtuigen gepraat. Hij is veel meer vervuld van zijn vliegtuigen dan van jou. Misschien is het beter als je je daar eens rekenschap van geeft, voor het te laat is.'

'Mam, daar houdt hij nu eenmaal van.' Maar haar moeder had gelijk. Hij had het bijna de hele tijd over vliegen. Hij verlangde bijna net zoveel naar een vliegtuig als hij ernaar verlangde om met haar naar bed te gaan, maar dat kon ze niet tegen haar moeder zeggen.

'Hoe groot is zijn liefde voor jou, Kate? Ik denk dat dat een veel belangrijker vraag is.'

'Maar sluit het een het ander uit? Is het nodig dat hij een keus maakt?'

'Ik weet het niet, Kate. Kan hij van alle twee houden? Ik ben daar niet zo van overtuigd. Het ene gaat misschien boven het andere.'

'Maar dat is toch te gek voor woorden! Ik verwacht helemaal niet van hem dat hij het vliegen opgeeft. Het is zijn leven, en dat is het altijd geweest.'

'Hij is praktisch vijfendertig en hij heeft net twee jaar tussen leven en dood gezweefd. Me dunkt dat nu toch wel een keer het moment gekomen is voor vastigheid, huwelijk en kinderen.'

Kate was het wel met haar eens, maar wilde Joe niet onder druk zetten. Ze ging er stellig van uit dat het uiteindelijk zou gebeuren. Als Joe trouwde was het met haar, want ze waren elkaar volkomen toegewijd. Hij had geen enkele belangstelling voor andere vrouwen, alleen maar voor vliegtuigen.

De dag van zijn aankomst zocht Andy Kate bij haar ouders op. Hij was zojuist uit Chicago aangekomen. De laatste weken van zijn vakantie had hij in San Francisco doorgebracht. Hij was een tikkeltje teleurgesteld dat ze niet op het perron gestaan had, maar hij wist ook hoe hard ze aan het werk was. Het was een zeer warme dag en Kate zag er afgepeigerd uit toen ze thuiskwam. Ze hadden die dag twee schepen gehad. Bij hun weerzien maakte Andy een veel enthousiastere indruk dan zij. Hij had dadelijk door dat er iets gebeurd was tijdens zijn afwezigheid.

'Alles goed?' vroeg hij, toen haar ouders hen alleen gelaten hadden. Haar moeder ging naar boven naar haar kleedkamer en huilde als ze dacht aan wat Kate zou gaan zeggen. Ze wist dat het een klap voor hem zou zijn, maar ze wist ook dat Kate open kaart moest spelen. En alle mannen konden het nu wel schudden. Behalve Joe. Hém droeg Kate op handen.

'Prima, alleen wat moe,' zei ze, terwijl ze haar haar naar achteren borstelde. Hij had getracht haar te kussen, toen haar ouders de deur van de kamer achter zich sloten en ze voelde zich ongemakkelijk en verlegen in zijn buurt. Ze wist dat ze ter zake moest komen. 'Nee, het gaat geloof ik toch niet zo goed, of eigenlijk wel met mij... maar niet met ons.'

'Wat probeer je allemaal te zeggen?' Andy keek bezorgd en had al een voorgevoel van wat er zou komen. Maar ze wist dat het nieuws dat Joe leefde en weer thuis was hem met stomheid zou slaan, net zoals dat bij haar het geval was geweest.

Toen wendde ze zich tot hem en keek hem onverschrokken aan. Ze vond het afschuwelijk om hem pijn te doen, maar ze had geen keus. Het lot was hun beiden niet goed gezind geweest en had de kant van Joe gekozen. Het was duidelijk dat ze niet bestemd was voor Andy. Dat hadden zij te accepteren. Maar het zou voor haar makkelijker te accepteren zijn dan voor hem. Al haar dromen waren uitgekomen, en die van Andy stonden op het punt in rook op te gaan. Toen hij naar haar keek, wist hij het, zelfs al voordat hij haar woorden had vernomen.

'Wat is er precies gebeurd toen ik weg was, Kate?' zei hij met verstikte stem.

'Joe is weer thuis,' zei ze kortweg. Het zei hem genoeg. Het was uit tussen hen. Hij maakte zich geen illusies meer over wat ze voor hem voelde.

'Is hij nog in leven? Hoe heeft hij dat klaargespeeld? Zat hij in krijgsgevangenschap?' Het ministerie van oorlog had bijna twee jaar gedacht dat hij dood was en nu was hij terug. Het leek onmogelijk.

'Hij zat in de gevangenis onder een valse naam, hij ontsnapte en werd opnieuw gepakt. Ze hebben nooit geweten wie hij was. Het is een wonder dat hij nog leeft. Alleen is hij wel tamelijk zwaar gewond.' Andy zag in haar ogen alleen maar gevoelens voor Joe. Voor hem was er geen plaats.

'En wat met ons, Kate? Of is dat een overbodige vraag?' De liefde in haar ogen toen ze over Joe sprak, zei eigenlijk alles al. 'Ik denk dat ik het niet meer hoef te vragen. Heb ik gelijk? Joe boft maar. Al die tijd dat hij weg was, ben je van hem blijven houden. Ik heb het altijd geweten. Ik dacht dat je er in de loop van de tijd overheen zou raken. Het kwam nooit bij me op dat je misschien gelijk had en dat hij in leven zou kunnen zijn. Ik dacht dat je simpelweg niet onder ogen wilde zien dat hij dood was. Ik hoop dat hij er zich er bewust van is hoeveel je van hem houdt.'

'Ik denk dat hij net zoveel van mij houdt,' zei ze zachtjes. Die blik in Andy's ogen vond ze vreselijk. Hij gedroeg zich voorbeeldig, maar zo te zien was hij kapot van wat hij zojuist had gehoord.

'Ga je trouwen?' Andy wilde het weten, en hij wilde dat ze het hem voor zijn thuiskomst verteld had, hoewel hij haar beweegredenen begreep. Het zou een nog grotere schok geweest zijn als hij het via de telefoon gehoord had. Maar de hele zomer had hij aan haar zitten denken en was hij bezig geweest met de voorbereiding van hun verloving en het daaropvolgende huwelijk. Hij was van plan geweest om een ring voor haar uit te zoeken zodra hij weer in Boston was.

'Voorlopig niet, maar op termijn wel, denk ik. Ik maak me er niet druk om.'

'Ik wens jullie beiden veel geluk, Kate,' zei Andy edelmoedig. 'Feliciteer Joe namens mij.' Toen was er een zweem van aarzeling bij hem. Kate stak haar hand naar hem uit, maar hij drukte die niet. Hij wandelde kalm het huis uit, stapte in zijn auto en reed weg.

10

TWEE WEKEN NA ZIJN OPNAME VERLIET JOE HET ZIEKENHUIS.
Zijn benen waren stijf en hij liep op krukken, maar hij kwam
ermee vooruit. De dokters dachten dat hij tegen Kerstmis weer
normaal zou kunnen lopen. Zijn herstel stelde iedereen voor
een raadsel, Kate wel het allermeest. Ze vond het nog steeds
een wonder dat hij bij hen was.

Zijn ontslag uit militaire dienst volgde twee dagen nadat hij het
hospitaal had verlaten. Ze hadden toen al een middag in het
Copley Plaza Hotel doorgebracht. Nu ze bij haar ouders woonde, kon ze niet een hele nacht wegblijven. En hij had hun gast-
vrije uitnodiging aangenomen om bij hen te logeren, maar hij
was zich er heel wel van bewust dat hij niet voor eeuwig bij
hen kon blijven. Bovendien wilde hij met Kate ongestoord alleen zijn.

Joe had allang voordat hij uit het ziekenhuis ontslagen werd telefonisch contact gehad met Charles Lindbergh en hij was van
plan om hem in New York te treffen. Zijn mentor had enige
interessante ideeën die hij met Joe wilde bespreken, en er waren een paar mensen aan wie hij hem wilde voorstellen. Joe zou
een aantal dagen in New York blijven en daarna naar Boston
terugkeren.

Een week nadat hij het ziekenhuis had verlaten, bracht Kate
hem naar het station om daarna door te gaan naar haar werk.
Het was toen eind september en de oorlog was afgelopen. De
overwinning op Japan was pas in augustus een feit. De nachtmerrie was eindelijk voorbij.

'Veel plezier in New York!' zei ze en kuste hem voor hij uit de
auto stapte. Ze had een manier gevonden om 's nachts heimelijk zijn kamer binnen te glippen zonder haar ouders wakker te
maken. Het was te lastig voor hem om naar haar toe te komen.

Beiden hadden ze iedere keer het gevoel dat ze kinderen waren die iets deden wat niet mocht, als ze fluisterend in zijn bed lagen. 'Ik ben over een paar dagen weer terug. Ik zal je bellen. En blijf alsjeblieft van de soldaten af, terwijl ik weg ben.'

'Dan moet je niet te lang wegblijven,' waarschuwde ze. Hij stak een vermanende vinger naar haar op. Wat een geluksvogel was ze, waren ze allebei! Ze kon het nog steeds niet geloven. Zelfs haar moeder was ten slotte milder geworden in haar oordeel. Ondanks het feit dat hij iets had met vliegen, was het een goede man en iemand met verantwoordelijkheidsbesef, en je zag meteen hoeveel hij van haar hield. Haar ouders verwachtten dat ze zich elk moment konden verloven.

Van Andy had ze niets meer vernomen nadat ze hem verteld had dat Joe terug was. Ze wist dat hij op dat ogenblik in New York was en voor zijn vader werkte. Kate kon alleen maar hopen dat hij zich beter voelde en dat hij haar op een dag zou vergeven. Ze miste zijn aanwezigheid. Ze had het gevoel alsof ze een heel goede vriend verloren had. Maar ze was er nog steeds niet van overtuigd dat zijn warme vriendschap voldoende zou zijn geweest om van hem te houden als van een echtgenoot. Klaarblijkelijk waren de dingen gegaan zoals ze gaan moesten. Ze zwaaide, terwijl Joe naar de trein strompelde. Hij herstelde verbazingwekkend goed en had praktisch geen hulp nodig. Ze reed weg naar haar werk en haar gedachten waren bij hem. De rest van de dag werd al haar aandacht opgeëist door de mannen die ze daar moest helpen.

Ze had gehoopt dat hij haar 's avonds zou bellen, maar dat was niet zo. In plaats daarvan belde hij de volgende morgen. 'Hoe staan de zaken?' vroeg ze hem.

'Heel interessant allemaal,' zei hij geheimzinnig. 'Ik vertel het je wel als ik terug ben.' Hij was haastig onderweg naar een vergadering en zij moest naar haar werk. 'Ik bel je vanavond. Erewoord.' Deze keer belde hij haar. Hij had de hele dag besprekingen gevoerd met de mensen aan wie Charles Lindbergh hem voorgesteld had.

Tot Kates grote vreugde slaagde Joe erin om tegen het weekend in Boston terug te zijn. Wat hij te zeggen had, maakte diepe indruk op haar.

De mensen bij wie Charles hem had geïntroduceerd, wilden samen met hem een bedrijf starten om zeer geavanceerde toestellen te ontwerpen en te bouwen. Sinds het begin van de oorlog hadden ze terreinen aangekocht. Verder hadden ze een oude fabriek omgebouwd. Ze beschikten zelfs over een eigen start- en landingsbaan. De onderneming werd gevestigd in New Jersey. De geldschieters wilden niet alleen dat Joe de leiding op zich nam, maar ook dat hij de vliegtuigen zou ontwerpen en testen. In het begin zou hij meerdere functies vervullen, maar wanneer alles ten slotte liep, zou hij verantwoordelijk zijn voor de leiding van het hele bedrijf. Zij stelden het geld beschikbaar, hij leverde de hersens.

'Het is een buitenkansje, Kate,' zei hij met een gelukzalige glimlach die zijn gebeeldhouwde gelaat een warme glans gaf. Vliegtuigen waren zijn lust en zijn leven. Zo te horen was de functie hem op het lijf geschreven, dat moest Kate toegeven. 'Ik word voor de helft eigenaar. Als we ooit een notering aan de beurs krijgen, ontvang ik vijftig procent van de aandelen. Het is een prachtaanbod, voor mij in ieder geval.'

'En een hoop werk,' voegde ze eraan toe. Maar het hele project klonk alsof het hem op het lijf geschreven was.

's Avonds deed hij het haar vader uit de doeken. Clarke was buitengewoon onder de indruk van alles wat Joe zei. Hij kende de investeerders bij naam en zei dat ze zeer solide waren. Het was de kans van zijn leven.

'Wanneer begin je?' vroeg hij belangstellend.

'Maandag over een week verwachten ze me in New Jersey. Een slechte plek is het niet. Het is minder dan een uur van New York. In het begin zal ik veel op de fabriek zijn, en we moeten de start- en landingsbaan enigszins aanpassen.' In gedachten was hij al druk in de weer met alles wat hij van plan was te doen. Zijn eigen ervaringen zouden hem goed van pas komen, en Clarke was het van harte met Kate eens. Het was geknipt voor hem.

Terwijl Clarke hem gelukwenste, nam Kates moeder onverwacht het woord. Wat ze zei schokte hen allen.

'Wil dat zeggen dat jullie binnenkort gaan trouwen?' vroeg ze. Er viel een stilte in de kamer. Joe keek Kate aan.

195

'Ik weet het niet, mam,' probeerde Kate haar af te schepen, maar haar moeder was het wachten allang beu. Als hij er zelf niet mee op de proppen kwam, was wat haar betrof nu de tijd aangebroken om hem op de man af te vragen wat zijn plannen waren met haar dochter. Kate werd rood toen ze haar moeder antwoordde. Joe zag er al net zo onthutst uit. Hij wist niet wat hij moest zeggen.

'Waarom laat je Joe de vraag niet beantwoorden? Zo te horen heb je met deze baan niet alleen een schitterende kans binnengehaald om voorlopig aan de slag te gaan, maar ook om een echte toekomst op te bouwen. Wat zijn op dit ogenblik je plannen met Kate?' Haar dochter had twee jaar lang op hem gewacht. Daarvoor hield ze al twee jaar van hem. Het was vijf jaar geleden dat ze elkaar voor het eerst ontmoet hadden. Volgens Elizabeth lang genoeg om niet alleen te bedenken wat hij wilde, maar ook om het uit te spreken.

'Ik weet het niet Mrs. Jamison. Kate en ik hebben het er nog niet over gehad,' zei Joe. Hij vermeed haar blik, en die van Kate. De woorden van haar moeder gaven hem het gevoel dat hij in de val zat, ondanks alles wat hij voor Kate voelde. Ze behandelde hem als een onhandelbaar, onverantwoordelijk kind en niet als een respectabel man.

'Ik raad je aan er eens over na te denken. Het scheelde bar weinig of ze had het niet overleefd, toen je werd neergehaald. Ik vind dat ze een zekere erkenning verdient voor haar trouw en moed. Ze heeft lang op je gewacht, Joe.' Het was alsof hij behandeld werd als een stoute jongen. Het enige dat hij kon voelen was woede en schuld. Haar woorden maakten dat hij weg wilde rennen.

'Ik weet het,' zei Joe rustig. 'Ik heb niet beseft dat trouwen zo belangrijk voor haar was.' Ze had er met geen woord van gerept en ze hadden een fantastische tijd 's nachts, als ze heimelijk elkaars slaapkamer bezochten. Maar het sterke schuldgevoel dat haar moeder hem opdrong, drukte zwaar op hem, hoewel uiterlijk daarvan niets te zien was.

'Als trouwen niet belangrijk voor haar is,' begon Elizabeth. Haar echtgenoot sloeg haar met verbazing gade. Ze had voorlopig alle aandacht naar zich toegetrokken, maar hij was het niet oneens met haar. Hij zou alleen een minder directe benadering gekozen hebben, ingeval hij het onderwerp ter sprake had gebracht. 'Als het niet belangrijk voor haar is, Joe, dan zou het dat in elk geval wél moeten zijn. En misschien wordt het tijd dat we jullie eraan herinnerden. Misschien zou dit een goed moment zijn om jullie verloving aan te kondigen.' Het was zelfs niet in zijn hoofd opgekomen om haar ten huwelijk te vragen en hij leek niet erg gelukkig om onder druk gezet te worden door haar moeder, maar hij kon wel begrip opbrengen voor hun standpunt. Dat hij van haar hield stond buiten kijf, maar haar ouders hadden misschien behoefte aan een bevestiging. Hij voelde zich er echter nog niet klaar voor om te doen zoals zij wilden. Zijn vrijheid was iets wat hij eventueel wegschonk, niet iets wat iemand kon nemen. En hij had die vrijheid nog steeds stevig in handen.

'Als u het niet erg vindt, Mrs. Jamison, zou ik liever wachten met de verloving tot ik me heb ingewerkt in mijn nieuwe baan en het project lekker loopt. Het zal wat tijd in beslag nemen, maar daarna heb ik uw dochter ook werkelijk iets te bieden. We zouden dan in New York kunnen wonen en ik zou kunnen forenzen.' Hij was alweer bezig geweest om alles van tevoren te regelen, nog voor hij begonnen was met zijn baan. Maar hij was nog niet aan een huwelijk toe, Kate wist dat. Ze zag ook de panische angst in zijn ogen. Wat haar moeder zei, maakte dat hij wilde vluchten. Joe was niet een man die je in een kooi kon duwen of dwingen.

'Dat klinkt redelijk,' kwam Clarke tussenbeide. Het begon te lijken op de Spaanse inquisitie, en hij gaf zijn vrouw te kennen dat het gesprek naar zijn gevoel op moest houden. Ze had haar zegje gedaan en haar boodschap was bij iedereen overgekomen. Ook wat Joe zei, sneed hout. Er was geen haast geboden en hij moest zichzelf waarmaken. Hij had een geweldige klus op zich genomen.

Kort daarna liep de avond ten einde.

Toen Kate 's nachts bij hem op de kamer kwam, was ze in alle staten. 'Onvoorstelbaar zoals mijn moeder zich tijdens het avondeten gedroeg. Mijn excuses daarvoor. Mijn vader had haar de mond moeten snoeren. Ik vond dat ze ongelooflijk grof tegen je was.' Kate was razend op haar, wat Joe op zijn beurt de mogelijkheid bood om zich onzelfzuchtig te betonen jegens Kate.

'Het geeft niet, schat. Dat komt doordat ze om je geven. Ze willen er zeker van zijn dat ik je gelukkig zal maken en dat ik een serieuze vent ben. Ik zou hetzelfde gedaan hebben als je mijn dochter was. Ik besefte eenvoudig niet dat ze er zo mee bezig waren. Nu wel, natuurlijk. Heb je er ook over ingezeten?' Terwijl hij het vroeg, sloot hij haar in zijn armen en kuste haar. Hij maakte nu een minder nerveuze indruk dan toen Kates moeder hem aan een kruisverhoor onderwierp.

'Nee, ik heb me er geen zorgen over gemaakt. En je bent veel te mild. Ik vond haar stuitend. Het spijt me echt.' Kate zag er erg boos uit en dat luchtte hem op.

'Je hoeft je ook geen zorgen te maken. Ik heb eerbare bedoelingen, Miss Jamison, hand op mijn hart. Hoewel als u het niet erg vindt, wil ik ondertussen gaarne misbruik van u maken.' Toen hij haar nachtpon uittrok, giechelde ze. Trouwen was wel het laatste waar ze op dat speciale moment aan dacht. Ze voelde zich in de zevende hemel, gewoon door met hem samen te zijn. Het enige dat ze wilde was zijn liefde, huwelijksbanden interesseerden haar niet.

Hetgeen zich in de slaapkamer van Kates ouders afspeelde, was wat minder romantisch. Haar vader had haar moeder gekapitteld over het feit dat ze de koe bij de hoorns gevat had.

'Ik begrijp niet waarom je zo ontstemd bent,' zei ze tegen Clarke. 'Iemand moest het hem zeggen en jij wilde het niet doen.' Het werd gezegd op een beschuldigende toon, en in de loop der jaren had hij geleerd dat het verstandiger was om daar niet op te reageren.

'De arme kerel is net uit de dood opgestaan. Geef hem de kans om zijn draai te vinden, Liz. Het is niet eerlijk om hem nu al onder druk te zetten.'

Maar ze was het niet met hem eens. Ze was een vrouw met een missie en ze zou zich niet van haar pad laten afbrengen. 'Clarke, hij is geen kind meer. Hij is een man van vierendertig. Twee maanden is hij al hier en hij heeft haar iedere dag gezien. Hij heeft ruimschoots de gelegenheid gehad om haar een aanzoek te doen, maar heeft het nagelaten.' Dat sprak boekdelen voor haar.

Voor Clarke lag dat anders. 'Hij wil eerst zijn werk op orde hebben. Dat is heel redelijk en prijzenswaardig, en ik sta daarachter.'

'Ik wou dat ik er net zo zeker van was als jij, dat hij de juiste beslissing zal nemen. Volgens mij vergeet hij op slag alle trouwplannen als hij weer eenmaal in een vliegtuig zit. Hij is bezeten van vliegtuigen en lang niet zo geïnteresseerd in een huwelijk. Ik wil niet dat ze eeuwig op hem blijft zitten wachten.'

'Ik wil nu met jou een weddenschap aangaan dat ze over een jaar getrouwd zijn, misschien zelfs eerder,' zei Clarke vol zelfvertrouwen, terwijl zijn vrouw boos naar hem keek, alsof hij iets verkeerds gedaan had. Maar daar was hij aan gewend.

'Het is in ieder geval een weddenschap die ik graag verlies,' zei ze. Hij glimlachte naar haar. Ze was net een leeuwin die haar welpen verdedigde en hij bewonderde haar erom, maar hij betwijfelde of Kate en Joe het hadden kunnen waarderen. Joe had zich zo te zien bijzonder opgelaten gevoeld toen hij onder vuur lag. Zo weinig op zijn gemak had Clarke hem nog nooit gezien. Het had zijn medelijden opgewekt.

'Waarom vertrouw je hem niet, Liz?' vroeg Clarke haar toen ze in bed stapten. En inderdaad, zo was het: ze vertrouwde hem niet. Ze stak het niet onder stoelen of banken, hoewel ze toegaf dat ze hem een prima man vond. Alleen niet voor Kate. Liz zou veel gelukkiger geweest zijn als Kate met Andy was getrouwd. In haar ogen zou hij een veel betere echtgenoot zijn dan Joe.

'Ik denk dat mannen zoals Joe niet trouwen,' gaf ze haar visie. 'En als ze trouwen, dan maken ze er een janboel van. Ze weten absoluut niet wat dat betekent: een huwelijk. Het is iets wat ze erbij doen, iets wat ze doen als ze niet met hun speeltjes of vrienden in de weer zijn. Het zijn geen beroerde kerels, maar de vrouwen in hun leven zijn niet zo belangrijk voor hen. Ik ben erg gesteld op Joe. Het is een fatsoenlijk mens en ik weet dat hij van haar houdt, maar ik weet niet of hij haar ooit aandacht zal geven. Hij zal de rest van zijn leven met zijn vliegtuigen blijven spelen, en nu wordt hij er dadelijk nog voor betaald

ook. En als het een succes wordt, zal hij haar nooit trouwen.'
'Ik denk van wel,' zei Kates vader vol overtuiging. 'En hij zal in ieder geval in staat zijn haar te onderhouden. Als ik hem goed begrepen heb, zou het inderdaad kunnen zijn dat hij uiteindelijk een hoop geld gaat verdienen. Volgens mij heb je ongelijk, Liz. Ik denk dat bij hem vrouw en carrière niet onverenigbaar zijn. Het is een knappe kop. Soms denk ik dat hij werkelijk briljant is. Op het gebied van vliegtuigen is het een genie, en God weet dat hij kan vliegen. Hij hoeft alleen maar af en toe naar de aarde te komen om te zorgen dat ze gelukkig blijft. Ze houden van elkaar. Dat zou genoeg moeten zijn.'
'Soms is dat niet zo,' zei Elizabeth bedroefd. 'Ik hoop voor hen allebei dat je gelijk hebt. Ze hebben hun portie ellende wel gehad, en nu komt hun wat geluk toe. Ik zou Kate zo graag geborgen zien. Een man die van haar houdt, een huis en wat kinderen, dat heeft ze nodig.'
'Dat komt allemaal wel. Hij is gek op haar.' Clarke had er alle vertrouwen in.
'Ik hoop het,' zei ze met een zucht, terwijl ze in haar bed gleed en zich naast haar man nestelde. Ze wilde dat Kate net zo gelukkig zou worden als zij was, en het was niet weinig wat ze vroeg. Mannen als Clarke Jamison waren zeldzaam.
Maar in zijn kamer lag Kate gelukkig en voldaan in Joe's armen geklemd. Samen zeilden ze weg.
'Ik hou van jou,' fluisterde ze. Zijn antwoord ging gepaard met een slaperige glimlach. 'Ik ook van jou, mijn duifje... Ik hou zelfs van je moeder.' Ze giechelde, en even later sliepen ze als een roos, net als Elizabeth en Clarke. Een verliefd stel en een getrouwd stel. En het was moeilijk te zeggen welk paar er die nacht gelukkiger was.

11

Bij zijn vertrek naar New Jersey beloofde Joe aan Kate dat hij haar zou uitnodigen om het weekend bij hem door te brengen zodra hij zich geïnstalleerd had. Hij dacht dat daar een week of twee mee gemoeid zou zijn, maar het duurde een maand voordat hij een flat had gevonden had. Er was een hotel in de buurt waar zij zou kunnen verblijven, het hotel waar hij de afgelopen maand gewoond had. Maar de waarheid was dat hij geen tijd voor haar had. Hij werkte dag en nacht en bleef tot ver na middernacht op kantoor. Ook in de weekenden werkte hij door. Af en toe sliep hij zelfs op de bank in zijn kantoor. Joe nam personeel aan, zette de fabriek op poten en ontwierp een nieuwe start- en landingsbaan. Het leek wel of hij geen seconde op adem kon komen, want de luchtvaartindustrie begon in toenemende mate geïnteresseerd te raken in wat hij aan het doen was. Alles aan de fabriek die ze aan het opzetten waren, zou een sterk innovatief karakter hebben en er hadden al verscheidene artikelen gestaan op de economiepagina van de kranten en in de vakbladen. Hij lukte hem amper om Kate 's avonds te bellen. Er waren sinds zijn vertrek uit Boston al zes weken verstreken toen hij haar eindelijk uitnodigde om het weekend met hem door te brengen. Hij maakte een uitgeputte indruk toen ze arriveerde. Toen hij haar had uitgelegd wat hij allemaal had gedaan, was Kate diep onder de indruk. Het was een schitterende prestatie en Joe vond het prachtig dat ze alles wat hij haar uitlegde meteen oppikte.

Ze hadden samen een fantastisch weekend. De meeste tijd brachten ze op de fabriek door. Er was zelfs gelegenheid om even te vliegen in het gloednieuwe vliegtuig dat hij had ontworpen. Terug in Boston vertelde ze het in geuren en kleuren aan haar vader. Deze brandde van verlangen om het allemaal ook te zien. Mensen uit de zakenwereld begonnen te beseffen dat Joe geschiedenis aan het maken was met zijn ideeën.

Twee weken later kwam Joe over om Thanksgiving met hen te vieren. Maar hij had problemen op de fabriek en vrijdagochtend moest hij alweer weg. Nooit eerder had hij zo'n verantwoordelijke positie gehad. Een hele bedrijfstak, de hele wereld zo leek het soms, rustte op zijn schouders. Joe pakte het goed aan, maar het liet hem geen tijd voor liefhebberijen. Zelfs het telefoontje naar Kate schoot er meestal bij in. Tegen Kerstmis beklaagde ze zich erover bij hem, ondanks haar enthousiasme voor zijn werk. Ze had hem in drie maanden twee keer gezien en voelde zich eenzaam in Boston, zonder hem. Iedere keer als ze het tegen hem zei, werd hij verteerd door schuldgevoel, maar hij stond machteloos.

Kate begon tot de overtuiging te komen dat haar moeder gelijk had: ze zouden moeten trouwen. Dan waren ze tenminste bij elkaar, in plaats van mijlenver van elkaar verwijderd. Dat was ook min of meer wat ze tegen Joe zei toen hij kwam om de kerst bij hen door te brengen. Hij keek verbaasd.

'Trouwen? Nu? Ik ben vijf uur per nacht thuis, Kate. Daar is toch niet veel aan? En ik kan nog niet naar New York verhuizen.' Hij vond nog steeds dat trouwen geen zin had.

'Dan wonen we maar in New Jersey. Daar zijn we tenminste samen,' zei Kate. Het klonk redelijk. Ze had er genoeg van om bij haar ouders in huis te zijn. En ze wilde geen eigen flat in Boston nemen als ze zouden trouwen. Ze had het gevoel alsof ze schijndood was, terwijl ze op hem wachtte totdat hij zijn bedrijf had opgezet en weer tijd had om te leven. Zijn taak was echter niet eenvoudig. Hij had een gigantisch project op zich genomen. Nu pas begon hij zich te realiseren hoeveel tijd en moeite het hem zou kosten om het goed te doen. In drie maanden had hij amper een begin gemaakt. Hij werkte honderdtwintig uur per week of meer.

'Ik denk dat het onverstandig is om nu te trouwen,' legde hij haar op kerstavond uit nadat hij haar slaapkamer binnengeslopen was. Het scheen Kate langzamerhand een idiote manier van leven toe en een frustrerende manier om elkaar te zien. Ze voelde zich net een kind, omdat ze nog steeds bij haar ouders woonde. Tegen die tijd waren de meeste van haar vriendinnen getrouwd. Degenen die niet voor of tijdens de oorlog getrouwd waren, trouwden nu en kregen allemaal kinderen. Ze verlangde er plotseling naar om zwanger te worden, of in ieder geval met hem samen te wonen. 'Je moet me gewoon de tijd geven om dit op poten te zetten. Daarna zullen we in New York een flat zoeken en trouwen. Ik beloof het.' Een jaar geleden zat hij nog in een Duitse gevangenis en werd hij gemarteld. En ineens runde hij een belangrijk industrieel imperium. Het betekende een enorme omschakeling voor hem. Joe wilde pas trouwen als hij tijd voor Kate had, anders zou hij haar geen recht doen, vond hij. Maar dit was ook niet de manier.

Hij bracht een schitterende kerst bij haar en haar familie door, en het lukte hem om drie dagen in Boston te blijven. Kate en Joe maakten weer een vliegtochtje en ze brachten ook een hele dag in een hotel door. Tegen de tijd dat hij vertrok, voelde Kate zich een stuk beter. Hij had gelijk. Het was verstandiger om te wachten totdat hij de zaak in de vingers had. Kate kon dat begrijpen. Bij het Rode Kruis was steeds minder te doen, en dus besloot ze een baantje te zoeken. Vlak na nieuwjaar vond ze iets wat ze leuk vond. Ze had oudejaarsavond samen met Joe in New Jersey uitgezeten, en het had haar weer doen beseffen wat een geluksvogels ze waren. Het jaar daarvoor had ze zitten huilen om hem en gedacht dat hij nooit meer terug zou komen. Toen zou ze alles hebben willen geven voor wat ze nu had, ook al zag ze hem sporadisch. Ze hadden in ieder geval een heel leven voor zich en ze gingen een rooskleurige toekomst tegemoet als ze eenmaal getrouwd waren.

Januari was voor beiden een moeilijke maand. Zij moest wennen aan haar nieuwe baan in een galerie, en hij was in een hevige strijd gewikkeld met de vakbonden. Die hele maand was een nachtmerrie voor hem en februari was nog erger. In plaats van het goed te maken op Valentijnsdag, ontschoot die dag hem finaal. Ze waren er niet in geslaagd om een definitieve vergunning voor de landingsbaan te krijgen. Die was van doorslaggevende betekenis voor hen en hij had drie dagen besteed aan het opvrijen van politici en het bewerken van kleine ambtenaren. Hij merkte pas dat het Valentijnsdag geweest was, toen Kate hem twee dagen later huilend opbelde. Ze hadden elkaar toen zes weken niet gezien. Hij beloofde het goed te maken en stelde haar voor om het weekend bij hem door te komen brengen. Ze hadden het samen geweldig naar hun zin. Kate hielp hem zijn kantoor op orde te brengen en hij slaagde er zelfs in om haar mee uit eten te nemen. Hij sliep bij haar in het hotel. 's Zondagsavonds reisde ze terug naar Boston met een glimlach van geluk op haar gezicht. Ze had enorm genoten, en ze wilde wel ieder weekend komen. Het klonk hem als muziek in de oren. Hij was eenzaam en miste haar, maar hij wist ook dat hij achttien uur per dag moest werken, en het weekend vormde bepaald geen uitzondering. Hij vond het vreselijk voor Kate, maar voorlopig was er niets aan te doen. Hij had een gevoel alsof hij voortdurend heen en weer geslingerd werd tussen het schuldgevoel dat Kate hem bezorgde en het werk dat al zijn uren opslokte. En hoe groter dat schuldgevoel om Kate was, des te minder tijd scheen hij te hebben. Zelf vond hij ook dat het zo niet langer kon. Ten einde raad liet hij haar ten slotte overkomen voor een week, zodat ze samen konden zijn. Het verbaasde hem te zien hoe soepel alles liep wanneer zij bijsprong op kantoor. Hij zag haar de hele dag maar vluchtig, maar ze leek in de wolken te zijn. En ze konden 's nachts tenminste samen slapen en 's morgens samen ontbijten. De andere dagelijkse maaltijden gebruikte hij aan zijn bureau of onderweg. De vorige keer toen ze hem opzocht in New Jersey waren ze 's avonds uit eten gegaan. Dat was de enige keer geweest, en hij had zich schuldig gevoeld omdat het hem zoveel tijd had gekost. Hij had het gevoel alsof er van alle kanten aan hem getrokken werd. En dat was ook zo.

Pas in mei begonnen de dingen op hun plaats te vallen. En rond die tijd zei ze haar baan op en reisde naar New Jersey, om gedurende de zomer voor hem te werken. Het ging uitstekend en hoewel ze fatsoenshalve het hotel aanhield, logeerde ze bij hem. Nooit in haar leven was ze zo gelukkig geweest, en hij moest toegeven dat het hem ook wel aanstond. Ze beklaagde zich er niet langer over dat ze hem nooit zag. Het was alsof ze de volmaakte oplossing gevonden hadden. Kates ouders dachten daar overigens anders over. Die waren niet blij met haar bezoekjes aan Joe in New Jersey. Maar ja, ze was drieëntwintig en ze had hun verteld dat ze in een hotel verbleef. Zij had de kamer in het hotel vooral aangehouden voor het geval haar ouders mochten bellen.

Joe was ondertussen een jaar thuis, en geen van beiden sprak ooit over een verloving. Ze hadden het veel te druk met nadenken over zijn werk. Het was pas toen hij een week vakantie nam en met hen meeging naar de Cape, dat haar vader hem apart nam en een ernstig gesprek met hem voerde. Het was nagenoeg een jaar na Liz' laatste uitbarsting. Momenteel was ze werkelijk woedend op beiden, Joe en Kate. Ze begon te vermoeden hoe de vork in de steel zat en ze keurde het sterk af, mocht ze gelijk hebben. Wat als Kate zwanger zou worden? Zou hij dan wél met haar trouwen? Iedere keer dat ze naar hem keek, begon ze te koken van woede. En meer dan ooit gaf Kates moeder Joe het gevoel dat hij een kind was dat iets verkeerds gedaan had. Telkens wanneer hij haar zag, kreeg hij de behoefte om weg te vluchten. Ze was als een vleesgeworden verwijt en maakte voortdurend schuldgevoelens in hem wakker, zelfs als ze niets zei. Kate verkeerde intussen in tweestrijd. Voor wie moest ze kiezen, voor haar ouders of voor Joe?

Ook Clarke was niet gelukkig met de situatie. Het duurde allemaal te lang. Dat zei hij dan ook tegen Joe, terwijl ze een wandeling maakten over het strand van Cape Cod. Joe was van New Jersey komen vliegen in een schitterend ontworpen toestel dat zijn fabriek in productie had. Ze verdienden geld als water. Joe's leven was radicaal veranderd vergeleken met het jaar ervoor, toen hij in Boston van het hospitaalschip gedragen werd. Hij was bezig een fortuin te vergaren. Maar hij had het te druk om bij te komen. En Clarke maakte zich zorgen om hen beiden. Hij was heel erg gesteld op Joe.

Joe nam Clarke mee voor een vliegtochtje en ze spraken af dat ze het Elizabeth niet zouden vertellen. Haar woede was nog toegenomen nu ze wist dat Kate herhaaldelijk vloog met Joe. Ondanks zijn reputatie als topvlieger en oorlogsheld was ze er nog steeds van overtuigd dat hij zou neerstorten en daardoor de dood van hen beiden zou veroorzaken. Ze was buiten zichzelf geweest toen ze ontdekte dat Joe haar vliegles gaf. In een moment van onachtzaamheid had Kate haar mond voorbijgepraat. Maar Joe had vertrouwen in haar capaciteiten. Hij had haar goed geïnstrueerd, hoewel ze nog niet de tijd had gehad om zich te kwalificeren voor haar vliegbrevet. Ze had het te druk met het werk dat ze voor hem verzette.

Clarke was diep onder de indruk van Joe's grandioze nieuwe vliegtuig en na afloop, op de terugweg naar huis, stopten ze bij een wegrestaurant om een biertje te drinken. Het was een zeer warme zomerdag en Joe voelde zich gelukkig met zijn vliegtuig. Maar Clarke had het een en ander op zijn hart, zoals het geluk van zijn dochter en de gezondheid van zijn vrouw. Hij wilde Joe enig vaderlijk advies geven. Vooral daarom was hij met Joe gaan vliegen, hoewel hij ook had genoten van het vliegtuig.

'Je werkt te hard, jongen,' begon hij. 'Je vergeet te leven. Door het tempo waarin je je beweegt, zou je belangrijke fouten kunnen maken die je op den duur zullen opbreken.' Joe had dadelijk door dat hij het over Kate had, maar hij wist ook dat hun onderlinge verstandhouding goed was. Haar moeder was het die in een voortdurende staat van opwinding verkeerde omdat er maar niets gebeurde.

'Over een poosje zal het rustiger worden, Clarke. Het bedrijf is nog jong.'

'Dat ben jij ook, maar je bezit niet de eeuwige jeugd, dus geniet ervan.'

'Dat doe ik ook. Ik hou van mijn werk.' Dat was waar, en dat liet hij zien ook. Maar hij hield ook van Kate, en ook dat wist Clarke. Voldoende om zich gerechtigd te voelen een belofte te breken die hij Liz jaren geleden had gedaan, en die inhield dat hij met mensen die er toen niet bij geweest waren niet zou spreken over de zelfmoord van haar vroegere echtgenoot, en ook niet over het feit dat hij niet Kates echte vader was. Toen Clarke Kate adopteerde, had Elizabeth hem gezegd dat ze niet wilde dat John Barretts zelfmoord voor de rest van haar leven als een donkere wolk boven Kates hoofd bleef hangen. Maar Clarke wist beter dan zijn vrouw dat dat op een stille manier toch zo was. En hij vond dat Joe het moest weten. Het was een factor in Kates persoonlijkheid die niet verwaarloosd mocht worden. Dat was niet eerlijk tegenover haar, en ook niet tegenover Joe.

Clarke meende dat het Joe's ogen, en ook zijn hart, zou kunnen openen als hij het wist.

'Er is iets met betrekking tot Kate waarvan ik vind dat je het moet weten,' zei Clarke kalm, nadat ze hun tweede biertje achter de knopen hadden en overgegaan waren op gin. Hij wist dat Liz niet blij zou zijn als ze beiden dronken thuiskwamen, maar dat kon hem op dit moment niet schelen. Hij had besloten om het Joe te vertellen en moest zichzelf moed indrinken.

'Dat klinkt raadselachtig,' zei Joe met een grijns. Hij mocht Clarke graag: hij had zich altijd meer op zijn gemak gevoeld bij mannen. Kate was de enige vrouw bij wie hij zich open en gemakkelijk voelde, en zelfs zij boezemde hem soms angst in. Vooral wanneer ze geëmotioneerd raakte over iets, hetgeen gelukkig zelden voorkwam. Maar wanneer het gebeurde, dan joeg elke emotie of kritiek die hij bespeurde, hem weg. Hij had het haar nooit uitgelegd. Hij dacht dat het hem misschien nog kwetsbaarder zou maken als hij haar op zo'n moment vertelde dat ze hem angst aanjoeg. Alles wat hem herinnerde aan zijn jeugd, met die neven en nichten van hem die voortdurend zeiden hoe waardeloos hij wel niet was, maakte dat hij weg wilde rennen. Het was die kwetsbare plek die Kates moeder in hem raakte, en de gevolgen waren iedere keer bepaald niet plezierig.

'Het ís raadselachtig,' beaamde Clarke. 'Eigenlijk niet zozeer raadselachtig, als wel duister. En ik wil dat Kate noch Liz weet dat we hierover gesproken hebben. Ik meen het, Joe,' zei hij met nadruk. Ze zaten aan hun tweede gin. Clarke begon dronken te worden en Joe lachte veel. Hij werd altijd spraakzaam wanneer hij dronk. Het nam bij hem wat van de spanning weg.

'Nou, wat is dat duistere mysterie?' vroeg Joe met een jongensachtige glimlach. Hij begon steeds meer gesteld te raken op Clarke. Hij was altijd al dol op hem geweest, vond hem een goed mens. Ze respecteerden elkaar en hadden dat van het begin af aan gedaan.

'Ik ben niet haar echte vader, Joe,' zei Clarke kalm. Hij was plotseling weer nuchter. Deze woorden had hij dertien jaar lang niet uitgesproken. Toen hij naar Joe keek en hun ogen elkaar ontmoetten, verdween langzaam de glimlach op het gezicht van de jongeman.

'Wat betekent dat? Ik begrijp je niet.' Hij keek bezorgd nu. Hij voelde dat er iets akeligs aan zat te komen.

'Liz is eerder getrouwd geweest. Heel lang, bijna dertig jaar. Wij zijn nog maar veertien jaar getrouwd. Hoewel het zo nu en dan wel een eeuwigheid lijkt,' zei hij met een grijns. Joe moest lachen. Maar hij wist ook hoeveel Clarke van Liz hield. Dat moest ook wel, anders had hij het niet zo lang met haar uitgehouden. 'Haar man was een vriend van mij, het was een goed mens. Hij was hoffelijk en vriendelijk en kwam uit een vooraanstaande familie. Zijn broer en ik zaten in dezelfde klas, via hem heb ik John ontmoet. Hij raakte alles kwijt bij de beurskrach van 1929, niet alleen zijn eigen geld en dat van zijn familie, maar ook dat van de mensen voor wie hij belegde en nog een klein gedeelte van Liz' fortuin. Gelukkig bleef haar eigen familie met strakke hand het grootste deel daarvan beheren, en die had meer geluk dan John. Het overgrote deel van haar geld was er nog na de krach. Maar John verloor alles.' Het was een geschiedenis die Clarke niet wilde vertellen en die Joe uit plotselinge angst niet wilde horen. 'Het scheelde verrekte weinig of het was toen meteen al zijn dood geworden. Hij was de meest rechtschapen man die ik kende, en het ruïneerde hem ter plekke. Hij deed er twee jaar over, weggedoken in een slaapkamer op de bovenverdieping waar hij in het donker zat. Hij probeerde zich dood te drinken, maar dat lukte niet. Daarom schoot hij zich in 1931 een kogel door het hoofd. Kate was acht toen hij stierf.'

'Was ze erbij? Heeft ze het gezien?' Het beeld dat Clarke had opgeroepen maakte Joe van streek. De oudere man schudde zijn hoofd.

'Godzijdank niet. Liz heeft hem gevonden. Ik denk dat Kate op school was. Tegen de tijd dat ze thuiskwam, was alles achter de rug. Maar ze weet hoe hij gestorven is. Ik kende Liz, John en Kate al heel lang. Kate vanaf haar geboorte, John vanaf zijn jeugd. Ik heb na die gebeurtenis voor hen gedaan wat ik kon, met geen ander motief dan hun de helpende hand te bieden. Liz was totaal van de kaart. Ik had mijn vrouw een aantal jaren daarvoor verloren. Ten slotte groeide er iets tussen Liz en mij, maar ik denk dat ik al op Kate viel nog voordat ik op Liz verliefd werd. Na de dood van haar vader was het een doodsbang, door verdriet verscheurd meisje. Ik dacht dat ze nooit meer de oude zou worden. Ze was toen acht. Na een jaar trouwde ik met Liz en weer een jaar later, toen ze tien was, heb ik Kate geadopteerd. Het kostte me nog twee jaar om haar uit de put te halen waarin ze na Johns zelfmoord terechtgekomen was. Ik geloof dat ze mij jaren gewantrouwd heeft, zoals ze iedereen wantrouwde, vooral mannen. Liz aanbad haar kind, maar ik weet niet of ze echt wist hoe ze het moest bereiken. Zij was zelf te geschokt door haar mans dood. Er was een benauwd moment, toen Liz vlak na ons huwelijk ziek werd. Het was niet meer dan een zware griep, maar je kon zien dat Kate in paniek was. Het meisje was doodsbenauwd dat ze haar moeder zou verliezen. Ik weet niet of Liz dat begreep. Kate heeft er haar hele leven voor nodig gehad om de vrouw te worden die ze nu is. Sterk, zelfverzekerd, gelukkig, humoristisch en kundig. De vrouw van wie jij houdt, was lange tijd een angstig, beschadigd meisje. Ik denk dat ze jaren in angst heeft geleefd dat ik haar ook om de een of andere reden zou verlaten, net als haar vader. De arme drommel, hij kon zichzelf niet helpen. Hij had de kracht niet om over zijn tegenslag heen te komen, hoeveel geld Liz ook had. Het gebeuren verwoestte zijn zelfrespect, moed en trots. Maar door zijn zelfmoord verwoestte hij Kates leven, althans het scheelde weinig.'

'Waarom vertelt u me dit allemaal?' vroeg Joe achterdochtig. Hij zag er nog steeds geschokt uit door wat hij had gehoord.

'Omdat het een belangrijk deel van Kates leven is. Ze hield van haar vader en hij droeg haar op handen. Toen begon ze van mij te houden. En nu houdt ze van jou. Jij ging naar het front, en bijna twee jaar lang heeft ze gedacht dat je dood was. Het zou voor ieder meisje een drama zijn geweest, maar voor Kate was het meer dan dat. Al haar oude wonden gingen weer open. Iedere dag kon ik het in haar ogen zien. Een dergelijk verlies had haar dit keer fataal kunnen worden, als ze niet zo'n sterke persoonlijkheid geweest was. En toen vond jouw wonderbaarlijke wederopstanding plaats. Het leven lachte haar ditmaal toe. Maar ze draagt een blijvend litteken in haar ziel. Als je een relatie met haar wilt, moet je daarvan op de hoogte zijn. Iedere keer dat je haar verlaat, afwijst of haar op een of andere manier het gevoel geeft dat ze in de steek gelaten is, herinner je haar aan alles wat ze heeft verloren. Je moet voorzichtig met haar zijn en haar een goed thuis geven. Als je goed voor haar bent, zal ze je voor eeuwig koesteren, Joe. Maar je moet het weten van dat litteken. Ze is als een vogel die een gebroken vleugel heeft gehad. Al ben je er nog zo sterk van overtuigd dat ze kan vliegen, je moet voorzichtig zijn met die vleugel... Ze is het mooiste vogeltje dat ik ooit gezien heb, en ze zal voor jou verder vliegen dan wie ook. Je moet haar gewoon niet bang maken, en dat zul je niet doen ook, als je weet wat ze doorgemaakt heeft.' Joe zweeg lange tijd. Hij dacht na over Clarkes woorden. Het was een zware dosis werkelijkheid die daar over tafel ging, op een zomerdag, tijdens het drinken van een paar gins. Maar Clarke had gelijk, het was een belangrijk deel van Kate en het verklaarde hem veel. Ze had iets vertwijfelds over zich, wanneer hij er niet was. Ze zei het niet openlijk, maar wanneer hij haar verliet om ergens heen te gaan, kon hij het altijd in haar ogen zien. En die verschrikte blik benauwde hem zo nu en dan. In die blik zag hij de schaduw van de leiband die hij zijn hele leven lang ontvlucht had.

'Wat probeer je me te zeggen, Clarke?' vroeg Joe, maar de waar-om-vraag vond hij eigenlijk belangrijker.

'Ik vind dat je met haar moet trouwen, Joe. Niet om dezelfde reden als Liz. Zij wil pracht en praal en aanzien, een groot feest en een witte bruidsjurk. Mij gaat het erom dat ze een warm thuis krijgt. Ze verdient het Joe, meer dan een ander. Haar vader ontstal haar iets dat niemand van ons haar ooit kan vergoeden. Maar jij kunt het, weliswaar niet helemaal, maar wel in die mate dat het van beslissende betekenis zal zijn voor haar verdere leven. Ik wil dat ze zich veilig voelt en met de zekerheid leeft dat jij in haar buurt zult blijven.'

Terwijl hij zo naar hem luisterde, kreeg Joe de neiging om te schreeuwen: 'En ik dan?' Trouwen was nou net wat hij het meeste vreesde. Een leiband. Een kooi. Een val. Al hield hij nóg zoveel van haar, het huwelijk zelf was en bleef een enorme bedreiging. Meer dan Clarke ooit kon bevroeden.

'Ik weet niet of ik dat wel kan,' zei Joe oprecht, moed puttend uit zijn gin.

'Waarom dan niet?'

'Omdat het voelt als een val. Of als een strop om mijn nek. Mijn ouders hebben me op een andere manier verlaten. Ze stierven en lieten me achter bij mensen die me slecht gezind waren. Die mensen behandelden me als oud vuil, en telkens wanneer ik aan een huwelijk of gezin denk, of het gevoel heb dat ik vastgelegd word, krijg ik de sterke behoefte om weg te rennen.'

'Ze zal goed voor je zijn, Joe. Ik ken haar. Het is een goed meisje en ze houdt zielsveel van je.'

'Dat benauwt me ook,' zei hij eerlijk. 'Ik wil niet dat iemand zoveel om mij geeft.' Clarke keek in zijn ogen. Wat hij zag was angst. Een veel diepere angst dan hij ooit eerder daar gezien had. 'Ik ben er niet zeker van of ik haar de liefde kan geven die ze wil en nodig heeft. Ik wil haar niet teleurstellen, Clarke, of haar verwaarlozen. Ik zou me geen raad weten met mijn schuldgevoel als ik om de een of andere reden faalde. Dat kan ik haar niet aandoen. Daarvoor hou ik te veel van haar.'

'We falen allemaal weleens. Daar leer je van. Ze is een prima vrouw voor jou. Jullie zullen van elkaar leren, zelfs al doet het soms pijn. Liefde heelt een hoop wonden. Liz heeft veel van de mijne genezen.' Het was een kant van haar waaraan Joe nooit eerder had gedacht, maar hij was bereid Clarke te geloven. In ieder geval was het duidelijk dat Elizabeth veel had moeten doorstaan. 'Je zult op zekere dag een eenzaam man zijn, Joe, als je je niet openstelt voor iemand die je liefheeft. Het is een hoge prijs die je betaalt voor je vluchtgedrag.'

Joe staarde in zijn glas. 'Kan zijn,' zei hij ontwijkend.

'Jullie hebben elkaar nodig, Joe. Zij heeft jouw kracht nodig en de zekerheid dat je haar niet zult verlaten, de zekerheid dat je genoeg van haar houdt om haar te trouwen. En jij hebt ook haar kracht nodig en haar warmte. Het is koud zo in je eentje. Ik bevond me lange tijd in die positie toen mijn vrouw gestorven was. Het leven is dan naargeestig. Een meisje als Kate zal niet toestaan dat je je verdrietig voelt als je haar in je hart binnenlaat, zelfs al is het maar een beetje. Ze zal je soms stapelgek maken, maar je hart breken zal ze niet. Het kan zijn dat ze je de stuipen op het lijf jaagt, maar ze zal je niet breken. Jij bent veel sterker dan je zelf denkt. Je bent geen kind meer. Niemand kan nu doen wat je neven en nichten toen deden. Je bent nu een man. Zij zijn slechts geesten uit het verleden. Laat je leven niet door hen bepalen!'

'Waarom niet? Tot dusver heeft het gewerkt. Dat is toch zo? Ik zou zo zeggen dat ik een tamelijk goed leven leid,' zei Joe cynisch.

'Dat is wat ik bedoel. Je zult een veel beter leven hebben als je het met haar zou delen. Je zult een triest man zijn als je haar op zekere dag zou kwijtraken. En dat is niet denkbeeldig. Vrouwen zijn onvoorspelbaar op dat gebied. Ze verlaten je wanneer je het het minst verwacht. Je kunt iedereen verliezen als je daar genoeg je best voor doet. Maar zij zal je niet verlaten, tenzij je haar dwingt. Ze houdt te veel van je. Verover haar, nu het nog kan. In het belang van jullie beiden. Ik wil het voor jullie beiden. Geloof me, jongen, het zal goed zijn voor jullie beiden. En als je haar de kans geeft geestelijk te groeien, heb je een prima vrouw aan haar. Vermoedelijk is ze bang dat je haar vroeg of laat in de steek zult laten. Tenminste, dat denk ik.'

'Dat zou kunnen gebeuren,' zei Joe. Hij keek Clarke recht in zijn ogen.

'Ik hoop van niet. Maar zelfs als je het doet, hoop ik dat je mans genoeg bent om terug te komen en het nog een kans te geven. Wat jullie nu hebben, zie je zelden. Wat je ook doet, hoever je ook vlucht, jullie komen niet van elkaar los. Wat jullie hebben, gaat te diep, is te sterk. Ik zie het in jouw ogen en in de hare. Jullie zullen er beiden bij verliezen als je vlucht. Jullie liefde is voor het leven. Of je nou samen bent of alleen.' In Joe's ogen was het een soort levenslang. Maar toch voelde ook Joe dwars door zijn angst heen, dat Clarke ware woorden gesproken had.

'Ik zal erover nadenken,' zei Joe kalm. Clarke knikte. Alles was gezegd. Hij had uit het hart gesproken, uit liefde voor beiden, Kate en Joe.

'Ze moet nog wat volwassener worden. Geef haar die kans, Joe. En zeg haar niets van wat ik je vandaag verteld heb over haar vader. Ik denk dat ze zich ervoor schaamt. Op een dag zal ze het je zelf wel vertellen.'

'Ik ben blij dat ik het weet.' In werkelijkheid maakte het de dingen ingewikkelder voor hem. Hij wist nu hoe ze zich voelde onder haar vaders zelfmoord, en onder de verlatingsangst die daar het gevolg van was. Het legde een nog zwaardere last op zijn schouders. Ergens was het niet eerlijk. Hij had zo zijn eigen problemen uit het verleden. Maar toch had Clarke iets gezegd waar hij het volledig mee eens was. Joe had nog nooit zoveel van iemand gehouden, en Kate ook niet. Het kostte hem geen moeite om te zien dat wat zij deelden eenmalig was. Maar de ironie van het lot was dat hij de behoefte had om weg te rennen, om te vluchten, om vrij te zijn, en zij de sterke behoefte om zich te binden. Het leek op een touwtrekwedstrijd om te zien wie de sterkste is. Niettemin had hij het gevoel dat het goed zou kunnen gaan tussen hen, als ze hun greep op elkaar wat konden verminderen. Maar met wat hij nu wist, vroeg hij zich af of ze daar ooit toe in staat zou zijn. En zou hij het kunnen? Het zou in ieder geval tijd kosten om met elkaar in de pas te leren lopen. Ook Clarke wist dat. Maar ze hadden zeeën van tijd. Ze waren jong. Clarke vroeg zich alleen af of ze beiden verstandig genoeg waren om het zo lang vol te houden dat het vruchten afwierp. Hij kon slechts bidden dat dat het geval mocht zijn. Ze hadden zoveel te verliezen, als ze het niet deden.

Joe reed terug, hoewel hij een hoop gedronken had. Ook Clarke moest toegeven dat hij flink in de olie was. Elizabeth merkte het zodra ze binnenkwamen, maar ze zei niets. Clarke liep op haar toe en omhelsde haar. Toen Joe merkte dat ze hun de huid niet volschold, voelde hij zich voor de verandering opgelucht. Ze lachte alleen maar en zette voor elk van hen twee bakjes dampende koffie. Clarke nam met tegenzin één kopje en verklaarde dat hij het zonde vond om een ouderwetse zuippartij te verknallen. Hij gaf Joe een knipoog. Hun vriendschap had zich die middag verdiept en Joe wist dat, hoe het ook verder mocht gaan tussen Kate en hem, hij altijd een zwak voor Clarke zou voelen.

’s Avonds na het eten maakten Joe en Kate een wandeling langs het strand. Ze zouden de volgende dag terugkeren naar New Jersey. Kate was aangenaam verrast toen Joe een arm om haar heen sloeg en haar kuste met een tedere blik in zijn ogen. Wat Clarke hem die middag had toevertrouwd, had de dingen op een subtiele manier veranderd. Joe was nog steeds bang om zijn hoofd in de strop te steken door een belofte aan haar, maar toch wilde hij haar tegelijkertijd beschermen, zowel tegen de wereld als tegen haarzelf. In haar woonde nog het eenzame meisje van wie de vader zelfmoord had gepleegd, de vogel met de gebroken vleugel van vroeger. Hij voelde en zag het nu, hoe oogverblindend de uiterlijke schijn ook was. Naar buiten toe was ze weerbaarder geworden en ogenschijnlijk vloog ze prima, maar vanbinnen was ze nog steeds het bange kleine meisje. Net zoals hij eens een eenzame kleine jongen geweest was. Door noodlot of bestemming hadden ze elkaar gevonden. Om de een of andere ondoorgrondelijke reden, die misschien van het begin af was voorbestemd, werden ze tot elkaar aangetrokken. Nog steeds kon hij zich voor de geest halen hoe ze hem bij hun eerste ontmoeting in vervoering had gebracht. Misschien had het alles welbeschouwd zo moeten zijn.

'Zeg, je hebt mijn vader wel dronken gekregen vandaag,' zei ze lachend, terwijl ze hand in hand over het strand liepen.

'Het was heel plezierig zo.'

'Prettig te horen.' Terwijl hij naar haar luisterde, vroeg hij zich af of ze op zekere dag net zo zou worden als haar moeder. En wat het voor hem zou betekenen, als dat zo was. Maar toch, ondanks al zijn angst, was het moeilijk om de wijsheid van Clarkes woorden te ontkennen. Veel van wat hij had gezegd, had Joe's hart geraakt.

'Ik vind dat we binnenkort maar eens moesten trouwen,' zei Joe terloops. Kate hield abrupt stil en staarde hem in verbazing aan.

'Ben je nog dronken?' Ze wist niet of hij het meende of een grapje maakte.

'Waarschijnlijk wel. Maar waarom zouden we het niet doen, Kate? Het zou heel positief kunnen uitpakken.' Helemaal overtuigend klonk het niet, maar voor de eerste keer in zijn leven was hij bereid het een kans te geven.

'Hoe kwam je tot die beslissing? Heeft mijn vader je onder druk gezet?'

'Helemaal niet. Hij zei dat ik je vandaag of morgen kwijt zou raken als ik niet verstandiger werd. En misschien heeft hij gelijk.'

'Je zult me niet verliezen, Joe,' zei ze zachtjes. Ze gingen op het strand zitten en hij drukte haar dicht tegen zich aan. 'Daarvoor hou ik te veel van je. Je hoeft niet met me te trouwen, als je niet wilt.' Ze kreeg bijna medelijden met hem. Ze was gaan begrijpen hoe belangrijk vrijheid voor hem was.

'Misschien wil ik wel met je trouwen. Hoe zou je dat vinden?' 'Geweldig,' zei ze. Ze glimlachte naar hem, en nooit hield hij meer van haar. 'Heel, heel geweldig. Weet je het wel zeker?' Ze was verrukt. Eindelijk was het zover!

'Nou en of,' zei hij in alle oprechtheid. Clarke had verstandige taal gesproken. Hij zag iets in hen, wat Joe ook zag als hij dapper genoeg was om te kijken. Een liefde die zowel krachtig als uniek was. 'Ik vind wel dat we ons niet moeten overhaasten,' zei hij voorzichtig. 'Misschien over zes maanden, of over een jaar of zoiets. Ik heb tijd nodig om aan het idee te wennen. Laten we het voorlopig maar voor onszelf houden.'

'Dat is goed,' zei ze rustig. Samen en zonder iets te zeggen zaten ze daar een poosje. Daarna wandelden ze terug naar huis. Hand in hand.

12

Ze GINGEN TERUG NAAR NEW JERSEY OM ZIJ AAN ZIJ TE WER-
ken. De manier waarop ze met elkaar omgingen veranderde op
mysterieuze wijze zodra ze besloten hadden om te trouwen.
Kate scheen zich veel zelfverzekerder en veiliger te voelen, en
Joe leek het idee zowaar een tijdje te koesteren. Ze praatten
over hun toekomstplannen, over het huis dat ze zouden gaan
kopen en over hun huwelijksreis. Maar na een poosje begon
Joe tekenen van ergernis te vertonen als Kate erover praatte.
Het was een mooi voornemen, maar te veel van het goede maakte hem nerveus.

Hij had geen tijd om over trouwen na te denken. Bijna iedere
dag nam de productie en omzet toe, en er was zelfs sprake van
de bouw van een tweede fabriek. Tegen de herfst was een huwelijk wel het laatste waar hij aan dacht.

Ze hadden het daar drukker dan ooit. Zo druk zelfs dat ze niet
naar Boston gingen om Thanksgiving te vieren. Wel slaagden
ze erin om tussen kerst en nieuwjaar een week bij Kates ouders
door te brengen. Tegen die tijd was haar moeder zo van streek
omdat ze nog niet verloofd waren, dat niemand het woord 'huwelijk' nog in de mond durfde te nemen. Het was inmiddels
een al te precair onderwerp. Maar Kate was ook gaan beseffen
dat zolang ze met hem samenwoonde, er niet bijzonder veel
haast bij was om te trouwen. Joe had zoveel te verhapstukken,
dat ze hem niet onder druk wilde zetten wat hun trouwplannen betrof. Hij had het gewoon te druk. Bovendien zat hij in
de rats door de toezegging die hij haar had gedaan. Ze kon het
voelen: zodra hij het haar voorgesteld had, begon hij al terug
te krabbelen.

Tot de lente zei Kate er niets over. Het was het jaar 1947 en
ze begon zich af te vragen of hij eigenlijk wel wilde trouwen.

Een enkele keer begon ze erover, maar hij had nooit tijd om met haar te praten. Ze was net vierentwintig geworden en Joe was zesendertig, en de belangrijkste man op het gebied van de luchtvaart. De onderneming die hij anderhalf jaar daarvoor mee had helpen oprichten, was een goudmijn geworden. Toen haar vader hen kwam bezoeken, nam Joe hem mee de lucht in in een van zijn nieuwste vliegtuigen. Kate hield nog steeds de schijn op dat ze in het hotel logeerde en haar vader was tactvol genoeg om hun niet het mes op de keel te zetten, maar hij maakte zich zorgen om haar. Joe scheen al zijn tijd te besteden aan vergaderingen of aan vliegen. Hij had haar ondertussen een heuse baan gegeven. Ze deed de public relations voor hem, tegen een aanzienlijk salaris. Maar het was niet het geld dat ze nodig had, daar schortte het de Jamisons niet aan. Nee, Kates ouders vonden dat ze een man nodig had. Clarke was er onderhand zeker van dat zijn gesprek met Joe afgelopen zomer aan dovemansoren gericht was geweest, en Liz drong er bij Kate op aan om terug te keren naar Boston. Toen de zomer naderde had Joe al maanden niet meer gerept van hun trouwplannen.

Het was een volle twee jaar na zijn thuiskomst en een jaar na zijn voorstel, dat Kate hem ten slotte dwong om te gaan zitten en hem er rechtstreeks naar vroeg. Wat hij ook dacht, ze wilde het weten.

'Trouwen we nog een keer, Joe? Of heb je er helemaal van afgezien?' Zelfs hij moest toegeven dat hij de kwestie steeds uit de weg gegaan was. Na zijn gesprek met Clarke had hij het een goed idee gevonden en het nut er wel van ingezien, in het bijzonder voor Kate, gezien haar verleden. Maar het scheen hem zo overbodig, vanuit zijn standpunt tenminste. Ten slotte gaf hij toe dat het erop neerkwam dat hij geen kinderen wilde, iets wat hij al eens eerder gezegd had. Hij had er meer dan eens over nagedacht, en hij wist zeker dat het niets voor hem was. Het was eenvoudig niet wat hij van het leven verlangde. Het enige dat hij wilde waren zijn zaak, zijn vliegtuigen en dat Kate op hem wachtte, 's avonds als hij thuiskwam. Hij wilde geen kinderen en had geen behoefte aan een huwelijk. Hij wilde niet zo sterk gebonden zijn. Zijn bezigheden waren veel te opwindend. Het vooruitzicht van krijsende baby's en het verschonen van luiers vond hij verschrikkelijk. Hij had zijn eigen kinder-tijd verafschuwd en een kind te zien opgroeien, laat staan het op te voeden, leek hem niets. 'Dus als we zouden trouwen, wil je geen kinderen. Dat zeg je toch?' Het was eigenlijk de eerste keer dat hij dat met zoveel woorden zei. Ze wist dat hij niet stond te trappelen, maar het was nooit in haar opgekomen dat zijn besluit vaststond. Hij had het haar nooit eerder zo recht-streeks meegedeeld. Zo was het beter, had hij gevonden. In de zaak was Kate zo ongelooflijk waardevol dat hij er niets voor voelde om haar te moeten missen voor zo'n dreinend handen-bindertje. Een huwelijk zonder kinderen vond hij al bedreigend genoeg.

'Ja, ik denk het wel,' zei hij eerlijk. Hij had nooit tegen haar gelogen; hij had er alleen maar zijn mond over gehouden. 'Ei-genlijk weet ik het zeker: ik wil geen kinderen.' Dat besluit had hem doen twijfelen aan het nut om te trouwen, ondanks alles wat Clarke het jaar daarvoor tegen hem gezegd had.

'Dat is ook wat,' zei ze, terwijl ze achteroverleunde in een stoel in zijn flat. Kate had geen eigen thuis. Alleen maar deze schaars gemeubileerde flat, haar hotelkamer en het huis van haar ou-ders in Boston. Zijn woorden waren hard aangekomen. 'Ik heb juist altijd graag kinderen gewild.' Het was een enorme opof-fering die ze zich voor hem moest getroosten, maar ze wist ook hoeveel ze van hem hield, en ze wilde hem niet verliezen. Tij-dens de oorlog was ze hem bijna twee jaar lang kwijt geweest, en ze wist hoe dat voelde. Ze wilde dat niet nog een keer mee-maken. Ze vroeg zich af of hij van gedachten zou veranderen als ze eenmaal getrouwd waren. Misschien wilde hij ze dan toch. Het was het risico waard. Maar hij stelde ook niet voor dat ze zouden trouwen. Alle gesprekken daarover waren maanden ge-leden al verstomd. 'Wat denk je, Joe?' vroeg ze hem, nadat hij haar verteld had dat hij geen kinderen wilde.

'Waarover?' vroeg hij opgelaten. Hij voelde zich in het nauw gedreven door de vragen die ze stelde.

'Over onze plannen om te trouwen. Of voel je daar ook niets meer voor?' Ze was geschokt dat hij haar niet van zijn beslis-sing om geen kinderen te willen op de hoogte had gesteld. Dat was toch wel het minste wat hij had kunnen doen, zou je zeggen, maar toegegeven moest worden dat hij het druk had met andere dingen. Al zijn gedachten waren voortdurend bij zijn uitdijend zakenimperium.

'Ik weet het niet,' zei hij vaag. 'Heeft dat nog zin? Waarom zouden we trouwen als we toch niet van plan zijn kinderen te nemen?' Hij had zich verschanst en er was paniek in zijn ogen te lezen.

'Meen je dat?' Ze staarde hem aan alsof hij een vreemde was. De gedachte dat dat zo was, begon vastere vorm aan te nemen. Wanneer het begonnen was, wist ze niet precies, maar alles stond weer op losse schroeven. Onwillekeurig vroeg ze zich af of zijn besluit om niemand te vertellen van hun trouwplannen was genomen om later de vrijheid te hebben om van gedachten te veranderen. Daar had het alle schijn van.

'Is het nodig om er nu over te praten? Ik heb morgenvroeg een vergadering.' Joe had een gekwelde blik in zijn ogen en wilde dat er een eind kwam aan het gesprek. Hij voelde zich in het nauw gebracht en, erger nog, schuldig omdat hij niet met haar wilde trouwen. Alleen al het praten erover wekte hevige schuldgevoelens bij hem op. En als er een ding was waar Joe niet mee overweg kon, was het schuldgevoel. Het joeg hem de stuipen op het lijf, het was de hevigste pijn die hij kende. Alle nachtmerries uit het verleden kwamen weer boven, in het bijzonder de stemmen van zijn oom en tante, die hem als kind onophoudelijk hadden verteld hoe slecht hij wel niet was.

'We praten over ons leven, over onze toekomst,' ging Kate door. 'Dat lijkt me niet geheel onbelangrijk.' De scherpte in haar stem bezorgde hem hetzelfde gevoel als het krassen van vingernagels over een schoolbord. Haar toon deed hem ogenblikkelijk aan haar moeder denken.

'Moet dat allemaal vanavond?' Hij was geïrriteerd, maar zij nog meer. Ze kon voelen dat hij zich van haar verwijderde. Daardoor wilde zij hem vasthouden, met als gevolg dat hij zich nog verder van haar verwijderde. Ze zaten gevangen in een vicieuze cirkel. Kate had het gevoel dat hij haar in de kou liet staan. Hij merkte het en raakte in paniek, en die paniek veroorzaakte dat hij wilde vluchten.

Joe wilde ontsnappen om zich ergens te verstoppen en zijn wonden te likken, maar Kate was niet zo verstandig om hem alleen te laten. Angst was een kracht die buiten haar macht lag. 'Misschien valt er helemaal niets te regelen,' zei ze ongelukkig Haar toon maakte dat hij zich nóg schuldiger voelde en deed zijn wanhopige drang om te vluchten nog toenemen. Het was alsof ze hem met dat schuldgevoel een lichamelijke afstraffing gaf. 'Misschien heb je het daarnet al opgelost,' zei ze. 'Waar het op neerkomt, is dat je geen kinderen wilt en dat je geen enkele noodzaak ziet om te trouwen. Dat is nogal een grote omslag in je denken, vind je niet?' Zijn beslissingen raakten haar hele toekomst, en ze voelde zich plotseling nog panischer. Twee jaar lang had ze geduldig gewacht tot ook voor hem het juiste ogenblik aangebroken zou zijn. En opeens was ze gaan begrijpen dat er wat hem betrof niet zoiets was als 'het juiste ogenblik' en dat het er ook nooit zou zijn. Trouwen was niet langer een optie voor hem. En daarmee ook niet langer voor haar. 'Ik heb een zaak, Kate. Ik weet niet hoeveel tijd en energie er overblijft voor vrouw en kinderen. Vermoedelijk geen.' Hij deed verwoede pogingen om zich af te schermen. Zijn paniek was even groot als de hare, maar hij gaf er een andere vorm aan. Bij Joe vertaalde die paniek zich in iets heel afstandelijks en onderkoelds en dat boezemde haar net zoveel angst in als haar toenaderingen hem.

'Wat zeg je toch allemaal?' zei ze. Haar ogen vulden zich met tranen. Hij was alles kapot aan het maken. Al haar hoop en al haar dromen. Ze was alleen naar New Jersey gekomen en was alleen voor hem gaan werken om hun relatie makkelijker te maken. Om de dingen te versnellen, zodat ze zich konden settelen. Maar hij had zijn hart verpand aan de zaak, en aan zijn vliegtuigen. Altijd die vliegtuigen. Er waren geen andere vrouwen in zijn leven. Zijn vliegtuigen waren zijn geliefden, zijn kinderen en zijn echtgenotes.

'Ik probeer je uit te leggen dat dit het is. Meer zit er wat mij betreft niet in. Meer heb ik niet nodig. Ik hoef geen huwelijk, Kate. Ik kan het niet en ik wil het niet. Ik moet vrij zijn. We hebben elkaar toch? Wat maakt zo'n papiertje voor verschil uit? Wat betekent dat nou eigenlijk?' Voor hem betekende het niets. Voor haar heel veel.

'Het betekent dat je van me houdt. Dat je me vertrouwt en om me geeft en voor altijd bij me wilt blijven.' Daar kwam het voor haar op neer. En 'voor altijd' was een woord dat hem schrik aanjoeg. 'Het betekent dat je opstaat en zegt dat je in me gelooft, en dat ik in jou geloof. Het betekent dat we trots zijn op elkaar. Om de een of andere reden vind ik dat we het onderhand aan elkaar verschuldigd zijn.' Hij vond het afschuwelijk om dat te horen. Deze woorden deden hem pijn. Hij had het gevoel of ze hem aan de vloer probeerde vast te nagelen. Of aan het kruis. Opeens voelde hij zich overspoeld en overweldigd door wat ze van hem eiste Hij was vastbesloten om koste wat kost zichzelf te beschermen. Zelfs al zou dat betekenen dat hij haar kwijtraakte.

'We zijn elkaar niets verschuldigd. We zoeken elkaars gezelschap op als we daar zin in hebben, en óf we zin hebben, bekijken we elke dag opnieuw. Hebben we geen zin meer, dan gaan we iets anders doen. Er zijn geen zekerheden.' Inmiddels ging Joe behoorlijk tekeer en dat beledigde en verschrikte haar. Het was zijn manier om haar op veilige afstand te krijgen. Hij ontsnapte. Wat Kate zag en voelde, was dat Joe haar verliet, net zoals haar vader gedaan had. Het zorgde er slechts voor dat ze hem nog fanatieker nazat.

'Wanneer is dit gebeurd?' vroeg ze. Haar stem klonk luider dan de bedoeling was. Hij had haar te ver van zich af geduwd. Kate had het gevoel alsof ze hulpeloos dwarrelend in een peilloze afgrond viel. Ze voelde zich wanhopig en angstig. Ze had geen greep meer op de situatie. 'Wanneer heb je besloten om niet met me te trouwen? En waarom had ik niet door dat je er zo over dacht? Waarom heb je het me niet verteld, Joe?' Ze begon te snikken, kon bijna geen adem meer krijgen. 'Waarom doe je me dit aan?' Terwijl Joe naar haar luisterde, kromp zijn hart ineen. Hij had het gevoel alsof haar woorden hem als messen doorboorden.

'Waarom kun je het niet gewoon op zijn beloop laten?' smeekte hij.

'Omdat ik van je hou,' zei ze zielig. Maar hij was er niet langer zeker van dat hij van haar hield. Of dat zijn liefde genoeg was om haar vader te compenseren, haar vader die zelfmoord gepleegd had toen ze nog een kind was. Ondertussen voelde Joe zich net zo wanhopig als zij het was, in haar pogingen om hem tegen te houden. In werkelijkheid was het Kate die hem op de vlucht deed slaan.

'Zullen we nu naar bed gaan, Kate? Ik ben doodop.' Hij zag eruit alsof hij aan het verdrinken was. Allebéí waren ze aan het verdrinken. Ze leken op twee angstige kinderen die naar elkaar klauwden, en geen van hen beiden konden ze de volwassenheid opbrengen om te stoppen. Beiden waren te bang. Zij om te worden verlaten, hij om zijn vrijheid kwijt te raken.

'Ik ben ook hondsmoe,' zei ze wanhopig. Ze voelde zich eenzamer dan ze ooit in haar leven was geweest. Ze nam een douche en bleef lange tijd onder de straal staan. Terwijl ze daar stond en haar tranen de vrije loop liet, voelde ze zich onbemind en een zenuwinstorting nabij. Toen ze in bed stapte, sliep hij al. Ze ging naast hem liggen, keek lange tijd naar hem en vroeg zich af wie hij was. Voorzichtig streek ze hem over zijn haar, alsof hij haar weer zou kunnen aanvallen. Hij mompelde wat in zijn slaap en draaide zich toen om. Ondanks alles wat hij gezegd had, wist ze dat hij van haar hield. En zij van hem. Misschien zelfs wel genoeg om al haar dromen opzij te zetten. Maar ze zag niet hoe dat nog langer zou kunnen. Hij was bang om haar te beminnen. Hij vond het veiliger om weg te vluchten. Zij wilde alleen maar dicht bij hem zijn.

Die avond had ze onder de douche een besluit genomen. Ze wist dat ze weg moest gaan, voor ze elkaar zouden vernietigen. Hij zou nooit met haar trouwen. Het was tijd om te gaan. Haar moeder had het de hele tijd bij het juiste eind gehad.

De volgende morgen, tijdens het ontbijt vertelde ze het Joe. Ze bracht het op een kalme, verstandige en beknopte manier. 'Ik ga weg, Joe.' Ze keken elkaar over de tafel aan. Hij zag er beduusd uit. Hij ondervond nog steeds de weerslag van de pijn die ze elkaar de afgelopen avond gedaan hadden.

'Waarom, Kate?' Hij leek geschokt, maar vroeg haar niet te blijven.

'Na wat je mij gisteravond gezegd hebt, kan ik hier niet langer blijven. Ik hou met hart en ziel van je. Ik heb twee jaar op je gewacht, niet in staat om te geloven dat je dood was. Ik ge-

loofde niet dat ik na jou van iemand anders zou kunnen houden, en dat geloof ik nog niet. Niet op de wijze waarop ik van jou hou. Dat zal nooit gebeuren. Maar ik wil een man en kinderen en een gezinsleven. Jij wilt niet dezelfde dingen die ik wil.'
De tranen stonden haar in de ogen toen ze sprak, maar ze probeerde rustig te blijven, ondanks het opkomende gevoel van paniek in haar maag, en ondanks het gevoel dat er een mes in haar hart stak. Ze wilde dat hij alles wat hij de vorige nacht had gezegd terugnam. Maar hij zei geen woord.
Zonder ook maar iets te zeggen, beëindigde Joe zijn ontbijt. Vervolgens keek hij naar haar. Het was een van die afschuwelijke momenten in het leven die een mens altijd bijblijven, verbaal en visueel. 'Ik hou van je, Kate. Maar ik moet eerlijk tegen je zijn. Ik denk niet dat ik ooit zal willen trouwen. Ik wil het niet, ik wil met niemand getrouwd zijn, behalve misschien met mijn vliegtuigen. Ik wil niet gebonden zijn. Ik wil niet het "bezit" van iemand zijn. Je kunt hier zijn, als je me wilt helpen met mijn werk. Maar dat is alles wat ik je kan geven: mijzelf en mijn vliegtuigen. Ik hou waarschijnlijk net zoveel van ze als van jou. Op sommige dagen misschien nog wel meer. Meer kan ik niet van je houden. Ik ben te bang, Kate, zo ben ik nu eenmaal. Meer dan dit kan ik niet geven. Ik wil geen kinderen. Nooit. In mijn leven is geen plaats voor ze. Ik heb ze niet nodig en ik wil ze niet.' Joe besefte met spijt dat hij haar op dit moment óók niet wilde. Ze vormde een te grote bedreiging voor hem. Zij kwam op de tweede plaats, na zijn zaak en zijn vliegtuigen. Maar Kate was een jonge vrouw van vierentwintig en ze wilde kinderen, een echtgenoot en een gezinsleven, en niet alleen maar de kans om voor hem te werken. Wat hij daarnet tegen haar gezegd had, trof haar als een slag en bevestigde al haar bange vermoedens.
'Ik wil geen onderneming, Joe. Ik wil kinderen. Ik wil jou. Ik hou van je en toch ga ik naar huis. Het was beter geweest als ik al deze vragen een hele tijd geleden gesteld had.' Ze voelde zich als een volslagen sukkel. En ze voelde zich net zoals ze zich gevoeld had op de dag dat haar vader stierf. Overweldigd door een onnoemelijk verlies.
'Ik denk dat ik niet wist hoe ik me voelde voor we de onder-

neming op poten zetten. Nu weet ik het. Doe wat je doen moet, Kate.'

'Ik ga bij je weg,' zei ze zonder meer. Hun ogen ontmoetten elkaar.

'Wil je dan je baan opgeven? Is het je dat allemaal waard?' Hij kon zich niet voorstellen dat ze het zou doen. Hij vond dat ze gek zou zijn als ze het deed. Begreep ze dan niet wat hij hier aan het doen was? Het was iets wat nog nooit eerder gedaan was, en hij wilde het met haar delen. Het was het beste dat hij kon geven. Maar op dat moment kon het haar niets schelen.

'Het is niet mijn zaak, Joe, het is de jouwe.' Daarover had hij nog niet over nagedacht. Dat verhelderde de dingen voor hem, althans dat dacht hij.

'Wil je aandelen?'

Ze glimlachte naar hem. 'Nee, ik wil een man. Ik vermoed dat mijn moeder gelijk had. Uiteindelijk is dat belangrijk. Voor mij in ieder geval.'

'Ik begrijp het,' zei hij, en hij geloofde werkelijk dat dat zo was. Hij wílde het begrijpen. Maar beiden hadden nog een hoop te leren. Joe pakte zijn aktetas en keek haar aan. 'Het spijt me, Kate.' Na alles wat ze op de een of andere wijze voor elkaar geweest waren, zeven jaar lang, moest hij haar laten gaan. Hij was niet bereid om zich te laten dwingen tot een huwelijk met haar. Er waren te veel andere dingen waaraan hij moest denken. Hij wist dat hij aan de oppervlakte van het openbare leven een belangrijk man geworden was. Maar diep in zijn hart was hij nog steeds een angstig, eenzaam jochie, hoe belangrijk hij ook was.

'Het spijt mij ook, Joe,' fluisterde Kate.

Het was als een sterfscène. Hun verhouding bloedde dood, en hij was de moordenaar. Hij had rampzalige keuzes gemaakt met betrekking tot hun leven, zonder haar er zelfs maar in te kennen. Maar hij had geen andere keus, voelde hij.

Joe gaf haar geen afscheidskus. Hij zei niets. En Kate zei ook niets. Met zijn aktetas liep hij gewoon de deur uit. Kate zag hem gaan. Hij keek niet om.

I3

Kates ouders wisten dat hun dochter voorgoed thuis was, maar de reden kenden ze niet. Ze had het hun nooit uitgelegd. Nooit zei ze ook maar iets over Joe, of over wat er in New Jersey voorgevallen was. Ze voelde zich te gekwetst en gebroken om het met hen te bespreken. En ze was er ondersteboven van toen hij haar nooit belde. Ze bleef hopen dat hij tot bezinning zou komen, dat hij haar vreselijk zou missen. Dan zou hij haar bellen en zeggen dat hij toch met haar wilde trouwen en kinderen wilde.

Maar Joe meende wat hij had gezegd. Een paar weken later stuurde hij haar een klein pakketje met kleren die ze had vergeten mee te nemen uit zijn flat. Er zat geen briefje bij. Haar ouders zagen hoe ze leed, maar vroegen haar niet uit, ofschoon haar moeder een vermoeden had van wat er gebeurd was. Kate bracht drie maanden in het winterse Boston door. Ze maakte lange wandelingen en huilde veel. Het was een pijnlijke kerst voor haar. Wel duizend keer dacht ze erover om Joe te bellen, in haar wanhopig verlangen om zijn stem te horen, maar ze was niet bereid om met hem te leven als zijn maîtresse. Op de lange duur zou het haar het gevoel geven alsof ze een verschoppeling was. Een paar dagen na Kerstmis ging ze skiën. Daarna kwam ze terug om oudejaarsavond bij haar ouders door te brengen. Zij probeerde niet om contact op te nemen met Joe, en hij belde haar nooit. Het was alsof een belangrijk deel van haar was gestorven toen ze hem verliet. Ze kon zich geen leven zonder hem voorstellen. Maar nu moest het. Ze had een moedig standpunt ingenomen en nu moest ze ernaar leven en er het beste van maken. Een andere keus had ze niet.

Ze deed een poging om een paar oude vriendinnen op te zoeken, maar het scheen wel of ze niets meer met ze gemeen had.

Haar leven was té lang té verweven geweest met dat van Joe. Omdat ze niet wist wat ze anders moest, en omdat ze vastbesloten was om weer een eigen leven op te bouwen, besloot ze om in januari naar New York te verhuizen en een baantje bij het Metropolitan Museum te nemen als assistent-conservator op de afdeling egyptologie. Zo kwam tenminste haar studie kunstgeschiedenis nog van pas, hoewel ze nu veel meer van vliegtuigen wist dan van kunst. Eerst liet het haar koud, maar toen ze er eenmaal werkte, merkte ze tot haar verbazing dat ze haar baan veel leuker vond dan ze verwacht had. En tegen februari had ze een flat gevonden. Alles wat ze nu moest doen was doorgaan, de rest van haar leven lang. Zonder Joe was dat een naar en somber vooruitzicht, langdradig en ongelooflijk leeg. Dag en nacht miste ze hem, en alles wat hij vertegenwoordigde. Zelfs wanneer ze aan het werk was, nam Joe al haar gedachten in beslag. Ze las voortdurend in de kranten over hem. Zeven jaar geleden had hij het nieuws gehaald door zijn vliegrecords, en nu sprak de hele wereld over de fantastische vliegtuigen die hij bouwde. En was hij ze niet aan het ontwerpen, dan vloog hij ze. In juni las ze in de krant dat hij een prijs had gewonnen op de luchtvaartshow van Parijs. Ze was blij voor hem, maar zelf voelde ze zich ellendig en eenzaam. Ze was vijfentwintig en mooier dan ze zelf in de gaten had. Maar haar leven was saaier dan dat van haar moeder.

Ze had nooit afspraakjes. Wanneer iemand haar mee uit vroeg, zei ze dat ze het te druk had. Precies hetzelfde was gebeurd toen zijn vliegtuig neergehaald was. Ze had om hem getreurd en hem ontzaglijk gemist. Ze was zelfs niet naar Cape Cod gegaan, omdat ze wist dat het haar aan hem zou herinneren. Alles herinnerde haar aan hem. Praten, wonen, bewegen, ademen. Zelfs naar een restaurant gaan en eten. Koken. Het was absurd en dat wist ze, maar hij was deel van haar wezen geworden. Ze moest het laten slijten, dat was naar haar overtuiging het enige dat erop zat en dat kon wel een leven duren. Het kan, zei ze tegen zichzelf, maar ze wist absoluut niet of ze het kon. Iedere morgen werd ze wakker met het gevoel alsof er iemand gestorven was, en herinnerde ze zich vervolgens wie het was: ze was het zelf.

Kate woonde bijna een jaar in New York, toen ze op zekere dag bij de kruidenier stond om hondenvoer te kopen. Ze had net een pup gekregen om haar gezelschap te houden, iets waar ze zelfs om moest lachen omdat het zo sentimenteel was. Ze was de verschillende merken aan het vergelijken, toen ze opkeek en Andy zag. Ze was stomverbaasd. Ze had hem meer dan drie jaar niet gezien. Hij zag er heel volwassen en knap uit in zijn donkere pak en zijn Burberry-jas. Hij kwam net thuis van zijn werk en was kennelijk levensmiddelen aan het inslaan. Ze nam aan dat hij nu getrouwd was, hoewel ze het niet zeker wist. 'Hoe gaat het met jou, Kate?' vroeg hij met een brede glimlach. Hij had zich al lang geleden hersteld van de klap die ze hem had toegebracht, hoewel alleen al de gedachte eraan hem lange tijd pijn gedaan had en hij alle foto's van haar had weggegooid. Maar nu voelde hij zich uitstekend.

'Prima, en hoe is het jou vergaan?' Ze zei niet tegen hem dat ze hem gemist had. Goede vrienden waren schaars, en het was lange tijd geleden dat ze met iemand als hij had gesproken.

'Druk, druk, druk. Wat doe jij hier?' Hij leek blij haar te zien.

'Ik woon hier en werk bij de Metropolitan. Ik heb het reuze naar mijn zin.'

'Prettig te horen. Waar ik maar kom, lees ik momenteel over Joe. Wat een ongelooflijk bedrijf is dat, wat hij heeft opgericht. Zeg, hebben jullie al kinderen?' Ze moest lachen om zijn vraag. Die ging van een voor de hand liggende veronderstelling uit die niet alleen onjuist, maar ook achterhaald was.

'Nee, ik heb een hondje.' Ze wees op het hondendiner en besloot toen ter wille van hun oude vriendschap Andy's veronderstelling te corrigeren. 'Ik ben niet getrouwd.' Hij kon zijn oren niet geloven.

'Jij en Joe zijn niet getrouwd?'

'Nee, hij is met zijn vliegtuigen getrouwd. Voor hem was het de juiste beslissing.'

'Voor jou ook?' vroeg hij eerlijk. Hij was altijd rechtdoorzee tegen haar geweest. Dat was een van de dingen die ze in hem waardeerde. 'Hoe was het voor jou, zijn beslissing bedoel ik?'

'Niet zo geweldig. Ik ben bij hem weggegaan. Ik begin er zo langzamerhand aan te wennen. Het is nu ongeveer een jaar ge-

leden.' Om precies te zijn waren het veertien maanden, twee weken en drie dagen, maar ze vond dat ze hem de details moest besparen. 'En jij? Ben jij getrouwd of heb je kinderen?'
'Nee, maar wel veel vriendinnetjes. Dat is veiliger, weet je. Geen hartzeer.' Hij was nog geen steek veranderd. Kate moest lachen om zijn antwoord.
'Leuk voor je. Ik zal eens kijken of ik er nog een paar voor je kan vinden. Er werken massa's leuke meisjes in het museum.'
'Daar ben jij er een van. Je ziet er geweldig uit, Kate.' Ze had wat van haar haar af laten halen, voornamelijk omdat ze haar oude kapsel zat was. De opwindendste gebeurtenissen in haar leven waren tegenwoordig de manicure, de kapper en haar hond.
'Dank je.' Het was zo lang geleden dat ze langer dan vijf minuten met een man van haar leeftijd gesproken had, dat ze niet wist wat ze tegen hem moest zeggen.
'Zullen we een keer naar de film gaan?'
'Lijkt me leuk,' zei ze. Langzaam duwden ze hun winkelwagentjes naar de kassa. Hij had cornflakes en wat cola gekocht, zag ze. En hij droeg een fles Schotse whisky die hij zojuist bij de slijterij had gekocht. Vrijgezellenkost. 'Zou het niet verstandig zijn om er op zijn minst wat geroosterd brood en melk bij te nemen?' stelde ze voor. Hij grijnsde. Zij was ook niet veranderd. 'Of giet je gewoon de scotch over je cornflakes? Dat moet ik ook eens proberen.'
'Ik drink het puur, bij een kopje koffie.'
'Wat doe je met de soda?'
'Daar maak ik het tapijt mee schoon.'
Ze genoten van de scherts die hen herinnerde aan die goeie ouwe studententijd, en hij stond erop om haar hondenvoer af te rekenen. Hij was altijd gul voor haar geweest, en galant en vriendelijk.
'Werk je nog steeds voor je vader?' vroeg ze, terwijl ze de winkel uitliepen.
'Jazeker. Het is tamelijk goed uitgepakt. Hij geeft me al zijn echtscheidingszaken. Daar heeft hij de pest aan.'
'Leuk is dat! Nou goed, dat is mij in ieder geval bespaard gebleven.'

'Misschien is je wel meer ellende bespaard gebleven, Kate. Dat soort mannen is nooit gemakkelijk. Ze zijn te briljant, te creatief, te moeilijk. Je was zo verliefd op hem dat je het volgens mij niet zag.' Ze had het wel gezien en ze had het fantastisch gevonden. Hoeveel ze ook van Andy hield als vriend, toch had hij haar nooit opwindend genoeg geschenen. Joe was als een onbereikbare, stralende ster en daardoor misschien des te aantrekkelijker. Hém had ze altijd gewild.

'Je wilt toch niet zeggen dat ik uit moet kijken naar een duffeling?' Ze had lol van die opmerking, maar hij was doodernstig toen hij antwoordde.

'Misschien moet je alleen maar uitkijken naar iemand die menselijker is. Het was lastig om aan zijn eisen te voldoen of om iets net zo goed te doen als hij. Jij verdient beter.' Ze was Andy dankbaar voor zijn vriendelijke, geruststellende woorden. Het was zo'n fantastische, aardige man dat het haar verbaasde dat hij niet getrouwd was. 'Ik bel je nog,' zei hij, terwijl hun wegen zich scheidden. 'Hoe kom ik aan het nummer?'

'Ik sta in het telefoonboek, maar je kunt ook het museum bellen.'

Hij belde haar twee dagen later en nam haar mee naar de film. Daarna gingen ze schaatsen in Rockefeller Center. En ze gingen uit eten. Tegen de tijd dat ze naar huis ging om de kerst door te brengen, waren ze bijna drie weken onafscheidelijk geweest. Ze vertelde haar ouders niet dat ze hem gezien had, omdat ze niet haar moeder het hoofd op hol wilde brengen. Toch nam ze de telefoon op toen hij haar op kerstmorgen in Boston belde. En ze was blij zijn stem te horen. Het was bijna als vroeger, behalve dan dat ze hem nu prettiger vond. Hij was gezellig, ongedwongen en vriendelijk. Hij had niets van Joe's genialiteit, maar hij besteedde aandacht aan haar. Net zoals zij Joe niet had kunnen vergeten, zo had hij Kate nooit helemaal kunnen vergeten.

'Ik mis je,' zei hij, toen ze de telefoon opnam. 'Wanneer kom je terug?'

'Over een paar dagen,' antwoordde Kate vaag. Ze was teleurgesteld dat ze met de kerst niets van Joe gehoord had. Die moeite had hij toch wel kunnen nemen? Het was alsof hij haar totaal was vergeten, alsof ze nooit bestaan had. Ze had erover gedacht om hem te bellen, maar besloten dat het beter was van niet. Het zou haar alleen maar neerslachtig maken en haar herinneren aan alles wat ze hadden gehad en daarna waren kwijtgeraakt.

'Sinds wanneer zie je Andy weer?' vroeg haar moeder belangstellend toen ze ophing.

'Ik liep hem een paar weken geleden bij de kruidenier tegen het lijf.'

'Is hij getrouwd?'

'Nou en of. Hij heeft acht kinderen,' plaagde ze haar moeder.

'Ik heb altijd gevonden dat hij goed bij jou zou passen.'

'Ik weet het, mam. We zijn gewoon vrienden. Het is beter zo. Geen brokken aan beide kanten.' Drie jaar geleden had ze hem diep gekrenkt. Zelf was ze nog steeds gekwetst, en dat zou niet een, twee drie over zijn, vermoedde ze. Misschien was het wel voor eeuwig. Het was onmogelijk om Joe te vergeten. Daarvoor hadden ze samen te veel meegemaakt. Hij stond voor een derde van haar leven.

Twee dagen later keerde Kate naar New York terug. Ze was blij haar puppy weer te zien, die ze bij de buren had uitbesteed. Ze was nog niet binnen of Andy belde.

'Heb je soms radar?'

'Ik heb je laten schaduwen.' Hij vroeg haar of ze die avond zin had om naar de film te gaan. Dat had ze. En oudejaarsavond brachten ze samen door met het drinken van champagne in El Morocco. In Kates ogen was het heel betoverend en volwassen. Dat zei ze dan ook tegen Andy.

'Ik ben volwassen,' zei hij geamuseerd. Hij was heel werelds geworden en onwillekeurig vergeleek ze hem met Joe. Joe, die uitzonderlijk was en mooi, en af en toe onbeholpen. Ze had hem erom bemind. Andy was gepolijster, op een manier waar Joe totaal niet om gaf.

'Ik heb het volwassenwordingsproces overgeslagen,' vertrouwde Kate hem na haar derde glas champagne toe. 'Ik ben meteen een oude taart geworden. Soms voel ik me ouder dan mijn moeder.'

'Straks gaat het wel weer beter. De tijd heelt alle wonden,' zei hij filosofisch.

'Hoelang heb je erover gedaan om mij te vergeten?' vroeg Kate. Ze voelde zich lichtelijk aangeschoten, maar hij scheen het niet te merken.

'Een minuut of tien.' Het had twee jaar geduurd, maar dat zei hij haar niet. En hij hield haar nog steeds in zijn hart gesloten. Dat was ook de reden waarom hij oud en nieuw met haar vierde. Een stuk of wat vrouwen met wie hij omging waren er zeer verbolgen over. 'Had het langer moeten duren?'

'Ik denk van niet,' zei ze bedroefd. 'Dat zou ik niet verdiend hebben. Ik heb je slecht behandeld.' Ze was een beetje droefgeestig aan het worden van de champagne. En onwillekeurig bleef ze zich afvragen waar Joe was. Wat zou hij deze avond doen? Zou hij alleen zijn?

'Jij kon er ook niets aan doen, Kate,' zei Andy. Hij meende het. 'Hij was jouw grote liefde. Je was stapelgek op hem, en hij verrees uit de doden. Daar valt niet tegen op te boksen. Een geluk bij een ongeluk dat we nog niet getrouwd waren.'

'Dat zou een ramp geweest zijn,' zei ze huiverend.

'Precies. Dus ik denk dat we mazzel hadden. En jij moet hem voorgoed uit je hoofd zetten. Je moet het verwerken.'

'En als me dat niet lukt?' vroeg ze. Het klonk ongelukkig. Andy lachte naar haar.

'Het zal lukken. Behalve als je aan de drank raakt. Je bent dronken, Kate.'

'Nietes!' zei ze, terwijl ze verontwaardigd en een beetje wazig keek.

'Welles, maar je ziet er schattig uit zo. Misschien moesten we maar gaan dansen voor je zo helemaal onder tafel ligt.'

Het was een leuke avond geweest, maar de volgende dag had ze een enorme kater. Gelukkig bracht hij haar croissantjes, sinaasappelsap en aspirientjes. Kate droeg een donkere bril, terwijl ze het ontbijt voor hen klaarmaakte.

'Waarom heb je de cornflakes en whisky niet meegenomen? Dat zou beter geweest zijn,' zei ze somber met een houten hoofd.

Andy speelde wat met het hondje. 'Je bent een zuiplap aan het worden,' zei hij glimlachend.

'Dat hoort bij liefdesverdriet.' Ze liet de croissants veel te donker worden, morste sinaasappelsap en brak de dooiers toen ze

231

eieren voor hem bakte, maar hij at alles op en bedankte haar naderhand. 'Ik ben een verschrikkelijke kok,' bekende ze.

'Heeft hij je daarom verlaten?' Het was de eerste keer dat hij haar ernaar vroeg.

'Ik heb hem verlaten,' verbeterde ze hem, verborgen achter haar donkere glazen. 'Hij wilde niet met mij trouwen en wilde ook geen kinderen. Ik zei je toch dat hij met zijn vliegtuigen getrouwd is?'

'Hij is puissant rijk nu,' zei Andy vol bewondering. Er waren tal van zaken waar je Joe om moest bewonderen, zoals zijn vakmanschap, zijn genialiteit en zijn talent. Maar niet om zijn inzicht in de vrouw. Andy vond het knap stom van hem om niet met Kate te trouwen, maar hij was er ook blij mee.

Kate ging languit op de bank liggen en zette eindelijk haar donkere bril af. 'Waarom ben jij eigenlijk niet getrouwd?' vroeg ze.

'Geen idee. Te schijterig, te jong, te druk. Niemand die ik zag zitten. Sinds jou dan. Ik heb een tijdje wat scharreltjes gehad, ben een beetje uit de band gesprongen. Ik heb de tijd. En jij ook. Overhaast je niet. Ik zie te veel echtscheidingen op het advocatenkantoor.'

'Mijn moeder denkt daar heel anders over. Over het hebben van voldoende tijd, bedoel ik. Ze staat doodsangsten uit.'

'Dat zou ik ook doen als ik in haar schoenen stond. Jij bent niet makkelijk onder dak te brengen. Je moet gewoon niet voor je aanstaande koken. Dat merkt hij later wel. Ik was vergeten wat een armzalige kok je bent. Ik zou zelf het ontbijt wel gemaakt hebben als ik het me herinnerd had.'

'Hou op te jeremiëren. Alles is schoon op.'

'De volgende keer nemen we scotch en cornflakes.'

's Middags gingen ze wandelen in Central Park. Het was een tintelende winterdag en de grond was bedekt met een dun laagje sneeuw. Toen ze thuiskwamen, voelde Kate zich een stuk beter. Ze hadden het hondje meegenomen. Het scheen allemaal zo gemakkelijk en vanzelfsprekend. Hij was een prettige compagnon, net zoals vroeger. 's Avonds gingen ze naar de film. Ze brachten heel wat tijd met zijn tweetjes door. En ze voelde zich plotseling minder eenzaam. Het was geen intense liefde, het had meer iets weg van een heel mooie vriendschap.

De eerstvolgende zes weken zagen Kate en Andy elkaar vrij vaak. Ze genoten samen van etentjes, films, feestjes en vrienden. Hij kwam naar het museum om daar met haar te lunchen. Zaterdags gingen ze samen levensmiddelen kopen bij de kruidenier, en ook bij de andere boodschappen ging hij met haar mee. Het was prettig om iemand te hebben met wie je dingen kon doen. Kate realiseerde zich dat Joe daar, al die tijd dat ze samen waren, nooit tijd voor had. Hij had het te druk met het opbouwen van de zaak, hoewel ze het prachtig gevonden had om haar steentje bij te dragen. Maar het was hartstikke leuk om bij Andy te zijn. Hij had meer tijd voor haar en hij genoot van hun samenzijn.

Op Valentijnsdag verscheen hij in haar flat met in zijn armen een boeket van vierentwintig rode rozen en een enorme hartvormige doos bonbons.

'Mijn hemel, waar heb ik dat aan verdiend?' vroeg Kate met een brede glimlach. Ze had Joe de hele dag gemist en zichzelf voorgehouden dat ze hem definitief moest vergeten. Zelfs na zoveel tijd scheen het haar een onoverkomelijke opgave toe. Het wilde er bij Kate niet in dat iemand van wie ze zó lang zó veel gehouden had, helemaal in staat was om zonder haar verder te leven. Dat ze niet bij machte geweest waren om de problemen op te lossen en samen te blijven. Dat kon niet, dat mocht niet. Ze waren ieder in hun eigen angsten verstrikt geraakt. Het was deprimerend om te beseffen dat het sprookje geen happy end had. Het was een droevig einde. Zo kon het leven toch niet bedoeld zijn?

'Wat maakt jou zo somber?' Hij kon het in haar ogen zien. Het was niet mogelijk om het voor hem te verbergen.

'Zelfmedelijden.'

'Hè, wat vervelend nou. Neem een chocolaatje of eet de bloemen op, als je daar meer zin in hebt. Vooruit, kleed je om. Ik neem je mee uit eten.'

'Hoe moet dat dan met al je vriendinnetjes?' Door beslag op hem te leggen voelde ze zich schuldig. Haar hart behoorde immers nog steeds aan Joe. Het was niet eerlijk tegenover Andy. Maar ze genoot ook van hun samenzijn, meer dan ze zichzelf toegaf. De laatste tijd was ze niet meer zo triest. Hij deed haar goed.

'Mijn andere vriendinnetjes eten mee. Je zult ze alleraardigst vinden. Alle veertien.'

'Waar gaan we heen?'

'Dat is een verrassing, let maar op. Trek iets leuks aan. En word ditmaal alsjeblieft niet dronken.'

'Dat was oudejaarsavond, oen. Bovendien heb ik er recht op.'

'Nee, dat heb je niet. De termijn dat je er recht op hebt loopt af. Trouwens, hij houdt meer van zijn vliegtuigen dan van jou. Knoop dat in je oren.'

'Ik probeer het.' De werkelijkheid wilde dat Kate de laatste tijd veel over Joe had zitten piekeren. Van veel dingen was ze niet zo zeker meer, en ze vroeg zich af of ze wel de juiste beslissing genomen had. Misschien gaf het niet dat hij het meest van zijn vliegtuigen hield. Misschien was het wel niet belangrijk of hij met haar trouwde, of dat ze kinderen kregen. Misschien was het het offer wel waard, geen kinderen te krijgen en alleen maar bij hem te zijn. Maar ze zei het niet tegen Andy. Bovendien wist ze het niet zeker.

Hij wachtte op haar, terwijl ze zich verkleedde. Beneden stond een tweewielig huurrijtuig te wachten toen ze haar flat verlieten. Kate werd er door van haar stuk gebracht. Het zag er hoogst romantisch uit. En het paard klepperde voort, terwijl ze naar het restaurant reden en voorbijgangers en taxichauffeurs glimlachten naar hen. Ze voelde zich behaaglijk en warm onder de zware deken in het gesloten rijtuig.

Het rijtuig sloeg Fifty-second Street in en zette hen af bij de Twenty One Club. Kate glimlachte naar hem.

'Je verwent me.'

'Daar heb je recht op,' zei hij, terwijl ze het restaurant binnenliepen. Kate was verbaasd om te zien hoe bij het binnenkomen verscheidene hoofden hun kant opdraaiden. Ze vormden een prachtig paar. Een paar ogenblikken later werden ze naar een rustige hoektafel op de bovenverdieping geleid.

Het was een schitterende avond en een verrukkelijke maaltijd, en ze waren rustig aan het praten toen het dessert kwam. Hij had een miniatuurcakeje voor haar besteld en toen ze er met haar vork in prikte, voelde ze iets hards. Ze verwijderde met haar vork de cake en zag dat het een doosje van de juwelier was.

'Wat is dat?' vroeg ze, aan verwarring ten prooi.

'Je kunt het beter openmaken en kijken. Misschien zit er iets goeds in. Mij lijkt het behoorlijk goed.' Plotseling voelde Kate hoe haar hart tekeerging. Toen ze naar hem opkeek, was er een glimlach op Andy's gezicht. Zachtjes zei hij: 'Het is in orde, Kate. Wees niet bang... Alles zal goed komen, je zult het zien.'

'Maar als dat nu eens niet zo is?' Ze wist wat hij aan het doen was, en het beangstigde haar. Joe had haar heel diep gekwetst en zij had Andy gekwetst. Ze wilde dat niet nog een keer laten gebeuren, of een vergissing maken waar ze beiden spijt van zouden krijgen.

'Het is zo. Wij zorgen gewoon dat het goed komt. Het is onze taak om dat te doen, het gaat niet vanzelf.' Dit was precies wat ze steeds had gewild, zij het met iemand anders. Maar misschien werkte het op die manier. Misschien werd in het leven slechts de halve wens verhoord en niet de hele. Ze geloofde niet meer in een happy end. En Andy zorgde altijd nog voor een gelukkiger einde dan in heel veel andere verhalen.

Heel voorzichtig opende ze het doosje en likte daarna de cake van haar vingers. Bij het openen had ze gezien hoe een diamanten ring haar tegemoet fonkelde. Het was een verlovingsring van Tiffany, en Andy schoof hem om haar vinger. 'Wil je met me trouwen, Kate? Ik laat je deze keer niet weglopen. Ik denk dat dit het beste voor ons beiden is... En tussen twee haakjes, ik hou van je.'

'Tussen twee haakjes?' zei ze. 'Wat voor soort huwelijksaanzoek is dit?'

'Het is een echt aanzoek. Laten we het doen. Ik weet dat we gelukkig zullen worden.'

'Mijn moeder heeft altijd beweerd dat jij de ware was.'

'Mijn moeder zei dat je een kreng was, toen je me liet vallen.' Hij lachte en vervolgens kuste hij haar. En zij kuste hem, en het ging haar beter af dan vroeger. Terwijl ze het aanzoek in overweging nam, besefte Kate dat ze van hem hield. Niet zoals ze van Joe gehouden had. Zo'n liefde was eenmalig. Dit was anders. Het was gezellig, ongedwongen en plezierig. Ze zouden hun leven lang goede reisgenoten zijn. Misschien kon je gewoon niet alles hebben in het leven: én grote liefde, én hartstocht, én dromen. Misschien was je op den duur beter af met een bescheiden liefde zonder dromen. Dat was in ieder geval wat ze tegen zichzelf zei toen ze hem kuste.

'Jouw moeder had gelijk. Met wat ze over mij zei, bedoel ik. Ik ben afschuwelijk tegen je geweest en het spijt me zo.'

'Dat moet óók. Ik ben van plan om je er de rest van je leven voor te laten boeten. Ik heb een geweldige tijd van je te goed.'

'Beloofd. Ik zal altijd scotch over je cornflakes gieten. Iedere morgen weer.'

'Ik zal het nodig hebben, als jij het ontbijt klaarmaakt. Zeg, betekent dit, dat je met me wilt trouwen?' Hij had een hoopvolle en gelukkige blik in zijn ogen.

'Ik moet wel,' zei ze verstandig. 'Ik ben verliefd op deze ring en ik vrees dat het de enige manier is om hem te mogen houden.' De ring stond haar fantastisch.

Glimlachend kuste hij haar. 'Ik hou van je Kate. Ik zeg het niet graag, maar ik ben blij dat het met Joe niet ging,' zei hij eerlijk. Kate voelde een vlijmende pijn in haar hart. Zij was niet blij, maar ze moest er mee leren leven en misschien kon Andy haar daarbij helpen. Ze hoopte het.

'Ik hou ook van jou,' fluisterde ze. Daarna keek ze hem grinnikend aan. 'Wanneer trouwen we?'

'In juni,' zei hij op besliste toon. Kate lachte en sloeg haar armen om hem heen. Ze was gelukkig en ze wist dat ze de juiste beslissing genomen had. Of beter gezegd, door hem had laten nemen.

'Wacht maar tot ik het mijn moeder vertel!' zei ze lachend.

Andy liet zijn ogen rollen. 'Wacht maar tot ik het die van mij vertel!'

14

De dag na Andy's aanzoek belde Kate haar ouders.
Die waren dolenthousiast, zoals te voorzien was. Elizabeth was
opgetogen en vroeg haar uit over hun trouwplannen, en haar
geluk nam nog toe toen Kate haar vertelde dat de bruiloft in
juni zou zijn. Haar diepste wens werd vervuld. Eindelijk.
De vier maanden die erop volgden hadden Kate en haar moeder het razend druk met het tot in de puntjes organiseren van
de bruiloft. Kate wilde slechts drie bruidsmeisjes. Diana en Beverly uit haar studententijd, en een oude schoolvriendin. Ze koos
prachtige lichtblauwe toiletten van organza uit. Haar moeder
kwam naar New York om haar te helpen bij het uitzoeken van
de bruidsjurk. Die was elegant en eenvoudig. Hij stond Kate
geweldig. Haar moeder moest huilen toen Kate hem voor het
eerst paste, zoals ook haar vader deed toen zij aan zijn arm het
middenpad van de kerk af liep.
Vier maanden lang werden er allerlei feestjes gegeven, de meeste door vrienden van Andy's ouders in New York, en in mei
was er nog een aantal feestelijke gebeurtenissen in Boston. Het
waren feestjes waarbij geschenken werden aangeboden aan de
toekomstige bruid, lunches en dineetjes. Nooit eerder in haar
leven was er zoveel opwindends gebeurd. Ze hadden besloten
om op huwelijksreis naar Parijs en Venetië te gaan. Het was allemaal buitengewoon romantisch, en voortdurend hield ze zichzelf voor wat een geluksvogel ze was.
In het verborgene hoopte ze dat ze iets van Joe zou horen nu
haar verloving bekendgemaakt was, alsof hij zou voelen wat er
stond te gebeuren; hoopte ze dat hij zou terugkeren en haar op
zou eisen. Maar ze had genoeg realiteitszin om te weten dat hij
niet echt zou bellen. Ze besefte dat dat waarschijnlijk maar goed
was ook. Het horen van zijn stem zou haar in het hart geraakt

hebben. Ze deed haar best om niet te veel aan hem te denken, maar 's avonds laat en 's morgens als ze in bed lag, sloop hij haar geest binnen en nestelde zich in haar gedachten. Die momenten van de dag waren hun het dierbaarst geweest. Wat ze ook deed, hij was altijd op de achtergrond aanwezig en ze had hartzeer zodra ze aan hem dacht. Voortdurend vroeg ze zich of ze wel de juiste beslissing genomen had, of ze huwelijk en kinderen niet had moeten opgeven om maar bij hem te zijn. Ze hield nog steeds van hem, zoals ze altijd gedaan had – daar zat hem de kneep. Maar ze bleef zichzelf voorhouden dat het goed was wat ze nu deed. Het enige waar hij zich om bekommerde waren immers zijn vliegtuigen? Nooit vertelde ze Andy, of wie ook, hoe vaak ze nog steeds aan Joe dacht.

De bruiloft was grandioos en Kate zag eruit als een plaatje. In haar lange satijnen bruidsjapon leek ze op Rita Hayworth. Vanachter had ze een lange elegante kanten sleep. Ze ging volledig gesluierd, en toen ze het altaar bereikten en Andy in haar ogen keek, zag hij een mengeling van tederheid en droefenis die hem tot in het diepst van zijn ziel ontroerde.

'Alles zal goed komen, Kate... Ik hou van je...' fluisterde hij, terwijl zich in haar ooghoeken twee kleine tranen vormden. Ze had het niemand kunnen vertellen, en ze wist dat het verkeerd was, maar de hele morgen had ze naar Joe verlangd. Ze had het gevoel alsof ze haar vertrek weer helemaal opnieuw beleefde. Maar ze wist dat Andy en zij een goed leven tegemoet gingen. Het was een aardige man en ze hielden van elkaar. Niet hartstochtelijk, maar teder en begripvol. Wat ze ook nog voor Joe Allbright mocht voelen, ze wist dat haar keus voor Andy juist was en dat ze haar best zou doen om het huwelijk voor beiden tot een succes te maken.

De receptie was in het Plaza Hotel en ze brachten de nacht door in een schitterende suite die uitkeek over Central Park. De suite was prachtig en romantisch. Beiden waren bekaf na de bruiloft, en pas de volgende morgen bedreven ze de liefde. Andy wilde het niet forceren, ze hadden alle tijd van de wereld. Ze waren voor hun trouwen nog nooit met elkaar naar bed geweest, en hij had haar niet willen vragen of ze nog maagd was. Hij had nooit de bijzonderheden willen weten over haar jarenlange omgang met Joe. Kate van haar kant liet niets los. Ze voelde niet de noodzaak om er met haar man over te spreken, en hij vroeg zich af of het al dan niet een pijnlijk onderwerp voor haar was. Maar ze genoten van het liefdesspel. Kate maakte een argeloze, verlegen en wat voorzichtige indruk, die hij toeschreef aan een gebrek aan ervaring. In werkelijkheid kwam het doordat het Kate vreemd toescheen om met hem in bed te liggen, nadat ze altijd vrienden waren geweest. Maar na een tijdje en met een beetje goede wil voelde ze zich verrassend op haar gemak bij hem. Hij was vriendelijk, speels en teder, en smoorverliefd. Die morgen, tegen de tijd dat ze naar het vliegveld vertrokken, wekten ze meer de indruk oude vrienden te zijn dan jonge minnaars. Maar het feit dat ze zich bij hem op haar gemak voelde, betekende heel veel voor Kate. Wat zij deelden had niets van de pijn of de passie of het vuur van wat zij met Joe deelde. Dit was ongedwongen, vriendelijk en plezierig. Haar vertrouwen in Andy was onvoorwaardelijk, en haar hart liep bij hem veel minder gevaar dan het bij Joe gedaan had.

Toen Kate Andy haar jawoord had gegeven, vermoedde haar moeder al dat ze niet met hart en ziel op hem verliefd was. Elizabeth maakte zich daar hoegenaamd niet druk over. Zoiets had ze ook tegen Kate gezegd bij een van de passessies bij de coupeuse. Ze had haar dochter verteld dat een hartstochtelijke liefde, zoals die voor Joe, iets gevaarlijks was. Als je zo'n liefde toeliet, nam die bezit van je en ging ze je leven beheersen. Ze zou veel beter af zijn als ze met haar beste vriend trouwde, verzekerde haar moeder haar. En dat was Andy.

Haar huwelijksreis had alles wat zo'n reis moet hebben. Ze hadden romantische dineetjes bij Maxim en in de bistrootjes op de linkeroever van de Seine, verkenden het Louvre, winkelden veelvuldig en maakten lange wandelingen langs de Seine. Het was een volmaakte tijd, het volmaakte seizoen, het weer was warm en zonnig en Kate besefte dat ze nog nooit in haar leven zo gelukkig geweest was. En Andy bewees een teder en ervaren minnaar te zijn. Tegen de tijd dat ze in Venetië aankwamen, had ze het gevoel alsof ze al jaren getrouwd waren. Hij vermoedde nu dat ze geen maagd meer geweest was, maar hij vroeg haar er nooit naar. Hij wilde het liever niet weten en hij hield er niet van om haar te herinneren aan Joe. Gevoelsmatig wist hij dat het nog steeds een pijnlijk onderwerp was, en hij had de indruk dat dat nog lang zo zou blijven. Maar ze was niet langer van Joe. Ze was de zijne nu.

Venetië was nog romantischer dan Parijs, als dat al mogelijk was. Het eten was verrukkelijk. Ze voeren rond in de gondel die Andy gehuurd had en bekeken de bezienswaardigheden, en ze kusten elkaar geluk toe toen ze onder de Brug der Zuchten doorgingen.

Ze gingen weer naar Parijs om er de nacht door te brengen en vlogen de volgende dag terug naar New York. Hun huwelijksreis had drie weken geduurd en was grandioos geweest. Ze kwamen gelukkig, uitgerust en verknocht aan elkaar thuis. Een lange toekomst vol geluk lachte hun toe.

De dag na hun terugkomst uit Parijs moest Andy weer aan het werk. Kate stond op om het ontbijt voor hem klaar te maken. Hij douchte, schoor zich en kleedde zich aan, en toen hij de keuken binnenliep stonden er een kom cornflakes en een fles scotch op tafel.

'Lieveling, je hebt het onthouden!' zei hij, terwijl hij zijn armen op filmsterachtige wijze om haar heen sloeg. Daarna vermaalde hij onder veel gekraak een mondvol cornflakes en spoelde die weg met een teug scotch. Hij was een fidele en aardige vent en hij had een goed en grappig gevoel voor humor. En wat het meest telde: hij hield van haar. 'Mijn vader zal denken dat je me hebt veranderd in een drankorgel als ik met een kegel op mijn werk verschijn. We hebben de hele dag vergaderingen.'

Hij ging naar zijn werk, zij bleef thuis om de flat op te ruimen. Een maand voor de bruiloft had ze haar baan bij het museum opgezegd. Andy wilde niet dat ze werkte, en in die tijd had ze genoeg om handen. Maar nu had ze helemaal niets om zich mee bezig te houden totdat hij laat in de middag van kantoor thuiskwam. En wanneer hij thuiskwam was ze zo dol van verveling dat ze hem het bed in sleurde en vervolgens voorstelde om uit eten te gaan, zelfs wanneer Andy moe was. Ze wist niet wat ze zo'n hele dag met zichzelf aan moest vangen. Ze sprak er met hem over dat ze weer aan het werk wilde gaan, dat ze niet wist hoe ze zichzelf bezig moest houden. Het huwelijksleven liet haar te veel vrije tijd.

'Ga winkelen of naar het museum, maak plezier, ga lunchen met je vriendinnen,' zei hij, maar al haar vrienden waren of aan het werk, of ze zaten in de voorsteden met hun kroost. Ze voelde zich een buitenbeentje.

Ze hadden het gehad over een grotere flat, maar zij beiden vonden die van Andy heel plezierig. Voorlopig was hij goed genoeg. Hij had twee slaapkamers, en zelfs als ze een baby kregen, zou er voor allen voldoende plaats zijn.

Drie weken na hun terugkomst uit Europa glimlachte Kate stil verlegen naar hem tijdens het avondeten en zei Andy dat ze nieuws voor hem had. Hij veronderstelde dat ze die dag iets leuks gedaan had, of haar moeder of een van haar vriendinnen had gesproken. Hij was dan ook verbaasd toen ze hem vertelde dat ze er zeker van was zwanger te zijn. Ze waren nog maar zes weken getrouwd en ze dacht dat het misschien de dag na hun bruiloft gebeurd was, de eerste keer dat ze vrijden.

'Ben je al bij de dokter geweest?' Hij leek zowel ontroerd als bezorgd, ruimde de tafel voor haar af, stond erop dat ze het kalm aan deed en vroeg of ze zich ook misselijk voelde of even wilde gaan liggen.

Kate lachte. 'Nee, ik ben nog niet bij de dokter geweest, maar ik ben er zeker van.' Ze had zich eerder zo gevoeld, bij Joe's baby vijf jaar geleden, maar dat kon en wilde ze Andy niet vertellen. 'In 's hemelsnaam, Andy, het is geen terminale ziekte. Ik voel me prima.'

Die avond sliep hij met haar en hij vrijde heel omzichtig, bang als hij was om iets te doen wat de baby of haar zou kunnen schaden. Verder drong hij er bij haar op aan om zo gauw mogelijk een dokter te raadplegen, en was hij teleurgesteld toen ze niet wilde dat hij het nu al aan hun ouders vertelde.

'Waarom niet, Kate?' Hij wilde het wel van de daken schreeuwen, en dat vond ze vertederend. Hij was nog enthousiaster dan zij! En zij was ook blij. Ze wilde een baby. Het was een van de redenen waarom ze Joe uiteindelijk verlaten had, en dit zou de band tussen Andy en haar verstevigen. Dit was waar ze naar verlangd had: een echt huwelijksleven. Want ondanks alle geluk en alle liefde die ze voelde, was er tegelijkertijd die lege plek in haar die ze nooit helemaal kon vullen, hoe ze ook haar best deed. Ze wist wat het was, maar niet hoe ze het moest genezen. Het was Joe. Ze kon nu alleen maar hopen dat de baby het onmetelijk diepe gat zou opvullen dat Joe in haar had achtergelaten.

'Stel dat ik het verlies,' was haar verstandige antwoord op de vraag van haar echtgenoot. 'Het zou afschuwelijk zijn als iedereen dan al op de hoogte was.'

'Hoe kom je daar zo bij?' zei hij met een peinzende blik in zijn ogen. 'Heb je het gevoel dat er iets niet goed zit?' Die mogelijkheid was zelfs niet bij hem opgekomen.

'Natuurlijk niet,' zei ze stralend. 'Ik wil er alleen maar zeker van zijn dat alles goed is. In de eerste drie maanden is er altijd een kans op een miskraam, zeggen ze.' Vooral als je aangereden werd door een jongen op een fiets. Dat je de eerste drie maanden een grotere kans op een miskraam had, was nieuw voor Andy.

Een paar dagen later ging Kate naar de dokter. Die zei haar dat alles in orde was. Ze vertelde hem in vertrouwen over de miskraam die ze vijf jaar terug had gehad. Het feit dat het niet medisch onderzocht was baarde hem wel wat zorgen, maar hij had het idee dat het een incidentele gebeurtenis was en niet toegeschreven kon worden aan een zwakke plek in haar constitutie. Het was het gevolg geweest van het ongeluk. Hij drukte haar op het hart om verstandig te zijn, rust te nemen, goed te eten en zich verre te houden van dwaasheden zoals paardrijden of touwtjespringen, iets waarom ze moest lachen. Hij stuurde haar naar huis met wat vitaminepreparaten en een folder met een aantal geschreven instructies voor haar en haar echtgenoot. Over een maand moest ze terugkomen. De baby werd begin maart verwacht.

Op de terugweg naar hun flat kuierde ze langs de rand van Central Park en bedacht wat een bofkont ze was. Ze was gelukkig, werd bemind, had een geweldige echtgenoot en ze was in verwachting. Al haar dromen waren werkelijkheid geworden. Ze was er nu definitief zeker van dat ze de juiste beslissing genomen had toen ze met Andy trouwde. Zij beiden hadden een prachtig leven voor zich.

Ze vertelden het haar ouders ten slotte toen ze eind augustus een week bij hen gingen logeren in Cape Cod. Haar moeder was buiten zichzelf van opwinding en haar vader was blij voor hen.

'Ik zei je toch dat hij een prima man voor haar zou zijn?' zei een stralende Elizabeth tegen haar man nadat Kate en Andy weer vertrokken waren naar New York.

'Hoezo? Omdat hij haar zwanger gemaakt heeft soms?' plaagde Clarke haar. Hij was dol op Joe geweest, maar hij was het met haar eens. Andy was de juiste man voor Kate, en hij was blij voor hen.

'Nee, omdat het een goede man is. En het hebben van een baby zal haar veel goeds brengen. Het zal haar rust en stabiliteit schenken, en de band met hem verstevigen.'

'En haar een massa werk bezorgen!' zei Clarke lachend. Maar ze had niets anders te doen. Ze was toe aan een gezin. Zesentwintig was ze nu, en dat was zeker oud genoeg. De meeste van haar vriendinnen waren jonger geweest toen ze hun eerste kind kregen. Het merendeel van haar studiegenoten had al twee of drie kinderen. Meteen na de oorlog was er een golf aan huwelijken geweest en al deze jonge mensen kregen ieder jaar een baby, als om de verloren tijd in te halen. Vergeleken met hen en met degenen die voor de oorlog getrouwd waren, had Kate een late start.

De hele periode van haar zwangerschap voelde Kate zich prima. Volgens Andy leek ze tegen de kerst wel een ballon. Ze was bijna zeven maanden zwanger en ze vond zichzelf kolossaal. Ogenschijnlijk was ze alleen maar daar aangekomen waar de baby zat, de rest zag er bevallig en slank uit. Iedere dag maakte ze lange wandelingen. Ze sliep veel, at goed en blaakte van gezondheid. Alleen op oudejaarsavond was er even paniek. Ze waren met vrienden gaan dansen in El Morocco – ze leidden nu een druk sociaal leven, meestal met vrienden van Andy, of met mensen die hij via zijn werk ontmoette – en toen ze 's morgens om twee uur thuiskwamen, begon ze weeën te krijgen. Ze voelde zich schuldig omdat ze zoveel gedanst had en een aantal glazen champagne had gedronken. Andy belde de dokter, die hen sommeerde meteen naar het ziekenhuis te komen. Hij onderzocht haar en zei dat hij haar de rest van de nacht in het ziekenhuis wilde houden, voor het geval dat de weeën zouden doorzetten. Kate leek overstuur en Andy zei dat hij de nacht aan haar zijde wilde doorbrengen. Een van de zusters zette een veldbed voor hem op naast haar bed.

'Hoe voel je je, Kate?' vroeg hij, toen ze daar lagen, zij in haar comfortabele ziekenhuisbed en hij op het smalle veldbed daarnaast.

'Ik ben bang,' zei ze eerlijk. 'Hoe moet het als de baby te vroeg geboren wordt?'

'Dat gebeurt niet. Volgens mij heb je gewoon wat te veel van jezelf gevergd. Ik denk dat het die laatste mambo was.' Ze schaterde het uit en hij grinnikte.

'Die was te gek.' Ze hadden altijd lol samen, en hij was zo aardig tegen haar.

'Blijkbaar dacht de baby daar anders over. Of misschien vond die het ook leuk.'

'En als het misgaat en we de baby verliezen, wat dan?' Ze ging op haar zij liggen om naar hem te kijken. Andy stak zijn hand uit, pakte haar hand en hield die in de zijne.

'Als je nou eens even ophield met je zorgen te maken? Lijkt je dat geen goed idee?' En toen vroeg hij haar iets waar ze niet op voorbereid was. Hij had het zich al een tijdje afgevraagd. 'Waarom ben je eigenlijk zo bang om de baby te verliezen?' Hun blikken kruisten elkaar. Zijn ogen hadden de kleur van gesmolten chocolade, zijn haar zat in de war. Hij zag er heel knap uit zoals hij daar lag op zijn veldbed en omhoog keek naar haar.

'Ik denk dat iedereen zich daar zorgen over maakt,' zei ze. Ze keek van hem weg.

'Kate?'

Er volgde een lange stilte. 'Ja?'

'Ben je al eens eerder zwanger geweest?' Het was een vraag waar ze geen antwoord op wilde geven, maar ze wilde ook niet liegen tegen hem.

De stilte duurde dit keer nog langer. 'Ja.' Bedroefd staarde ze naar het gezicht beneden haar. Ze was bang dat ze hem gekwetst had en dat wilde ze niet.

'Dat vermoedde ik al.' Klaarblijkelijk maakte het nieuws hem niet van streek. 'Wat is er toen gebeurd?'

'Ik werd vlak bij de universiteit aangereden door een fiets en kreeg een miskraam,' zei ze slechts. In haar ogen was een verdrietige blik.

'Ik kan me dat nog herinneren. Dat fietsongeluk, bedoel ik,' zei hij peinzend. 'Je had een hersenschudding. Hoeveel maanden was je heen?'

'Ongeveer tweeënhalve maand. Ik had besloten dat ik het wilde houden. Zolang ik zwanger was heb ik er tegen Joe of tegen mijn ouders met geen woord van gerept. Ik heb het Joe veel later verteld, toen hij met verlof thuis was.'

'Je ouders zouden het schitterend gevonden hebben,' zei hij, terwijl hij naar haar keek. Maar het maakte niet uit, behalve dan dat hij medelijden met haar voelde om alle leed dat ze had moeten doormaken. Maar ze was nu de zijne, en terwijl ze op haar ziekenhuisbed met hem aan het praten was, moest hij lachen om de aanblik van haar reusachtige buik. 'Deze keer gaat alles goed, Kate. Je zult het zien. We zullen een prachtige baby krijgen.' Hij richtte zich een eindje op en kuste haar toen hij die woorden sprak. Ze werd er opnieuw aan herinnerd wat een geluksvogel ze was met zo'n man. Ze verbood zichzelf om aan Joe te denken. Misschien zou het nu voorgoed voorbij zijn, misschien kon ze eindelijk los van hem komen.

Hand in hand verlieten ze de volgende dag het ziekenhuis. De rest van de week bracht Kate door met rusten. Daarna voelde ze zich prima en had ze geen weeën meer, totdat ze hem op een zondag vroeg in de ochtend wakker maakte. Ze had twee uur lang de tussenpozen van haar weeën opgemeten, terwijl hij naast haar sliep. En ten slotte stootte ze hem zachtjes aan.

'Huh... Wat?... Is het al tijd voor scotch en cornflakes?'

'Beter nog,' zei Kate glimlachend en volmaakt kalm. 'Tijd voor de baby.'

'Nu?' Met een schok kwam hij overeind. Hij zag er verschrikt uit en ze moest om hem lachen. 'Moet ik me aankleden?'

'Ik denk dat je voor gek loopt als je zó naar het ziekenhuis gaat.

Maar schattig is het wel.' Hij sliep zonder pyjama.

'Oké, oké, Ik zal me haasten. Heb je de dokter gebeld?'

'Nog niet.' Kate glimlachte naar hem, terwijl hij door de kamer banjerde, kleren pakte en die vervolgens weer liet vallen. Ze zag eruit als de Mona Lisa. En hij zag er nerveus en gedesoriënteerd uit, maar heel lief.

Een halfuur later had ze zich gedoucht en aangekleed en zat haar haar in model. Hij zag er verfomfaaid uit, maar was heel voorkomend. Hij had een arm om haar heen geslagen en droeg haar koffer. In het ziekenhuis zei de opnamezuster dat het opschoot. Zodra ze dat gezegd had, stuurden ze Andy naar de wachtkamer, waar hij met de andere aanstaande vaders kon roken.

'Hoelang gaat het duren?' vroeg hij zenuwachtig aan de zuster toen hij Kate verliet.

'Dat duurt wel even, Mr. Scott,' zei ze. Ze sloot de deur gedecideerd achter hem en keerde naar haar patiënte terug. Kate begon zich ongemakkelijk te voelen en wilde Andy bij zich hebben, maar dat was tegen de ziekenhuisregels. Op dat moment was ze voor de eerste keer bang.

Drie uur later had ze nog steeds een vorderende ontsluiting, maar snel ging het niet; Andy was op van de zenuwen vanwege het wachten. Om negen uur was ze in het ziekenhuis opgenomen en tegen twaalf uur had hij nog niets gehoord. En iedere keer wanneer hij informeerde, poeierden ze hem af. Het leek een eeuwigheid te duren voor de baby kwam.

Om vier uur brachten ze haar naar de verloskamer. Vanuit verloskundig standpunt bezien was dat precies volgens schema, maar tegen die tijd voelde Kate zich ellendig en jammerde ze aan één stuk door. Haar enige wens was dat Andy bij haar was. Hij had tot dan toe nog niets gegeten, en hij had de andere vaders zien komen en gaan. Sommigen van hen zaten er langer dan hij. Het ging maar door, en zijn enige wens was om bij haar te zijn. De bevalling leek wel een eeuwigheid in beslag te nemen en hij hoopte dat het voor haar gladjes verliep. De werkelijkheid was anders. De baby die op komst was, was groot en het ging langzaam. Er scheen voor beiden geen eind aan te komen.

Om zeven uur overwogen de artsen een keizersnede, maar uiteindelijk besloten ze nog even door te gaan met de normale procedure. En twee uur later aanschouwde Reed Clarke Scott, vernoemd naar hun beide vaders, eindelijk het levenslicht. Hij woog ruim negen pond en had een dikke bos donker haar, net zoals zijn vader, maar Andy vond dat hij op Kate leek. Hij had nooit iets mooiers gezien dan Kate, zoals ze daar na afloop van de bevalling lag in een roze bedjasje, de haren gekamd en met hun slapende baby in haar armen.

'Hij is zo volmaakt,' fluisterde Andy. De twaalf zorgelijke uren in de wachtkamer hadden hem bijna tot waanzin gedreven. Maar zij zag er buitengewoon kalm en gelukkig uit, terwijl ze Andy's hand vasthield. Ze was moe, maar maakte een voldane en vredige indruk. Haar dromen waren eindelijk uitgekomen. Haar moeder had gelijk gehad. Ze had de juiste beslissing genomen. Nu was ze er zeker van.

Kate en haar baby bleven vijf dagen in het ziekenhuis. Daarna nam Andy hen mee naar huis. Er zou vier weken lang een verpleegster zijn. Hij had bloemen voor haar gekocht, die hij overal in huis had neergezet. Terwijl zij het zich in bed gemakkelijk maakte, hield hij de baby vast. De dokter wilde dat ze drie weken bedrust nam, de standaard voor moeders die net een bevalling achter de rug hebben. Ze hadden een mandenwieg naast hun bed gezet waarin de baby sliep. Telkens wanneer hij wakker werd, gaf ze hem de borst, terwijl Andy geboeid toekeek.

'Je ziet er zo mooi uit, Kate.' Hij vond nog steeds dat beiden de moeite van het wachten waard geweest waren. Hij was van mening dat alles goed was zoals het was. En de baby bracht hem totaal in verrukking. Hij was roze, rond en gaaf.

Kate was zevenentwintig toen Reed geboren werd. Ze was een stuk ouder dan de meeste van haar vriendinnen toen ze haar eerste baby kreeg, maar ze was er klaar voor. Ze was kalm en evenwichtig. Een prachtmoeder was ze voor hem. Ze vond het heerlijk om hem de borst te geven. Ze had het gevoel alsof ze een heel leven had gewacht op deze periode in haar leven en ze genoot er volop van, en haar echtgenoot ook. Nooit in hun leven waren ze zo gelukkig geweest.

15

Reed was tweeënhalve maand oud toen Andy op een avond in mei opgewonden van zijn werk kwam. Hij was benoemd om zitting te nemen in een commissie die naar Duitsland zou gaan om bij de lopende Neurenbergse processen getuigen te horen. Ze waren al een behoorlijke tijd aan de gang, en advocaten met verschillende specialisaties werden elk voor verscheidene maanden aangeworven. Andy had op het advocatenkantoor van zijn vader op een aantal terreinen juridische ervaring opgedaan, en het feit dat hij nu gevraagd werd om te participeren in de processen tegen oorlogsmisdadigers was een enorme eer voor hem.

'Kan ik mee?' Kate was opgewonden. Het klonk als een interessante uitdaging en ze wilde erbij zijn om hem te zien werken. 'Ik denk het niet, lieveling. We zullen ingekwartierd worden in militaire barakken. De accommodatie is Spartaans, maar het werk zal fantastisch zijn.' Hij stond te popelen om te gaan, hoewel hij het afschuwelijk vond om haar en Reed alleen te laten.

'Hoelang blijf je daar?' Het kwam haar voor dat het niet om een tweedaags verblijf zou gaan, misschien zelfs niet om een verblijf van twee weken.

'Daar zit de moeilijkheid,' zei Andy op verontschuldigende toon. Hij had het zorgvuldig overdacht voordat hij de opdracht aannam. Ze hadden ter plekke willen weten of hij het zou doen, maar hij was er zeker van geweest dat Kate zou willen dat hij deel uitmaakte van zoiets uitzonderlijks. Het was een kans die hij wel gewild, maar nooit verwacht had. 'Ik moet daar drie tot vier maanden heen,' zei hij met een ongelukkige blik in zijn ogen. Kate was verbijsterd.

'Allemachtig! Dat is lang, Andy.' Hij zou de baby een hele tijd niet zien.

'Ik heb gevraagd of we ook een paar dagen weg konden voor een korte vakantie, zo halverwege misschien, maar ze zeiden dat dat niet mogelijk was. Ik zal daar moeten blijven en geen van de mannen neemt zijn vrouw mee. Er is geen huisvesting voor hen.' Drie à vier maanden lang zou het zijn alsof hij in het leger zat, in het juristenkorps. Omdat hij nooit in dienst was geweest of aan het front had gestreden, voelde hij dat dit een kans was om zijn land te dienen. 'Het spijt me schat. Als ik weer terug ben, doen we wel iets leuks. Wat dacht je van een flinke vakantie?' Hij wilde graag naar Californië, heerlijk had hij het daar destijds gevonden.

'Nou ja, het is niet anders. Ik denk dat ik gewoon moet zorgen dat ik bezig blijf.'

'Ik heb zo het vermoeden dat onze jonge prins daar wel voor zal zorgen.' Blijkbaar verwachtte hij van Kate dat ze altijd klaar zou staan om Reed te verzorgen en te voeden. Hem had ze tenminste nog, anders zou ze echt eenzaam geweest zijn tijdens Andy's aanwezigheid. 'Je kunt ook naar Boston gaan en logeren bij je ouders. Wil je dat?'

Kate schudde ontkennend haar hoofd. 'Mijn moeder zou het fantastisch vinden om Reed over de vloer te hebben, maar mij zou ze gek maken. We blijven hier en zorgen dat de kachel niet uitgaat. Let erop dat je op tijd je scotch en cornflakes neemt.'

'Fijn dat je het zo goed opvat, Kate,' zei hij en kuste haar.

'Kan het anders? Zou ik kunnen dwarsliggen?' Kate glimlachte. Ze wist dat ze hem zou missen, maar ze was blij voor hem. Het was een eer om gevraagd te worden.

'Je zou kunnen dwarsliggen, maar ik ben blij dat je het niet gedaan hebt. Ik wil dit echt graag doen. Het is belangrijk werk.' Ze was heel grootmoedig, wat zijn liefde voor haar nog deed toenemen.

'Ik weet het.' Ze nam er haar petje voor af en zou niets gedaan hebben om het te verhinderen. 'Wanneer vertrek je?' Dat had hij haar nog altijd niet verteld.

'Over vier weken,' zei hij, moeilijk kijkend. Ze gooide een kussen naar hem.

'Jij ploert, dan ben je de hele zomer weg!' Nog iets langer zelfs. De eerste juli vertrok hij, en tegen de advocaten die akkoord waren gegaan, was gezegd dat ze er niet op moesten rekenen om voor eind oktober in Amerika terug te zijn. Ze kwamen uit het hele land en vlogen met een militair toestel naar Duitsland. De eerstvolgende weken hielp Kate Andy bij het bijeenrapen van zijn papieren en het inpakken van zijn koffers. Tijdens deze bezigheden begon ze te beseffen hoe eenzaam het voor haar zou zijn als ze alleen in de flat was, met de baby. Ze was in het jaar dat ze nu met Andy getrouwd was zo gewend geraakt aan zijn gezelschap, dat ze zich het leven niet zonder hem kon voorstellen. Twee dagen later, op hun eerste trouwdag, gaf hij haar een prachtige diamanten armband van Cartier. Ze was er weg van. Ze had voor hem een horloge gekocht bij Tiffany, maar dat was lang niet zo'n indrukwekkend cadeau als de ring die hij gegeven had.

'Andy, je verwent me!' Zo te zien was ze ontroerd, en dat maakte hem blij. Hij was goed voor haar en genoot daarvan. Ze maakte hem gelukkiger dan hij ooit gedacht had. Ze was een prima vrouw, een prachtmoeder en een geweldige kameraad. Hij vond het heerlijk om met haar samen te zijn en om met haar te vrijen en te lachen. Ze waren echt de beste maatjes.

'Dat komt omdat je zo loyaal en grootmoedig bent. Meer dan zou hoeven.'

'Misschien zou je wat vaker weg moeten gaan,' zei ze glimlachend. Ze hadden een fantastische avond in de Stork Club.

Toen hij op de eerste juli vertrok, waren ze allebei verdrietig. Ze nam de baby mee toen ze hem naar de luchtbasis bracht om hem uitgeleide te doen. Er waren vijf advocaten die uit New York vertrokken. Alle anderen kwamen uit andere steden. Voor zijn vertrek kuste Andy haar en omhelsde haar uitgebreid. Hij zei dat hij zou proberen haar te bellen, maar hij dacht niet dat hij er vaak de kans voor zou krijgen.

'Ik zal je schrijven,' beloofde hij. Daar zou hij wel geen tijd voor hebben, vreesde ze. Het zouden vier lange, eenzame maanden voor haar worden zonder hem. Hoe aarzelend ze ook geweest was om met hem te trouwen, nu kon ze zich geen dag meer zonder hem voorstellen. Hij kuste de baby en opnieuw kuste hij haar. Toen moest hij rennen om het vliegtuig te halen. Hij was de jongste van de groep die van New York vertrok, en de andere echtgenotes glimlachten naar haar toen ze de baby de vertrekhal uit droeg. Reed was drieënhalve maand oud. Tegen de tijd dat Andy hem weer zou zien, zou hij een stuk verder in zijn ontwikkeling zijn. Ze had hem beloofd dat ze een massa foto's zou maken.

Kate bracht Onafhankelijkheidsdag in New York door. Het was een drukkend hete dag. Zij bleef met de baby praktisch de hele dag binnen, omdat ze airconditioning hadden. En de rest van de maand was het nauwelijks beter. Meestal ging ze 's morgens vroeg met de baby naar het park en probeerde dan om een uur of elf weer thuis te zijn. Vervolgens brachten ze de hele middag binnenshuis door, om tegen het einde van de dag, als de straten koeler werden een luchtje te scheppen. Maar ondanks de baby en de moeite die ze deed om zichzelf bezig te houden, was ze verbazingwekkend eenzaam zonder Andy. Ze miste hem vreselijk.

Op een middag wandelde ze met Reed, die in zijn kinderwagen lag, langs het Plaza Hotel en kuierde vervolgens door Fifth Avenue om de etalages te bekijken. Het was al laat, want ze waren naar de dierentuin geweest. Ze stak juist Fifty-seventh Street over, toen iemand de straat over stormde en haar praktisch van de sokken liep, net op het moment dat ze naar Reed in zijn wagentje keek. Ze keek verschrikt op en stond ineens oog in oog met Joe Allbright. Een paar ogenblikken lang stond ze hem alleen maar aan te gapen. Ze had zo vaak aan hem gedacht, maar nooit verwacht dat ze hem weer tegen zou komen. Behalve in de krant. 'Hallo, Kate.' Het was alsof ze elkaar 's morgens nog gezien hadden. Niets was veranderd. Hij zag er nog net zo uit als vroeger. Alleen viel er niets te bespeuren van de hardheid die ze op die laatste dag had gezien. Niets van de hardvochtige woorden of de teleurstelling. Er was alleen maar die imponerende kop. Er waren alleen die doordringende blauwe ogen, die keken alsof hij alsmaar op haar gewacht had. Maar ze wist dat dat een illusie was. Hij had haar kunnen bellen, maar zijn telefoontje was uitgebleven. Joe kon op zijn tijd ongelooflijk charmant zijn, hoe verlegen hij ook was. En zo keek hij nu. Alsof hij drie jaar lang op haar gewacht had.

Auto's toeterden toen het stoplicht op groen sprong en terwijl zij de kinderwagen duwde, nam hij haar bij de arm en bege-

leidde haar naar de hoek van de straat. Hij hielp haar het trottoir op en keek toen met een glimlach naar de baby.

'Wie is dat?' vroeg hij met geamuseerde blik, omdat de baby
naar hem kraaide, alsof hij blij was Joe te zien.

'Dat is mijn zoon Reed,' zei ze trots. 'Hij is nu drie maanden
oud.'

'Het is een knap ventje,' zei hij attent en vriendelijk. 'Hij lijkt
sprekend op je, Kate. Ik wist niet dat je getrouwd was. Dat is
toch zo?' Uit iemand anders mond zou de vraag beledigend geklonken hebben, maar dit was typisch Joe. Voor hem betekende het hebben van een kind niet automatisch dat je dan getrouwd
moest zijn. Hij liep wat vooruit in zijn denken, of misschien liep
hij gewoon achter. Dat viel soms moeilijk uit te maken.

'Nog even en ik ben precies een jaar getrouwd.'

'Dan heb je er geen gras over laten groeien,' zei hij. Het ver-
raste hem niet. Hij wist dat het haar wens was. Ze had het hem
duidelijk gemaakt toen ze hem verliet. Hij had haar bijna drie
jaar niet gezien, maar ze zag er nog hetzelfde uit. Zelfs beter,
en datzelfde gold voor hem. Hij was negenendertig jaar, maar
niemand zou ze hem geven. Hij had iets eeuwig jongensachtigs
over zich, vooral wanneer een lok van zijn zandkleurige blonde haar tot over zijn ogen viel. Zoals altijd streek hij het terug,
met een gebaar dat bij Kate iedere keer weer vertedering op-
wekte. Dat beeld had ze 's nachts wel duizendmaal voor ogen
gehad, als ze om hem huilde. Nu stond hij daar voor haar en
het was een vreemd, droevig, leeg gevoel. Ze wilde dat ze kon
zeggen dat het haar niets kon schelen en dat hij haar onberoerd
liet, maar ze had weer datzelfde rare gevoel in haar maag. Het
was als een druk die prettig en wee tegelijk was. Ze had ooit
gedacht dat liefde altijd zo voelde. Maar bij Andy had ze het
nooit gehad. Bij hem voelde ze zich altijd gewoon op haar gemak. En nu, oog in oog met Joe, was ze doodnerveus. Hij was
slechts een stuk van haar verleden, zei ze tegen zichzelf. Maar
het was niet zomaar een stuk. Er was weer diezelfde elektriserende spanning tussen hen, toen hij in haar ogen keek. Ze vroeg
zich af of die gevoelens ooit zouden verdwijnen.

'Wie is de gelukkige?' vroeg hij tussen neus en lippen door. Hij
maakte geen aanstalten om afscheid te nemen.

'Andy Scott. Die vriend van me van Harvard.'
'Je moeder zal wel blij zijn. Die zei altijd al dat je met hem moest trouwen.' Er was een lichte irritatie in zijn stem te beluisteren. Hij wist dat haar moeder hem had verfoeid.
'Dat is ze zeker,' zei Kate. Ze had het gevoel bedwelmd te zijn. Het was of hij een vreemde, hypnotiserende geur uitwasemde. Ze kon de werking al voelen en ze zei tegen zichzelf dat ze weg moest gaan. Maar zijn stem maakte haar willoos en betoverde haar, zodat ze bleef. 'Ze is weg van de baby.'
'Het is een leuk joch. Trouwens, met de zaak gaat het goed.' Ze moest glimlachen om het understatement. Het was een van de meest toonaangevende ondernemingen van het land, en Andy had haar verscheidene keren verteld dat Joe miljoenen had verdiend. Het laatste dat ze over hem gelezen had, was dat hij een luchtvaartmaatschappij aan het oprichten was onder de naam Allworld.
'Ik heb een hoop over je gelezen, Joe. Vlieg je nog steeds zoveel?'
'Zoveel ik kan. Alleen heb ik niet genoeg tijd. Ik test mijn eigen ontwerpen, maar dat is een andere manier van vliegen. We zijn nu lijntoestellen aan het ontwerpen, die geschikt zijn voor trans-Atlantische vluchten. Een paar weken geleden zijn Charles en ik nog naar Parijs gevlogen. Maar het merendeel van de tijd zit ik opgesloten in de directiekamer of in mijn kantoor. Ik heb nu ook een appartement hier in de stad.' Ze waren als oude vrienden die op een straathoek stonden te kletsen en oude herinneringen ophaalden. Alleen was dat niet zo. Dit was bloedserieus. Meer dan dat: het was bloedlink. Kate probeerde zich er van te overtuigen dat het niet waar was, maar intuïtief wist ze dat dat wél zo was. 'We hebben nu hier en in Chicago en Los Angeles een kantoor. Ik ga vaak naar de westkust, maar eigenlijk zit ik de meeste tijd in New York,' zei hij uit zichzelf. Hij kwam van kantoor toen hij haar op Fifty-seventh Street tegen het lijf liep.
'Je bent een belangrijk man, Joe.' Ze herinnerde zich dat hij niets had toen ze hem ontmoette en dat ze toen van hem gehouden had. In bepaalde opzichten was hij anders nu. Hij had het aureool van een machtig man, maar toch, als hij naar haar

253

keek was het nog diezelfde onhandige, verlegen Joe. Joe, die op het ene moment van haar wegkeek, om haar op het volgende moment recht in de ogen te staren, alsof hij rechtstreeks haar ziel binnenkeek en haar gedachten raadde. Er was geen mogelijkheid om aan de kracht van zijn ogen te ontsnappen.

'Kan ik je ergens heen brengen, Kate? Het is te warm voor jou en de baby om buiten te zijn.'

'We waren even een luchtje aan het scheppen. Ik woon een paar straten verderop. Ik vind het niet erg om te lopen.'

'Vooruit!' zei hij, en zonder op haar reactie te wachten nam hij haar bij de arm. Aan de andere kant van de straat stond een auto op hem te wachten. Met een onstuitbare vaart duwde hij het wagentje met de baby naar de overkant, terwijl zij wel moest volgen. Voor ze het wist zat ze achter in de auto met de baby in haar armen. De chauffeur had de kinderwagen in de kofferbak gelegd. Joe ging naast haar zitten. 'Ik woon maar een paar straten van jou verwijderd. In een penthouse, want dat geeft me het gevoel dat ik vlieg. Vertel eens, wat ga jij deze zomer doen?'

'Ik weet het nog niet... Wij... Ik...' Ze had het gevoel dat ze niets meer in te brengen had. Hij was zo sterk en zo machtig dat hij iemand gewoon meesleurde, als een getijstroom. Voor haar gevoel stond ze op het punt om in een ton over de rand van de Niagara te duikelen. Hij had altijd dat effect op haar gehad. Nooit was ze in staat geweest om hem, of de elektriserende spanning die ze voelde als ze dicht bij hem was, te weerstaan. Zowel van hem als van die spanning ging een kracht uit die adembenemend was. Tot haar grote ontzetting leek er zelfs na drie jaar niets veranderd te zijn. Dat was nou eenmaal de manier waarop ze op hem reageerde en waarop hij mensen behandelde, vooral nu hij zo succesvol was. Hij was gewend om alles te krijgen wat hij hebben wilde. 'We hebben nog geen plannen gemaakt,' zei ze onzeker, terwijl ze probeerde om bij haar positieven te blijven en zijn invloed niet te voelen. Hij werkte als een drug op haar, en terwijl ze naast hem in de auto zat voelde ze de kracht van haar oude verslaving. Ze wist dat ze sterk moest zijn. Ze was immers getrouwd.

'Ik zou volgende week naar Europa gaan,' babbelde hij voort terwijl ze richting centrum reden, 'maar ik heb zojuist geannuleerd. Ik heb hier mijn handen vol aan die nieuwe luchtvaart-maatschappij. We hebben weer dezelfde problemen met de vak-bonden die we ook hadden toen we begonnen in New Jersey.' Hij betrok haar onmiddellijk bij zijn dagelijks wel en wee en sprak over dingen waarvan ze wist, dingen die ook deel van haar leven hadden uitgemaakt. Het was een handige manier om haar eraan te herinneren dat ze van hem was geweest voordat ze Andy toebehoorde. En terwijl ze naast hem zat, keek hij haar aan met de glimlach die haar vanaf hun eerste ontmoeting door hart en ziel gegaan was. Hij deed het niet bewust. Het was in-stinctief, net zoals de aantrekkingskracht die hij voelde als hij naast Kate zat. Ze waren als twee dieren die snuffelend om el-kaar heen draaiden. 'Jullie moeten een keertje komen vliegen, Andy en jij. Zou hij dat leuk vinden?' Waarschijnlijk wel, al-leen niet met Joe. Hij was een beetje gevoelig op dat punt, en met recht. Hij wist meer dan enig ander hoeveel Joe voor haar betekend had. Ze was heel openhartig geweest en had hem ver-teld hoeveel moeite het haar gekost had om Joe te verlaten. An-dy wist ook dat ze nooit met hem getrouwd zou zijn als ze die stap niet gezet had. Joe Allbrights glamour en de betovering die hij op Kate uitoefende, zouden hem kansloos gelaten hebben. Ze wist niet wat ze moest zeggen, dus vertelde ze de waarheid. Zover had hij haar dus al gekregen, in de paar minuten dat ze bij elkaar waren. Zodra ze het had gezegd, had ze er spijt van. Het was niet slim om Joe te veel informatie te geven. Hij was in staat om het te gebruiken.

'Hij is er niet, hij zit in Duitsland. Hij maakt deel uit van het oorlogstribunaal.'

'Dat is niet mis. Dan moet hij wel een goede advocaat zijn.' Joe zei het waarderend, maar zijn ogen waren constant op Kate ge-richt, en in die ogen waren vragen te lezen waarop ze geen ant-woord had. En ook als dat wel het geval zou zijn, zou ze Joe dat antwoord nog niet geven.

'Dat is hij ook,' zei ze trots. Meteen nadat ze dat gezegd had, stopte de auto bij haar flat. Ze wist niet hoe snel ze uit de au-to moest stappen. De chauffeur haalde de kinderwagen uit de kofferbak. Ze zette Reed in het wagentje, terwijl Joe toekeek. Hij keek altijd; hij zag alles, dat was altijd zo geweest. Zelfs de dingen die ze voor hem verborgen wilde houden zag hij. En zij kende hem ook door en door. Het was alsof ze in elkaars binnenste konden kijken. Ze waren twee helften die een geheel vormden. Twee helften die bijeengehouden werden door een magnetische kracht, een kracht die zo sterk was, dat ze hem nauwelijks konden weerstaan. Ze hadden hem dan ook niet weerstaan. Maar deze keer zou het haar lukken! Hij maakte geen deel meer uit van haar leven en dat moest zo blijven. In haar belang en ook in dat van Andy. Uit beleefdheid stak ze hem haar hand toe om hem te bedanken. Ze was plotseling wat afstandelijker en koeler. Het was eigenlijk niet eerlijk. Ze was boos op hem om wat ze voor hem voelde en gevoeld had. Hij kon er niets aan doen dat ze zo onweerstaanbaar aangetrokken werd door hem, dat was nu eenmaal zo. Maar ze overtuigde zichzelf ervan dat hij nu niets meer voor haar betekende.

'Je weet waar je me kunt vinden,' zei hij ietwat arrogant. De halve wereld wist het. 'Bel eens, dan gaan we vliegen.'

'Bedankt, Joe,' zei Kate, en ze voelde zich net een jong meisje. Ze droeg rok, blouse en sandalen, en hij kon zien dat ze zelfs na de baby nog steeds een volmaakt figuur had. Hij zag haar lichaam nog duidelijk voor zich. De herinneringen en gevoelens waren door die drie jaar niet verbleekt. 'Nogmaals bedankt voor de lift,' zei ze, terwijl hij stond te wachten hoe ze de kinderwagen naar binnen reed. Ze draaide zich niet om om naar hem te kijken of te zwaaien. En ze hoopte dat hun wegen zich niet weer zouden kruisen. Toen zij en Reed terug in de flat waren, had ze het benauwd van de spanning. Het hele gebeuren had tot gevolg dat ze zich ongemakkelijk voelde. Ze had behoefte aan een steun en toeverlaat, iemand bij wie ze haar hart kon luchten, aan wie ze kon uitleggen dat ze niets meer voor hem voelde, dat hij een gepasseerd station was en dat ze blij was dat ze met Andy was getrouwd en Reed had. Het was alsof ze zichzelf moest verontschuldigen, of dat ze goed moest praten wat er gebeurd was. Ze wilde iemand overtuigen dat hij niets meer voor haar betekende. Maar ze wist dat ze dan zou liegen. Eigenlijk was er in die tien jaar niets veranderd.

16

D E MORGEN NA HAAR ONVERWACHTE ONTMOETING WERD
Kate wakker doordat de baby huilde. Ze voelde zich onuitge-
slapen. De hele nacht had ze akelig gedroomd en bij het ont-
waken had ze een bezwaard gemoed, alsof ze Andy verraden
had. En later, bij een kopje koffie, nadat ze Reed in zijn wieg
had gelegd voor een dutje, zei ze tegen zichzelf dat ze niets verkeerds gedaan had. Ze had zich niet onbetamelijk gedragen,
had geen belangstelling voor hem getoond, had hem op generlei wijze aangemoedigd en ze had niet gezegd dat ze hem zou
bellen. Maar zonder te weten waarom voelde ze zich al schuldig omdat ze hem ontmoet had, alsof ze er verantwoordelijk
voor was dat ze hem tegen het lijf gelopen was, alsof ze het gepland had, wat natuurlijk niet waar was. Het was een onple-
zierig gevoel dat de hele dag bleef hangen. 's Avonds schreef
ze een brief aan Andy en sloot er foto's bij. Nadat ze dat gedaan had, ging de telefoon. Vermoedelijk mijn moeder, dacht
ze en ze nam op. Het hart klopte haar in de keel toen ze de
stem aan de andere kant hoorde. Altijd had die mooie, rijke
basstem hetzelfde effect op haar. Jarenlang had ze ernaar verlangd.
'Hallo, Kate.' Hij klonk vermoeid, maar ontspannen. Het was
laat, maar hij was nog steeds op kantoor.
'Dag, Joe.' Verder zei ze niets. Ze had geen idee waarom hij
belde en wachtte af wat hij te melden had.
'Ik dacht dat je je misschien verveelde nu Andy er niet is.' Het
waren slim gekozen woorden. Hij zei 'verveelde', en niet 'eenzaam'. In feite was ze het allebei, maar ze was niet van plan om
dat toe te geven. 'Heb je zin om samen te lunchen? Ter wille
van onze oude vriendschap?' Zijn stem klonk vriendelijk, jeugdig en bijna deemoedig. En veilig, hetgeen bedrieglijk was. Dat

was hij niet en zou hij nooit zijn voor haar, zelfs wanneer hij niets in de zin had.

'Het lijkt me beter van niet.' Het was geen goed idee, en ze wist het.

'Ik wil je graag ons kantoorgebouw hier in de stad laten zien. Het is fantastisch. Een van de mooiste in het land. Je bent er al een keer geweest toen ze net begonnen met bouwen. Ik dacht dat je wel zou willen zien wat er van geworden is nadat... Nadat je...'

'Dat wil ik ook graag, maar ik ben van mening dat we het maar niet moesten doen.'

'Waarom niet?' Hij klonk teleurgesteld, en dat ontroerde haar. Gevaar! Gevaar! knipperde het. Maar ze besloot om er toch maar geen acht op te slaan.

'Ik weet het niet, Joe,' zei ze zuchtend. Ze was moe, en hij klonk zo vertrouwd. Het was zo gezellig om met hem te praten. Ze zou de klok wel terug willen zetten. Plotseling moest ze denken aan die twee rampzalige jaren toen iedereen dacht dat hij gedood was, en aan die keer dat ze hem voor het eerst weer zag, op dat schip, terug uit Duitsland. Haar hart was verbonden met zoveel draden uit die tijd, maar toch boden die draden te weinig houvast. 'Sinds ik uit New Jersey weg ben is er heel wat water door de Hudson gestroomd.'

'Dat bedoel ik nou. Ik wil graag dat je het stuwmeer ziet. Het is prachtig.'

'Je bent hopeloos,' zei ze, onwillekeurig lachend. Maar ze voelde zich steeds meer op haar gemak bij hem.

'Is dat zo? Waarom kunnen we geen vrienden zijn, Kate?' Omdat ik nog steeds van je hou, wilde ze zeggen. Of was het 'van je hield'? Misschien was het alleen maar de herinnering aan liefde en zag ze die voor ware liefde aan. Misschien was het altijd al een illusie geweest. Wat ze met Andy had, dát was echte liefde. Dat was buiten kijf. Joe was iets anders. Hij was een illusie, een droom, een hoop die maar niet wilde sterven, een kinderlijk sprookje zonder het 'en ze leefden nog lang en gelukkig' dat ze zo graag had gewild. Joe was een slapende vulkaan, en ze wist het. Beiden wisten het. 'Kom, laten we samen lunchen... Alsjeblieft, gun me dat plezier... Ik zal me gedragen... Ik beloof het.'

'Ik twijfel er geen moment aan dat we ons allebei zullen gedragen,' zei ze gedecideerd. 'Maar waarom zouden we de proef
op de som nemen?'
'Omdat we het prettig vinden om in elkaars gezelschap te zijn.
Dat is altijd zo geweest. Waar ben je trouwens bang voor? Je
bent getrouwd, hebt een baby, een gezinsleven. Ik heb alleen
mijn vliegtuigen.' Hij probeerde heel zielig te klinken en ze
moest om hem lachen.
'Daar hoef je bij mij niet mee aan te komen, Joe Allbright! Dat
is het enige wat je altijd gewild hebt. Meer dan je mij wilde.
Daarom ben ik ook bij je weggegaan.'
'We hadden beide kunnen hebben,' zei hij bedroefd. Dit keer
klonk het alsof hij het meende. Ze nam het hem heel kwalijk
dat hij er nu mee kwam. Het was veel en veel te laat.
'Dat probeerde ik je ook duidelijk te maken, maar je wilde niet
luisteren,' zei ze verdrietig.
'Ik was ongelooflijk stom en doodsbenauwd om me te binden.
Ik ben nu verstandiger en dapperder. Wijsheid komt met de jaren. En ik besefte pas wat ik miste toen je weg was. Ik was te
trots om aan jou en mezelf toe te geven wat je voor me betekende. Zonder jou heeft mijn leven geen betekenis, Kate.' Joe
klonk precies zoals hij gedaan had op de momenten dat ze het
meest van hem gehouden had, en het was het enige dat ze altijd van hem had willen horen. Het was een wrede speling van
het lot om het nu pas te vernemen. Te laat.
'Ik ben getrouwd, Joe,' zei ze zachtjes.
'Dat weet ik. Ik vraag je ook niet om dat te veranderen. Ik begrijp dat je nu een eigen leven hebt opgebouwd. Ik wil alleen
maar een lunch. Een sandwich. Een uurtje van je tijd. Dát kun
je toch wel missen voor mij? Ik wil je alleen maar laten zien
wat ik gedaan heb.' Hij klonk apetrots, maar ook alsof hij niemand had om het mee te delen, wat overigens zijn eigen schuld
was. Ze moest haast wel geloven dat er andere vrouwen geweest waren sinds haar vertrek. Hoewel, misschien wel niet,
hem kennende. Of misschien waren het maar onbeduidende
avontuurtjes geweest. Hij werd volledig in beslag genomen door
zijn vliegtuigen en zijn zaak. En hij werd allang beschouwd als
's werelds belangrijkste vliegtuigontwerper. Hij was een genie.

259

'Doe je het, Kate? Verdorie, je kunt zonder Andy toch niet veel anders te doen hebben! Neem een babysitter en ga met me lunchen. Desnoods neem je de baby mee.' Dat laatste zou ze in elk geval niet doen. Ze had al verscheidene babysitters gehad als zij en Andy 's avonds uitgingen en daar zaten prima meisjes bij op wie ze zeker een beroep kon doen. Uit voorzorg wilde ze Reed niet meenemen naar een kantoorgebouw. Hij mocht de mensen die daar werkten eens storen.

'Nou goed dan,' zei ze met een zucht. Het was alsof je met een kind argumenteerde. Hij was zo gruwelijk dwingend. 'Ik doe het.'

'Dank je, Kate. Je bent fantastisch.' Wat voor verschil maakte het? vroeg ze zich af. Waarom in vredesnaam maakte hij er zich druk over of ze zijn kantoor zag? Ze was met Andy getrouwd, dat moest ze niet vergeten. 'Wat denk je van morgen?' vroeg hij.

Ze dacht er nog een keer lang over na en nam toen een definitief besluit. 'Afgesproken,' zei ze. Ze wilde bewijzen dat ze zich van hem vrijgemaakt had, en dat het mogelijk was met hem om te gaan zonder opnieuw verliefd op hem te worden. Ze wilde bewijzen dat ze hem niet meer wilde. Bewijzen dat ze zich niet meer tot hem aangetrokken voelde. Zoals een ex-alcoholist bewijst dat hij sterk genoeg is om langs een bar te lopen. Het moest mogelijk zijn. En ze wist dat ze het kon, hoe aantrekkelijk hij ook was.

'Zal ik je op komen halen?' bood hij aan, maar ze sloeg zijn aanbod af. Ze zei dat ze hem in het restaurant zou ontmoeten. Zijn voorstel was Giovanni's. Ze zei dat ze er om half een zou zijn.

De volgende dag arriveerde ze op de afgesproken tijd bij het restaurant, gekleed in een mantelpakje van wit linnen. Haar haar had ze naar achteren en ze droeg een grote strooien hoed die ze bij Bonwit Teller had gekocht. Ze zag er heel chic uit. Joe wachtte haar op: hij kuste haar op haar wang en verscheidene mensen keken naar hen. Hij was een heel opvallende verschijning en gemakkelijk te herkennen na al die media-aandacht, en zij was een mooie vrouw met een schitterende hoed. Maar niemand wist wie ze was.

'Door jou zie ik er altijd goed uit,' zei hij. Ze gingen in een box in de hoek zitten, zo'n afgeschoten zitje waar je wat privacy hebt.

'Daar heb je mij niet voor nodig,' zei ze glimlachend. Het was prettig om uit lunchen te gaan, en ze was verbaasd toen ze besefte dat ze dat sinds de geboorte van de baby niet meer gedaan had. Nu Andy weg was, was Reed haar enige zorg. Verder had ze niets te doen. Het was een verademing om weer even in de wereld van de volwassenen te verkeren. Ze hield vreselijk veel van Reed, maar ze had niemand om mee te praten. Al haar jeugdvriendinnen woonden in Boston, en de meesten van hen was ze in de jaren met Joe uit het oog verloren. Zowel haar hartstochtelijke liefde voor hem als haar bemoeienis met de zaak hadden haar van alles en iedereen geïsoleerd. Daarna waren het Andy en de baby die haar in beslag namen. Ze had niet de tijd of de puf gehad om nieuwe vrienden te maken.

Tijdens de lunch praatten Joe en zij over duizend en één zaken, over zijn onderneming, zijn ontwerpen, de problemen die er speelden en over zijn nieuwste vliegtuig. En ze spraken wel een uur over zijn luchtvaartmaatschappij. Hij was betrokken bij een hele reeks opwindende projecten. Haar leven zag er heel anders uit. Zij leidde een rustig, tevreden en weinig schokkend bestaan met man en kind.

'Ben je van plan weer te gaan werken, Kate?' vroeg hij haar. De hele maaltijd lang was hij op en top gentleman geweest, en ze voelde zich verbazingwekkend op haar gemak bij hem.

'Ik denk van niet. Ik wil bij de baby zijn.' Maar ze had erover gedacht. Andy wilde het absoluut niet en voorlopig had ze ermee ingestemd. Ze had haar baan bij het museum hartstikke leuk gevonden, maar ze was niet carrièrebelust.

'Het is een leuk kereltje, maar het lijkt me toch behoorlijk saai,' zei Joe uit de grond van zijn hart. Ze moest lachen.

'Soms is dat ook zo. Maar het is ook heel leuk.'

'Ik ben blij dat je gelukkig bent,' zei hij, terwijl hij haar opnam. Ze knikte alleen maar. Ze wilde daar niet met hem over praten. Het opende te veel deuren naar het verleden. Ook vond ze dat ze niet over Andy behoorden te praten. Voor haar gevoel getuigde dit niet van respect. Ze wist dat hij het zou afkeuren dat ze met Joe was gaan lunchen, maar ze had het moeten doen om zichzelf iets te bewijzen. En het was onschuldig geweest. Het enige dat ze eigenlijk gedaan hadden, was praten over luchtvaart. Het was nog steeds zijn favoriete onderwerp en ze wist er ook behoorlijk wat van, of beter gezegd: dat was vroeger zo. Hij had haar advies altijd op prijs gesteld en hij had het prachtig gevonden toen ze in het begin samen met hem in het bedrijf werkte. Daarom had ze ook zoveel kijk op datgene waar hij mee bezig was. Maar de onderneming had sinds die tijd een exponentiële groei doorgemaakt. En buiten wat ze in de kranten gelezen had, wist ze niets van zijn luchtvaartmaatschappij. Nadat ze het restaurant hadden verlaten, stapten ze in zijn auto. Ze was diep onder de indruk toen ze het kantoorgebouw zag. Het was een complete wolkenkrabber, waar zowel de mensen van zijn vliegtuigbouwkundig ingenieursbureau als die van zijn luchtvaartmaatschappij werkten.

'Mijn god, Joe, wie had gedacht dat het uit zou groeien tot zoiets gigantisch?' In vijf jaar tijd had hij een imperium opgebouwd.

'Het is best verbazingwekkend, als je bedenkt dat ik begonnen ben als een jochie dat bij de landingsbaan rondhing. Dat is allemaal mogelijk in dit land, Kate. Ik ben erg dankbaar.' Hij klonk nederig en dat ontroerde haar enorm.

'Je moet ook dankbaar zijn.' Ze maakte een fluitend geluid toen ze zijn kantoor op de bovenste verdieping zag, dat uitkeek over de hele stad. Het had echt iets van vliegen. Het kantoor had houten lambriseringen en her en der stonden fraaie Engelse antieke meubelen en hingen er schilderijen die ze herkende. Hij had een aantal topstukken die van een uitstekende smaak getuigden. Joe was een opmerkelijke persoonlijkheid, die al een eind op weg was om een van de rijkste mannen van de wereld te worden. Ze had dit alles met hem kunnen delen bracht ze zich in herinnering, maar dan wel op zijn voorwaarden, zonder huwelijk en zonder kinderen. Dat was nog steeds niet het leven dat ze zich wenste, al had hij nog zoveel bereikt en al hield ze ook nog zoveel van hem. Misschien wilde ze het niet, juist omdat ze van hem hield. Ze gaf de voorkeur aan wat ze had met Andy en aan hun baby. Kate was het nooit om het geld te doen geweest. Wat zij belangrijk vond was liefde en betrokkenheid en kinderen, en dat alles had ze nu. Alleen niet met Joe. Ze had er nu vrede mee dat ze niet alles kon hebben wat haar hartje van oudsher had begeerd.

Ze liep samen met hem de vergaderzaal binnen en hij stelde haar aan een aantal mensen voor, onder wie zijn secretaresse, die al vanaf het allereerste begin bij hem was. Ze was dolblij Kate weer te zien. Ze heette Hazel en was een schat van een mens.

'Ik ben zo blij je te zien! Joe zegt dat je pas een baby gekregen hebt. Het is je niet aan te zien.' Kate bedankte haar voor het compliment en ze gingen terug naar het kantoor om daar nog eventjes te zitten. Maar ze moest snel daarna terug naar Reed. Ze had de babysitter gezegd dat ze om halfvier terug zou zijn en dat was het al bijna. En ze moest hem zo meteen de borst geven.

'Bedankt dat je me gezelschap hebt gehouden,' zei hij toen ze een paar keer te kennen had gegeven dat ze weg moest.

'Ik denk dat ik én mijzelf én jou wilde bewijzen dat we gewoon vrienden kunnen zijn.' Het was een geweldige uitdaging geweest, maar ze had het goed gedaan.

'En, ben ik voor de test geslaagd? Kan het?' Hij had een onschuldige en hoopvolle blik in zijn ogen en ze glimlachte.

'Jij hoefde geen test af te leggen, Joe,' zei ze eerlijk, 'maar ik.'

'Volgens mij zijn we met vlag en wimpel geslaagd.' Zo te zien was hij blij.

'Ik hoop het,' zei ze, terwijl ze er mooier dan ooit uitzag van onder haar grote strooien hoed. Haar ogen leken te dansen. Alles aan haar had hem altijd gefascineerd. Ze was zo levenslustig, zo jong, zo lief. Ze had alles gehad wat hij van een vrouw verlangde. Maar ze wilde meer van hem dan hij haar of welke vrouw dan ook kon geven. Ze had te veel gewild.

Kate stond op en kuste zijn wang. Toen hij haar parfum rook, sloot hij een ogenblik zijn ogen. Het voelde een moment lang heel vertrouwd, en het was ook pijnlijk. Zij had hetzelfde gevoel. Bij haar werd het teweeggebracht door het voelen van zijn huid en door de manier waarop hij haar vasthield. Er waren zoveel gemeenschappelijke herinneringen, misschien wel te veel,

en ze leefden onder hun huid, en in hun hart en in hun botten.
'Laten we nog een keer gaan lunchen,' zei hij op weg naar beneden, waar de auto wachtte. Hij had zijn chauffeur opdracht gegeven om haar naar huis te brengen.
'Dat zou ik leuk vinden,' zei ze zacht.
Nadat hij haar had laten instappen, sloot hij de deur van de limousine en ze wuifde onder het wegrijden. Hij keek haar na tot de auto uit het zicht was verdwenen. Terug op kantoor ging hij aan zijn bureau zitten en begon verwoed vliegtuigen te tekenen.
Een week later, op een buitengewoon warme avond, zat ze in de koele luchtstroom van de airconditioning televisie te kijken, toen de telefoon ging. De baby sliep al. Het was Joe, en ze was verbaasd zijn stem te horen. Na die prima verlopen lunch had ze zich opgelucht en trots gevoeld. Het samenzijn was bitterzoet geweest en best gek, maar niet hartverscheurend. Na afloop was ze blij geweest om naar huis te kunnen gaan, waar haar baby op haar wachtte en een brief van Andy. Joe was nu voltooid verleden tijd.
'Wat ben je aan het doen?' vroeg hij. Het klonk ontspannen. Hij zat thuis te niksen en zijn gedachten waren bij haar geweest.
'Ik kijk teevee.' Ze was nog steeds verbaasd dat hij belde.
'Heb je zin om ergens een hamburger te gaan eten? Ik verveel me,' bekende hij. Ze lachte.
'Ik zou het graag willen, maar ik heb geen oppas.'
'Dan neem je de baby toch mee?'
'Ze moest lachen om zijn voorstel. 'Onmogelijk, Joe. Hij slaapt. Als ik hem nu wakker maak, blijft hij uren blèren. Je zou het een ramp vinden, geloof me maar.'
'Je hebt gelijk. Daar heb ik inderdaad een hekel aan. Heb je al gegeten?'
'Niet echt. Ik heb vanmiddag wat ijs gegeten. Ik heb niet zo'n trek met die hitte.'
'Wat vind je ervan om bij jou thuis een hamburger te eten?' opperde hij als mogelijkheid.
'Hier?'
'Nou ja, waar moet ik hem anders heen brengen?'
Eigenlijk was een belachelijk voorstel. Het leek vreemd om hem

te ontvangen in de flat die ze met haar man deelde, maar aan de andere kant waren ze beiden alleen en hadden ze niets te doen. En ze waren vrienden nu. Ze kon het aan, vorige week had ze het bewezen.

'Weet je het zeker?' vroeg ze hem.

'Waarom niet? We moeten beiden toch eten.' Het klonk redelijk, en uiteindelijk stemde ze ermee in. Het adres wist hij. Over een halfuur zou hij er zijn, zei hij.

Een kwartier later stond hij voor haar deur met twee hamburgers in een witte papieren zak, precies op de manier zoals ze ze graag zagen. Zo een hadden ze in jaren niet gegeten, het sap borrelde er nog uit. Even later zaten ze aan de keukentafel te eten. Ze kliederden en klodderden alles onder met ketchup, likten hun vingers af en lachten naar elkaar.

'Je ziet er niet uit,' zei hij, terwijl hij naar haar keek. Ze giechelde als een bakvis.

'Ik weet het. Ik geniet.' Ten slotte gaf ze hem een stapeltje papieren servetjes en ruimden ze de rommel op. Hij kreeg ijs uit haar diepvriezer. Het was als in die goede oude tijd, toen hij in het huis van haar ouders in Boston logeerde en later, toen ze in New Jersey woonden. Hoewel ze veel pret had met Andy, had ze dat toch gemist. Joe was als een reuzenvogel die ergens neerdook, zich ergens voor een poosje settelde en daarna weer het luchtruim koos, om vervolgens te verdwijnen. Maar ze was blij dat ze hem weer ontmoet had. Ze was vergeten hoe aangenaam zijn gezelschap was en hoezeer ze op elkaar gesteld waren. Hij genoot van haar verhalen, en ze maakte hem aan het lachen met malle fratsen. Ze was goed voor hem, dat was ze altijd geweest. Ooit was hij ook goed voor haar geweest, maar ze had er hard aan gewerkt om het te vergeten. Het had haar jaren gekost.

Na het eten keken ze televisie. Ze had sandalen aan en hij schopte zijn schoenen uit. Ze plaagde hem toen ze zag dat er knollen in zijn sokken zaten.

'Als geslaagd zakenman hoor je dergelijke sokken niet te dragen,' zei ze bestraffend.

'Ik heb niemand die nieuwe voor me koopt,' zei hij om haar medelijden op te wekken, maar daar trapte ze niet in.

'Het is je eigen vrije keus, weet je nog? Laat Hazel het maar doen.' Maar zijn secretaresse had wel wat anders te doen, dus zijn nieuwe sokken kreeg hij nooit. Hij droeg gewoon de sokken met gaten.

'Op die manier hoeft het van mij niet meer. Ik wil niet trouwen om nette sokken te kunnen dragen. Dat is een hoge prijs voor sokken zonder gaten,' zei hij. Ze zaten op de bank. Op de achtergrond stond de televisie te ratelen.

'Vind je? Waarom?'

'Ik weet het niet. Je kent me toch? Ik ben bang om mijn vrijheid kwijt te raken. Ik ben bang dat ik iets zal missen of, beter gezegd, dat er iets van me afgenomen wordt. Geen geld, maar een deel van me dat ik voor mezelf wil houden.' Inderdaad, dat was altijd zijn grote angst geweest. Dat was de ware reden waarom hij niet met haar was getrouwd. Maar nu was hij niet bang meer voor haar. Om de een of andere ondoorgrondelijke reden was hij haar ten slotte gaan vertrouwen. Het had ontzettend lang geduurd.

'Niemand kan iets van je afnemen als je het niet geven wilt,' zei ze kalm.

'Misschien proberen ze het. Ik ben, denk ik, bang dat ik mezelf sluipenderwijs zal verliezen.' Het scheelde weinig of het was zo gegaan. Ze had een belangrijk deel van hem met zich meegenomen, maar hij vermoedde dat ze zich daar niet bewust van was. Nu wilde hij het graag terugwinnen. En haar wilde hij ook terug.

'Jij hebt een te sterke persoonlijkheid om te verliezen, Joe,' zei ze eerlijk. 'Ik denk dat je er geen idee van hebt hoe sterk je bent. Je bent een kanjer.' Nooit eerder had ze zo'n geweldenaar gekend. Hij had een enorme geldingsdrang en een briljante geest. 'Ik denk altijd dat ik niet opval. Of beter, ik denk dat ik niet wil opvallen,' biechtte Joe op. Hij klonk als een schooljongen. 'Ik denk dat niemand zichzelf ziet zoals hij werkelijk is. In jouw geval heb je een boel dingen waar je trots op kunt zijn,' zei Kate mild. Het was vreemd om daar met hem te zitten. Als iemand het haar een maand geleden voorspeld had, zou ze het niet geloofd hebben. Maar ze genoot van zijn gezelschap. En ze waren weer vrienden, dat was een hele troost. Voor beiden.

'Er is ook een hoop waar ik niet trots op ben, Kate,' bekende hij. Opnieuw kreeg hij iets jongensachtigs, wat haar ontroerde. Er was een kant van hem waar ze altijd van gehouden had en zou blijven houden, en een andere die ze nagenoeg gehaat had. Dat was de kant die haar zo zwaar had gekrenkt toen ze bij hem wegging. 'Ik ben niet trots op de manier waarop ik jou heb behandeld,' voegde hij er tot haar verbazing aan toe. 'Ik heb je rot behandeld toen je nog bij me was. Ik liet je veel te hard werken. Ik heb je gebruikt. Ik dacht niet aan jou, ik dacht alleen aan mezelf. Maar je joeg me de stuipen op het lijf. Je hield zo ongelooflijk veel van me en ik bleef zo in gebreke, voelde me zo schuldig en zo voor het blok gezet, dat ik alleen nog maar weg wilde rennen om me te verstoppen. Je had groot gelijk dat je vertrok, Kate. Het scheelde niet veel of ik was eraan onderdoor gegaan, maar ik neem het je niet kwalijk. Dat is ook de reden waarom ik nooit belde, hoe graag ik het ook wilde. Je had gelijk dat je wegging. Ik had je niets te bieden, ik kon je niet geven wat je wilde. Ik had niet in de gaten wat een geluksvogel ik was. Het kostte me veel tijd om tot bezinning te komen en dat te ontdekken.' En tegen die tijd was ze allang weg.

'Het is aardig van je dat je dit allemaal zegt,' zei ze toegeeflijk, 'maar het zou altijd op niets uitgelopen zijn. Dat realiseer ik me nu.'

'Waarom niet?' vroeg hij fronsend. Als hij uitgedaagd werd, was hij op zijn best.

'Omdat dit mijn leven is,' zei ze. Met een breed handgebaar gaf ze aan dat ze haar woning en baby bedoelde. 'Ik wil een man, een kind en een gezinsleven. Daar kun jij je leven niet mee vullen. Jij hebt behoefte aan macht en succes en opwinding en vliegtuigen, en je bent bereid daar alles en iedereen voor op te offeren. Ik niet. Dit is wat ik wil.'

'We hadden dit allemaal kunnen hebben, en nog veel meer, als je maar geduld gehad had.'

'Dat kon ik niet opmaken uit wat je toen zei.'

'De tijd werkte niet mee, Kate. Ik was net een bedrijf begonnen. Dat was het enige waaraan ik kon denken.' Dat was allemaal wel waar, maar ze wist dat zijn afkeer van het huwelijk en van kinderen veel dieper ging dan hij wilde toegeven. Ze had het ondervonden. Ze kende hem beter dan hij zichzelf kende. Hij was te angstig geweest om zich voor haar open te stellen. 'En nu dan?' vroeg ze sceptisch. 'Verlang je nu met heel je hart naar een vrouw en een stoot kinderen?' Ze glimlachte naar hem. 'Ik denk van niet. Ik denk dat het klopte, toen je zei dat je er de pest aan had.' Ze was er nu van overtuigd.

'Het hangt ervan af wie die vrouw is. Maar toegegeven, het is niet waar ik het meest naar uitkijk. Lang geleden vond ik de juiste vrouw, maar ik was zo stom om haar te verliezen.' Het was aardig van hem dat hij het zei, maar ze voelde zich er ongemakkelijk door. Het had geen enkele zin om daar nu over te praten, en dat wilde ze ook niet. Maar hij wilde het onderwerp nog niet laten rusten. 'Ik meen het Kate. Ik was een ongelooflijke dwaas en ik wil dat je het weet.'

'O, maar ik wist het wel,' zei ze lachend tegen hem. 'Ik dacht alleen dat jij het niet wist.' Toen werd ze ernstiger. 'Met alle respect voor je gevoelens, Joe, maar de dingen gaan nu eenmaal zoals ze gaan moeten.'

'Dat is gezeik,' zei hij bot. 'De dingen gebeuren soms op een bepaalde manier omdat we de zaak verknallen, of omdat we bang zijn, of dom, of gewoon hartstikke blind. Er is veel verstand en moed voor nodig om de dingen goed te doen, Kate, en niet iedereen beschikt daarover. Soms kost het tijd om erachter te komen, en dan is het te laat. Maar je moet de fout herstellen als dat mogelijk is. Je kunt niet maar wat achteroverleunen en de puinhoop de puinhoop laten en dan zeggen dat het zo bedoeld was. Alleen dwazen doen dat.' Joe was geen dwaas, dat wisten ze allebei.

'Sommige dingen zijn onomkeerbaar,' zei ze rustig. Ze had begrip voor wat hij zei, maar of ze het prettig vond was een tweede. Het had geen zin om het verleden op te rakelen.

'Je hebt me onvoldoende tijd gegeven,' zei Joe. Hij keek diep in haar ogen, die dezelfde kleur hadden als de zijne. Zij beiden leken elkaar te spiegelen. In sommige opzichten waren ze als twee handen op één buik, in andere stonden ze diametraal tegenover elkaar. En alles was zo volmaakt wanneer het liep.

'Nadat ik je verlaten had, heb ik twee jaar gewacht voordat ik trouwde,' zei ze grimmig. 'Je had alle tijd om je te bedenken en me alsnog te krijgen. En dat heb je niet gedaan.'

'Ik was dwaas. Ik was doodsbenauwd. Ik had het druk. Ik wist het nog niet. Maar ik weet het nu,' zei hij nadrukkelijk. Haar hart sloeg over toen ze de blik in zijn ogen zag. Hij wilde haar terug, maar nu behoorde ze aan iemand anders toe. Dat was pijnlijk voor Joe. Hij wilde altijd wat hij niet krijgen kon. 'Luister, Kate, het moet! Ik heb een fantastisch leven, ik heb een gezond bedrijf opgebouwd. Maar zonder jou verliest dat alles aan betekenis.'

'Joe, laten we hierover zwijgen. Het heeft geen zin.'

'Toch wel, Kate,' zei hij, haar aankijkend. 'Ik hou van je.' En voordat ze nog iets kon zeggen kuste hij haar en vervolgens sloeg hij zijn armen om haar heen, zomaar op de bank. Ze had het gevoel alsof ze zwevend door de ruimte met hem een andere wereld binnendreef, alsof haar hart het luchtruim koos. Een ogenblik later maakte ze zich los van hem en viel terug op de aarde.

'Joe, je moet gaan.'

'Ik ga pas als ik er met je over gesproken heb. Hou je nog steeds van me?' Hij moest het weten.

'Ik hou van mijn man,' zei ze, terwijl ze van hem wegkeek, zodat hij haar ogen niet zien kon.

'Dat vroeg ik je niet,' drong hij aan en ten slotte keek ze hem in de ogen. 'Ik vroeg of je nog steeds van mij houdt.'

'Ik heb altijd van je gehouden,' zei ze. Het kwam recht uit haar hart. 'Maar het is niet goed. En het is onmogelijk nu. Ik ben met Andy getrouwd.' Terwijl ze met hem sprak, maakte ze een gekwelde indruk. Ze had dit niet gewild. Ze had zichzelf ervan overtuigd dat ze vrienden konden zijn.

Joe leek diep geschokt. 'Hoe kun je van mij houden en met Andy getrouwd zijn?'

'Omdat je niet met me wilde trouwen, dacht ik dat je niet van me hield.' Ze had er eindeloos over zitten tobben, en nu was het te laat.

'Dus je trouwde met de eerste de beste vent die je tegenkwam.'

'Dat is een rotopmerking. Ik heb twee jaar gewacht.'

'Nou, het kostte mij meer dan twee jaar om tot inzicht te komen.' Hij klonk als een verongelijkt kind, maar zijn woorden deden er niet toe, wat hij ook zei. Wat ertoe deed, was wat ze voelde toen hij haar kuste, wat ze voelde in haar hart en wat ze in zijn ogen zag toen hij naar haar keek. Ze hield nog steeds van hem en dat zou altijd zo blijven. Dat wist ze. Kate had het gevoel alsof ze tot levenslang was veroordeeld. En aan ontsnappen viel nu niet meer te denken.

'Ik kan het Andy niet aandoen,' zei ze kortweg. 'Hij is mijn man, en we hebben een kind.' Ze stond op met een ongelukkige blik in haar ogen. 'Wat we deden en zeiden en waarom we dat deden, is niet meer van belang. Het is gebeurd. We hebben het gedaan. We hebben het gezegd. Ik ben bij je weggegaan en jij wilde dat ik ging. Als dat niet zo was, zou je me wel tegengehouden hebben. Of je zou me gevraagd hebben om terug te komen. Het kon je geen moer schelen. Jij had het te druk met je vliegspeeltjes. En je durfde de stap niet te nemen omdat je bang was gekortwiekt te worden. Ja, de waarheid is dat ik nog steeds van je hou en altijd van je zal blijven houden. Maar het is te laat voor ons, Joe. Ik ben nu getrouwd met een ander. Ik moet dat respecteren, ook al doe jij dat niet.' Zo stond ze daar, met die ongelukkige blik in haar ogen. 'Je moet nu gaan. Ik kan dit mezelf niet aandoen en hem ook niet. Hij noch ik verdient het.'

'Je straft me omdat ik niet met je wilde trouwen,' zei hij. Hij richtte zich in zijn volle lengte op en keek haar berouwvol aan. 'Ik straf mezelf omdat ik getrouwd ben met een man die een echte vrouw verdient, en niet iemand die altijd van een ander heeft gehouden. Dat is verkeerd, Joe. We moeten elkaar uit het hoofd zetten. Ik weet alleen bij God niet hoe dat moet, hoe ik het ook geprobeerd heb. Maar ik zweer het. Al leg ik het loodje, het zal me lukken.'

'Ga dan bij hem weg.'

'Dat ben ik niet van plan. Ik hou van hem. We hebben net een baby.'

'Ik wil je terug Kate.' Hij zei het op de toon van een man die gewend is zijn zin te krijgen en die met minder geen genoegen zou nemen.

'Waarom? Omdat ik met iemand anders getrouwd ben? Waarom nu opeens wel? Ik ben geen stuk speelgoed of een vliegtuig of een bedrijf dat je kunt bezitten of kopen. Ik heb twee pokkejaren op je gewacht, terwijl iedereen dacht dat je ergens in Duitsland dood en begraven lag. Al die tijd wachtte ik op je. Ik was nog maar een meisje en had voor niemand anders oog. En nadat je me drie jaar geleden verteld had dat je nooit met me zou trouwen, heb ik een jaar lang geleefd als een zombie. Waarom kom je er nu mee aanzetten?' huilde ze.

Joe schudde zijn hoofd. 'Ik weet het niet. Ik weet alleen dat je een deel van me bent. Ik wil niet leven zonder jou. We kunnen niet meer terug. We kennen elkaar tien jaar. En negen daarvan zijn we verliefd geweest.'

'Nou, en?' vroeg ze onvriendelijk. 'Dat had je eerder moeten bedenken. Het is nu te laat.'

'Dat is belachelijk. Je houdt niet van hem. Wil je dit de rest van je leven?'

'Ja,' zei ze beslist. De baby begon te huilen. 'Je moet nu gaan, Joe,' zei ze, nog steeds huilend. 'Ik moet de baby de borst geven.'

'Moet je daar niet ontspannen voor zijn?'

'Ja, maar dat had ik eerder moeten beseffen.' Toen deed hij een stap dichterbij en veegde haar tranen af. 'Nee, niet doen, alsjeblieft...' huilde ze nu nog harder. Hij nam haar in zijn armen en daar huilde ze door. Haar enige wens was om bij hem te zijn, en dat was onmogelijk. Het was een wrede speling van het lot dat hij haar terug wilde. Ze kon Andy niet verlaten en haar kind meenemen, hoezeer ze Joe ook liefhad. En ze hield ook van Andy. Maar die liefde was anders.

Hij voelde zich schuldig om de toestand waarin ze verkeerde. 'Het spijt me. Ik had hier vanavond niet moeten komen.'

'Het is niet jouw fout,' zei ze toegeeflijk, terwijl ze haar ogen droogde. 'Ik wilde jou ook zien. Het was zo fijn gisteren. Zo fijn om je weer te ontmoeten en bij je te zijn... O Joe, wat moeten we doen?' Ze klampte zich aan hem vast. Geen van beiden wist wat ze moesten doen. En ze hielden nog steeds van elkaar, dat was overduidelijk.

'Ik weet het niet. We komen er wel uit.' Hij hield haar in zijn armen en kuste haar. Het enige dat ze wilde, was bij hem zijn.

Toen ging ze de baby halen en legde hem tussen hen in op de bank. Het was een wolk van een baby. Joe keek zwijgend naar hem. Toen keek hij naar haar. 'Alles komt goed, Kate. Misschien is het mogelijk dat we elkaar zo af en toe zien.'

'Maar wat dan? We zullen altijd blijven wensen dat we samen waren. Dat is geen leven.'

'Voorlopig is het het enige dat we hebben. Misschien volstaat het.' Maar ze wist dat dát niet lang zou duren. Ze zouden niet genoeg hebben aan die stiekeme momenten en aan de wetenschap dat ze van elkaar hielden. Ze zouden bij elkaar willen zijn. Voor haar klonk het als een levenslange kwelling. Hij zag hoe gekweld en ongelukkig ze was. En ze moest de baby voeden. 'Wil je dat ik wegga of zal ik op je wachten tot je de baby zijn voeding hebt gegeven?' Ze wist dat hij weg zou moeten gaan, maar wilde dat hij bleef. Ze wist niet wanneer ze hem weer zou zien. Als dat al het geval was.

'Als je wilt, kun je wachten.' Ze ging naar de andere kamer, terwijl hij naar de televisie keek. Toen ze terugkwam, was Joe op de bank in slaap gevallen. Hij had een lange dag gehad en voor beiden was het een emotionele avond geweest. Ze zag er tevredener uit nu ze de baby had gevoed en Reed lekker lag te slapen in zijn wieg.

Kate ging zitten en sloeg Joe een tijdje gade. Ze raakte zijn haar aan en streelde zijn wangen. Het voelde allemaal zo vertrouwd aan. Hij was zoveel jaren van haar geweest en zij van hem. Ze hadden een lange, gemeenschappelijke geschiedenis en dat schiep een sterke band. Lange tijd zat ze daar, terwijl ze hem vasthield tot hij zijn ogen opensloeg.

'Ik hou van je, Kate,' fluisterde hij.

Ze glimlachte. 'Nee, dat doe je niet. Dat zal ik niet toestaan,' fluisterde ze terug. Hij kuste haar. Ze lagen op de bank en bleven elkaar maar zoenen. Het was een onmogelijke situatie met een onmogelijke man. 'Je moet gaan,' zei ze zachtjes. Hij knikte, maar maakte geen aanstalten om op te staan. Telkens kuste hij haar weer, en na een poosje kon het haar niet langer schelen. Ze wilde niet dat hij wegging. Ze wilde dat ze hem niet verlaten had. Ze wilde Andy geen pijn doen, of haar zoon... Ze wilde dat niets van dat alles gebeurde, maar de kracht die hen samensmeedde won het. Hij nam haar in zijn armen en leg-de haar op het bed. Ze moest hem wegsturen. Ze wist het, maar ze kon het niet. In plaats daarvan liet ze zich door hem uitkle-den, zoals hij zo vaak had gedaan. Toen kleedde hij zichzelf uit. Ze bedreven de liefde met al het verlangen dat hen drie jaar lang geobsedeerd had. Daarna vielen ze met de armen om el-kaar heen in een diepe, vredige slaap.

17

Toen Kate de volgende morgen wakker werd, glimlachte ze omdat ze Andy naast zich voelde. Ze draaide zich om,
keek... Het was Joe. Nee, het was geen droom of nachtmerrie
geweest. Het was de optelsom van al die jaren dat ze van hem
had gehouden en van die drie jaar dat ze elkaar niet hadden gezien. Alleen had ze er geen idee wat ze nu moest doen. Ze moesten elkaar vergeten, zei ze tegen zichzelf, terwijl ze zag hoe hij
zachtjes in zijn slaap bewoog. De baby sliep nog als een roos.
Joe ontwaakte een paar minuten later. Toen hij haar zag, glimlachte hij.

'Is dit een droom? Of ben ik vannacht gestorven en heeft de hemel zich over mij ontfermd?' Voor hem leek het allemaal zo
eenvoudig. Híj was met niemand getrouwd. Híj liep niet het gevaar om iemands leven te verwoesten. Behalve dat van haar en
van hemzelf. Dat was ruim voldoende.

'Je ziet er walgelijk gelukkig uit,' zei ze beschuldigend. Maar
terwijl ze het zei, ging ze lekker dicht tegen hem aan liggen. De
tijd 's morgens in bed was haar favoriete moment van de dag.
Gezellig tegen elkaar aangekropen wat kletsen. 'Je moet wel totaal geen geweten hebben.'

'Geen enkel,' bevestigde hij. Hij glimlachte en gaf hij haar een
kus op haar voorhoofd. In jaren was hij niet zo gelukkig geweest. Alles was in harmonie, op dat moment tenminste. 'Alles goed met de baby? Is het normaal dat hij nog steeds slaapt?'
Het was nieuw voor hem.

'Ja hoor, alles is in orde. Het is een langslapertje,' zei ze, ontroerd door zijn bezorgdheid.

Vervolgens begon hij haar te kussen. En ze maakten gebruik
van het feit dat Reed nog sliep om opnieuw de liefde te bedrijven. Het was als een droom. Het was bijna alsof hij nooit weg-

geweest was. Behalve dan dat ze in de afgelopen drie jaar volwassener geworden waren, en dat zij was getrouwd en een kind had. Maar wat ze met Joe deelde, had ze met geen enkele andere man gehad, of het nu in bed was of ergens anders. Geen van hen beiden was in staat om de gevoelens die ze voor elkaar koesterden te peilen, zo diep waren ze. Het was een soort oerkracht die hen naar elkaar toe trok. Ze moesten samen zijn. Hoe verschillend en onafhankelijk en uniek ze ook waren, in wezen waren ze één. Verklaringen waren overbodig, een paar woorden volstonden. Meestal voelden ze elkaar zelfs woordloos aan. Woorden waren slechts het uiterlijk excuus voor wat ze voelden. Verontschuldigingen die ze maakten. Beloften die ze niet langer konden houden. Woorden waren totaal onbelangrijk. Wat daaronder lag, maakte hen tot zielsverwanten.

Eindelijk werd de baby wakker, die het meteen stevig op een huilen zette. Kate gaf hem zijn voeding, terwijl Joe een douche nam. Daarna maakte ze ontbijt voor hen beiden. Hij wilde het ontbijt met haar rekken en moest lachen toen de baby vanaf zijn stoeltje olijk naar hem grijnsde. Toen zei hij met spijt in zijn stem dat hij die morgen een vergadering had en dat hij weg moest. Hij zou het heerlijk gevonden hebben om met haar de dag door te brengen.

Joe stond op en trok zijn jas aan. 'Lunchen we straks?' vroeg hij aan Kate.

'Waar zijn we mee bezig, Joe?' vroeg ze hem met een ernstige en bezorgde blik. Nu konden ze misschien nog stoppen. Dit moment zou beslissend kunnen zijn voor de rest van haar leven. Ze konden nog stoppen voor ze een spoor van verwoesting zouden achterlaten. Voor haar stond er veel meer op het spel dan voor hem. De beslissing om ermee op te houden hing van haar af. Ze wist het, maar ze kon de gedachte niet verdragen om hem opnieuw te verliezen. Diep in haar hart wist ze dat het al te laat was.

'Ik denk dat we er het beste van moeten maken, Kate. Een andere keus hebben we niet. Komt tijd, komt raad.' Hij had er een handje van om zijn ogen te sluiten voor de valkuilen op zijn weg, behalve wanneer hij vliegtuigen bouwde.

'Dit is riskant,' zei ze, terwijl ze de revers van zijn jas gladstreek.

Ze hield van de manier waarop hij keek, hield van zijn lange gestalte, zijn gebeeldhouwde trekken, de kin met het kuiltje, ze hield van zijn zeer mannelijke brede schouders, zijn ogen die haar overal volgden en zijn benen. Ze was weg van hem. Hij was haar droom, en dat was altijd zo geweest. Al sinds haar zeventiende. Het was een kracht waar niet tegen te vechten viel. En met hem was het niet anders. Vanaf hun eerste ontmoeting was hij gebiologeerd door haar, voelde hij zich tot haar aangetrokken als een nachtvlinder tot een vlam.

Joe glimlachte naar haar. 'Het leven is gevaarlijk, Kate,' zei hij kalm. Toen kuste hij haar. Hij kon maar niet genoeg van haar krijgen, en zij niet van hem. 'Misschien is het pas de moeite waard als dat zo is. Voor goede dingen moet je bereid zijn te betalen. Ik ben nooit bang geweest om te betalen voor wat ik wil of voor waar ik in geloof.' Maar deze keer stonden niet alleen hun eigen levens op het spel. 'Wil je met me lunchen?' Ze aarzelde en knikte toen. Ze wilde zo lang mogelijk bij hem zijn. Ze realiseerde zich nu dat ze geen keus had.

'Ik zal zorgen dat ik een oppas krijg. Waar spreken we af?' Hij stelde Le Pavillon voor. Dat was altijd een van haar lievelingsrestaurants geweest. Om twaalf uur zouden ze elkaar zien. Nadat hij weg was, gaf ze de baby opnieuw de borst. Ze zat rustig op de bank. Overal in de kamer zag je foto's van haar en Andy, waaronder een bruidsfoto die het vorig jaar was gemaakt. Nu ze weer met Joe samen was, kreeg Andy iets onwerkelijks. Ze wist dat ze van hem hield, bracht zichzelf in herinnering dat hij haar man was. Maar in vergelijking met Joe leek Andy wel een broekje. Joe had iets dat haar telkens weer in een roes bracht. Hij had gelijk, het was gevaarlijk, maar tegelijkertijd wist Kate dat er geen weg terug was. Het geluk dat ze deelden was waarschijnlijk de risico's waard.

Kate legde de baby terug in zijn wieg en belde de oppas. Om twaalf uur liep ze Le Pavillon binnen. Ze droeg een lichtgroene zijden jurk met een zeegroene smaragden broche, die haar moeder haar jaren geleden eens had gegeven. Ze zag er prachtig en elegant uit, en de jurk paste volmaakt bij haar donkerrode haar. En net als tien jaar geleden keek hij weer zijn ogen uit toen ze door de zaal liep. Er school een zeker gevaar in het feit dat ze zich zo zichtbaar voor iedereen in het openbaar bewogen, maar ze hadden erover gesproken en waren tot de conclusie gekomen dat het op deze manier minder verdacht zou zijn als iemand hen zou zien, dan als ze de indruk zouden maken zich te willen verbergen.

'Bent u Joe Allbright?' fluisterde ze toen ze naast hem ging zitten. Hij grinnikte. Hij hield van de blik in haar ogen, van haar geur, van haar speelsheid. Hij hield van de manier waarop ze door een zaal slenterde, terwijl ze zich totaal niet bewust was van de verpletterende indruk die ze met haar verschijning maakte. Ze vormden samen een opmerkelijk tweetal. Ze waren niet een van de doorsneeparen die je zo vaak zag. Samen zagen ze er fantastisch uit. Dat hadden ze altijd al gedaan. Het was een deel van de betovering die ze deelden en uitstraalden.

'Heb je zin om van het weekend te gaan vliegen?' vroeg hij haar tijdens de lunch. Ze was altijd gek op zijn vliegtuigen geweest en had zelf al drie jaar niet meer gevlogen. Hij vertelde haar dat hij een leuk klein model toestel had, dat net de vorige dag uit de fabriek gerold was. 'Je zult het prachtig vinden, Kate,' zei hij met een brede grijns, hetgeen hem meer dan ooit een jongensachtig voorkomen gaf.

'Reken maar.' Ze had de eerste drieënhalve maand geen verplichtingen en ze besefte nu dat deze tijd hun toebehoorde, wat er daarna ook zou gebeuren. Het had geen zin om zich ertegen te verzetten. Ze had haar lot in handen van de schikgodinnen gelegd. Hun band kon niet verbroken worden, nog niet, tenminste.

Ze maakten er een lange lunch van en waren heel behoedzaam. Daarna ging hij naar kantoor en zij ging naar huis. Ze was van plan Reed mee naar het park te nemen. Toen ze thuiskwam, vond ze een brief van Andy. Die was zo grappig en liefdevol, en hij miste haar zo, dat het haar door merg en been ging. Lange tijd zat ze daar met zijn brief in haar handen te huilen. Nog nooit in haar leven had ze zich zo schuldig gevoeld. Wat ze aan het doen was, was verkeerd. Ze wist het, maar stoppen kon ze het niet. Ze kon niet zonder Joe's aanwezigheid, hoeveel ze ook van Andy hield.

's Avonds, toen Joe terugkwam, voelde ze zich ontspannen. Hij had een drukke dag gehad op kantoor en was moe. Ze bracht hem een whisky met water en nam zelf een glas wijn. De baby sliep al.

'Ik kreeg vandaag een brief van Andy. Ik voel me vreselijk, Joe. Als hij er ooit achter komt, breekt zijn hart. Waarschijnlijk zal hij zich van me laten scheiden,' zei ze. Ze zag er terneergeslagen uit.

'Goed, dan trouw ik met je.' Hij had er de hele dag over lopen piekeren en was praktisch tot een besluit gekomen. Maar hij had er nog wat over na willen denken voor hij iets tegen haar zou zeggen.

'Dat zeg je alleen maar omdat ik nu met iemand anders getrouwd ben. Als ik vrij was,' zei ze glimlachend, 'zou je er als een haas vandoor gaan.'

'Probeer het eens, zou ik zeggen.'

'Uitgesloten.'

'Weet je wat, we laten het onderwerp rusten en genieten van de tijd die we hebben,' zei hij rustig. En ze voegden de daad bij het woord.

De maand die volgde, lunchten ze verscheidene keren per week, aten iedere avond samen – thuis of buiten de deur. In de weekenden gingen ze vliegen, bezochten ze de bioscoop, kletsten ze, bedreven ze de liefde en lachten ze. Kortom, ze sponnen zich in in hun eigen kleine wereldje. Joe speelde zelfs met de baby, iedere avond als hij thuiskwam, en hij was buitengewoon opgetogen toen hij bij Reed een eerste tandje ontdekte. Het was alsof ze het ideale gezin waren en alsof Andy niet bestond. Het enige dat aan hem herinnerde, was Andy's moeder, die iedere dinsdagmiddag naar de baby kwam kijken, maar Kate droeg er zorg voor dat er nergens in het huis een spoor van Joe's aanwezigheid te vinden was. En wanneer ze uitgingen, waren Kate en Joe discreet genoeg om iedereen te laten geloven dat ze slechts vrienden waren en dat er niets tussen hen was. Maar ze voelden zich als man en vrouw. Ze waren een onafscheidelijk paar.

Ze schreef Andy bijna iedere dag, maar haar brieven waren niet spontaan en maakten een geforceerde indruk. Ze hoopte maar dat hij het niet zou merken. Ze schreef voornamelijk over Reed en weinig over zichzelf. Waarschijnlijk was dat het beste. Wat hij haar had geschreven over het oorlogstribunaal was fascinerend. Maar hij schreef haar ook hoezeer hij haar miste en liefhad, en hoe hij stond te popelen om weer naar huis te gaan om haar en Reed te zien. Elke brief was een steek in haar hart. Ze had er geen idee van wat ze doen moesten, en Joe had ermee ingestemd de zaak tot het najaar te laten rusten.

Ze had haar ouders beloofd dat ze in augustus een week in Cape Cod met hen zou doorbrengen, maar ze verfoeide de gedachte dat ze Joe zou moeten verlaten. Zij en Joe hadden zo weinig tijd. De helft van de vier maanden die Andy weg zou blijven, was al om. Maar ze wist dat haar ouders onraad zouden ruiken als zij en de baby niet naar Cape Cod kwamen. Dan kwamen ze misschien zelfs naar New York, en zouden ze ontdekken dat Joe bij haar verbleef. Hij was eind juli bij haar ingetrokken. Dus besloot ze dat het maar het beste was om te gaan. Joe zei dat hij het druk genoeg zou hebben terwijl ze weg was en ze spraken af dat zij hem zou bellen. Haar moeder zou zijn stem herkennen als hij belde en ze de telefoon opnam. Het was nieuw voor haar om zo achterbaks te zijn en niet iets waar ze, op zijn zachtst gezegd, trots op was, maar ze hadden geen keus. Als dit voor hun verstand en hun gevoel de juiste weg was, dan moesten ze de regels naar hun hand zetten.

Kate was al vijf dagen op de Cape en hun buren gaven die avond hun jaarlijkse barbecue. Ze liet de baby achter bij de oppas en ging met haar ouders naar het feest. Ze was in een goed humeur. Over twee dagen zou ze Joe weer zou zien, wist ze. Ze kon haast niet wachten.

Ze zat met een drankje op de veranda die net iets boven de duinenrij uitstak. Toen ze zich omdraaide, zag ze hem aankomen. Gelukkig reageerde ze met gepaste verbazing; in werkelijkheid was ze ontsteld. Joe had haar verrast. Hij was overgekomen om zijn vrienden te bezoeken en was met hen naar de barbecue gegaan. Hun gastheer en gastvrouw herinnerden zich hem nog van een aantal jaren geleden en waren blij hem te zien. Joe Allbright was iemand die je bijbleef. En terwijl hij langzaam zijn weg over de veranda vervolgde en links en rechts mensen groette en de hand drukte, zag Kates moeder hem.

'Wat doe híj hier?' vroeg ze aan Kate.

'Geen idee,' zei Kate. Ze draaide zich een beetje om, zodat haar moeder haar gezicht niet kon zien. Ze vond het dwaas van Joe, dat hij gekomen was. Daarmee tartte je het lot! Kate wist niet of ze in staat zouden zijn het af te wenden.

'Wist je dat hij zou komen?' Het kruisverhoor begon, terwijl Kates vader de veranda over liep om Joe de hand te schudden. Hij was verheugd hem te zien, ondanks de breuk met Kate. Dat was allemaal voorbij. Ze was nu met een ander getrouwd. Het verleden behoorde tot het verleden. Althans dat dacht hij.

'Hoe kan ik dat nou weten, mam? Hij heeft hier vrienden. Het is toch niet de eerste keer dat hij hier komt?'

'Toch is het raar. We hebben hem hier in geen drie jaar gezien. Misschien komt hij voor jou.'

'Daar geloof ik niets van.' Kate stond met haar rug naar hem toe, maar ze kon bijna voelen dat hij naderbij kwam. Ze voelde dat haar moeder hen observeerde. Ze kon alleen maar hopen dat ze zichzelf niet bloot zouden geven, maar ze was er niet gerust op. Vooral wat haar zelf aanging. Haar moeder kende haar maar al te goed.

Toen Joe ten slotte bij hen aangeland was, groette hij beleefd haar moeder, die hem onwillig de hand drukte en hem een ijzige blik toewierp.

'Dag Joe,' zei ze. Haar stem klonk buitengewoon koel, en hij glimlachte vriendelijk naar haar.

'Dag, Mrs. Jamison. Prettig u te zien.' Ze gaf geen sjoege. Vervolgens wendde hij zich tot Kate. Hun ogen ontmoetten elkaar. Kate beheerste zich met de grootste moeite toen ze hem groette. 'Leuk je weer te zien, Kate. Ik hoor dat je een baby hebt. Proficiat!'

'Dank je,' zei ze koeltjes, en liep weg om met iemand anders te praten. Ze wist dat haar moeder opgelucht zou zijn en hoopte dat haar optreden haar op het verkeerde been zou zetten. Iets in die geest fluisterde ze ook tegen Joe, toen ze later naast hem op het strand stond. Ze waren hotdogs aan het roosteren, en die van haar waren al verbrand. Al haar aandacht was gericht op hem. Ze wilde met hem praten. 'Hoe haal je het in je hoofd! Ze zullen razend zijn als ze het ontdekken.'

'Ik miste je. Ik wilde je zien,' zei hij. Het klonk ernstig en jeugdig tegelijk.

'Over twee dagen ben ik thuis,' fluisterde ze terug. Ze wilde hem kussen, wilde haar armen om hem heenslaan, wilde vastgehouden worden. Maar ze durfde zelfs niet naar hem te kijken.

'Je hotdog is aan het verbranden,' was zijn gefluisterde antwoord. Ze moest lachen, en een ogenblik lang ontmoetten hun ogen elkaar. Toen ze zich afwendde, zag ze hoe haar moeder naar haar keek.

'Je moeder haat me,' was Joe's commentaar, terwijl hij Kate een bord aanreikte. Het was natuurlijk haast onvermijdelijk dat ze met elkaar zouden spreken, maar het was duidelijk dat Kates moeder het niet goedkeurde. Ze maakte de indruk alsof ze wilde dat hij dood was, of op zijn allerminst zover mogelijk bij Kate uit de buurt.

Haar ouders maakten het uiteindelijk niet zo laat omdat Elizabeth hoofdpijn had. Zij en Joe gingen een strandwandeling maken, zoals ze een paar jaar eerder ook gedaan hadden. Ze hadden heel veel gemeenschappelijk. Tien jaar was een lange tijd. Een belangrijke tijd, althans voor hen. Omdat ze nooit getrouwd waren, deed haar moeder al hun gevoelens uit die tijd af als onbetekenend. Voor zover het haar betrof waren het verspilde jaren, en iets in die trant had ze Kate ook vaak genoeg gezegd. Kate keek er anders op terug. Het waren de beste jaren van haar leven geweest.

Het was heerlijk om gewoon samen te zijn en over het door de maan beschenen zand te lopen. Ze lagen naast elkaar, ver weg van de anderen, en hij kuste haar en zij hem, en toen ze terugliepen hielden ze elkaars hand vast. Allang voordat ze het huis bereikten, hadden ze elkaar weer losgelaten en zodra ze terug waren, gedroegen ze zich heel voorzichtig. Kate ging eerder weg dan hij. Haar ouders lagen al in bed, en Reed sliep als een roos en taalde niet naar een voeding. In bed gingen Kates gedachten uit naar Joe. Ze hadden zo'n geweldige tijd samen, zo'n prettig leven. Hun beider wensen waren in vervulling gegaan. Zij had haar baby, hij zijn succes. Maar er scheen geen manier te bestaan om alles samen te voegen, en als ze het probeerden, dan zouden ze er iemand pijn mee doen. Het was als een Chinese puzzel of een doolhof. Maar ze wist dat er in dit geval geen uitweg was.

Ze stond vroeg op met haar baby. Haar moeder was in de keuken toen Kate de trap af kwam. Ze probeerde om geen lawaai te maken, wat niet meeviel met Reed erbij. Hij kraaide, lachte en krijste. Zachtjes sloot ze de keukendeur en zag toen haar moeder, die rustig aan de keukentafel de plaatselijke ochtendkrant zat te lezen en een kopje thee dronk.

Ze sloeg haar ogen niet op terwijl ze met Kate sprak, maar hield ze op de krant gericht. Ondertussen zette Kate de baby in zijn stoeltje.

'Je wist dat hij zou komen, zo is het toch?' zei haar moeder op beschuldigende toon. Elizabeth keek op van haar krant en richtte haar blik op Kate.

'Dat is niet zo,' zei Kate naar waarheid. 'Ik wist het eerlijk niet.'

'Er is iets tussen jullie, Kate. Ik voel het. Ik heb nooit eerder twee mensen gezien die zo'n aantrekkingskracht op elkaar uitoefenen. Zelfs als jullie beiden aan de andere kant van de kamer staan, kun je het voelen.' Dat was waarschijnlijk de reden dat Kate niet in staat was om zich van hem los te maken en hij zich niet van haar. 'Jullie fascinatie voor elkaar heeft bijna iets dierlijks. Jullie kunnen elkaar niet alleen laten.'

'Ik heb gisteravond amper met hem gepraat,' zei Kate, terwijl ze de baby een pietepeuterig stukje banaan gaf. Hij stopte het in zijn mondje.

'Je hoeft niet met hem te praten, Kate. Hij voelt jou, net als jij hem voelt. Het is een gevaarlijk man. Hou hem op afstand, anders zal hij je leven verwoesten.' Maar het was al veel te laat.

'Het was lomp van hem om hier te komen. Hij deed het omdat hij wist dat je hier zou zijn. Ik ben verbaasd dat hij het lef had... hoewel niets me meer verbaast,' zei ze kwaad. Ze vond nog steeds dat Joe een bedreiging vormde, zeker nu Andy er niet was. En ze had gelijk.

'Mij ook niet,' zei haar vader, die de keuken binnenkwam, de baby kuste en een blik wierp op zijn vrouw. Hij kon zien dat zij en Kate woorden hadden gehad, maar hij had geen idee waarover. Hij gaf er de voorkeur aan om buiten hun strubbelingen te blijven. 'Het was leuk om Joe te zien, gisteravond. Ik heb het een en ander gelezen over zijn luchtvaartmaatschappij. Die zal een geweldig succes worden. Is het eigenlijk al. Hij vertelde dat er kantoren in Europa zullen komen. Wie had vijf jaar geleden gedacht dat dit allemaal zou gebeuren?' zei hij. Hij leek onder de indruk.

Zijn vrouw gooide haar thee in de gootsteen. 'Ik vind het grof van hem om hier te komen,' herhaalde ze ter wille van haar man. Hij keek verbaasd.

'Waarom?'

'Hij wist dat hij Kate zou treffen. Ze is een getrouwde vrouw, Clarke. Hij moet haar niet achternajagen tot in Cape Cod of waar dan ook.' Nee, en hij moest ook niet bij haar wonen, zoals nu, dacht Kate. Haar moeder zou haar laten opsluiten als ze het wist. En daar had ze misschien nog gelijk in ook. 'Hij wéét toch dat ze getrouwd is. Hij wilde zich gewoon aan haar opdringen.'

'Doe niet zo mal, Liz. Dat is verleden tijd. Dat was jaren geleden. Kate is getrouwd en hij heeft vermoedelijk iemand anders. Is hij getrouwd, Kate?'

'Ik geloof van niet, pap. Ik weet het echt niet.'

'Ik zag hem met je praten op het strand,' zei Elizabeth beschuldigend.

'Daar steekt geen kwaad in,' kwam Clarke tussenbeide. 'Het is een goeie vent.'

'Als dat zo was, zou hij met haar getrouwd zijn. In plaats daarvan moest ze in de oorlog twee jaar op hem wachten, en na zijn terugkomst heeft hij haar nog eens twee jaar gebruikt,' snibde zijn vrouw. 'Goddank kwam Kate tot bezinning en trouwde ze met iemand anders. Het is zonde dat Andy er gisteravond niet bij was.'

'Ja, dat is waar,' beaamde Kate zacht, maar haar moeder zag iets in haar ogen dat haar niet beviel. Iets verborgens, iets dat bewaakt moest worden, alsof haar dochter een diep geheim had. Heel haar gevoel zei haar dat het Joe was.

'Je bent een dwaas als je ook maar iets met hem van doen hebt, Kate. Hij zal je opnieuw gebruiken en jij zult Andy's hart breken. Joe zal nooit trouwen. Met niemand. Let op mijn woorden.' Dat had ze altijd beweerd, en tot dusver had ze gelijk gehad. Maar Kate wist ook dat hij nu met haar wilde trouwen, althans dat zei hij. Maar nu ze met iemand anders getrouwd was, had hij natuurlijk makkelijk praten. Even later ging ze met de baby naar buiten om op de veranda in de zon te zitten. En toen ze opkeek, zag ze een vliegtuig loopings maken. Het was niet moeilijk om te raden wie dat was. Het was nog zo'n kind... Maar ze moest erom glimlachen.

Haar vader kwam naar buiten om het te zien. 'Mooi klein toestel,' was zijn commentaar, terwijl hij in de lucht tuurde.

'Het is zijn nieuwste ontwerp,' zei Kate. Het was eruit voordat ze er zelf erg in had, en haar vader liet zijn blik zakken en keek haar aan.

'Hoe weet jij dat, Kate?' Hij klonk niet verwijtend, zoals bij haar moeder, alleen bezorgd.

'Hij heeft het me gisteravond verteld.'

Clarke ging naast zijn dochter zitten en legde zijn hand boven op de hare. 'Het spijt me voor je dat het niet goed is uitgepakt. Sommige dingen lukken gewoon niet.' Hij wist hoeveel ze van hem gehouden had en hoeveel pijn het haar had gedaan toen ze uit elkaar gingen. 'Toch heeft je moeder gelijk. Het zou heel verkeerd zijn als je nu opnieuw met hem in zee gaat.' Hij maakte zich plotseling zorgen om haar. Ze zag er zo bedroefd uit.

'Dat gebeurt ook niet, pappa.' Ze had er een hekel aan om tegen hem te liegen, maar ze had geen keus. Zelf wist ze ook dat waar zij en Joe mee bezig waren, fout was. Maar hem te laten gaan scheen haar een onmogelijkheid toe. Het gevoel dat hij haar gaf, of het nu in bed was of erbuiten, daar kon geen man ter wereld tegenop. Het was alsof hij haar aanvulde, net zoals zij dat bij hem deed. Ieder van hen had de ontbrekende stukjes die de ander nodig had om compleet te worden. Ze had geen idee wat ze moesten doen als Andy thuiskwam, maar dat duurde in ieder geval nog twee maanden. Joe en zij hadden tijd om uit te zoeken wat ze daarna zouden doen.

Boven hun hoofd vloog hij nog steeds zijn rondjes. Hij maakte loopings, zijdelingse overslagen en een adembenemende glijvlucht die haar de hand voor de mond deed slaan. Ze was er zeker van dat hij te pletter zou slaan. Haar vader lette niet langer op het vliegtuig, maar observeerde zijn dochter. Het was erger dan hij had gedacht en hij begon zich af te vragen of Liz gelijk had en er toch iets gaande was. Hij wilde het Kate echter niet vragen. Ze was meerderjarig en hij vond dat het niet op zijn weg lag om zijn neus in haar zaken te steken.

Een dag later keerde Kate terug naar New York. Ze was nog niet thuis, of Joe belde. Ze kapittelde hem over de glijvlucht die haar zo'n angst had bezorgd en hij moest lachen. Hij wist dat hij helemaal niet in gevaar geweest was. Geen seconde.

'Het is gevaarlijker om in New York de straat over te steken, Kate. Dat weet je toch?' Hij vond het vermakelijk dat ze bezorgd was geweest. 'Hebben je ouders het je nog lastig gemaakt?' Hij vermoedde dat dat wel het geval zou zijn na hun ontmoeting bij de barbecue, en hij had gelijk.

'Alleen mijn moeder. Ze denkt dat er wat gaande is.'

'Heel opmerkzaam van haar,' zei hij met bewondering. 'Heb je iets losgelaten tegenover hen?'

'Natuurlijk niet. Ze zouden geschokt zijn. En eigenlijk ben ik dat ook als ik er zo over nadenk.' De hele terugweg had ze er over gepiekerd en de klank van haar stem stond hem niet aan. Ze werd verteerd door wroeging. Andy was zo onschuldig in deze hele geschiedenis. Hij had geen idee van wat er thuis gebeurde. Op de een of andere manier had Joe het gevoel dat hij de oudste rechten had, omdat hij haar al zo lang kende. Maar het was Andy die een jaar geleden met haar was getrouwd en die haar een kind gegeven had. En het was Joe die haar hart bezat en dat altijd had bezeten.

'Vind je het nog steeds goed als ik vanavond kom, Kate?' vroeg hij haar. Het klonk zo deemoedig, dat het haar hart raakte. Ze kon zichzelf er op geen enkele manier toe brengen om nee te zeggen, hoe schuldig ze zich ook voelde.

Een halfuur later kwam hij langs en zoals altijd doken ze het bed in. Hun verlangen naar elkaar was als een overweldigende vloedgolf, die hen deed snakken naar lucht. Die week dat ze van elkaar gescheiden waren, had eindeloos geleken.

Nadat ze Labour Day eenmaal hadden gehad, vloog de maand september voorbij. Joe moest een paar dagen naar Californië en daarna vloog hij naar Nevada voor een testvlucht. Hij vroeg

Kate om langs te komen, maar ze vond niet dat ze het moest doen. Ze zou het met geen mogelijkheid kunnen uitleggen ingeval Andy belde. Hij had nog maar een paar keer gebeld in de twee maanden dat hij weg was. Het was bijna niet mogelijk voor hem om te bellen, maar hij schreef haar iedere dag trouw een brief.

Tegen het einde van de maand september woonden Kate en Joe twee maanden samen. Zo zoetjesaan begon het de gewoonste zaak van de wereld te lijken. Het was alsof ze getrouwd waren. Hij was zo op zijn gemak dat hij op zekere avond bijna de telefoon opnam toen haar moeder belde. Kate rukte de hoorn uit zijn hand voordat hij iets kon zeggen. Beiden leken geschokt toen ze zich realiseerden wat ze bijna hadden gedaan.

Ze vloog iedere week met hem, ging mee naar de fabriek, hij vroeg haar mening en zij gaf hem advies. Het personeel begon haar te behandelen als zijn vrouw. Maar opmerkelijk genoeg waren ze in restaurant en bioscoop geen enkele bekende van haar tegengekomen. Zelfs op straat niet. Veel van haar kennissen waren de zomermaanden de stad uit. Ook daarmee hadden ze geboft. Maar zelfs na Labour Day vonden er geen toevallige ontmoetingen plaats met mensen die op het idee zouden kunnen komen dat zij en Joe een verhouding hadden. Ze hadden een ritme gevonden waar ze zich beiden lekker bij voelden. Toen, het was half oktober, belde Andy om te zeggen dat hij naar huis kwam. Kate maakte een verslagen indruk. Hij vertelde Kate hoe dankbaar hij was, hoe goed ze het had gedaan, hoe geduldig ze wel niet was geweest. Haar brieven had hij schitterend gevonden en hij brandde van verlangen om haar en Reed weer te zien. De foto's die ze had gestuurd waren vertederend. Volgens Andy leek de baby nog meer op Kate dan bij zijn vertrek, op de kleur van zijn haar na. Hij vertelde Kate dat het tribunaal in Duitsland waar hij zitting in had gehad, buitengewoon goed was verlopen. Maar hij verlangde ernaar om zijn werk af te ronden en naar huis te gaan.

De avond van zijn telefoontje zaten Kate en Joe urenlang in de keuken om het te bespreken.

'Wat moeten we doen?' vroeg ze verdrietig. Nu moest ze de realiteit onder ogen zien, en nog nooit in haar leven had ze zich zo ellendig gevoeld. Iemand zou het slachtoffer worden. Misschien wel zij allemaal, zelfs haar zoon. Er was geen ontkomen aan. Er moesten keuzes worden gemaakt. Zij en Joe moesten binnenkort tot een of andere vorm van consensus komen, of op een andere manier de knoop doorhakken.

'Ik wil met je trouwen, Kate,' zei hij kalm. 'Ik wil dat je snel van hem scheidt. Het beste is dan om voor zes weken naar Reno gaan. We zouden tegen het einde van het jaar kunnen trouwen.' Dat was wat ze altijd gewild had van hem. Maar nu was het zo dat ze er Andy's leven voor moest verwoesten. Er was waarschijnlijk geen mens die zo'n verschrikkelijke slag kon incasseren en het was zo oneerlijk tegenover hem. Hij had niets gedaan om een dergelijk lot te verdienen. Hij kon er niets aan doen dat ze opnieuw gevallen was voor Joe.

Kate keek Joe aan. 'Ik weet zelfs niet wat ik tegen hem moet zeggen,' zei ze. Ze was er beroerd van. Zijn ouders zouden radeloos zijn en die van haar ook. Maar voor Andy zou het het allerergste zijn. En hij had er totaal geen vermoeden van wat hem binnenkort zou overkomen.

'Vertel hem de waarheid,' zei Joe praktisch. Voor hem was het een makkie om aan het langste eind te trekken. Hij hoefde zich alleen maar op de achtergrond te houden, terwijl hij Kate de fatale klap liet uitdelen. 'Welke andere keuze hebben we, Kate? Wil je soms dat we elkaar weer loslaten?' Het was het enige alternatief dat ze hadden, of ze zouden moeten doorgaan met hun stiekeme verhouding. Maar Kate wist echter dat ze gek zou worden van de druk en de wirwar van leugens die dat met zich mee zou brengen. Joe was het daarmee eens. Hij wilde met haar samenleven, met haar getrouwd zijn. Hij wilde zelfs Reed, en als ze getrouwd waren, zou dat zo zijn. 'Het spijt me voor hem,' zei hij netjes, 'maar hij heeft het recht het te weten.'

'Meen je het, Joe, van dat trouwen?' Kate was de woorden van haar moeder nog niet vergeten. Bovendien kende ze hem maar al te goed. Joe hield van zijn vrijheid en zijn vliegtuigen. Maar hij hield ook van haar. En hij was bijna veertig. Ze geloofde dat hij eindelijk zover was dat hij zich wilde settelen en dat zijn belofte aan haar dit keer gemeend was. Dat zei hij tenminste. Ze wilde er gewoon zeker van zijn voor ze Andy om een scheiding vroeg. Ze wist dat het een dubbele klap voor hem zou zijn. Hij zou niet alleen haar kwijtraken, maar ook zijn zoon. Het zou hem kapotmaken en zijn hart breken.

'Ik meen het,' zei Joe nadrukkelijk. 'De tijd is er rijp voor.' Voor haar was dat drie of vier jaar geleden al het geval. Of zelfs vijf. Hij had er de tijd voor genomen om zover te komen. Haar ouders zouden er heel wat gelukkiger mee geweest zijn als ze voor of tijdens de oorlog zouden zijn getrouwd. Maar hoe grillig het pad ook geweest was om op dit punt te komen, hij was er, en nu wilde hij dat zij deed wat nodig was om alles tot een succes te maken. Het lag in haar handen. Hij kon niet meer doen dan haar verzekeren dat hij het meende, dat hij werkelijk met haar wilde trouwen.

'Ik zal het hem vertellen wanneer hij thuiskomt,' zei ze. Ze keek er niet naar uit, maar beiden waren het erover eens dat het moest.

Ze vond een oppas en ze brachten een weekend door in Connecticut, in een gezellig hotelletje in een klein plaatsje. Joe was er al eens eerder geweest, en niemand had hem toen lastig gevallen of zich aan hem opgedrongen. Het leek de volmaakte schuilplaats voor hen. Overal waar ze kwamen waren er mensen die hem herkenden en aan gewone onbekenden stelde hij haar voor als zijn vrouw. Ze antwoordde niet meteen toen de vrouw bij de receptie haar met Joe's achternaam aansprak. Ze besefte dat het bevreemding zou wekken als ze Andy's naam op zou geven. Al langer dan een jaar noemde ze zichzelf Kate Scott. Het had heel wat van haar aanpassingsvermogen gevergd om na zesentwintig jaar de naam Jamison op te geven. En nu zou ze weer een nieuwe naam krijgen. Ze had het gevoel of ze in een draaimolen zat. Dit had ze jarenlang het meest begeerd, maar nu het eenmaal zover was, voelde het allemaal onwennig.

De avond voordat Andy thuiskwam haalde Joe zijn spulletjes weg, maar hij sliep wel met haar. De baby kreeg tandjes en huilde de hele nacht. Kates zenuwen waren tot het uiterste gespannen en tegen de morgen maakte zelfs Joe een gespannen indruk. Het enige dat ze nu wilde, was dat er een einde aan kwam. Ze was van plan om het die avond aan Andy te vertellen en ze had zichzelf er al van doordrongen dat het een af-schuwelijke scène met een hoop spijt en verdriet zou worden. Ze had het gevoel dat zij en Joe vier maanden lang op een ei-land hadden geleefd. Om hun geheim maar te bewaren, had ze al haar kennissen gemeden, en niet een van haar weinige vrien-den gezien. Inderdaad scheen tot dusver niemand in de gaten te hebben wat er gebeurd was. Maar de komende paar weken zou iedereen het weten. Nadat ze het Andy had verteld, zou ze het haar ouders vertellen, en ze wist dat het allesbehalve ple-zierig zou zijn. Voor zichzelf was ze er al helemaal klaar mee, zij en Joe waren eruit. Ze wist dat het hun lotsbestemming was om samen te zijn. Zo was het altijd geweest. Ze had er alleen maar spijt van dat ze Andy zoveel pijn zou doen. Ze besefte dat ze nooit met hem had moeten trouwen. Het was niet eerlijk te-genover hem geweest. Maar ze had nooit verwacht dat Joe weer zou opduiken in haar leven. Als hij weggebleven was, hadden Andy en zij er misschien iets van gemaakt. En op deze manier had ze in ieder geval Reed. Hoewel Joe er zeker van was dat hij Kate én Reed wilde, was hij nog steeds onzeker over het ne-men van eigen kinderen. Ze hadden er een aantal malen over gesproken, en hij was er niet van overtuigd dat het hebben van kinderen de kwaliteit van hun leven zou vergroten. Maar voor-lopig had ze genoeg aan hem alleen.

De volgende dag ging Joe om negen uur naar kantoor en haal-de zij Andy om twaalf uur 's middags af van het vliegveld. Ze had Joe gezegd dat ze hem zou bellen als het maar even kon, maar ze wist niet of het die avond al mogelijk zou zijn. Uit res-pect voor haar echtgenoot moest ze eerst zien hoe alles liep. Maar ze beloofde Joe dat ze hem op zijn laatst de volgende dag zou bellen.

Die morgen, voor hij wegging, gingen ze met elkaar naar bed. Hij gaf haar een laatste kus en wierp Reed een kushandje toe. 'Probeer de zorgen een beetje van je af te zetten, lieveling. Zo is het het beste. Beter nu, na een jaar, dan over vijf jaar. Uit-eindelijk doe je hem er een plezier mee door in een vroeg sta-dium te kappen. Hij zal opnieuw trouwen en een plezierig le-ven leiden.' Het ergerde haar dat Joe zo nuchter redeneerde. Het was makkelijk praten als je de winnaar was. Ze was er zeker van dat het voor Andy helemaal niet zo eenvoudig zou liggen.

Om elf uur nam Kate een taxi naar Idlewild. Ze had Reed met zich meegenomen en ze droeg een effen zwarte jurk en een zwarte hoed. Bij het verlaten van haar huis realiseerde ze zich dat ze er een beetje begrafenisachtig uitzag, maar dat leek op zijn plaats. Dit zou geen gelukkige dag worden, althans voor hen. Nadat ze op de luchthaven waren aangekomen, bestudeerde ze het informatiebord met inkomende vluchten en zag dat zijn vlucht op schema lag. Vervolgens ging ze naar de gate en wachtte op hem, met de baby dicht tegen zich aangedrukt.

Andy was een van de eerste passagiers die het vliegtuig uit kwamen. Hij zag er vermoeid uit door de vlucht en de vier maanden noeste arbeid, maar zodra hij zijn vrouw en zoon zag, verscheen er een brede glimlach op zijn gezicht. Hij kuste haar zo onstuimig dat haar hoed van haar hoofd viel.

'Ik heb je zo gemist, Kate!' Hij nam de baby uit haar armen en kon bijna niet geloven dat hij zo gegroeid was. Reed was op dat moment al bijna acht maanden. Hij had acht tandjes en kon bijna zelf gaan staan. Toen Andy hem vasthield, stak hij zijn armpjes naar zijn moeder uit en begon te gillen.

'Hij weet niet eens meer wie ik ben.' Andy zag er terneergedrukt uit, en bij het verlaten van het vliegveld sloeg hij een arm om haar heen. Hij had het gevoel alsof hij jaren weggeweest was. Het was niet alleen dat de baby hem niet meer herkende. Hij voelde ook maar al te goed dat Kate zich slecht op haar gemak voelde bij hem. Toen hij naar haar keek, terwijl ze in de taxi naar huis reden, maakte ze een vreemde indruk op hem. Ze zei dat ze blij was om hem te zien, maar ze zag eruit alsof er iemand was gestorven. Ze vroeg hem naar Duitsland en naar de rechtszaken, maar toen hij haar hand vast wilde houden, trok ze die terug om iets uit haar portemonnee te pakken. Ze wilde hem niet nog meer misleiden dan ze al had gedaan.

Thuisgekomen maakte Kate een lunch voor hen, en na het eten legde ze Reed in zijn bedje voor een dutje. Het enige dat ze wilde was dat er een einde aan kwam. Ze kon niet wachten. Ze wilde geen spelletje met hem spelen. Hij verdiende meer respect.

'Kate, is alles goed met je?' vroeg hij nadat ze de baby in bed had gelegd. Ze zag er plotseling ouder en ernstiger uit in haar sombere zwarte jurk. Hij wist niet wat er gebeurd was tijdens zijn afwezigheid, maar wel dat er iets was gebeurd. Er heerste een gespannen sfeer tussen hen en Kate bleef zich afwerend gedragen. Hij mocht haar niet aanraken of in zijn armen nemen en ze vermeed zijn ogen.

'Kunnen we niet even gaan zitten om wat te praten?' zei ze. Ze liepen naar de woonkamer en Kate ging op de bank zitten. Andy ging tegenover haar zitten en terwijl ze naar hem keek, waren al haar gedachten bij Joe.

Ze wist dat dit het ergste was wat ze iemand ooit had aangedaan. Toen ze drie jaar geleden Joe had verlaten, was de situatie heel anders geweest. Nu verliet ze een man van wie ze wist dat hij van haar hield en nam ze zijn kind met zich mee. Maar er was nu geen ontkomen aan. Het uur van de waarheid was aangebroken, voor hen beiden. Ze was dom geweest om met hem te trouwen en te denken dat hun liefde wel zou groeien, maar ze had het met de beste bedoelingen gedaan. Ze was zeer aan hem gehecht en ze hadden veel geluk gekend. Maar dat alles was vervlogen op het moment dat ze Joe terugzag.

'Wat is er aan de hand, Kate?' vroeg Andy kalm. Hij zag er geschokt uit, maar had zichzelf goed in de hand. Het was alsof hij volwassener was geworden in die vier maanden. De wreedheden die hij gezien had en waarover hij had gehoord, hadden hem de haren te berge doen rijzen. Met al die verantwoordelijkheid op je schouders moest je wel volwassen worden. En nu stond hem thuis iets nog ingrijpenders te wachten. Hij kon het in haar ogen lezen.

'Andy, ik heb een verschrikkelijke vergissing begaan,' begon ze, terwijl ze een eindje van hem vandaan schoof. Ze waagde het niet om naast hem te zitten of zijn hand vast te houden. En ze wilde dat het zo snel mogelijk voorbij was, ter wille van hen beiden.

'Ik vind niet dat het nodig is om daarover te praten,' onderbrak hij haar bruusk. Kate keek verbaasd.

'Toch wel,' ging ze verder. 'Het moet. Er is iets gebeurd toen jij weg was.' Ze was van plan om hem te vertellen dat ze Joe weer ontmoet had en dat dat alles had veranderd. Maar Andy maakte een handgebaar om haar tot zwijgen te brengen, alsof hij haar woorden kon terugdraaien. In zijn ogen zag ze iets wat ze nog nooit eerder had gezien. Het was een vorm van kracht en waardigheid die ze niet van hem kende, en hij nam het initiatief van haar over.

'Wat er ook gebeurd is, Kate, ik hoef het niet te weten. Ik wil het niet weten. Je gaat het me niet vertellen. Het is niet belangrijk. Wíj zijn belangrijk. Onze zoon is belangrijk. Wat je ook tegen me wilde zeggen, zeg het niet. Ik zal niet luisteren. We zetten een punt achter het verleden en kijken naar de toekomst.' Ze was zo overrompeld dat ze even niets kon zeggen. 'Maar Andy, we kunnen niet...' Ze voelde hoe haar ogen zich met tranen vulden. Hij móést naar haar luisteren. Ze zou zich van hem laten scheiden en met Joe trouwen. Ze wilde niet langer met Andy getrouwd zijn. En Joe wilde met haar trouwen. Ze zou hem nu niet meer kwijtraken, na al die jaren. Maar Andy had ook een stem in het kapittel, en ze kon zich alleen van hem laten scheiden als hij daarmee instemde. Hij had al min of meer in de gaten dat hun huwelijk op het spel stond en hij was niet van plan om over zich heen te laten lopen. Hij had zijn besluit al genomen, om het even hoe zij erover dacht. En voor zover het Andy betrof, was het een gesloten boek.

'Ja, Kate, het kan wel,' zei hij op een toon die haar angst aanjoeg. 'Het zal lukken. En wat je me zeggen wilde, houd je maar voor je. We zijn getrouwd. We hebben een zoon. We zullen meer kinderen krijgen, hoop ik. En we zullen een mooi leven leiden. Dat en niets anders mag je me vertellen. Is dat duidelijk? Misschien had ik niet zo lang weg moeten blijven. Maar ik vond dat we belangrijk werk deden in Duitsland en ik ben blij dat ik het heb mogen doen. En nu zul je mijn vrouw zijn, Kate, en maken we een nieuwe start.' Kate stond versteld van de kracht van zijn woorden en de stalen glans in zijn ogen. Zo was hij anders nooit.

'Maar Andy, alsjeblieft.' De tranen rolden over haar wangen. 'Ik kan dit niet... Ik kan het niet...' snikte ze. Ze hield van Joe en niet van hem. Nooit in haar leven had ze zich zo opgesloten gevoeld als daarnet, toen ze naar hem luisterde. Ze wist dat hij haar geen uitweg zou bieden, wat ze ook zou zeggen. De enige mogelijkheid die haar overbleef, was om er met Joe vandoor te gaan en ongehuwd met hem samen te leven. Ze zou Reed niet eens met zich mee kunnen nemen als ze niet gescheiden was en de voogdij niet had. Andy zou haar net zo goed in de gevangenis kunnen opsluiten. En beiden wisten dat hij dat zojuist had gedaan. Ze had nog geen advocaat geraadpleegd, omdat ze het eerst met Andy had willen bespreken, maar ze wist dat ze zich niet van hem kon laten scheiden zonder dat ze juridisch steekhoudende gronden had. En ze kon hem niets verwijten. Ze had geen poot om op te staan, tenzij hij instemde. 'Je moet naar me luisteren,' smeekte ze hem. 'Zo wil je me niet.' Ze huilde aan één stuk door en hij had een harde blik in zijn ogen.

'We zijn getrouwd, Kate. Punt uit. Over een tijdje zul je je er prettiger bij voelen en mij dankbaar zijn voor juist deze dag. Je stond op het punt om een geweldige vergissing te begaan, en ik zal zorgen dat het ons niet gebeurt. Dat kan ik niet toestaan. Nu ga ik een douche nemen en een dutje doen. Heb je zin om vanavond met me uit eten te gaan?' Toen ze haar ogen naar hem opsloeg, stonden ze kil. Ze wilde nergens met hem naar toe. Ze wilde niet met hem getrouwd zijn. Ze was nu zijn gevangene, niet zijn vrouw.

Haar antwoord op zijn vraag over het avondeten bleef uit. Hij wachtte er ook niet op, hij verliet de kamer en sloot de deur van hun slaapkamer. Hij trilde toen hij de badkamer in liep en de deur op de knip deed, maar dat wist Kate niet. Voor het eerst in al die jaren dat ze hem kende, haatte ze hem. Haar enige wens was om bij Joe te zijn, maar ze kon haar zoon niet verlaten. Andy wist dat hij haar in de tang had. Ze zou Reed nooit in de steek laten. En als Andy niet zou instemmen met een scheiding, zat ze in de val.

Toen ze hem de douchekraan hoorde opendraaien, belde ze Joe. Hij was in vergadering, maar ze vroeg Hazel of ze hem er even uit wilde halen. Een ogenblik later was hij aan het toestel.

'Wat is er aan de hand? Heb je het erg moeilijk gehad?' Hij klonk bezorgd. Hij had de hele dag aan haar lopen denken en zich afgevraagd hoe het gegaan was, nadat ze Andy had verteld dat ze bij hem wegging.

'Erger nog. Hij wil zelfs niet naar me luisteren. Hij wil geen scheiding. En als hij toch toestemt, dan krijg ik Reed niet.'
'Pure bluf, Kate. Hij is bang. Gewoon je poot stijf houden!'
'Je begrijpt het niet. Zo heb ik hem nog nooit meegemaakt. Hij zegt dat de zaak gesloten is. Einde onderwerp. Hij laat me er niet eens over praten.' Ze had zelfs de kans niet gehad om hem van Joe te vertellen. Ze zou dat wel zo eerlijk gevonden hebben en had gedacht dat het hem zou overtuigen. Maar hij wilde haar niet aan het woord laten en Kate had het gevoel of hij zichzelf had omgeven met een muur van gewapend beton.
'Dan neem je de baby en loop je weg,' zei Joe. Het klonk streng. Ze voelde zich ingeklemd tussen twee mannen, als een pion op een schaakbord. 'Hij kan je niet dwingen om daar te blijven.'
'Hij kan me dagvaarden en me zo dwingen om Reed terug te geven.' Ze klonk angstig en dat was ze ook. Door de manier waarop Andy naar haar had gekeken, wist ze dat ze daartoe gegronde redenen had. Andy was niet van plan haar of zijn zoon te verliezen.
'Dat doet hij niet. Jullie kunnen bij mij blijven.' Het zou een nog groter schandaal worden dan het al was, als ze dat zou doen. Ze wist dat ze Andy zover moest krijgen dat hij instemde met een scheiding. Alleen dan was het mogelijk om weg te gaan.
'Ik zal vanavond met hem praten,' zei ze. Hij ging terug naar zijn vergadering en zij hing op toen Andy uit de douche kwam. Ze belde een babysitter en zei tegen hem dat ze 's avonds mee uit eten ging, maar de sfeer was om te snijden tijdens het eten. Hij gedroeg zich ijzig en zijn stem klonk hard. Hij wilde haar laten weten dat hij alles meende wat hij gezegd had. Zij hoopte hem tijdens het diner te overtuigen, maar ze kreeg geen voet aan de grond.
'Andy, alsjeblieft, luister naar me... Ik kan dit niet. Je wilt toch niet op zo'n manier met me getrouwd zijn?' Met smeekbeden probeerde ze hem over te halen. Opeens leek het haar niet het goede moment om hem te vertellen dat het Joe was.
'Kate, bij mijn vertrek was alles nog prima. Het was fantastisch. Het zal weer fantastisch worden. Vertrouw me op dit punt. Je bent hysterisch. Je weet niet wat je aan het doen bent.

Ik laat mijn leven niet door je verwoesten.' Hij was onbewogen en gedecideerd, en ze had het gevoel dat hij haar bij de keel greep. Ze kon nauwelijks iets zeggen.

'Het is anders nu. Je bent vier maanden weg geweest.' Ze voelde zich wanhopig, terwijl ze het hem probeerde uit te leggen. En ze had een angstig gevoel dat hij wist wat er was gebeurd en met wie. Maar het leek hem niets te kunnen schelen. Wat ze ook zei, Andy zou haar niet laten gaan. Hij wilde niet weten hoe de vork in de steel zat. Hij wilde er niets over horen, en ze zeiden niets tegen elkaar toen ze in een taxi naar huis reden. Kate had het gevoel of ze bijna geen kracht meer had om te bewegen of te lopen of met hem te praten.

De volgende dag ging ze naar Joe's kantoor, nadat ze oppas had geregeld. Ze was in paniek en Joe was zichtbaar ontdaan. Maar ze had behoefte aan zijn steun en leiding. Het was alsof Andy onherkenbaar veranderd was tijdens zijn verblijf in Duitsland. Hij was onvermurwbaar en onverzettelijk. Huilend zat ze met Joe te praten.

'Hij kan je niet simpelweg daar vasthouden, Kate. Je bent geen kind meer. In 's hemelsnaam, pak je koffers en smeer hem.'

'En mijn zoon daar achterlaten?'

'Je kunt later teruggaan om hem te halen. Daag Andy voor het gerecht, voor mijn part.'

'Wat moet ik dan zeggen? Dat ik hem bedrogen heb, soms? Ik heb geen gronden voor een scheiding. Hij zal aanvoeren dat ik mijn zoon in de steek heb gelaten. Dan zal ik Reed nooit meer terugzien. Ze zullen zeggen dat ik ongeschikt ben als moeder omdat ik een relatie met jou heb en mijn zoon heb verlaten. Joe, ik kan niet weg.' Behalve als Andy ermee instemde.

'Wil dat zeggen dat je met hem getrouwd blijft?'

'Wat moet ik anders?' Haar ogen leken op twee donkerblauwe, met pijn gevulde vijvers. 'Ik heb geen keus. Voor dit moment in ieder geval. Misschien zal hij uiteindelijk toegeven, maar op dit ogenblik is hij niet voor rede vatbaar. Ik mag het zelfs niet aan de orde stellen.'

'Kate, dit is krankzinnig.' Dat vond ze ook. Maar Andy pakte het heel slim aan. Hij vocht als een leeuw om haar te behouden, of ze nou wilde of niet. Daar verdiende hij bewondering voor, vond zelfs zij. Maar hoezeer ze Andy ook bewonderde, ze hield van Joe. Hij liep om zijn bureau heen en nam haar in zijn armen. En ze liet haar tranen de vrije loop.

'Ik had je nooit moeten verlaten, drie jaar geleden,' huilde ze. Nu zat ze gevangen en ze realiseerde zich dat Andy haar nooit zou laten gaan. Ze had haar kans om bij Joe te zijn verspeeld. En ze zou haar zoon niet opgeven. Zelfs niet voor hem.

'Ik liet je niet veel keus. Ik was akelig stom om jou zomaar weg te laten gaan, drie jaar geleden, en je te zeggen dat je nooit zo belangrijk zou worden als mijn vliegtuigen.' Hij herinnerde zich nog steeds wat hij toen had gezegd. Drie jaar later wist hij hoe fout het geweest was, maar het leek erop alsof het te laat was. Daar leek het op dit moment althans op. 'Wil je dat ik met hem praat, Kate? Dat zal hem misschien goed bang maken. Of we kopen hem af, wat vind je daarvan?' Het was een weinig fijnzinnige gedachte, maar Joe was bereid om alles te doen als het maar werkte.

Kate schudde haar hoofd. 'Hij heeft je geld niet nodig, Joe. Hij heeft zelf geld. Dit gaat niet om geld, maar om liefde.'

'Bezit is geen liefde. En meer dan bezit heeft hij niet. Hij bezit je nu, op dit moment, vanwege je zoon. Alleen daarmee heeft hij je in zijn greep!' Dat klopte, maar het was een ijzeren greep. Hij had het diezelfde dag nog nagetrokken met een van zijn advocaten. Als Kate het kind verliet, liep ze de kans hem kwijt te raken. Nam ze hem mee, dan kon Andy haar dwingen om Reed terug te brengen, tenzij ze hem kidnapte en verdween. Maar dat was een onmogelijke situatie voor elk van hen. Als Joe's vrouw kon ze moeilijk ondergedoken blijven zitten.

'Ik zit gevangen, Joe, ik kom er niet uit,' zei ze diep ongelukkig. Ze had de afgelopen vier maanden zo met Andy te doen gehad, en nu had hij hen in een wurggreep. Hij hield hun toekomst in zijn handen en veranderde die in stof.

'Wacht gewoon een tijdje. Je kunt niet eeuwig op deze manier doorgaan. Je bent jong en je wilt leven, en dat geldt ook voor hem. Uiteindelijk zal hij zich gewonnen geven. Hij moet toch meer van het leven willen dan dit.' Maar Andy vocht voor zijn gezin, zijn vrouw, zijn zoon, en hij was niet bereid om daar ook maar iets van op te geven.

Joe kuste haar voor ze vertrok en zij ging naar huis. Toen Andy 's avonds thuiskwam, probeerde ze met hem te praten, maar het was vruchteloze moeite. Ditmaal verloor hij zijn kalmte en gooide hij een porseleinen snoepschaaltje tegen de muur aan gruzelementen. Het was een huwelijkscadeau van een van haar vriendinnen geweest. Kate huilde. Ze had verwacht dat Andy weliswaar gekwetst, maar redelijk zou zijn. Nooit had ze verwacht dat hij zoiets zou doen. Er was geen uitweg.

'Waarom doe je me dit aan?' vroeg ze door haar tranen heen, terwijl hij met een vertwijfelde blik tegenover haar zat.

'Ik doe het om onze familie te beschermen, omdat jij dat niet wilt. Over een paar jaar ben je me dankbaar dat ik het heb gedaan.' Maar ondertussen leefden ze in nachtmerrie.

Wat Kate niet wist of zelfs maar vermoedde, was dat Andy dadelijk had geraden dat het Joe was. Het was op haar voorhoofd te lezen geweest. Hij was hun studententijd bepaald niet vergeten, toen ze smoorverliefd op Joe was geweest en uitkeek naar zijn brieven. Het was dezelfde blik die hij in haar ogen had gezien toen Kate hem vertelde dat Joe niet dood was, en ze een eind maakte aan hun relatie. Hij kende die blik goed. Er was slechts één man in de hele wereld die ervoor kon zorgen dat Kate zo keek en voelde. Hij had die blik weer gezien en wist precies wie haar leven weer binnengewandeld was. Het hoefde hem niet gezegd te worden.

Hij was er zo zeker van, dat hij zelfs de moeite niet nam om Joe te bellen. Hij verscheen eenvoudigweg op zijn kantoor, de dag nadat Kate daar was geweest om Joe deelgenoot te maken van haar wanhoop. Andy stapte regelrecht Joe's kantoorgebouw binnen en vroeg zijn secretaresse om hem aan te kondigen. Ze keek stomverbaasd toen Andy op haar vraag of hij een afspraak had, antwoordde met 'nee' en haar verzekerde dat Joe hem wel zou willen zien. Daarna ging hij zitten en wachtte.

Hij had gelijk. Minder dan twee minuten later leidde de secretaresse hem een buitengewoon indrukwekkend kantoor binnen dat vol stond met kunst, kostbaarheden, trofeeën en herinneringen die Joe had verzameld vanaf het begin van zijn succesvolle loopbaan. Joe stond niet op om zijn gast te begroeten, maar hield hem vanachter zijn bureau nauwlettend in de gaten, als een dier dat beslopen wordt. Ze hadden elkaar slechts eenmaal ontmoet, jaren geleden. Maar elk van hen wist wie de ander was, en het was duidelijk waarvoor Andy kwam.

'Dag, Joe,' zei Andy kalm. Zijn koele manier van optreden was een beter spelletje blufpoker dan hij ooit in zijn leven gespeeld had. Joe was langer, ouder, slimmer en succesvoller, en Kate was gedurende het grootste deel van haar leven als volwassene verliefd op hem geweest. Hij zou voor iedere man een geducht tegenstander zijn geweest. Maar Andy wist dat niet Joe, maar hijzelf alle troeven in handen had. Andy had hun zoon. En hij had Kate.

'Dit is een interessante zet, Andy,' zei Joe met een lusteloze glimlach. Geen van beiden toonde zijn gevoelens. Beiden waren woedend, beiden voelden zich onheus behandeld en beetgenomen. Elk van hen had de ander graag een kopje kleiner gemaakt, maar in plaats daarvan bood Joe Andy een stoel aan. 'Wil je iets drinken?' Andy aarzelde een fractie van een seconde en vroeg toen om een scotch. Overdag dronk hij zelden of nooit, maar hij wist dat het in dit geval zou kunnen helpen, nu hij stalen zenuwen nodig had. Joe maakte eigenhandig een whisky *on the rocks* voor Andy en reikte hem het glas aan. Toen ging hij weer zitten. 'Moet ik nog vragen wat je hier komt doen?'

'Dat lijkt me niet, dat weten we allebei. Ik wil daaraan meteen toevoegen dat ik het van jouw kant niet zo'n fraaie zet vind,' zei Andy dapper. Hij probeerde te doen alsof hij zich geen kleine jongen voelde in Joe's kantoor. Onder andere omstandigheden had hij graag eens even rondgekeken. Het uitzicht was fantastisch en omspande heel New York met zijn beide rivieren en Central Park. 'Ze is nu getrouwd, Joe. We hebben een kind. Dit keer blijft ze waar ze is.'

'Het zal je niet baten, Andy. Je kunt een vrouw niet dwingen om van je te houden door haar te gijzelen. Waarom keten je haar niet gewoon aan de muur vast? Dat is weliswaar niet zo subtiel, maar het werkt net zo goed.' Joe was niet bang voor de ander, hij koesterde zelfs geen haat tegen hem. Hij was een belangrijk man en wist dat hij niets te vrezen had. Hij stak iedereen in zijn zak, ook Andy. Het was iets waar hij vroeger zelfs niet van had gedroomd. Maar die tijden lagen achter hem.

Joe was een geslaagd man, hij kon de hele wereld aan en Kate was van hem, of Andy nu wel of niet beschikte over de sleutel van haar gevangeniscel. Hij had nooit zo'n prominente plaats in haar hart ingenomen als Joe. In Joe's ogen was er in haar hart zelfs helemaal nooit plaats voor hem geweest. Het speet haar voor hem. Ze had medelijden met hem. Maar ze had nooit zo van hem gehouden als ze van Joe hield. Zij en Andy hadden nooit dat gedeeld wat zij deelden, en dat zou ook nooit het geval zijn. En toen Joe naar hem keek, had hij met hem te doen.

'Vooruit, Andy? Laten we ter zake komen. Wat wil je?' Hij kon nog steeds niet geloven dat Andy zou blijven weigeren om haar te laten gaan. Als hij en Kate de druk maar hoog genoeg opvoerden, zou hij ten slotte zwichten. Daar was Joe zeker van. Maar hij en Kate hadden er tot nu toe geen idee van wat voor meedogenloze en vastberaden vechter Andy kon zijn. Deze keer zou hij winnen. Koste wat kost.

'Ik wil dat je inziet wie zij is en wat jij met zo'n passie najaagt. Ik denk niet dat je weet waar je zo hevig naar verlangt, Joe.' Joe was geamuseerd door zijn woordkeuze en zat glimlachend achter zijn bureau. Andy nam een teug van zijn scotch.

'Denk jij dat ik haar na tien jaar nog niet ken? Ik denk niet dat het als een totale verrassing komt als ik je vertel dat we twee jaar hebben samengewoond.'

'Dat heeft Kate me inderdaad verteld, hoewel het niet erg kies van je is om het op die manier voor te stellen. Voor zover mij bekend verbleef ze toen in een hotel.'

'Voor mijn part, als ze het op die manier verteld heeft,' zei Joe op neutrale toon. Kate had Andy echter de waarheid verteld. Hij vond het alleen onaangenaam om die uit Joe's mond te horen.

'En wat heb je besloten na met haar "samengewoond" te hebben? Ik krijg niet de indruk dat je stond te springen om met haar te trouwen. Waarom nu opeens wel?'

'Omdat ik een dwaas was, zoals we alle drie weten. Ik was mijn zaak aan het opbouwen en had een heleboel aan mijn hoofd. Ik had het gevoel dat ik niet aan een huwelijk toe was. Dat was drie jaar geleden. Toen had ik geen tijd voor haar, nu wel.'

'Was dat de enige reden waarom je niet met haar trouwde? Of

waren er zaken met betrekking tot haar waar je je zorgen over maakte? Legde ze te veel beslag op je? Was ze te veeleisend? Voelde je in het nauw gedreven? Wilde je wegvluchten?' Kate had Andy er alles over verteld nadat ze hem weer ontmoet had, maar dat kon Joe niet weten. Wat Andy vroeg wekte niet de prettigste herinneringen bij hem op. Inderdaad had hij al die dingen gevoeld die Andy beschreven had. Maar het was niet díé Kate die hij wilde, het was de Kate van nu. De Kate die scheen te begrijpen wat er misgegaan was. 'Het is nog steeds dezelfde vrouw, Joe. Iedere keer als ik het huis verlaat, maakt ze een paniekerige indruk. Ze belt me, waar ik ook ben. Als ik ga lunchen, laat ze me door mijn secretaresse opsporen. Toen ze zwanger was, dreef ze me bijna tot waanzin. Midden op de dag moest ik naar huis om haar gerust te stellen. Wil jij dat? Heb je daar de tijd voor, Joe? Dan moet je inderdaad wel heel succesvol zijn. Je zult je dag en nacht om haar moeten bekommeren. Wat doe je als je op reis gaat? Je kunt haar niet meenemen, ze laat Reed niet alleen. En ze wil graag weer zwanger worden. Ze wil meer kinderen. En ze zal de hele trukendoos opentrekken om ervoor te zorgen dat het gebeurt. Ik ken Kate. Ze heeft het me ook geflikt met Reed. Ik vond dat niet erg, maar jij zult er niet blij mee zijn.' Stuk voor stuk waren het leugens, maar Kate had hem een hele tijd terug de inventaris gegeven van al Joe's angsten, en Andy maakte daar nu systematisch gebruik van. En hij was aan de winnende hand. Hij kon het in Joe's ogen zien, ondanks het feit dat deze zich nog enigszins verplicht voelde om Kate te verdedigen. Maar hij was bang geworden. Andy kon voelen hoe de angst Joe in zijn greep kreeg. 'Ze houdt niet van je,' zei Joe beslist. 'Bij mij zal ze anders zijn.' Maar het klonk niet helemaal overtuigd.

Andy nam zijn laatste slokje scotch. 'Echt waar?' vroeg hij. 'Hoe anders was ze dan in New Jersey?' Hij was helemaal op de hoogte van de conflicten waaraan hun relatie kapot was gegaan. Hij wist alles van haar verlatingsangst en van zijn angst om zijn vrijheid kwijt te raken. Kate had het hem later allemaal uit de doeken gedaan. Andy maakte er nu gebruik van. Voor een goede zaak, vond hij.

'Dat was drie jaar geleden. Ze was toen nog een kind.' Maar

er klonk nu twijfel door in zijn stem. Hij zou het aan niemand hebben toegegeven, maar hij begon zich af te vragen of Andy niet gelijk had. Hij voelde een huivering over zijn ruggengraat. Andy's woorden schiepen een beeld van haar dat alles vertegenwoordigde wat hij niet wilde, hoeveel hij ook van haar hield. 'Het is nog steeds een kind,' zei Andy zelfvoldaan. Hij lustte nog wel een scotch, maar durfde het niet aan. Deze ene had hem juist de moed gegeven die hij nodig had, maar hij wilde nu niet aangeschoten raken. Hij kon de bezorgdheid in Joe's ogen zien. Diens kwelgeesten staken weer de kop op. 'Het zal altijd een kind blijven, Joe. Je weet net zoals ik, wat haar als kind is overkomen.'

Nu was het Joe die overrompeld was. Hij was van hen tweeën de betere vechter, maar dit keer had Andy hem in de touwen. Hij was de kleine snelle duivel die de kampioen kennis zou laten maken met het canvas, hij kon het zoet van de overwinning al proeven. Het kon hem niet schelen welke middelen hij moest gebruiken om Kate te behouden, zolang hij haar maar niet aan Joe zou verliezen. En hij wist dat als hij het goed speelde, ze het zelfs nooit uit Joe's mond zou vernemen, dat hij bij hem was geweest. Het was de volmaakte misdaad en de enige manier om te voorkomen dat hij haar kwijtraakte.

'Heeft ze je over haar vader verteld?' vroeg Joe. Hij voelde zich lichtelijk gekwetst. In al die tien jaar had Kate het hem nooit verteld. Wat hij wist, had hij van Clarke gehoord. Die dag in Cape Cod. Maar weer aarzelde Andy niet om tegen hem te liegen. Ze had het ook Andy niet verteld. Ook híj had het van Clarke gehoord, kort voor hun trouwen.

'Ze vertelde het toen we nog studeerden. Ik was altijd al op de hoogte. We waren goede vrienden.' Joe knikte en zweeg. 'Besef je wel wat dat voor haar geweest moet zijn? Hoe bang ze is om de mensen van wie ze houdt te verliezen? Zonder ons overleeft ze het niet. Ze zou nog geen dag alleen kunnen zijn. Ze is de meest afhankelijke vrouw die ik ooit heb ontmoet. Dat moet jij toch ook weten. Weet je wel dat ze me twee keer per dag schreef, toen ik in Europa zat?' Zelfs dat was een leugen. Ze had hem haastig geschreven briefjes gestuurd die alleen melding maakten van hun zoon. Andy had toen al een vermoeden dat er iets mis was, maar Europa was te ver weg geweest om actie te ondernemen. Hij had moeten wachten tot hij weer thuis was. 'Realiseer je je wel hoe vreselijk onzeker ze is? Hoe angstig? Hoe onevenwichtig? Ze heeft je vast niet verteld dat ze een poging tot zelfmoord gedaan heeft, na haar vertrek uit New Jersey.' Kate had hem bij hun hernieuwde kennismaking verteld dat Joe enorme last van schuldgevoelens had gehad, en hoe pijnlijk dat voor hem geweest was. 'Ondraaglijk,' was het woord dat ze had gebruikt. Na Andy's woorden keek Joe als iemand die zojuist op zijn knieën gevallen is om vergiffenis te vragen. 'Wát?' vroeg hij ontsteld.

'Ik had ook niet gedacht dat ze je het zou vertellen. Het was met Kerstmis, als ik me goed herinner. We hadden elkaar nog niet weer ontmoet. Ze heeft een hele tijd in het ziekenhuis gelegen.' Andy was schaamteloos, maar hij was ook een wanhopig man. En hij was ervan overtuigd dat als hij Kate uit Joe's buurt kon houden, ze de rest van zijn leven van hem zou zijn. De enige andere manier om Joe van haar los te rukken was hem of haar te vermoorden. Iets anders zou niet helpen. Zo groot was haar liefde voor hem.

'Ik kan het niet geloven.' Hij keek ontzet. 'Een psychiatrisch ziekenhuis?' Andy, die schijnbaar niet in staat was om te spreken, zo verdrietig was hij, knikte. Maar de vergiftigde pijl die hij op Joe had gemikt, had doel getroffen. Het vergif stroomde al door Joe's aderen. De gedachte alleen al dat ze omwille van hem zelfmoord had willen plegen, was meer dan hij verdragen kon en maakte hem doodsbenauwd. Als kind was hij er altijd van beschuldigd dat hij slecht was. Liet hij die gedachte toe, dan maakte dat hem niet alleen tot dat kleine slechte ventje uit zijn jeugd, maar ook tot een echte slechterik als volwassene. En een verborgen kwetsbare plek in zijn psyche stond hem niet toe dat risico te nemen. Precies zoals Andy had gehoopt.

'Wat ga je doen met het gegeven dat ze meer kinderen wil? Gisteren nog vertelde ze me dat ze er nog twee wil.' Andy deelde de ene dodelijke klap na de andere uit.

'Gisteren?' Joe leek geschokt. 'Ik denk dat je het verkeerd hebt begrepen. Ik ben daar heel duidelijk over geweest.'

'Kate dus ook. Ze lijkt erg op haar moeder, maar dan veel subtieler.' Andy wist ook van Kate hoezeer Joe de pest had aan Liz. 'En we hebben nog niet gesproken over wat voor mij het belangrijkste is: mijn zoon. Ben je werkelijk bereid om hem op te voeden, bereid om met hem te honkballen, bereid om 's nachts op te blijven als hij oorpijn heeft of een nachtmerrie, of als hij overgeeft? Het klinkt misschien gek, maar ik denk van niet.' Andy hamerde het er bij hem in. Joe zag er beroerd uit. Hij en Kate hadden geen van deze zaken echt goed besproken, al had hij gevonden van wel. Ze had gezegd dat ze tevreden zou zijn met slechts een kind en dat ze een kindermeisje zou nemen, zodat ze zo af en toe met Joe op reis kon. Maar Andy schetste nu een heel ander beeld, duidelijker en in aanzienlijk schrillere kleuren. De wetenschap dat ze drie jaar geleden zelfmoord had willen plegen omdat ze zich door hem verlaten voelde, maakte hem bijna gek. Het was een zeer zuivere en voor hem uiterst giftige vorm van schuld. 'Wat doen we, Joe? Ik wil mijn vrouw en de moeder van mijn zoon niet verliezen. Ik wil niet dat ze zich in de steek gelaten voelt als jij op reis bent, wil niet dat ze misschien weer tot een wanhoopsdaad besluit. Ze is heel kwetsbaar, veel meer dan je zou zeggen als je haar ziet. Het zit in haar familie. Haar vader heeft tenslotte ook zelfmoord gepleegd. Het is bepaald niet denkbeeldig dat ze op zekere dag zijn voorbeeld volgt.'

Het was een gemene en o zo wrede streek die hij met Kate uithaalde. Ze had er geen idee van wat Andy haar bezig was aan te doen door Joe zo te bewerken, of wat hij Joe daarmee aandeed. Andy bespeelde al Joe's ergste angsten als de toetsen van een piano, en Joe was zo bang dat hij nauwelijks een woord kon uitbrengen. Het enige dat hij wilde, was wegrennen, en het enige dat hij zich herinnerde, was dat Clarke haar beschreven had als een vogel met een gebroken vleugel. Joe kon niet weten dat Kate nooit overwogen had om zelfmoord te plegen. Het was in de verste verte niet bij haar opgekomen, hoe ongelukkig ze zich ook vanwege hem had gevoeld. Maar Andy's zet had precies het resultaat gehad dat hij beoogde. Joe realiseerde zich opnieuw dat een huwelijk met haar geen verantwoordelijkheid was die hij op zich kon nemen, hoeveel hij ook van haar hield. Hij had het eigenlijk altijd al geweten. En Andy had hem er met een paar rake penseelstreken van overtuigd dat hij, Joe, gelijk gehad had. Hij was al weg.

'Dus, wat doen we?' vroeg Andy. Zijn toon was onschuldig alsof hij een goed gesprek van mens tot mens voerde. Maar wat hij gedaan had was mensonwaardig. Het was iets wat Joe haar, of wie ook maar, nooit en te nimmer aangedaan zou hebben. Maar zijn eigen angsten waren zo overheersend dat hij Andy's bedrog niet doorzag. Dat bedrog was de daad van een wanhopig man en Joe nam het voor de waarheid. Hij zat daar achter zijn bureau en kon wel janken.

'Ik denk dat je gelijk hebt. Ik denk dat mijn manier van leven en werken haar blijvende schade zal toebrengen. Hoe hard ik ook mijn best doe. Stel je voor dat ze zelfmoord pleegt terwijl ik op reis ben.' Zelfs de gedachte kon hij niet verdragen. Het idee alleen al maakte dat hij zich beroerd en terneergedrukt voelde.

'Dat zou best eens kunnen,' zei Andy peinzend, alsof hij de mogelijkheid inschatte. Terwijl hij Joe's ogen ontmoette. En in die ogen las hij slechts angst.

'Dat kan ik haar niet aandoen. Jij kunt haar in ieder geval in de gaten houden. Was je niet bang om haar achter te laten toen je voor vier maanden naar Europa ging?' vroeg Joe, enigszins bevreemd. Maar Andy kwam direct met een verklaring.

'Mijn ouders beloofden een oogje in het zeil te zullen houden, en haar ouders natuurlijk. En twee keer in de week gaat ze naar de psychiater.'

'Een psychiater?' Weer leek Joe geschokt. 'Loopt ze bij een psychiater?'

Andy knikte. 'Ik neem aan dat ze je ook dat niet heeft verteld. Het is een van die duistere en verdrietige dingen in haar leven die ze liever geheimhoudt.'

'Ze schijnt er een hoop te hebben,' zei Joe. Maar hij kon begrijpen waarom dat zo was. In zijn ogen was het niet iets om trots op te zijn. En de zelfmoord van haar vader was dat ook niet. Dat geheim had voor Andy de weg vrijgemaakt voor al zijn andere verdichtsels: Kate had nooit in haar leven een psychiater gezien, zoals hij heel goed wist. Ze had nooit een poging tot zelfmoord gedaan. Nooit had ze hem achternagelopen als hij naar zijn werk ging. En nooit was hij midden op de dag omwille van haar thuisgekomen. Het was allemaal gelogen. Maar het had gewerkt.

'Ik weet niet wat ik tegen haar moet zeggen,' zei Joe met een wanhopige blik. Hij hield van haar en zij van hem, maar hij geloofde nu dat een poging om zijn leven met dat van haar te delen, haar leven met aan zekerheid grenzende waarschijnlijkheid zou vernietigen, of haar zelfs de dood zou injagen. Het was een risico dat hij niet bereid was om te nemen. En een schuld die hij nooit zou hebben kunnen dragen.

Het enige dat Joe wilde, was Andy lozen en alleen zijn. Nog nooit in zijn leven had hij zich zo ongelukkig gevoeld, zelfs niet toen ze uit New Jersey wegging. Dit was veel, veel erger. Hij was er zo zeker van geweest dat Andy gehoorzaam een stap opzij zou doen en dat hij, Joe, Kate zou trouwen. Maar hij zag nu in dat het beter voor Kate was als Andy bij haar bleef. Het was veiliger voor haar en beter voor het kind. Er was eigenlijk geen keus. Om aan te geven dat het gevecht voorbij was, stond hij op. Met een somber gezicht schudde hij Andy de hand.

'Dank voor je komst,' zei Joe weinig vrolijk. 'Ik denk dat je in het belang van Kate gehandeld hebt.' Hij hield te veel van haar om haar in gevaar te brengen en de kans dat ze zelfmoord zou plegen, was een te groot risico om te nemen. Bovendien waren er de angstgevoelens die Andy in hem gewekt had.

'Jij ook bedankt,' zei Andy. Joe leidde hem naar de deur van zijn kantoor en Andy vertrok. Nadat de deur dicht was, ging Joe weer aan zijn bureau zitten en staarde over New York. Al zijn gedachten waren bij Kate en langzaam rolden de tranen over zijn wangen. Opnieuw was hij haar kwijt.

Kate had er geen flauw idee van wat er tussen Joe en Andy had plaatsgevonden die dag. Ze wist zelfs niet dat ze elkaar ontmoet hadden. Andy was rustig toen hij 's middags thuiskwam en zei niets tegen haar. Maar hij had iets triomfantelijks dat haar onpasselijk maakte. Haar cipier, die ooit haar man was geweest, was ingenomen met zichzelf. Ze haatte hem. Er was geen greintje liefde meer tussen hen, en naar haar idee zou dat altijd zo blijven.

Twee dagen later vroeg Joe haar mee te lunchen. Hun ontmoeting vond plaats in een klein, donker restaurant waar ze al eerder hadden geluncht. Geen van beiden raakte het eten aan. Hij vertelde haar eenvoudig dat hij erover nagedacht had en dat hij haar niet wilde blootstellen aan het gevaar haar zoon te verliezen door een echtscheiding. Dat kon hij niet voor zichzelf verantwoorden. Terwijl ze naar hem luisterde, kon ze aan zijn ogen zien dat hij zich schuldig voelde. Hij leed enorm, veel meer nog dan ze besefte. Het enige waar hij aan had kunnen denken na zijn ontmoeting met Andy, was haar poging tot zelfmoord van drie jaar geleden, een poging waar hij naar alle waarschijnlijkheid debet aan was. Het was meer dan hij kon verdragen. Daarom verliet hij haar. De lunch was voor beiden hartverscheurend. Later, in de taxi, op weg naar huis huilde ze aan een stuk door. Joe had haar gezegd dat ze elkaar los moesten laten, elkaar moesten vergeten. Er moest een einde komen aan hun lijdensweg. Hij was bang dat hij haar weer tot zelfmoord zou drijven, als hij te veel tegen haar zou zeggen.

Toen ze na haar thuiskomst huilend op haar bed lag, wist ze dat ze Joe nooit weer zou zien. Ze wilde dat ze dood was, maar die wens was niet zo sterk dat ze de hand aan zichzelf sloeg. Die gedachte kwam zelfs nooit bij haar op.

Joe deed waar hij het beste in was, hij vluchtte. Hij vloog diezelfde avond nog naar Californië. Toen Andy thuiskwam van kantoor en haar zag, wist hij dat hij in zijn opzet was geslaagd. Hij had gewonnen, welke prijs hij er ook voor moest betalen.

18

MAANDENLANG WAS DE STEMMING TUSSEN ANDY EN KATE te snijden. Ze spraken nauwelijks met elkaar. Sinds zijn thuiskomst hadden ze niet meer met elkaar geslapen. Ze probeerde zover mogelijk uit Andy's buurt te blijven. Ze verkeerde duidelijk in depressieve toestand en was enorm afgevallen. Zo nu en dan belde ze met Joe. Maar precies zoals Andy berekend had, zorgden tijd en afstand er voor dat ze uit elkaar begonnen te groeien, hoeveel ze ook van elkaar hielden. Andy had zijn plan op geniale wijze uitgevoerd, de schade was onherstelbaar. Maar Kate wist dat hij de gevoelens die in haar hart leefden nooit zou kunnen veranderen, hoelang hij haar ook gevangenhield. Op het moment dat hij haar dwong om bij hem te blijven en haar chanteerde met haar zoon, had hij haar voor altijd verloren. Dat had voor Kate de deur dichtgedaan. Ieder gevoel voor hem verdween, zelfs haar sympathie. Ze haatte hem, en ze zou hem nog meer gehaat hebben als ze wist wat hij tegen Joe had gezegd.

De situatie verbeterde een beetje na Reeds eerste verjaardag in maart. Andy was toen alweer acht maanden thuis, en het was een bijzonder akelige tijd geweest.

Kates ouders hadden het er samen over gehad, maar deze keer durfden ze niet te vragen wat er aan de hand was. Ze zagen alleen dat wát er ook gebeurd was, het een zware tol van hun dochter en schoonzoon had geëist.

Zoals ze altijd deden, gingen ze ook die zomer weer naar Cape Cod. Dit keer sliepen Kate en Andy in verschillende kamers. Andy kon Kate dwingen om getrouwd met hem te blijven, maar niet om met hem naar bed te gaan. Hun leven was een nachtmerrie geworden en hun huwelijk een lege huls. Kate zag eruit als een geestverschijning, zoals ze daar om het huis liep.

Kate ging dat jaar niet naar de barbecue. Toen haar ouders thuiskwamen, merkte Clarke op dat Joe Allbright er niet bij geweest was. Terwijl hij het zei, keek Andy naar Kate. De haat die Clarke tussen die twee zag, was zo sterk dat het hem schokte. Toen Kate en Andy weer weg waren, waren haar ouders wanhopig door wat ze hadden gezien.

Thuisgekomen belde ze Joe, gewoon om te informeren hoe het met hem was. Dat deed ze zo af en toe. Hazel zei dat hij in Californië was om vliegtuigen te testen, en Kate vroeg haar of ze hem de hartelijke groeten wilde doen wanneer hij belde. Ze hadden allang niet met elkaar gesproken. Zo nu en dan ontving ze een ansichtkaart, waar ze niet veel wijzer van werd. Meer hoorde ze niet van hem.

Het liep tegen Thanksgiving toen Andy haar op een avond in haar kamer opzocht. De nachtmerrie waarin hun huwelijk was veranderd, duurde al een jaar. 'Kunnen we dan tenminste weer vrienden worden? Ik mis onze gesprekken van vroeger, Kate.' Alles wat er tussen hen was geweest, was verdwenen toen hij weigerde haar te laten gaan. Hij had een schijnoverwinning behaald. Kate was Kate niet meer. 'Waarom proberen we geen vrienden te zijn?' Op het moment dat hij het zei, zag hij in haar ogen dat er geen hoop was. Hij was te lang haar vijand geweest. Ze was onbereikbaar geworden.

'Ik weet het niet,' zei ze eerlijk. Het afgelopen jaar had ze niets voor hem gevoeld. De enige man om wie ze nog steeds gaf, was Joe, maar die was uit haar leven verdwenen. Hij had zijn oude leven weer opgepakt en was weer terug bij zijn andere liefde. Zijn vliegtuigen waren weer zijn passie geworden, waren dat eigenlijk altijd geweest. Het was nog maar sinds kort dat hij ten slotte begrepen had dat beide passies niet te combineren waren. Nu Kate weg was, waren zijn vliegtuigen alles voor hem, het enige dat hij had. Er was geen andere vrouw in zijn leven.

Dat jaar brachten ze de vakantie bij de ouders van Andy door en daarna was zij het die uit pure eenzaamheid weer begon te praten. Maar daar bleef het bij. Ze had al achttien maanden niet bij hem geslapen. Ze had met Reed de tweede slaapkamer genomen. Ze vierden oudejaarsavond met vrienden en dansten zowaar met elkaar. Kate dronk een ongelooflijke hoeveelheid champagne. Hij hoorde haar warempel lachen die avond, en ze was zo dronken dat ze op de terugweg met hem flirtte. Zoveel plezier had hij in anderhalf jaar niet meer gehad. Het leek bijna als vanouds. Thuisgekomen, hielp hij haar uit haar jas. Het bandje van haar jurk gleed van haar schouder en hij zag delen van haar lichaam die hij al veel te lang niet gezien had. Hij had zelf ook behoorlijk wat gedronken, en voor hij er erg in had kuste en streelde hij haar. Tot zijn verbazing voelde hij dat ze zijn liefkozingen beantwoordde.

'Kate...?' Hij wilde geen misbruik maken van haar dronkenschap, maar de verleiding was wel erg groot. Voor beiden. Ze waren tenslotte getrouwd en leidden het leven van ongehuwden. Zij was achtentwintig en hij was net veertig geworden die maand, en ze hadden zojuist een van de eenzaamste jaren van hun leven achter de rug.

Ze volgde hem de slaapkamer in, zijn kamer. Zij verbleef nog steeds in de aangrenzende slaapkamer met Reed, die altijd in zijn kinderbedje naast haar sliep. Hij was eenentwintig maanden en toen de oppas die nacht vertrok, sliep hij als een roos. 'Wil je vannacht met me slapen, Kate?' stelde Andy aarzelend voor. Zonder een woord te zeggen trok ze haar jurk uit en stapte in bed. Hij had niet de illusie dat ze van hem hield. Ze waren als twee mensen die op het punt staan te verdrinken en zich aan alles vastklampen om maar te overleven. Desnoods aan elkaar, als al het andere buiten bereik was.

Naderhand herinnerde ze zich nauwelijks dat ze die nacht met hem naar bed was geweest. Ze wist alleen dat ze naast hem wakker werd en zich daarna ijlings naar haar eigen bed had begeven. Toen hij op nieuwjaarsochtend ontwaakte, lag ze niet meer naast hem.

Beiden hadden ze een afgrijselijke kater. Veel zeiden ze niet die dag. Zij was diep geschokt door wat er afgelopen nacht gebeurd was. Veertien maanden daarvoor had ze bij zichzelf gezworen dat ze nooit meer met hem naar bed zou gaan. En dat had ze ook niet gedaan, tot vannacht. Maar ze was zo eenzaam en voelde zich al zo lang onbevredigd, dat de champagne een hevige vloedgolf van begeerte had veroorzaakt.

Ze spraken er niet over en elk van hen leefde weer zijn eenzame bestaan, gescheiden van de ander. Het was pas tegen het einde van de maand januari dat ze hem het nieuws vertelde. Ze was helemaal van streek geweest toen ze het ontdekte. Het was wéér iets dat haar aan hem bond, maar ze had allang de hoop opgegeven om los van hem te komen. Andy had het haar volkomen duidelijk gemaakt: de rest van haar leven was ze van hem. En nu verwachtte ze haar tweede kind.

Hij hoopte dat het hen weer dichter tot elkaar zou brengen, maar het tegendeel gebeurde. Dag en nacht was ze misselijk en hield ze het bed. De hele lente lag ze in bed. Alleen 's middags was ze even op om met Reed naar het park te gaan. Haar ziek zijn was nog een manier om Andy buiten te sluiten.

Tijdens het avondeten werd er gezwegen en het enige geluid dat Andy hoorde als hij weer thuis was, was het gebabbel van Reed. Andy en Kate spraken nauwelijks nog met elkaar. In juni las Kate in de krant dat Joe zich had verloofd. Ze belde om hem te feliciteren en vernam dat hij in Parijs zat. Hij belde haar niet meer. Op haar negenentwintigste had ze het gevoel dat haar leven voorbij was. Ze was getrouwd met een man voor wie ze niets voelde. Ze verwachtte een kind dat ze niet wilde. En ze had de enige man verloren van wie ze ooit gehouden had. De baby zou in september komen, maar het leek Kate niet te interesseren. De enige vreugden in haar leven waren Reed en haar herinneringen aan Joe.

Het was Andy die haar ten slotte opzocht, vlak voor de geboorte van hun tweede kind. Het was 's avonds laat en zij lag op bed te lezen, terwijl Reed naast haar in dromenland was. Hij was in maart drie geworden en het was een mooi, lieftallig kindje. Ze keek op en zag Andy de kamer binnenkomen. Ze was van hem vervreemd. Het was nauwelijks voor te stellen dat ze ooit sympathie voor elkaar hadden gevoeld of hadden gedacht dat ze van elkaar hielden. Het was onvoorstelbaar dat ze zelfs maar vrienden geweest waren.

'Hoe voel je je?' vroeg hij. Hij zat naast haar op het bed en zo dicht waren ze in geen acht maanden bij elkaar geweest. Het was nauwelijks te geloven dat ze al bijna twee jaar op deze manier met elkaar omgingen. Dat eerste jaar, voordat hij naar Duitsland ging en voordat Joe weer in haar leven kwam, dat eerste jaar was de enige normale periode in hun huwelijk geweest.

'Ik voel me gigantisch,' zei ze glimlachend. Het was of ze met een verre vriend sprak. Zo iemand die je jaren geleden hebt ontmoet en daarna een lange tijd niet gezien hebt.

'Ik dacht dat je het misschien wel prettig zou vinden om het te weten: ik ga weg als de baby er is.' Een paar weken geleden had hij de knoop doorgehakt, en die middag had hij een flat gehuurd. Hij kon zo niet langer leven. Van alles wat ze ooit deelden of waarvan ze ooit droomden, was allang niets meer over. Hij wist nu dat hij haar niet langer als een vogel in een kooi kon houden. Haar hart en haar ziel lieten zich niet opsluiten. De overwinning op Joe was zonder betekenis geweest. Hij zag dat nu in. Pas als je iets hebt, kun je het kwijtraken, en Andy had haar nooit gehad. Ze was altijd van Joe geweest.

'Waarom ga je weg?' vroeg ze kalm, terwijl ze haar boek weglegde.

'Waarom zou ik blijven? Je had gelijk. Het was een vergissing. Het spijt me dat ik je nieuwjaarsmorgen zwanger heb gemaakt. Dat maakt het er voor jou niet eenvoudiger op.'

'Het lot heeft het gewild, denk ik.' Steeds ging het om datzelfde woord: het lot. Het was iets wat ervoor zorgde dat mensen bij elkaar kwamen, uit elkaar gingen, of bij elkaar bleven, of wilden dat ze bij elkaar konden blijven. Het toeval maakte dat mensen niet de juiste beslissing namen als dat nodig was. 'Het zal goed voor Reed zijn als hij een broertje of een zusje krijgt,' zei ze rustig. 'Waar ga jij heen?' Het was alsof ze het vroeg aan een medereiziger in de trein, in plaats van aan de man van wie ze ooit gehouden had. Ze was er niet langer zeker van of dat wel ooit het geval was geweest. Waarschijnlijk niet. Ze waren beter af geweest als ze vrienden waren gebleven. Ze was zo wanhopig geweest nadat ze Joe had verlaten. Beiden hadden een hoge prijs moeten betalen voor wat ze hadden gedaan.

'Ik had twee jaar geleden naar je moeten luisteren,' zei hij. Ze knikte en zweeg. Die twee jaar die hij nodig had gehad om in te stemmen met een scheiding, hadden haar Joe gekost. Ze vroeg zich af of hij al getrouwd was. Er had niets over in de krant gestaan. Alleen dat hij verloofd was, maar dat was al weer een aantal maanden geleden. Ze moest dat respecteren. Het was nu te laat voor hen. En zeker voor haar, ze voelde het. Andy had haar leven verwoest, hij had al haar dromen vernietigd. Die dromen behoorden nu toe aan de vrouw die met Joe zou trouwen. En Kate stond met lege handen.

'Je had vermoedelijk gelijk om het te proberen,' zei ze tegen Andy, in een poging om redelijk te zijn. Maar ze had te veel van Joe gehouden om er zelfs maar acht op te slaan. Haar huwelijk met Andy hield op te bestaan op het moment dat ze Joe terugzag.

'Je moet naar hem teruggaan, Kate,' zei hij zachtjes. Toen ze in zijn ogen keek, was er weer even de vriend van vroeger. 'Ik heb nooit begrepen wat jullie hadden, of waarom, maar wat het ook is, het is heel sterk. Je verdient het te krijgen, als je het zo graag wilt.' Ze was bijna gestorven van verdriet toen hij vertrok. Er was niets meer. Ze voelde zich vanbinnen dood. 'Zeg hem dat je nu vrij bent. Hij heeft er recht op om het te weten.'

Andy had zich twee jaar lang schuldig gevoeld over de leugens die hij Joe had verteld, vooral toen hij zag hoe Kate zich helemaal voor hem afsloot. Maar hij had er geen idee van hoe hij de schade ongedaan moest maken die hij haar had toegebracht door Joe zand in de ogen te strooien. En hij had niet de moed om het Kate te vertellen. Maar gezien de mate waarin zij en Joe van elkaar hielden, of van elkaar gehouden hadden, vermoedde Andy dat Joe haar alles zou vergeven.

'Hij is met iemand anders verloofd,' zei ze met sombere blik.

'En wat dan nog?' zei Andy glimlachend. 'Wij waren toch ook getrouwd, toen hij weer verscheen? Als hij van je houdt, zegt hij meteen ja. Al het andere doet er dan niet toe.'

'Werkt dat zo?' Ze glimlachte terug, en dat was voor het eerst sinds lange tijd. Twee jaar lang was hij slechts haar gevangenbewaarder geweest. Misschien konden ze nu tenminste weer vrienden zijn, nu hij haar vrijliet. Het was waar hij op had gehoopt, toen hij besloot haar te laten gaan. Hij wilde graag haar vriendschap, maar hij wilde ook een volwaardig huwelijk.

'Het is nu te laat voor ons,' zei Kate. Andy wist dat ze het over Joe had. 'Onze timing is erg beroerd. Hij is net verloofd!'

'Ik herinner me de tijd dat iedereen dacht dat hij dood was, en jij nog steeds geloofde dat hij leefde. Jij bent twee jaar dood geweest, Kate. Je bent toe aan een nieuw leven. Het is altijd je wens geweest om bij hem te zijn.'

'Ik weet het,' zei ze zacht. 'Idioot eigenlijk, vind je niet? Ja, dat heb ik altijd gewild. De eerste keer dat ik hem ontmoette, sloeg hij me aan de haak. Het was te gek voor woorden. Net alsof er een reusachtige vishaak in mijn binnenste zat. We zijn blijkbaar nooit in staat geweest om de lijn door te snijden.'

'Doe dat dan ook niet. Zwem terug naar hem. Doe wat je doen moet, jaag je eigen droom na.' Dat was wat hij gedaan had, maar de droom die hij had nagejaagd, had iemand anders toebehoord. Dat zou niet veranderen, wist hij. Ze was altijd van Joe geweest en nooit van hem.

'Dank je,' zei ze.

Hij boog zich voorover om haar wang te kussen. 'Probeer wat te slapen,' zei hij, en hij verliet haar kamer.

Nadat Andy die avond haar kamer had verlaten, lag ze in bed over hem na te denken. Het was vreemd hoe weinig ze voelde. Ze was niet verdrietig, ze was niet opgelucht. Ze voelde helemaal niets. Al twee jaar lang was ze gevoelloos. Ze dacht aan wat hij had gezegd over Joe, en vroeg zich af of het toch nog mogelijk was. Volg je droom... zwem... vlieg... ga naar hem... Ze glimlachte toen ze zich omdraaide om te gaan slapen. Het was moeilijk te geloven dat die droom ooit van haar zou zijn. Die was altijd net buiten bereik geweest. En wéér was dat zo. Hij was verloofd, of op dit ogenblik zelfs getrouwd. Ze voelde dat ze geen recht had om zijn leven opnieuw ondersteboven te gooien. Hoe zijn leven er ook uitzag op dit moment, hij had er recht op. En het was vreemd om te beseffen dat ze uiteindelijk beiden had verloren, Andy en Joe. Ze wist dat het nu te laat was om Joe te bellen, om het even wat Andy, uit schuldgevoel, zei. Haar geschenk aan hem was deze keer dat ze hem losliet. Andy bracht haar naar het ziekenhuis toen ze op punt van bevallen stond. Ditmaal was het een meisje; ze gaven haar de naam Stephanie. Twee weken later vertrok Andy. Het afscheid was verre van emotioneel. Alles tussen hen was al zolang dood, dat ze alleen nog maar opluchting voelden.

Kate vertrok met beide kinderen en een kindermeisje naar Reno, toen Stephanie vier weken was. Ze bleef daar zes weken en kwam op 15 december terug met de trein als gescheiden vrouw. Voor de wet was ze drieënhalf jaar getrouwd geweest met Andy, maar voor haar gevoel slechts één. Van een vriendin hoorde ze dat Andy inmiddels met iemand anders uitging en vermoedelijk smoorverliefd was. Ze hoopte het. Ze waren beiden lang genoeg eenzaam geweest. Ze hoopte voor hem dat hij opnieuw zou trouwen en nog meer kinderen kreeg. Hij verdiende veel beter dan wat zij hem had gegeven, hoewel ze beiden van Stephanie en Reed hielden. Overeengekomen werd dat hij de kinderen iedere woensdagmiddag en om het andere weekend zou hebben. Alles was zo keurig en rustig geregeld, dat het leek alsof het nooit gebeurd was. Het was alsof ze alles gedroomd had. Haar ouders betreurden het stuklopen van het huwelijk veel meer dan Kate en Andy zelf. Ze hadden nooit helemaal begrepen waarom het niet levensvatbaar was en hadden moeite de scheiding te accepteren.

Een week nadat ze terug waren uit Reno, nam ze Reed mee om een kerstboom te kopen. Voor de eerste keer sinds jaren voelde ze zich weer zichzelf. Onder het wandelen zongen ze kerstliedjes en toen ze bij de hoek waren waar de bomen verkocht werden, koos Reed een enorme kerstboom uit. Uitgelaten sprong hij op en neer en klapte in zijn handjes. Zij was bezig de handelaar te vertellen waar de boom moest worden afgeleverd, toen ze iemand uit een auto zag stappen, met gebogen hoofd om de sneeuwvlokken uit zijn gezicht te houden. Het was juist begonnen te sneeuwen. Hij droeg een hoed en een donkere jas.Nog voor hij zich omdraaide, wist ze dat hij het was. En Joe zag Kate. Hij bleef staan en glimlachte naar haar. Ze hadden al maanden niet met elkaar gebeld en elkaar twee jaar niet gezien.

Terwijl hij op haar toe liep, moest ze, ondanks zichzelf, glimlachen. Haar lotsbestemming... Daar was hij dan. Ze hoefde hem maar te zien, of terug was de magie die er altijd tussen hen was. Hun levenspaden kruisten elkaar om zich daarna weer van elkaar te verwijderen en hun eigen loop te nemen. Opeens was hij er dan weer. Het kon op een barbecue zijn, of op een schip, of op een bal, zoals toen ze zeventien was. Dat was nu twaalf jaar geleden. Ze hoefde hem maar te zien, of de droom was weer springlevend.

'Dag, Kate.' Hij ging een kerstboom kopen. Ze wist niet eens waar hij tegenwoordig woonde. Californië? New York? Ergens anders? Ze had hem niet gebeld of geschreven. Beiden hadden elkaar twee jaar geleden genoeg op de proef gesteld. Het was voorbij, had ze tegen zichzelf gezegd. Als er iets was waar hij recht op had, was het met rust gelaten te worden. Maar een of andere macht of kracht was tussenbeide gekomen en had hem haar pad nogmaals doen kruisen.

'Dag, Joe.' Ze glimlachte naar hem. Het was zo fijn om hem weer te zien, ondanks alles. Hij was nog niets veranderd. En tegelijk deed haar hart pijn nu ze hem zag.

'Hoe gaat het met jou? Wat doe jij allemaal tegenwoordig?' Er was veel wat hij wilde weten, maar het leek onhandig om het te vragen met zoveel rondsjouwende mensen in de buurt. Bovendien stond Reed naast haar, en hij was nu oud genoeg om te begrijpen wat er werd gezegd.

Kate lachte. Ze herinnerde zich wat Andy tegen haar had gezegd, voordat hij bij haar wegging: 'Zeg het hem. Bel hem. Vind hem.' Hij had haar gevonden, nu nam ze haar kans waar. 'Ik ben gescheiden,' vertelde ze.

'Wanneer?' Zo te zien was hij stomverbaasd, maar wel blij.

'Vorige week zijn we uit Reno teruggekomen. Ik had de kinderen meegenomen.'

'Kinderen?' Hij leek verbaasd.

'Stephanie. Ze is drie maanden. Ik had te veel gedronken op oudejaarsavond.' Het was een hoop informatie om zo even uit te wisselen bij de aankoop van een kerstboom, na twee jaar. Joe leek geamuseerd. 'En jij?' vroeg Kate op haar beurt.

'Ik ben ook dronken geweest op oudejaarsavond, maar ik heb er geen souvenir aan overgehouden. In juni heb ik me verloofd. Op het ogenblik is het allemaal een beetje onzeker. Ze heeft de pest aan mijn vliegtuigen.'

'Dat gaat nooit goed,' merkte Kate verstandig op. Ze genoot ervan gewoon naar hem te kijken. Ze hoefden alleen maar naast elkaar te staan om te weten dat er niets was veranderd. Het was er nog steeds, voor beiden. Precies zoals het vanaf de eerste dag geweest was. Wat ze met elkaar hadden gedeeld, was buitengewoon zeldzaam geweest, en dat was het nog steeds. 'Zou het tussen ons goed gaan, Kate?' vroeg hij, terwijl hij dichter bij haar kwam staan. Ze hadden elkaar al een hoop pijn bezorgd. Misschien was het te laat voor hen, die mogelijkheid zat erin. Maar er bestond ook een kans dat ze ditmaal geluk hadden als ze het probeerden, als ze het lef hadden. Misschien zouden ze op een dag dapper genoeg moeten zijn om de kans te wagen en het goed te doen. Terwijl hij naar haar keek, deden al die schrikwekkende dingen die Andy twee jaar daarvoor over haar had gezegd er voor hem niet meer toe.

'Ik weet het niet. Wat vind jij?' Zij was bereid, maar dat wilde ze niet tegen hem zeggen.

Het was een hele wereld aan gebeurtenissen die had plaatsgevonden. Oorlogen, het imperium dat hij had opgebouwd, haar huwelijk, hun verhouding van twee jaar geleden en nu haar scheiding. Ze waren zo vaak bij elkaar gekomen en weer uit elkaar gegaan. Maar toch was er nog steeds die band, die betovering, dat vuur. Daar stonden ze in de sneeuw naar elkaar te kijken en beiden voelden het.

'Naar huis, mammie,' zei Reed, terwijl hij aan haar arm trok. Hij werd ongeduldig van het wachten, en hij wist niet wie die man was.

'Zo meteen, schat.' Ze aaide zacht met haar hand over zijn wangetje.

'Wat denk jij?' kaatste Joe de bal terug. Hij nam haar aandachtig op met zijn blauwe ogen, terwijl de gestaag vallende sneeuw langzaam zijn hoed bedekte.

'Nu? Je wilt het nú weten?' Ze staarde Joe ongelovig aan.

'We hebben twaalf jaar gewacht, Kate,' zei hij rustig. Het scheen hem lang genoeg toe.

'Ja, dat is zo. Goed, als ik dan ter plekke moet antwoorden, zou ik zeggen: "Ja, laten we het een kans geven." ' Na die woorden hield Kate haar adem in. Ze was er niet zeker van wat hij zou zeggen of denken. Misschien zou haar bereidheid hem schrik aanjagen en zou hij vluchten. Maar deze keer bleef hij. Hij keek naar haar en was vastbesloten.

'Volgens mij heb je gelijk. Waarschijnlijk zijn we stapelgek, en

God mag weten of het lukt. Onze timing was tot nu toe altijd beroerd, maar misschien is dit ons moment.' Dat zou dan de eerste keer zijn. Ze hadden altijd iets anders van elkaar verwacht dan ze elkaar op dat moment konden geven. Het was alsof de schikgodinnen samenspanden om hen gescheiden te houden. En nu ineens viel alles op zijn plaats. Met een beetje geluk zou dit misschien eindelijk het goede ogenblik voor beiden zijn.

'En je verloofde dan?' Kate keek bezorgd. Andy had twee jaar geleden roet in het eten gegooid, en misschien zou zij dat nu doen. Of iemand anders.

'Geef me een uur. Ik zal haar zeggen dat het van de baan is. De testvlucht is mislukt.' Hij glimlachte naar Kate.

'En de kinderen?' Daar was ze nieuwsgierig naar, voor het geval ze er meer wilde. Het was een krankzinnig gesprek, maar typisch iets voor hen. Ze verlichtten elkaars wereld, zoals een bliksemstraal de hemel.

'Goed, je hebt twee kinderen, begreep ik uit je verhaal. Maar moeten we nu meteen alles al regelen? Ik wist niet eens dat ik je tegen het lijf zou lopen. Is er heel misschien een mogelijkheid dat we elkaar nog eens zien om de rest te bespreken?' Hij lachte naar haar. Ze kon in zijn ogen zien dat hij gelukkig was en niet langer bang. Althans niet op dat moment.

Ze grijnsde naar hem. 'Daar valt over te praten.' Het leven had er een handje van om de vreemdste wendingen te nemen. Wanneer je het het minst verwachtte, liep je regelrecht je dromen binnen en bleek het afscheid toch minder definitief dan je had gedacht. Dat was tot nu toe de geschiedenis van hun leven geweest.

'Zelfde adres?' Ze knikte. 'Ik bel je vanavond. En alsjeblieft, trouw niet! Ga niet terug naar Andy en loop niet weg. Blijf een paar uur zitten waar je zit en probeer uit de problemen te blijven, beloof het me,' zei hij, terwijl hij haar streng aankeek.

'Ik zal het proberen,' zei ze, een en al glimlach.

'Prima.' Hij liep op haar af en sloeg zijn armen om haar heen, terwijl Reed met grote ogen naar hen opkeek en zich nog steeds afvroeg wie die meneer wel was. 'Fijn dat je er weer bent, Kate.' Haar leven was een puinhoop geweest vanaf het moment dat

ze bij elkaar weggegaan waren, en dat van hem had het grootste gedeelte van de tijd bestaan uit werk en vliegtuigen. Onlangs was daar nog een vrouw bijgekomen, maar die werd al
luchtziek in een lift en had, in tegenstelling tot Kate, een hekel
aan vliegen. Hun leven had een aantal heel gekke en buitengewoon opmerkelijke bochten gemaakt. Zoals de bijna twee jaar
die hij had doorgebracht in Duitsland, haar huwelijk met Andy, en de laatste twee eenzame jaren voordat die haar ten slotte liet gaan. Het was nauwelijks te geloven dat hun tijd eindelijk was gekomen. Geen van beiden waren ze er weliswaar
helemaal zeker van, maar het had er alle schijn van. En opeens
was het alsof er geen tijd meer te verliezen was. Hij was niet
van plan om nog eens twaalf jaar te wachten. Deze keer zou
hij haar niet weg laten gaan, zou hij zelf niet wegvluchten. 'Ik
bel je over twee uur en ik kom vanavond langs. Nu moet ik
eerst iets anders doen.' Kate wist al wat dat was. Hij ging zijn
verloving verbreken. En voor één keertje liet het Kate onverschillig wat het van hem vergde om terug te komen. Ze wilde
hem gewoon. Ze hadden de Mount Everest beklommen om elkaar weer te vinden en ze was niet van plan de prijs die ze in
de wacht gesleept had met iemand anders te delen. Joe was van
haar. Ze had het recht om bij hem te zijn eerlijk verdiend.
Twee uur later belde hij, en 's avonds om acht uur kwam hij
langs. De kinderen sliepen al. Ze hongerden zo naar elkaar dat
ze er geen gras over lieten groeien. Ze deden de deur van haar
slaapkamer dicht en het scheelde weinig of ze hadden elkaar
verslonden. Ze waren als uitgehongerd, en dat was te lang zo
geweest. Het had eindeloos lang geduurd om samen zover te
komen, maar nu waren ze eindelijk veilig. Of liever, dat hoopten ze. Het was onmogelijk om zekerheid te hebben. Maar ze
moesten het op zijn minst proberen. Er waren geen garanties,
alleen dromen. Toen ze die nacht in elkaars armen in slaap vielen, wisten ze dat ze hun bestemming hadden gevonden.
De volgende morgen speelde Joe met Reed, terwijl zij de baby
zijn voeding gaf en daarna tuigden ze de boom op. Hij bracht
Kerstmis met hen door en twee dagen later gingen Kate en hij
naar het stadhuis. Ze liepen alleen, hand in hand. Er waren geen
vrienden of getuigen. Er was geen valse hoop. Toen ze weer

thuis waren, belde Kate haar ouders. Het kwam als een schok, maar niet als een totale verrassing. Haar moeder herinnerde haar vader eraan dat ze de weddenschap over een eventueel huwelijk ten slotte toch nog had verloren. Zij was ervan overtuigd geweest dat hij haar nooit zou trouwen.

'Ik had niet gedacht dat ik dit nog zou meemaken,' zei Elizabeth verbaasd, toen ze de haak op de hoorn legde. En dat gold ook voor Kate en Joe. De weg naar het geluk was eindeloos lang en bochtig geweest.

'En, een beetje gelukkig?' vroeg Joe haar, toen ze zich die avond naast hem nestelde in bed.

'Volkomen,' zei ze met een verzaligde glimlach. Eindelijk kon ze zich Mrs. Allbright noemen.

Die nacht, nadat ze in slaap was gevallen, lag hij nog lange tijd naar haar te kijken. Alles aan haar vond hij fascinerend, en nu was ze eindelijk van hem. Hij zag niet in waarom het nu nog zou misgaan. Volgens hem was het de volmaakte combinatie. Hij was altijd haar passie geweest en zij zijn droom. Haar happy end was er. En dat van hen.

19

De eerste dagen van Joe en Kates huwelijk waren paradijselijk en precies wat ze ervan hadden verwacht. Ze waren gelukkig en hadden het druk. Ze had een kindermeisje genomen, zodat ze veel tijd had om samen met hem allerlei dingen te doen. Ze bezocht hem op kantoor, gaf hem advies over projecten en vloog met hem in het weekend. Als hij 's avonds thuiskwam, speelde hij met de kinderen. In januari ging ze met hem naar Californië, en ze was diep onder de indruk van wat hij daar allemaal opgezet had. Ze reisde zelfs met hem naar Nevada en keek toe hoe hij zijn testvluchten afwerkte. Na afloop nam hij haar mee voor een vliegtochtje. Ze was verrukt van alle wilde en waanzinnige dingen die hij deed. En het allermooiste was dat hij van haar was.

'Maar goed dat ik niet getrouwd ben met Mary,' zei hij grijnzend na een bijzonder gewaagde vlucht boven de woestijn. Hij had Kate duizelig gemaakt met een aantal loopings en glijvluchten. Ze had het altijd heerlijk gevonden om die dingen met hem te doen. Ze zei dat het veel spannender was dan de achtbaan. Ze vond het fantastisch om met hem te vliegen, wat hij ook deed en hoe angstaanjagend het ook was, en luchtziek werd ze nooit. Zelf vloog ze niet meer. Ze had het te lang niet gedaan.

'Waarschijnlijk kookt ze beter dan ik,' zei Kate vrolijk als reactie op zijn opmerking over zijn ex-verloofde, terwijl ze met hem uit de cockpit stapte.

'Dat is een ding wat zeker is. Ze zou het alleen wél allemaal over me heen gekotst hebben na een dergelijke vlucht.'

Mary had het eenvoudig vertikt om met hem te vliegen en interesseerde zich zelfs niet voor wat hij deed. Toen al had hij geweten dat de verloving een domme zet was geweest, maar toen

Kate bij Andy bleef, was hij eenzaam geweest en had hij zich verveeld. En hij wilde zichzelf bewijzen dat hij een leven met iemand anders kon opbouwen. Maar de enige vrouw van wie hij ooit echt had gehouden, was Kate.

Stel je voor dat hij het had doorgezet! Nee, Kate had hem behoed voor een lot dat erger was dan de dood, hoewel hij zelf ook al was gaan twijfelen. Kate was in elk opzicht de ideale vrouw voor hem. Ze hield van vliegen en van zijn vliegtuigen. Ze hield van hem. En ze voegde iets essentieels aan zijn leven toe. Heel plagerig was ze, speels en vrolijk. Ze vertrouwde hem en had hem lief. Ze was ernstig wanneer dat nodig was en intelligenter dan alle vrouwen die hij ooit gekend had, intelligenter ook dan de meeste mannen. Ze gaf meer om hem dan om het leven zelf en hij hield van haar. Ze hadden alles wat hun hartje begeerde. En ze vormden samen een paar dat zo opvallend en zo prachtig was, dat de mensen bleven staan en hen nastaarden. Iedereen wist wie hij was, en zijn rustige, mannelijke stijl paste volmaakt bij haar humor, charme en waardigheid.

Een maand na hun trouwen verhuisden zij en de kinderen naar zijn flat. Ook de hond ging mee. De flat was groot genoeg voor iedereen, inclusief het kindermeisje. Geleidelijk aan maakte ze de flat gezelliger. Ze kocht leuke spulletjes, en het was te zien dat er nu een vrouw in huis was. Ze hadden het zelfs over het kopen van een huis.

Ze praatten over veel dingen. Alles was bespreekbaar nu. Hij had op een dag zelfs haar 'poging tot zelfmoord' ter sprake gebracht. Vanaf het moment dat Andy het hem had verteld, nu twee jaar geleden, had het hem achtervolgd. Hij vertelde haar hoe het hem speet. Kate luisterde naar hem met een niet-begrijpende blik in haar ogen.

'Waar heb je het over?' Ze leek verbijsterd door wat hij zojuist had gezegd.

'Het geeft niet, Kate. Ik weet het,' zei Joe rustig. Maar hij zei er niet bij hoe. Hij had haar nooit verteld dat Andy hem toen was komen opzoeken. Hij vond het niet nodig dat ze het wist.

'Wat weet je dan?' vroeg Kate, nog steeds stomverbaasd. Joe meende dat ze erover inzat en zijn opmerkingen pijnlijk vond.

'Dat je zelfmoord hebt geprobeerd te plegen, na onze breuk in New Jersey.' Hij had het zichzelf bijna vergeven, maar niet helemaal. Nog steeds probeerde hij het goed te maken met haar. De afgelopen twee jaar had hij zich er schuldig over gevoeld. 'Ben je betoeterd? Ik was door het hele gebeuren over mijn toeren, maar ik was niet volslagen krankzinnig! Hoe kom je in 's hemelsnaam op de gedachte dat ik zelfmoord had willen plegen?' De manier waarop ze naar hem keek, deed hem plotseling zwijgen.

'Wil je me vertellen dat je nooit zo'n poging gedaan hebt, Kate?' Ze was er niet zeker van of hij nu boos of opgelucht was, en hijzelf wist het ook niet.

'Precies, zo is het. Dit is het meest weerzinwekkende wat ik ooit heb gehoord. Hoe haal je het in je hoofd om te denken dat ik zoiets zou doen? Ik hou van je, Joe. Maar ik heb nooit mijn verstand verloren. Zelfmoord plegen is iets vreselijks.' Dat wist ze beter dan wie ook... Maar Joe keek haar doordringend aan, met een gezicht als een donderwolk.

'Was je ooit onder behandeling bij een psychiater?'

'Nee,' zei ze stomverbaasd. 'Vind je dat dat nodig is?'

'Die vuile etterbak!' brulde hij. Hij sprong op van zijn stoel en begon plotseling op zo'n manier in de kamer heen en weer te lopen, dat Kate dacht dat hij een aanval van razernij had.

'Waar heb je het eigenlijk over?' Zij kon er geen touw aan vastknopen, maar hem vielen nu de schellen van de ogen.

'Ik heb het over die miezerige rotschoft met wie je getrouwd geweest bent. Ik weet zelfs niet hoe ik je moet uitleggen wat hij heeft gedaan en wat voor dwaas ik ben geweest.' Hij voelde zich nu nog schuldiger, omdat hij hem had geloofd. Maar hij begreep donders goed wat Andy gedaan had, en waarom. Hij had doeltreffend ingespeeld op al zijn oude angsten. Joe werd beroerd bij de gedachte hoe hij zich had laten inpakken en opjutten. Het had hun beiden nog eens twee jaar gekost. Verloren jaren...

'Dus Andy vertelde jou dat ik een poging tot zelfmoord zou hebben gedaan... Dat zeg je toch?' Ze keek Joe ongelovig aan. 'En jij geloofde hem?' Ze leek zowel verbaasd als gekwetst.

'Ik denk dat we toen allemaal een beetje in de war waren. Het gebeurde vlak nadat jij hem had verteld dat je wilde scheiden en hij weigerde je te laten gaan. Je kwam naar mijn kantoor om me te vertellen dat hij niet toestemde in een scheiding. De volgende dag verscheen hij. Ik heb er de pest aan om het toe te geven tegenover jou, maar hij wist me te manipuleren. Hij vertelde me dat je zo wanhopig en onzeker was en zo onevenwichtig, dat je na onze breuk in New Jersey een zelfmoordpoging had gedaan. Wat hij zei, bracht me zo in paniek dat ik bang was dat ik je opnieuw tot zelfmoord zou drijven als ik iets fout deed of je opnieuw kwetste. Hij vertelde me dat je een paar keer per week een bezoek aan de psychiater bracht, en ik ging denken dat je het misschien weer zou doen als je je ook maar een klein beetje in de steek gelaten zou voelen. Ik was niet bereid om dat risico te nemen.' Bovendien was hij doodsbenauwd geweest voor alles wat Andy hem voorgespiegeld had. Dat ze niet alleen kon zijn, bijvoorbeeld, en dat ze meer kinderen wilde.

'Waarom heb je het mij niet gevraagd?' Kate keek hem aan, in opperste verbazing over wat hij zojuist had gezegd.

'Ik wilde je niet meer van streek maken dan je al was, je niet over je toeren jagen. Maar ik zie nu wat hij heeft gedaan, de schoft. Hij bespeelde me feilloos. Hij wist hoe schuldig ik me zou voelen bij de gedachte dat jij vanwege mij vroeger al eens een poging tot zelfmoord had gedaan. Hij wist hoe bang ik zou zijn dat je het misschien nog een keer zou doen.' Voor haar viel alles nu ook op zijn plaats. Ze haatte Andy meer dan ooit tevoren. Hij had alles wat ze hem ooit in vertrouwen verteld had, gebruikt om Joe te manipuleren. Het was ongelooflijk wreed om zoiets te doen, hoewel ze besefte dat Andy toen voor zijn bestaan gevochten had en getracht had om zijn familie bij elkaar te houden. Maar het was Andy die Joe had weggejaagd, en ze wist dat ze hem dat nooit zou vergeven. Bijna had het haar haar levensgeluk gekost. Het was een wonder dat ze elkaar hadden teruggevonden. 'Het klonk allemaal zo overtuigend. Ik was op dat moment te veel van streek om het in twijfel te trekken, of om verdenking tegen hem te koesteren. Wat hij me liet zien, was iets dat ik niet op mij kon nemen. Dat wist ik. Maandenlang heb ik me schuldig gevoeld, alleen bij de gedachte al.'

323

'Hoe is het hem dan gelukt?' Terwijl ze erover nadacht, besefte ze dat hij meer gezegd moest hebben, iets wat zijn leugens geloofwaardigheid zou kunnen verlenen. Het moest dat ene zijn wat ze Joe nooit had verteld, en ze vroeg zich af of hij het nu wist. Ze zat heel stil naar hem te kijken. Het enige dat ze zag, was de liefde in zijn ogen. 'Heeft hij je ook over mijn vader verteld?' Ze verafschuwde het om erover te praten. Nooit eerder had ze dat gedaan. Maar tegen Joe kon ze alles zeggen. Ze voelde zich veilig bij hem.

Joe nam haar hand in de zijne en trok haar dicht tegen zich aan. 'Clarke heeft het me verteld voordat ik je vroeg of je met me wilde trouwen. In Cape Cod. Hij vond dat ik het behoorde te weten,' zei hij vriendelijk. 'Het spijt me voor je, Kate. Dat moet verschrikkelijk voor je zijn geweest.'

'Dat was het ook,' zei ze met tranen in haar ogen. 'Die dag staat in mijn geheugen gegrift... Ik herinner me alles nog... Het merkwaardige is, dat ik mij niet veel van hemzélf herinner. Het zou moeten, maar het is niet anders. Ik was acht toen hij stierf, maar twee jaar daarvoor had hij zich al van alles en iedereen afgezonderd.' Ze vertelde het met een intens verdrietige blik in haar ogen. Het was het grootste trauma van haar leven geweest, het verlies van Joe niet meegeteld. 'Het moet ook vreselijk zijn geweest voor mijn moeder, maar ze praat nooit over hem. Soms zou ik willen dat ze het deed. Er is zo weinig dat ik van hem weet, behalve dan dat Clarke zegt dat het een aardige man was.'

'Daar ben ik van overtuigd.' Hij zag aan haar ogen hoe pijnlijk het nog steeds voor haar was. Het gebeuren was de oorsprong en kern van al haar angsten, van haar angst voor verlies, haar angst voor pijn en haar angst om in de steek gelaten te worden. Ongewild had haar vader haar zoveel pijn bezorgd. Maar ze was gelukkig en in harmonie bij Joe. Ze had eindelijk een veilige haven gevonden.

'Ik ben blij dat je het weet,' zei ze zachtjes. Het was het enige geheim dat ze ooit voor hem had verzwegen.

's Avonds toen ze in bed lagen, praatten ze opnieuw over het bedrog dat Andy ten opzichte van hen beiden had gepleegd. Kate vond het schokkend, en de gedachte dat Joe hem had geloofd, maakte het nog erger. Door in te spelen op Joe's schuldgevoelens en misbruik te maken van zijn zwakheden, was Andy erin geslaagd om hem weg te krijgen. Beiden waren het erover eens dat het verachtelijk was, maar wel ingenieus. Kate had nooit gedacht dat hij tot zoiets sluws in staat was. Het vertelde haar veel over hem. Ze wilde zichzelf wat tijd gunnen om erover na te denken, maar ze wist dat er een dag zou komen waarop ze hem ermee zou confronteren. Hij had haar uiteindelijk toch verloren, zelfs na het gebruik van iedere mogelijke list. Ondanks Andy's bedrog hadden zij en Joe elkaar weer gevonden. Iedere dag weer was ze de schikgodinnen dankbaar voor hun goedgunstigheid.

In de loop van het voorjaar begon Joe meer tijd door te brengen in Californië. Hij had een groter vliegveld nodig als uitvalsbasis voor zijn luchtvaartmaatschappij. Tegen de zomer bracht hij een halve maand in Los Angeles door, en hij wilde dat Kate bij hem was. Ze nam beide kinderen en de oppas mee en ze logeerden in het Beverley Hills Hotel. In het begin vond ze het allemaal prachtig. Ze ging winkelen, speelde met de kinderen en hing rond bij het zwembad om het komen en gaan van de filmsterren gade te slaan. Joe was voortdurend op kantoor. Meestal was hij pas na middernacht terug in het hotel en 's morgens om zes uur vertrok hij weer. Hij probeerde om zijn bedrijf uit te breiden naar de Pacific en hij wilde nieuwe luchtlijnen creëren, naar nieuwe bestemmingen. Het was een gigantisch karwei, want er moesten in het buitenland talloze nieuwe kantoren geopend worden. Ook de logistieke planning van een luchtvaartmaatschappij die zich ontwikkelde tot een van de belangrijkste ter wereld, was niet eenvoudig.

Tegen de maand september bracht hij heel veel tijd in Hongkong en Japan door. Beiden waren het erover eens dat het te ver was voor haar om daarheen te gaan. Bovendien vond ze het vreselijk om weken achtereen de kinderen niet te zien. En ze vond het niet zinvol om in een hotel in Los Angeles op hem te wachten. Dus bleef ze op hem wachten in New York. Hij belde haar iedere avond, om het even waar hij was, en bracht haar op de hoogte van wat hij aan het doen was. Zo te zien deed hij een miljoen dingen tegelijk. Het runnen van zijn kantoor in New York, expansie in het Verre Oosten, het ontwerpen van vliegtuigen en als het maar even mogelijk was ook nog zijn test-vluchten. Vanzelfsprekend ging hem dat niet in de koude kle-ren zitten, en zelfs als hij Kate belde, klonk hij gespannen. Hij handelde alsof hij een eenmansformatie was, ondanks het feit dat al de verschillende afdelingen van zijn organisatie compe-tente mensen telde. En hij klaagde aan een stuk door dat hij niet genoeg tijd had om te vliegen. Of om zijn vrouw te zien. Toen hij begin oktober terugkwam, was hij in geen vier weken thuis geweest en Kate hield hem voor dat ze hem nooit meer zag.

'Wat moet ik dan, Kate? Ik kan niet overal tegelijk zijn.' Hij was twee weken in Tokio geweest om overeenkomsten te slui-ten en nieuwe luchtlijnen uit te zetten, een week in Hongkong om keihard met de Britten te onderhandelen en vijf dagen in Los Angeles. Een van zijn beste testpiloten was net voor zijn vertrek zonder aanwijsbare reden neergestort, in een vliegtuig dat van tevoren nog door Joe persoonlijk was goedgekeurd. Hij was op- en neergevlogen naar Reno om het wrak te inspecte-ren en de weduwe een bezoek te brengen, en tegen de tijd dat hij terug was in New York was hij halfdood.

'Waarom probeer je je zaken niet van hieruit te regelen?' vroeg Kate. Het was een verstandige opmerking. Maar zo makkelijk ging dat niet.

'Hoe zou ik dat moeten doen?' vroeg hij geïrriteerd. Hij was tegenwoordig kortaangebonden. Altijd was hij moe, altijd aan het jachten, altijd in een vliegtuig onderweg. En Kate verveel-de zich thuis en ze voelde zich angstiger als hij weg was. Zijn langdurige afwezigheid begon op haar te drukken. Ze wist dat Joe van haar hield, maar ze was eenzaam wanneer hij er niet was. 'Hoe kun je in vredesnaam verwachten dat ik hier op kan-toor zit, als mijn personeel over de halve wereld verspreid zit? Waarom zorg je niet dat je wat om handen hebt? Ga weer voor het Rode Kruis werken, of iets in die geest. Ga met de kinde-ren spelen.' Hij was te moe om op Kates klachten in te gaan en gaf meestal niet thuis. En wanneer hij reisde, was hij prikkel-baar en opvliegend. Maar vanuit Kates gezichtspunt zag het er zo uit: ze was dertig, ze had een man op wie ze gek was, en ze was de meeste tijd alleen.

Ze ging zonder hem naar dineetjes, bracht het weekend met de kinderen door, sliep 's avonds alleen en moest aan de mensen die hen wilden ontmoeten uitleggen dat haar man niet zou komen. Heel New York wilde hen uitnodigen. De Allbrights waren graag geziene gasten. Joe was in een kleine acht jaar tijd de belangrijkste man op het gebied van de luchtvaart geworden, en hij was nog maar tweeënveertig. Hij had alles op eigen kracht bereikt. Hij werd niet alleen bewonderd om zijn kundigheid als piloot, maar ook om zijn genialiteit in het zaken doen. Alles wat Joe aanraakte, veranderde in goud. Maar het geld hield Kate 's nachts niet warm. Ze miste Joe meer dan ze in lange tijd had gedaan. En zijn afwezigheid maakte oude geesten in haar wakker. Maar Joe had het te druk om de tekens te zien. Het enige dat hem opviel, was dat ze over zijn afwezigheid klaagde op het moment dat hij thuiskwam, hetgeen ervoor zorgde dat hij zich terugtrok. Daardoor voelde Kate zich op haar beurt nog slechter. Ze had hem nodig en hij was praktisch onbereikbaar voor haar.

'Waarom ga je niet met me mee? Je zult het fantastisch vinden.' Ze was al jaren niet in Tokio geweest. De laatste keer was met haar ouders, toen ze nog een meisje was. En Joe had haar meegenomen naar Hongkong. 'Je kunt gaan winkelen, naar het museum, naar de tempels, noem maar op,' zei hij. Hij probeerde tot een tussenoplossing te komen, waarmee beiden uit de voeten zouden kunnen. Maar zelfs al zou ze gaan, dan nog zou ze hem weinig zien. Dat wisten ze alle twee. Hij werkte onafgebroken als hij weg was, net zoals hij thuis deed.

'Kinderen van een en drie kun je toch niet weken achtereen alleen laten.'

'Neem ze mee,' zei hij kortaf.

'Naar Tokio?' vroeg ze vol afschuw.

'Ze hebben in Japan ook kinderen, Kate. Ik zweer het. Ik heb ze met eigen ogen gezien. Vertrouw me.' Maar ze vond het te ver weg voor ze. En wat als ze ziek werden, als ze daar waren? Zij en de dokter zouden elkaar niet begrijpen, en wat voor zin had het om met zijn allen in een hotelkamer op Joe te zitten wachten? Dan was het altijd nog beter om thuis op hem te wachten.

Met Thanksgiving zat hij in Europa en ging zij met de kinderen naar haar ouders. Hij belde uit Londen en sprak met Clarke en Liz. Haar vader wilde precies weten wat hij aan het doen was. En haar moeder maakte er die avond een opmerking over, die haar nerveuzer maakte dan ze wilde toegeven.

'Is hij weleens huis, Kate?' Zelfs nu kon hij haar goedkeuring niet wegdragen. Ze had altijd vermoed dat hij Kates huwelijk met Andy kapotgemaakt had, en ze nam het hem kwalijker dan Kate. Ze vond het stuitend. En ook al had hij haar getrouwd, hij was er nooit.

'Hij is niet veel thuis, mam. Maar hij is iets fantastisch aan het opbouwen. Over een jaar of twee zal alles minder hectisch worden.' Kate was er zeker van dat dat inderdaad zou gebeuren.

'Hoe weet je dat? Vroeger waren het zijn vliegtuigen. Nu zijn het zijn zaak én zijn vliegtuigen. Wanneer heeft hij tijd voor jou?' Tussen de bedrijven door, wanneer hij te moe was om zelfs maar te praten, dacht Kate bij zichzelf. Of te uitgeput om te slapen, zodat hij om vier uur in de morgen maar weer naar kantoor ging. Toen Thanksgiving naderde, hadden ze al twee maanden niet met elkaar geslapen. Zelfs de gedachte kwam niet bij hem op, zo moe was hij tijdens die paar dagen dat hij thuis was. Hij wilde het allemaal wel. Hij wilde bij haar zijn. Hij wilde nachten vol zingenot, wilde de lome morgens. Maar er was geen tijd meer voor. Van alle kanten werd er aan hem getrokken. 'Je zou er beter aan doen om eens goed te kijken wat voor vlees je in de kuip hebt, Kate. Je hebt een man die er nooit voor je zal zijn, wat er ook gebeurt. Hij kán het niet. En wat denk je dat hij eigenlijk uitspookt op die reisjes van hem? Hij moet af en toe een vrouw hebben. Hij is een man, Kate.' Het idee alleen al sneed als een mes door haar ziel. Altijd had ze tegen zichzelf gezegd dat het niet waar was. Ze had er zelf aan gedacht, maar ze had het idee verworpen. Zo'n man was Joe niet, dat was hij nooit geweest. Hij werd gedreven door zijn passie voor vliegen, was geobsedeerd door zijn werk. Hij was bezig een fortuin te vergaren en een imperium op te bouwen, en dat was voor Joe net zo verslavend als een drug. Ze was er bijna zeker van dat hij haar in het jaar dat ze nu waren getrouwd, nooit bedrogen had. En zij zou hém nooit bedrogen hebben.

Maar het overige dat haar moeder had gezegd, miste zijn uitwerking niet. Inderdaad, hij was er nooit. Wat de redenen ook waren, hoe goed ze ook mochten zijn, feit bleef dat hij er niet was. En wanneer hij thuiskwam, waren er paperassen en problemen, en dreigementen van de vakbonden. Hij belde naar Californië, Europa en Tokio. Belde met het Witte Huis. Belde Charles Lindbergh. Er was altijd iemand die een beroep deed op zijn tijd en die belangrijker scheen dan Kate. Ze moest haar beurt afwachten, en meestal kwam ze aan het einde van de rij. Zo werkte het nu eenmaal. Als ze bij hem wilde zijn, en daar was geen twijfel over mogelijk, dan was dit haar leven. Hij kon zich in niet nog meer stukken verdelen dan hij al had gedaan, en hij verwachtte van haar begrip daarvoor. Meestal had ze dat ook. Ze hield van hem en had bewondering voor zijn succes. Ze was blij voor hem. Het was opwindend en hij was geweldig. Maar zo nu en dan deed het toch pijn. Hij maakte haar eenzamer dan hij in de gaten had. En hoewel ze trachtte om het rationeel te bekijken, voelde ze zich bij tijden in de steek gelaten wanneer hij weg was.

Op een middag toen hij thuis was, probeerde ze het hem rustig uit te leggen. Het was een week na Thanksgiving en hij zat naar American football te kijken. Hij was vroeg in de morgen thuisgekomen na een doorwaakte nacht. Nu zat hij gewoon wat naar de teevee te staren, dronk een biertje en ontspande zich. Het was een ongekende luxe voor hem.

'In 's hemelsnaam, Kate, begin er nu niet weer over. Ik ben net thuis. Ik wéét dat ik er drie weken niet was en dat ik Thanksgiving met je ouders heb gemist, maar de Britten stonden op het punt om een streep te halen door mijn luchtlijnen.' Hij zag er uitgeput uit. En hij had een verschrikkelijke behoefte aan rust, zonder dat iemand hem op zijn huid zat.

'Kan iemand anders niet eens een keertje met hen onderhandelen?' Hij was buitengewoon egocentrisch aan het worden, kon niets delegeren. Maar hij had het bedrijf groot gemaakt, en de waarheid was dat niemand het beter kon. Wanneer hij zich ermee bemoeide en de zaken afhandelde, kwam alles op zijn pootjes terecht. Zo was het nu eenmaal. Hij wilde niet het risico lopen dat iemand anders zou afbreken wat hij had opgebouwd.

'Kate, zo ben ik. Als je iemand wilt die de hele dag aan je voeten ligt, neem dan nóg een hond.' Met een harde klap zette hij zijn glas op tafel, zodat het bier alle kanten op spatte. Kate maakte geen aanstalten om het op te ruimen. Ze stond op het punt om in tranen uit te barsten. Ze wilde dat hij haar zou begrijpen, maar hij wilde niet luisteren.

'Joe, begrijp je het dan niet? Ik wil bij jou zijn. Ik hou van je. Ik weet dat je het druk hebt. Maar dit is zwaar voor mij.' En dat was het, zwaarder dan hij besefte. Maar hoe meer ze tot hem probeerde door te dringen, hoe meer hij in zijn schulp kroop. Ze zorgde ervoor dat hij zich weer schuldig voelde. Schuld, zijn onverslaanbare vijand. Het enige dat hij niet verdragen kon. Van haar niet. Van niemand.

'Waarom? Waarom kun je niet gewoon accepteren dat ik iets belangrijks met mijn leven doe? Ik doe het niet alleen voor mezelf. Ik doe het ook voor jou. Ik hou van wat ik aan het opbouwen ben. De wereld heeft er behoefte aan.' Hij had gelijk, maar zij had ook behoefte aan hem. 'Ik wil niet dat je me de hele tijd lastig valt als ik thuiskom. Het is niet eerlijk. Geniet er tenminste van wanneer ik er ben.'

Op zijn manier smeekte hij haar hem niets te verwijten. Het deed te veel pijn. Maar ze kon dat niet begrijpen, net zomin als hij begreep dat ze zich in de steek gelaten voelde. Ze waren terechtgekomen in een vicieuze cirkel, net als in die eerste jaren. Er was geen gesprek met hem mogelijk. Het lukte niet om een evenwicht te bereiken tussen zijn zakelijke belangen en wat zij van hem verlangde. Een van hen moest toegeven, en Kate wist dat zij dat zou zijn. Dat was een onontkoombaar feit, maar het deed haar pijn, vooral nu ze het gevoel had dat hij zich van haar verwijderde. Dat deed haar angst alleen maar toenemen. In december zag ze hem nog minder. Hij was weer naar Hongkong gegaan om een aantal bankiers te ontmoeten die het hem moeilijk maakten. Ze wist dat hij op de terugweg naar huis ook nog in Californië moest zijn. Er waren moeilijkheden op de fabriek en de motor voor een van zijn laatste ontwerpen werkte niet naar behoren. Er was opnieuw een dode te betreuren geweest, en hij nam de schuld op zich. Dit keer was hij er zeker van dat het een fout in het ontwerp was geweest. Maar hij had haar verzekerd dat hij kerstavond thuis zou zijn, wat er ook gebeurde. En ze rekende op hem. Hij had het bij hoog en bij laag gezworen. Hij had zelfs gezegd dat hij er zijn bezoek aan Californië voor zou afzeggen, als dat nodig was. Dat bezoek zou hij dan na de feestdagen afleggen. Het laatste dat ze had gehoord, was dat hij op kerstavond thuis zou zijn.

's Morgens ging de telefoon. Ze was bezig met het versieren van de kerstboom en Reed hielp haar daarbij. Hij gilde van opwinding en zij neuriede een beetje in zichzelf. Ze had na het ontbijt met Hazel, Joe's secretaresse, gesproken en die had weliswaar geen bevestiging gekregen, maar ze ging ervan uit dat Joe op de terugweg was. Hij had haar gisteren nog verteld dat hij dat van plan was. En iets dergelijks had hij ook tegen Kate gezegd.

Ze nam de telefoon op. Het was Joe. Ze kon onmiddellijk horen dat het een internationaal gesprek was. De telefoniste bracht de verbinding tot stand, en ze kon hem nauwelijks verstaan. Hij schreeuwde in hoorn.

'Wat zeg je? Waar zit je?' schreeuwde ze terug.

'Ik zit nog steeds in Japan.' Ze kon zijn stem nauwelijks horen, maar de moed begaf haar.

'Hoe dat?'

'Ik heb mijn vlucht gemist.' Door ruis en storing liet de verbinding te wensen over, maar als ze probeerde niet te huilen, kon ze hem beter horen. 'Vergaderingen... Moest naar meer vergaderingen... Heel lastige situatie hier...' Er stonden tranen in haar ogen en ze wist dat ze iets moest zeggen, maar er viel een lange stilte. 'Het spijt me, liefje... Kom over een paar dagen thuis... Kate?... Kate?... Ben je daar?... Kun je me horen?'

'Ik hoor je,' zei ze, terwijl ze haar ogen afveegde. 'Ik mis je... Wanneer kom je terug?'

'Misschien over twee dagen.' Vermoedelijk zouden dat er wel drie of vier worden. Het duurde altijd langer dan hij zei. Hij probeerde te veel te doen.

'Tot dan, dan,' zei ze, terwijl ze probeerde te klinken alsof ze niet van streek was. Ze wist wat een hekel hij daaraan had. Op die afstand had het trouwens geen zin om erover te redetwisten. Ze wilde hem niet lastig vallen, of hem nog verder van haar

331

verwijderen. Ze wilde zo heel graag een goede vrouw zijn voor Joe, wat het ook met zich meebracht.

'Gelukkig kerstfeest... Kusjes voor de kinderen...' Zijn stem viel weg.

'Ik hou van je!' schreeuwde ze in de hoorn terug, in de hoop dat hij het kon horen. 'Gelukkig kerstfeest! Ik hou van je, Joe...' Maar hij was al weg. De verbinding was verbroken. En terwijl Reed naast de kerstboom naar haar stond te kijken, ging ze in haar stoel zitten en huilde.

'Niet huilen, mammie.' Hij kwam naar haar toe en klom op haar schoot en ze drukte hem tegen zich aan. Ze was niet boos, ze was bitter teleurgesteld. Ze wist dat het vermoedelijk niet zijn fout was, maar het was toch pijnlijk. Hij zou er met Kerstmis niet zijn. Ze dwong zichzelf ertoe om zich te herinneren hoe het was geweest toen hij neergehaald was. Ze had gedacht dat hij dood was. Nu wist ze tenminste dat hij terug zou komen. Ze zette Reed op de grond en snoot haar neus. Er was niets aan te doen. Ze moesten er het beste maar van maken en Kerstmis met hem vieren wanneer hij weer thuis was. Ze was vastbesloten om hem niet te laten merken hoe erg ze van streek was.

Kerstmis was stil zonder Joe. Zij en de kinderen maakten hun pakjes open. Haar cadeautjes waren afkomstig van haar ouders en een paar waren van vrienden. Ze nam terecht aan dat Joe waarschijnlijk geen tijd had gehad om te winkelen. Maar het maakte toch niets uit. Het enige dat ze wilde, was dat hij er was.

Andy kwam op eerste kerstdag langs om Reed voor een paar uur mee te nemen naar zijn huis. Hij keek ernstig toen hij aan hun deur verscheen. Ze had pas gehoord dat hij zou gaan trouwen en ze was blij voor hem. Ze hoopte dat hij dit keer de juiste keus zou maken. Zij was dat niet geweest. En ook al was het niet eenvoudig met Joe, het was beter om met iemand getrouwd te zijn van wie je echt hield, vond ze. De problemen moest je op de koop toe nemen.

'Dag, Kate,' zei Andy, die een beetje verlegen in de deuropening stond. Sinds de scheiding waren ze beleefd tegen elkaar, maar nooit vriendschappelijk. Kate had hem uiteindelijk geconfronteerd met de leugens die hij Joe over haar had verteld. Hij had zijn excuses gemaakt en toegegeven dat het een rotstreek was geweest. Lange tijd had hij zich doodgeschaamd. Kate wist dat hij nog steeds haar ouders opzocht als hij in Boston was, maar dat vond ze niet erg. Hij was per slot van rekening de vader van haar kinderen en haar ouders hadden hem altijd graag gemogen. Ze hadden met hem te doen na de scheiding. Haar moeder was degene die haar had verteld dat Andy zou gaan trouwen. Hij had al een jaar verkering met het meisje, wat Kate een aanvaardbare tijd leek.

'Gelukkig kerstfeest,' zei Kate. Ze vroeg of hij binnen wilde komen, maar hij aarzelde. 'Het kan. Joe is er niet,' voegde ze er hoffelijk aan toe. 'Hij is weg.'

'Met Kerstmis?' Hij leek geschokt, terwijl hij de vestibule binnenstapte van de flat die van Joe was geweest voordat hij met Kate trouwde. 'Ik heb met je te doen, Kate. Dat moet moeilijk voor je zijn.'

'Nee, echt prettig is het niet, maar hij kon het niet helpen. Hij kon niet weg uit Japan.' Ze probeerde het draaglijker te doen klinken dan het was.

'Het is een druk bezet man,' zei hij. Reed kwam binnen en uitte een kreet van vreugde, Stephanie hobbelde achter hem aan. Zij zou thuis bij haar mamma blijven.

'Ik hoor dat je gaat trouwen,' zei ze toen Reed zijn jasje ging halen. Ze wist niet of Andy het hem al verteld had. Het kind had niets gezegd.

'Pas in juni. Ik neem de tijd.' Ze moesten beiden glimlachen. Hij had niet willen zeggen 'Zodat ik niet nog een vergissing bega', maar Kate wist dat hij daaraan dacht en dat hij daaraan ook behoorde te denken.

'Ik hoop dat je gelukkig zult worden. Het komt je toe,' zei ze, terwijl Reed weer verscheen en de hand van zijn vader pakte. Hij had jas en handschoenen aan en een muts op het hoofd.

'Het komt jou óók toe. Vrolijk kerstfeest, Kate,' zei hij en weg waren ze. Hij zou Reed om acht uur terugbrengen. Zij en Stephanie gingen naar haar kamertje om te spelen.

Het was een eenzame feestdag voor Kate geweest. Ze probeerde Joe in zijn hotel te bellen, maar kon geen verbinding krijgen. Vermoedelijk had hij hetzelfde probleem, of had hij het te druk met vergaderingen. Anders had hij wel gebeld. Ze probeerde zichzelf voor te houden dat het niet uitmaakte. Dat ze volgend jaar wél samen Kerstmis zouden vieren. Soms liepen de dingen zo en ze wist dat ze zich volwassen moest gedragen. Maar het huilen stond haar nader dan het lachen, toen haar ouders belden. Ze verzekerde hun dat alles goed was.

Twee dagen lang hoorde ze niets van Joe. Toen belde hij om haar te zeggen dat hij de volgende dag uit Tokio vertrok en onderweg Los Angeles zou aandoen.

'Ik dacht dat je gezegd had dat je daar later heen zou gaan,' zei ze. Ze probeerde om niet te klagen. Maar hij veranderde zijn plannen voortdurend, stelde haar steeds weer teleur. En de toon waarop ze sprak, maakte hem duidelijk wat ze ervan vond, zelfs als haar woorden dat niet deden.

'Onmogelijk. Ik moet er nú heen. De bonden roeren zich. Bovendien zou het moreel onjuist zijn, Kate. Er is daar een weduwe die haar man verloren heeft door een van mijn vliegtuigen. Ik vind dat ik haar in ieder geval een condoléancebezoek moet brengen. Dat is wel het minste wat ik kan doen, Kate.' Kate en hij waren het niet oneens. Hij had altijd wel een goede reden, maar ze moest zichzelf dwingen om niet te schreeuwen: 'En ik dan?' Ze leek altijd de laatste te zijn op zijn prioriteitenlijstje, hoewel ze begreep dat hij veel te doen had. Maar hij had net verstek laten gaan met Kerstmis en ze wilde dat hij thuis zou komen.

'Wanneer kom je thuis?' vroeg ze vermoeid.

'Oudejaarsavond ben ik er.' Misschien. Als er niets gebeurde dat hem in Los Angeles vasthield. Ze rekende niet langer op hem. Ze hadden afgesproken om die avond met vrienden te gaan eten en dansen en ze had zich erop verheugd. Maar als hij niet op tijd thuis zou komen, bleef ze bij de kinderen. Ze wilde niet het vijfde wiel aan de wagen zijn.

Het ging als volgt. Op 31 december vloog hij terug en voordat hij Los Angeles verliet, begon het in New York te sneeuwen. Er was nauwelijks zicht en ze landden met vertraging. Om negen uur 's avonds liep hij de flat binnen. Hij maakte een meer dan uitgeputte indruk. Hij had het toestel van zijn maatschappij zelf gevlogen, omdat hij er geen vertrouwen in had dat iemand anders de kist in zulke barre weersomstandigheden heelhuids thuis zou brengen. Kate wachtte op hem. Ze had zich al uitgekleed en lag met een boek in bed. Ze hoorde hem zelfs niet binnenkomen. Opeens stond hij in de slaapkamer en keek beschroomd naar haar. Maar de blik in zijn ogen deed haar hart dadelijk smelten. Joe was onweerstaanbaar en was dat altijd geweest.

'Is dit nog steeds mijn huis, Kate?' Hij wist dat de laatste paar weken zwaar voor haar waren geweest.

'Best mogelijk,' zei ze en ze grijnsde naar hem toen hij naast haar ging zitten. 'Je ziet er prima uit.'

'Het spijt me enorm, liefje. Ik heb al je feestdagen verknald. Ik wilde echt graag naar huis. Het spijt me dat ik zo'n mispunt ben. Heb je zin om uit te gaan?' Ze had een beter idee. Ze stond op en sloot de slaapkamerdeur. Hij had zijn jasje uitgedaan en was bezig zijn das los te maken, toen ze bij hem kwam staan en zijn overhemd begon los te knopen. 'Moet ik iets anders aandoen?' Hij was bereid alles te doen wat ze wilde om het weer goed te maken.

'Nee,' zei ze en ze ritste zijn broek open. Hij grinnikte.

'Dat zijn geen halve maatregelen.'

'Het is... het is de prijs die je moet betalen, omdat je me met Kerstmis hebt laten zitten.' Tijdens het kussen plaagde ze hem en lachte, en hoewel hij ontzettend moe was, kostte het haar totaal geen moeite om hem op te winden.

Joe gleed met haar het bed in. 'Als ik dit van tevoren had geweten, zou ik veel eerder thuisgekomen zijn,' fluisterde hij.

'Voor jou ben ik er altijd, Joe, dat weet je toch,' zei ze. Ze kuste hem op al die plaatsen waar hij het het prettigst vond. Hij kreunde zachtjes.

'Herinner me er de volgende keer aan...' zei hij, terwijl ze zich aan elkaar overgaven. Het was een volmaakte oudejaarsavond.

20

Tegen de tijd dat Kate en Joe een jaar waren getrouwd, het was begin 1954, was het voor beiden de gewoonste zaak van de wereld geworden dat hij het grootste gedeelte
van de tijd weg was en dat zij voor de kinderen zorgde. Ze ging
wat liefdadigheidswerk doen om bezig te blijven tijdens zijn afwezigheid. En in de lente vond Joe nóg een bezigheid voor haar.
Hij wilde een huis kopen in Californië. Hij bracht daar tegenwoordig zoveel van zijn tijd door, dat hem dat handig leek. Hij
dacht dat Kate er plezier in zou hebben verf en behang uit te
kiezen en het huis mooi in te richten.

Ze vonden een mooi oud herenhuis in Bel Air en namen een
binnenhuisarchitect in de arm. Zodra Kate het er druk mee had,
begon Joe meer tijd in Europa door te brengen. Hij was nieuwe luchtlijnen aan het opzetten naar Italië en Spanje, en wanneer hij niet in Rome of Madrid zat, zat hij wel in Londen of
Parijs. Hij moest nog minstens een keer per maand naar Los
Angeles, maar hij bracht niet meer zoveel tijd door in Azië. Kate
kreeg zo langzamerhand de indruk dat waar ze ook was, hij altijd ergens aan de andere kant van de wereld zat. Ze was bijna nooit bij hem, wat ze ook deden.

Ze ontmoetten elkaar in Madrid en Rome en een paar keer in
Londen, en ze brachten een grandioze week door in Parijs.
Maar iedere keer als ze ging, voelde ze zich schuldig vanwege
de kinderen. Was zíjn leven een voortdurende race tegen de
klok, haar leven was een eeuwige inhaalrace. Hijgend vloog ze
achter man en kinderen aan. Was ze bij de een, dan voelde ze
zich altijd schuldig omdat ze niet bij de ander was. Maar ze
genoot in ieder geval van het inrichten van het huis in Californië. Het was of de duvel ermee speelde, maar telkens als zij
kwam om eraan te werken, vloog hij naar Europa, en wanneer

hij in Los Angeles was, zat zij in New York met de kinderen. In september was het huis ten slotte klaar om bewoond te worden. Joe vond het schitterend. Het was comfortabel, gezellig en stijlvol. Het zou een beetje als thuis voelen, als hij nu in Californië was. Hij vertelde iedereen hoe geweldig Kate het wel niet had gedaan. Hij moedigde haar zelfs aan om in haar vrije tijd vrienden te helpen met het inrichten van hun huis, maar ze wilde zich niet binden. Ze wilde vrij zijn om hem op zijn reizen te vergezellen, wanneer het maar even kon. Hij was zo vaak weg, dat ze al het mogelijke wilde doen om toch een enigszins normaal huwelijksleven te hebben.

Joe was dat jaar het grootste deel van de maand oktober thuis. Zo'n lange periode kwam bijna nooit voor. Maar hij had een aantal belangrijke vergaderingen in New York en New Jersey, en voor de verandering waren er nu eens geen problemen die om een oplossing schreeuwden. Alles was rustig. Kate vond het heerlijk dat hij iedere avond thuis was en gaf node toe dat ze kon zien dat Joe rusteloos begon te worden. In het weekend vloog hij veel en op een zondag maakten ze zelfs een vliegtochtje naar Boston om haar ouders te bezoeken. Ze vond het schitterend dat ze op de terugweg ook een poosje het vliegtuig mocht besturen.

Ze waren op weg naar huis en hij had de stuurknuppel weer overgenomen, toen ze een onderwerp aansneed dat ze al een hele tijd met hem wilde bespreken. Meestal was hij te kort thuis en was het niet wenselijk om gevoelige onderwerpen naar voren te brengen, maar nu was hij zo goedgeluimd en zo blij met het vliegtuig dat hij bestuurde, dat Kate besloot het erop te wagen. Ze wilde weer een kind, en ditmaal van hem.

'Wat? Nóg eentje?' Hij maakte een onthutste indruk.

'Zeg, zorg er in 's hemelsnaam voor dat we in de lucht blijven, terwijl we dit bespreken.'

'Je hebt al twee kinderen, Kate. En je bent nu al aan handen en voeten gebonden.' Stephanie was pas twee geworden en Reed was vier. Andy was in juni hertrouwd en zijn vrouw was al in verwachting. Reed vond het maar niets.

'We zijn nu achttien maanden getrouwd, Joe. Zou het niet fijn zijn om een kind van ons samen te hebben?' De uitdrukking op

zijn gezicht sprak boekdelen.Hij was nooit dol op kinderen geweest, met uitzondering van Reed en Stephie. Reed verafgoodde Joe, en Joe was gek op hem.
'Twee kinderen is genoeg, Kate. We hebben het al druk genoeg.'
'Het zou je eerste worden,' zei ze smekend. Ze wilde al meer dan tien jaar een kind van hem. Sinds haar miskraam op Radcliffe waren er elf jaar en zes maanden verstreken.
'Ik hoef er geen,' zei hij botweg. 'Ik heb Reed en Stephie al.'
'Dat is niet hetzelfde,' zei ze droevig. Erg ontvankelijk voor het onderwerp klonk hij niet.
'Voor mij wel, Kate. Als het mijn eigen kinderen waren, zou ik niet meer van ze houden.' Hij ging ontzettend leuk met ze om, en dat was ook de reden voor haar om te denken dat hij een fantastische vader zou zijn. En ze wilde nog een kind. Voor haar was dat onlosmakelijk verbonden met haar grote liefde voor Joe. 'Bovendien ben ik te oud voor kinderen, Kate. Drieënveertig ben ik nu. Tegen de tijd dat ze naar de universiteit gaan, ben ik al in de zestig.'
'Mijn vader was ouder dan jij toen ik werd geboren. En Clarke is de zestig allang gepasseerd en bepaald geen ouwe sok.'
'Maar hij heeft het nooit zo druk gehad als ik. Ik zal een vreemde blijven voor mijn kinderen.' Hij gaf zelden toe dat hij bijna nooit thuis was, maar dit keer kwam het in zijn kraam te pas. 'Waarom zoek je niet een andere bezigheid?' Voor haar was het meer dan alleen maar een kwestie van bezig zijn. Ze wilde echt een kind dat van hen samen was. Maar zelfs het feit dat ze het onderwerp ter sprake had gebracht leek hem al te ergeren, en des temeer toen hij zag dat ze teleurgesteld was. 'Het is ook altijd wat met jou,' klaagde hij, terwijl ze het vliegveld begonnen te naderen. 'Of je doet hatelijk tegen me omdat ik er zo vaak niet ben, of je wilt een baby, zoals nu. Kun je niet gewoon gelukkig zijn met wat je hebt? Waarom wil je altijd meer, Kate? Wat is er toch met je aan de hand?' Hij had het druk met de landing en ze wilde niet met hem redetwisten, maar de manier waarop hij het had gezegd, was haar in het verkeerde keelgat geschoten. Zíj was altijd degene die toegaf en zich aanpaste aan wat hij wilde. Zelden was het omgekeerde het geval. Wat zij wilde, deed er blijkbaar niet toe. Hij was in de loop der jaren

verwend geworden, en dat was ten dele haar fout. Hij was zo ontzettend weinig thuis en altijd zo kort, dat alles om hem draaide wanneer hij er was. Door zijn vliegprestaties, zijn heldendom gedurende de oorlog en zijn enorme zakelijke successen had iedereen hem altijd op handen gedragen. Altijd had hij alleen maar gehoord hoe geweldig hij was, en Kates stem ging verloren tussen de vele andere stemmen.

Toen ze van het vliegveld naar huis reden, zweeg Kate. Hij wist waarom en hij weigerde om er nog verder met haar over te praten. Hij had haar jaren geleden al gezegd dat hij geen kinderen wilde. Er waren er al genoeg op de wereld. De naoorlogse geboortegolf had de wereld opnieuw van mensen voorzien, en hij had niet de behoefte om er zijn steentje toe bij te dragen. En toen Reed zijn armen om Joe's nek sloeg nadat ze thuisgekomen waren, keek deze over diens hoofdje naar Kate en zijn blik zei: zie je nou wel? Ze hadden twee kinderen en dat was voldoende. De discussie was gesloten. Voor hem tenminste.

Het onderwerp dook niet meer op, en hij zorgde ervoor dat hij dat jaar tijdens de diverse feestdagen thuis was. Kate had hem er voortdurend aan herinnerd dat hij het jaar daarvoor zowel met Thanksgiving als met Kerstmis verstek had laten gaan, dus paste hij zijn hele schema aan haar wensen aan. Hij genoot met volle teugen. Ze gingen naar kerstbals en naar een debutantenbal, namen de kinderen mee om te schaatsen en maakten sneeuwpoppen met ze in Central Park. Als kerstgeschenk kocht hij een schitterend diamanten collier met bijpassende oorhangers. Ze waren nù twee jaar getrouwd. Al hun dromen waren uitgekomen, en toen ze op oudejaarsavond dansten en elkaar om twaalf uur kusten, wist Kate dat ze nog nooit zo gelukkig was geweest.

Op nieuwjaarsdag zat hij naar het football te kijken, terwijl zij de boom aftuigde. Beide kinderen deden een dutje en ondanks een lichte kater die hij had overgehouden van de afgelopen nacht, was Joe in een goed humeur. Het was een volmaakte vakantie geweest. Over twee dagen zou hij voor vier weken naar Europa gaan en voor februari stond Azië weer op het programma, maar Kate had zich ermee verzoend. Ze zou hem in Californië ontmoeten als hij op de terugweg was.

Ze bracht hem een sandwich terwijl hij naar de wedstrijd zat te kijken en ze moest om iets lachen wat hij zei. Opeens zag hij een vreemde uitdrukking op haar gezicht verschijnen en werd ze lijkbleek. Alleen al door de aanblik sloeg de schrik hem om het hart. Zo had hij haar nog nooit zien kijken. 'Wat heb je?' Hij keek haar onderzoekend aan en zag dat haar gelaatskleur een groenige tint aannam. Ze was duidelijk niet in orde.

'Ik voel me goed.' Ze ging naast hem op de bank zitten om even bij te komen. Een paar dagen daarvoor had ze een lichte voedselvergiftiging gehad, en volgens haar had dat er iets mee te maken. Haar maag was nog steeds van streek. Dat was al dagen zo.

'Blijf maar een paar minuutjes zitten. Je bent de hele morgen al in de weer geweest.' Ze was wel tien keer trappetje op en trappetje af gesneld om de versiering uit de boom te halen en om de kinderen weg te jagen. Op zon- en feestdagen had de oppas vrijaf.

'Echt waar, ik voel me goed,' hield ze vol, na een paar ogenblikken gezeten te hebben. Ze stond abrupt op. Ze had nog een hoop te doen en wilde geen tijd verspillen. Op het moment dat ze overeind kwam, draaide hij zijn hoofd om om naar haar te kijken en hij zag hoe haar ogen langzaam wegdraaiden. Voor zijn voeten zakte ze in elkaar op de vloer. Ze was flauwgevallen. Binnen een seconde zat hij op zijn knieën naast haar op de vloer. Hij voelde haar pols en luisterde of ze ademde. Zijn gezicht was dicht bij het hare toen ze langzaam haar ogen opende en zachtjes kreunde. Ze had geen idee wat er gebeurd was. Het ene ogenblik keek ze naar hem, en het volgende lag ze op de vloer naar boven te staren.

Hij was radeloos. 'Kate, wat is er gebeurd? Wat heb je?' Eenendertig was ze, en ineens zag ze eruit alsof ze ieder moment kon overlijden.

'Ik weet het niet.' Ze maakte een angstige en wat versufte indruk. 'Ik werd gewoon even duizelig.' De vrouw van een van Joe's piloten was net overleden aan een hersentumor, en dat beheerste zijn gedachten, terwijl Kate langzaam overeind krabbelde.

'Ik breng je naar het ziekenhuis. Nu direct,' zei hij. Met zijn hulp nam ze wederom op de bank plaats. Ze was blij dat ze lag en probeerde niet op te staan, hoewel ze zich alweer een stuk beter voelde.

'Ik ben er zeker van dat het niets is. Ik bel de dokter wel, we kunnen de kinderen toch niet alleen laten?'

'Jij blijft liggen,' zei hij gedecideerd. Dat deed ze, en even later viel ze in slaap, terwijl hij haar observeerde. Hij wilde het haar niet zeggen, maar hij was doodongerust. In al die jaren dat hij haar kende, was ze nog nooit flauwgevallen. Toen ze wakker werd, zat hij nog steeds naast haar op de bank. Zo te zien was ze behoorlijk opgeknapt. En 's avonds kookte ze voor de hele familie, ondanks zijn protest. Hij zag dat ze heel weinig at en liet haar beloven dat ze de volgende morgen een bezoek zou brengen aan de dokter. Hijzelf was van plan om de geneesheer-directeur van het Columbia-Presbyterian ziekenhuis te bellen. Dat was een oude vriend van hem en ook een vliegfanaat. Joe wilde de namen van de beste dokters van New York, voor het geval het inderdaad zo ernstig zou blijken te zijn als hij vrees-de. Maar Kate leek er veel minder zwaar aan te tillen dan hij. Hij maakte zo'n onthutste indruk, dat ze 's avonds, toen ze naar bed gingen, niet het hart had om het nog langer voor hem te verzwijgen. Ze keerde zich naar hem toe, juist op het moment dat hij het licht uit zou doen en kuste hem. Hij was ervan over-tuigd dat ze zou sterven. Hij hield haar dicht tegen zich aan en probeerde uit alle macht zijn tranen terug te dringen.

'Maak je geen zorgen, schat. Er is niets mis met me. Ik wilde alleen niet dat je boos op me zou zijn.' Nee, dat wilde ze niet, zeker niet met de feestdagen. Ze had het pas in de loop van ja-nuari willen zeggen, maar dat kon ze niet maken nu hij zo be-zorgd was. Dat was niet eerlijk.

'Waarom zou ik boos op je zijn? Jij kunt er niets aan doen dat je ziek bent, Kate,' zei hij teder, terwijl zij haar hoofd op het kussen legde.

'Ik ben niet ziek... Ik ben zwanger.'

Een klap met een baksteen zou minder effect hebben gesorteerd.

'Je ben wát?' Hij leek met stomheid geslagen.

'We krijgen een baby.' Ze klonk heel kalm, en het was niet

moeilijk voor hem om te zien dat ze er erg blij mee was, hoewel ze wel inzat over zijn reactie op het nieuws.

'Hoelang weet je het al?' Hij voelde zich compleet in de luren gelegd. Ze had het voor hem verzwegen.

'Vlak voor de kerst had ik zekerheid. In augustus ben ik uitgeteld.' De conceptie had tegen Thanksgiving plaatsgevonden. Joe sprong uit bed. 'Je hebt me erin geluisd!' riep hij razend. Ze had hem nog nooit zo boos gezien. Ze lag in bed te kijken hoe hij stampvoetend door de kamer liep. Hij smeet dingen op de vloer en knalde de badkamerdeur dicht. Het was de reactie waar ze bang voor was geweest, niet die waar ze op gehoopt had.

'Ik heb je er niet ingeluisd,' zei ze zacht.

'Maak dat je grootje wijs. Je zei dat je iets gebruikte.' Ze had steeds een voorbehoedmiddel gebruikt, vanaf haar miskraam jaren geleden op Radcliffe, behalve toen ze getrouwd was met Andy.

'Ik heb ook mijn pessarium gebruikt, maar het moet verschoven zijn. Zoiets kan gebeuren, Joe.'

'Waarom nu? Toen we er een paar maanden geleden over praatten, heb ik je nog gezegd dat ik geen kinderen wilde. Geheid dat je dat pessarium diezelfde avond nog door de wc gespoeld hebt. Kan het je dan helemaal niets schelen wat ik wil?' Hij leek buiten zinnen en haar lip trilde van de emotie. Zijn verlangens stonden haaks op die van haar.

'Natuurlijk wel. Het was een ongelukje, Joe. Ik kon er niets aan doen. Er zijn ergere dingen.' Maar daar dacht Joe anders over. Ze had niet naar hem geluisterd en hij voelde zich plotseling voor een voldongen feit geplaatst.

'Dat zeg jij! Verdomme, Kate, zorg dat je het kwijtraakt. Ik wil het niet!'

'Joe, dat kun je niet menen!' Hij moest buiten zichzelf van woede zijn om er zoiets schokkends uit te kramen.

'Natuurlijk meen ik het. Ik wil op deze leeftijd geen kind meer. Laat het maar weghalen.' Ze vond het afschuwelijk wat hij zei.

'Joe, we zijn getrouwd... Het is ons kind... Het zal niet ons hele leven op zijn kop zetten. Ik neem een kindermeisje, zodat we toch samen kunnen reizen.'

'Kan me allemaal niet schelen, ik wil het niet.' Zoals hij daar in zijn bed zat, witheet van woede, leek hij wel een vijfjarige snotneus die wel even zal dicteren wat er moet gebeuren. 'Ik wil geen abortus,' zei ze kalm. 'Ik heb vroeger al eens een baby van ons verloren, en ik ben niet van plan de tweede te vermoorden.' Dat was nu al weer elf jaar geleden, maar ze herinnerde zich er nog steeds iedere afschuwelijke seconde van. En ook het verdriet dat daarop volgde, herinnerde ze zich. Het had haar maanden gekost om eroverheen te komen.

'Je zult me kapotmaken als je dit kind laat komen, Kate. En je zult ons huwelijk in gevaar brengen. We hebben nu al genoeg spanning te verduren, en jij bent altijd degene die zegt dat ik er nooit ben. En nu ga je straks natuurlijk eindeloos jeremiëren dat ik nooit thuis bij de baby ben. Waarom ben je in 's hemelsnaam niet met een andere vent getrouwd, of bij de vorige gebleven, als dat je wens is. Het lijkt wel alsof Andy alleen maar naar een vrouw hoeft te kijken, of ze is in verwachting.' De vrouw van Andy zou binnenkort bevallen.

Maar Joe's opmerking had Kate gekwetst. 'Ik wil met jou getrouwd zijn, Joe, Dat heb ik altijd gewild. Dit is niet eerlijk. Het was mijn fout niet.' Ze wilde het echt, maar hij was er zeker van dat ze hem had bedot met de baby, en wat ze ook zei, niets kon hem van het tegendeel overtuigen.

Hij deed het licht uit en een paar minuten later ging hij op zijn zij liggen, met de rug naar haar toe. De volgende morgen, toen ze wakker werd, was hij weg. Ze voelde zich ellendig door zijn reactie van de vorige avond, helemaal als ze eraan dacht dat hij had gezegd dat ze het maar moest laten weghalen. Maar blijkbaar meende hij het, want hij kwam er 's avonds op terug. Hij was er dankbaar voor dat ze niet de dodelijke ziekte had die hij aanvankelijk vreesde toen ze flauwviel, maar voor hem kwam dit, wat rampzaligheid betreft, op de tweede plaats na de hersentumor.

'Ik heb nagedacht over wat je gisteravond zei, Kate, over... je weet wel, die zwangerschap...' Hij kostte hem zelfs moeite om het een baby te noemen. Onder het spreken staarde hij naar zijn bord. Het was alsof hij zelfs haar niet wilde zien. Even dacht ze dat hij toe zou geven en haar zou zeggen dat het hem speet. 'Hoe meer ik er vandaag over nadacht, des temeer ik besefte hoe verkeerd het is voor ons. Ik weet dat het je van streek maakt, Kate, maar ik denk echt dat je het moet laten weghalen. Dat is het beste voor ons en voor de kinderen. Het zal al schokkend genoeg voor ze zijn wanneer Andy en zijn nieuwe vrouw een kind krijgen. Als wij dan óók nog eens een baby krijgen, zullen ze ten slotte het gevoel krijgen dat niemand van ze houdt en jaloers en neurotisch worden.' Iets beters kon hij niet bedenken. Als ze niet zo ontzet was geweest door wat hij zei, had ze er smakelijk om moeten lachen. Hij wilde nog steeds dat ze zich liet aborteren.

'De meeste kinderen schijnen het wel te overleven als ze een broertje of een zusje krijgen,' zei Kate. Ze was te verstandig om zich door hem te laten ompraten, maar ze wilde ook niet dat hun huwelijk erop stukliep. Nog nooit had ze Joe zo ontzet gezien als de vorige avond, toen ze het hem vertelde. Nu was hij kalmer, maar nog steeds even ongelukkig als op het moment dat hij het nieuws vernam.

'De ouders van die kinderen zijn niet gescheiden, Kate.'

'Joe... ik laat het níét weghalen.' Duidelijker kon ze het niet zeggen. 'Ik doe het niet. Ik hou van je, en ik wil ons kind.'

Hij zweeg in alle talen en bleef die avond tot het slapengaan in zijn studeerkamer. De volgende dag vertrok hij voor vier weken naar Europa. Hij nam zelfs geen afscheid van haar voor hij wegging. Hij stormde gewoon woedend het huis uit.

Deze keer duurde het een hele week voor hij haar belde, wat niets voor hem was. Maar na zijn vertrek had zijn boosheid nog voortgeduurd. Het enige dat zij kon doen, was hem met rust laten. Hij klonk zakelijk en beheerst toen hij haar belde uit Madrid. Hij vroeg haar hoe het met haar en de kinderen ging en vertelde toen waar hij zoal mee bezig was. Een paar ogenblikken later zei hij dat hij haar binnenkort wel weer eens zou bellen. Uiteindelijk belde hij haar drie keer in vier maanden. En als hij terugkwam, zou hij maar een paar dagen in New York blijven, wist ze. Daarna zou hij naar Hongkong en Japan vertrekken. Dan zou het ook weer drie weken duren voor hij terug was. Hij werd weer helemaal opgeslokt door zijn zakelijke ambities.

344

Op 1 februari vloog hij naar New York terug. Toen hij thuiskwam lagen de kinderen al in bed. Kate zat in de zitkamer televisie te kijken. Ze keek met een schok op toen ze hem binnen hoorde komen. Hij deed er een paar minuten over om de kamer te betreden en begroette haar bepaald niet onstuimig. Hij had haar zelfs niet laten weten wanneer hij aan zou komen.

'Hoe gaat het, Kate?' Het was een koele begroeting na vier lange weken en zo weinig contact van zijn kant. Ze nam aan dat hij nog steeds boos op haar was. Het deed haar denken aan de ijzige sfeer die was ontstaan tussen haar en Andy nadat hij geweigerd had om in te stemmen met een scheiding. Plotseling werd ze bang dat Joe een einde aan hun huwelijk zou maken vanwege de baby. Hoewel het een waanzinnige beslissing zou zijn, begon ze zich toch af te vragen of hij het haar ooit zou vergeven, of het nu haar fout was of niet.

Joe ging in een stoel tegenover haar zitten. 'Met mij is alles goed. En hoe gaat het met jou?' zei ze behoedzaam.

'Moe,' antwoordde hij. Het was een lange vliegreis geweest.

'Is alles goed gegaan?' Ze had hem de hele week niet gesproken, en ze was zo blij om hem te zien dat ze hem had willen omhelzen, maar ze durfde het niet.

'Ik mag niet klagen. En met jou?' vroeg hij cryptisch. Hij wierp haar een onderzoekende blik toe en ze zuchtte. Het was niet moeilijk te raden wat hij wilde weten.

'Ik heb het niet weg laten halen, als dat het is wat je weten wilt,' zei ze, terwijl ze van hem wegkeek. Dat twee mensen zo aan het touwtrekken waren over het voortbestaan van een nietig stukje leven, vond ze een droevige toestand. 'Daar ben ik toch duidelijk over geweest?'

'Ik weet het,' was het enige dat hij kon zeggen. Toen stond hij op. Hij ging naast haar zitten, sloeg een arm om haar schouders en trok haar dicht tegen zich aan. 'Kate, ik weet niet waarom je deze baby zo graag wilt.' Hij klonk uitgeput en bedroefd, maar tot haar opluchting niet langer boos.

Kate kroop dicht tegen hem aan. 'Omdat ik van je hou, suffie,' zei ze met verstikte stem. Ze had hem zo vreselijk gemist, en ze was zo bezorgd geweest dat hij heel boos op haar zou zijn.

'Ik hou ook van jou. Ik vind dat we een stommiteit begaan door het te houden, maar als het niet anders is, zal ik ermee moeten leven. Verwacht alleen niet dat ik zijn luiers ga verschonen of de hele nacht met hem rondzeul, terwijl hij huilt. Ik ben een oude man, Kate. Ik heb mijn nachtrust hard nodig.' Hij keek haar aan met een glimlach die hem iets karikaturaals gaf. Kate keek hem vol ongeloof aan. Zelfs wanneer hij een hoop stampij maakte, nam hij uiteindelijk toch de juiste beslissing. Wat hield ze toch van hem.

'Je bent geen oude man, Joe.'

'Toch wel.' Hij had het haar niet verteld, maar hij was in Rome naar een kerk gegaan om erover na te denken. Hij was niet godsdienstig, maar toen hij weer buiten stond, had hij besloten dat ze de baby maar moest krijgen, als die zoveel voor haar betekende. 'Maar val niet meer flauw! Het scheelde verduiveld weinig of je had me een hartaanval bezorgd. Heb je je tot nu toe goed gevoeld?' Hij keek bezorgd.

'Ik voel me uitstekend.' Ze was zo opgelucht, dat ze hem niet durfde te vertellen wat de dokter gezegd had. Die had uit het feit dat ze zo snel in omvang toenam, afgeleid dat het misschien wel een tweeling zou zijn. Joe had het idee van een baby maar net overleefd en ze moest er niet aan denken wat zijn reactie zou zijn als hij wist dat er sprake was van twéé baby's.

Even later gingen ze in de keuken zitten. Daar vertelde ze hem opgewekt over alles wat ze had gedaan, over wie ze had gezien, over waar ze was geweest. Hij vond het heerlijk om naar haar te luisteren, zelfs al was hij moe. Hij hield van haar levenslust, van de blik in haar ogen en bovenal van het gevoel dat ze hem gaf. Op de een of andere manier bracht ze opwinding in zijn leven. Dit was het waarom hij zich zo tot haar aangetrokken voelde, van het allereerste begin tot nu toe.

Ze zaten aan de keukentafel lange tijd te praten. Toen ze ten slotte naar bed gingen, waren ze weer de beste maatjes. Hij had haar de afgelopen maand gemist, net zoals zij hem had gemist. Hij kon zich er in de verste verte geen voorstelling van maken hoe het zou zijn om een baby te hebben. Maar als hij er een zou hebben, kon het maar het beste met haar zijn, had hij voor zichzelf uitgemaakt.

Toen ze die avond gingen slapen, sloeg hij zijn arm om haar

heen. Het voelen van haar zijdezachte huid bracht hem in verrukking. En toen hij zijn hand licht over haar buik liet gaan, voelde hij tot zijn verwondering een kleine ronde bobbel. Zij lag met haar rug naar hem toe, dus kon ze zijn gezicht niet zien, maar Joe glimlachte terwijl zijn ogen dichtvielen en de slaap hem vond.

21

HET GROOTSTE DEEL VAN FEBRUARI ZAT JOE IN HET VERRE
Oosten en Californië en tegen het einde van de maand vloog
Kate naar Los Angeles om hem te ontmoeten. Hij was in een
stralend humeur toen ze arriveerde. Zijn reis was goed verlopen en hij had schitterende resultaten geboekt. Toen hij Kate
zag, was hij verbaasd door haar omvang.
'Je lijkt wel een tonnetje,' plaagde hij.
'Nou, zo kan die wel weer.' Ze was blij hem te zien en alles
was goed. Kate had Joe nog steeds niet verteld dat de dokter
aan een tweeling dacht.
Joe had haar nooit tijdens een van haar zwangerschappen gezien. Nu en dan voelde hij zich ongemakkelijk bij haar. Hij was
steeds bang dat ze weer flauw zou vallen, zich niet goed zou
voelen, of zich misschien zou bezeren. Hij maakte zich zulke
grote zorgen over het vrijen met haar, dat ze om hem moest lachen.
'Alles is in orde, Joe, ik voel me prima.' Hij wilde niet dat ze
autoreed, voer tegen haar uit als ze danste en vond dat ze niet
moest zwemmen. 'Ik ben niet van plan om de komende zes
maanden in bed te liggen,' antwoordde Kate telkens.
'Als ik het zeg, gebeurt het.' Maar niettegenstaande zijn angst
sliepen ze vaker met elkaar dan anders. Het bezoek aan Los
Angeles leek wel een huwelijksreis. Ondanks de baby, of misschien dankzij de baby, voelde hij zich bijzonder nauw met haar
verbonden.
Toen ze terug waren in New York, bleef hij daar twee weken.
Vervolgens vertrok hij weer. Kate raakte er zo langzamerhand
aan gewend. Ze hield zich bezig met de kinderen en bezocht
haar vriendinnen. En haar zwangerschap gaf haar iets om naar
uit te kijken. Ze kon nauwelijks wachten tot het zover was.

Eind augustus zou ze bevallen, en als het een tweeling was mogelijk eerder. De dokter had haar gewaarschuwd dat ze de laatste twee maanden misschien het bed moest houden. Maar ondanks haar omvang had ze tot dusver slechts één hartslag gehoord in plaats van twee.

De baby van Andy en zijn vrouw werd in maart geboren. Kate stuurde hun een cadeautje met een felicitatiekaart. Het eerste wat opviel als Andy de kinderen kwam halen, was dat hij er zo gelukkig uitzag. Het leek wel of de tijd dat ze getrouwd waren nooit had bestaan, of hij de Andy was van ver voor hun trouwen, toen ze nog vrienden waren. Aan die tijd had ze de beste herinneringen. De gedachte aan hun huwelijk was te pijnlijk, voor beiden.

Op een late vrijdagmiddag in april – Joe zat in Parijs – belde Andy. Reed zou het weekend bij hem en zijn vrouw in Connecticut doorbrengen en Andy zou hem komen ophalen, maar het lukte hem niet vanwege het werk. Julie, zijn vrouw kon het ook niet doen, want zowel zij als de baby was ziek.

'Misschien kun je hem op de trein zetten, Kate? Dan pikt Julie hem wel in Greenwich op. Ik ben pas laat thuis.'

Ze vond het niet zo'n goed idee. Reed was teleurgesteld. Hij vond het heerlijk om bij hen in Greenwich op bezoek te gaan. Ze had het er even over met Reed en belde toen Andy terug. Ze zou zelf rijden. Heen en terug was maar twee uur. Het was lekker weer, en nu Joe weg was had ze toch niets anders te doen.

'Weet je dat nu wel zeker? Ik vind het vervelend om jou daarmee op te zadelen. Je bent vijf maanden zwanger!'

'Ja, maar ik voel me prima en ik vind het juist leuk. Dan heb ik tenminste wat te doen.' Reed was enthousiast toen ze het hem vertelde. Stephanie liet ze bij de babysitter achter. Het zou te laat voor haar worden als ze meeging. Ze zei tegen de oppas dat ze tegen achten terug zou zijn. In Parijs was het nu middernacht, en Joe had al gebeld.

Om zes uur vertrok ze met Reed naar Greenwich. Er was wat filevorming op de uitvalsweg, maar veel stelde het niet voor. Om kwart over zeven stopten ze voor het huis van Andy. Julie had de baby, een meisje, in haar armen. Beiden hadden kougevat. Bovendien had de baby last van darmkrampjes. De baby was precies Andy en leek ook een beetje op Reed. Julie vroeg of Kate wat wilde eten, maar die wilde meteen terug. Over Kates buik waren ze het eens: die was enorm. Ze moesten erom lachen. Kate raakte er iedere dag meer van overtuigd dat het een tweeling was. 'Misschien is het een babyolifant,' lachte ze. Vervolgens stapte ze in haar auto. Ze sloot het raampje, zette de radio aan en reed weg. Het was een zoele avond en ze genoot van het ritje. Om kwart voor acht zat ze weer op de snelweg. Maar om middernacht kregen Andy en Julie een telefoontje van de oppas. Kate was er nog altijd niet.

Julie nam op. De babysitter klonk bezorgd. Ze had eerst gedacht dat Kate op de terugweg misschien bij vrienden was langsgegaan, maar toen het tegen twaalven liep, had ze het onbehaaglijke gevoel gekregen dat er iets mis was. Toen had ze besloten om de Scotts te bellen. Misschien was Kate moe geweest en was ze daar blijven slapen. Ze dacht eigenlijk van niet, maar je wist maar nooit. Julie klonk verbaasd toen ze hoorde dat Kate nog niet thuis was. Of Kate nog verdere plannen had gehad, wist ze niet. Ze had Reed afgeleverd en een paar minuten later was ze alweer weg. Ze controleerde nog even bij de slaapdronken Andy of Kate iets tegen hem gezegd had. Die deed zijn ogen open en schudde zijn hoofd.

'Waarschijnlijk is ze in New York met vriendinnen gaan eten. Ze zei dat Joe weg was.' Hij wist dat ze meestal alleen uitging.

'Ze was er niet bepaald op gekleed,' zei Julie. Kate had een katoenen jurk, een topje en sandalen gedragen en haar haar zat in een paardenstaart.

'Misschien is ze naar de film,' zei Andy, en viel weer in slaap. Maar Julie zei tegen de oppas dat ze opnieuw moest bellen als Kate niet op kwam dagen. Persoonlijk koesterde ze geen wrok tegen Kate, ze had haar juist altijd graag gemogen. Wel wist ze dat Kate Andy enorm veel pijn had gedaan, maar nu hij opnieuw getrouwd was, was hij er gelaten onder. Eigenlijk was Julie Kate er dankbaar voor dat ze met hem had gebroken. Ze was zielsgelukkig met Andy.

's Morgens om zeven uur kwam er opnieuw een telefoontje van de oppas. Ditmaal was Andy erg bezorgd. 'Dat is niets voor haar,' zei hij tegen Julie na afloop van het gesprek. Reed zat beneden zijn cornflakes te eten en Andy wilde hem niet bang maken. 'Ik bel de verkeerspolitie om te horen of er afgelopen nacht iets is gebeurd op de Merritt.' Kate reed uitstekend en het was niet aannemelijk dat ze een ongeluk had gehad, maar je kon niet weten.

Voor zijn gevoel duurde het uren voor de politie opnam en hij zijn verhaal kon doen. Hij gaf een beschrijving van Kate en haar auto. Het ging om een grote Chevrolet stationcar, kleur rood. Weer leek het eindeloos lang te duren.

'Ik heb het even nagevraagd,' zei de agent toen hij weer aan de lijn was. 'Gisteravond is er een frontale botsing geweest bij Norwalk. Het ongeluk vond plaats om kwart over acht en er waren twee auto's bij betrokken, een rode Chevrolet stationcar en een Buick Sedan. De chauffeur van de Buick was op slag dood. De chauffeur van de Chevrolet was bewusteloos toen ze haar uit de auto haalden. Ze zijn er twee uur mee bezig geweest. Het gaat om een tweeëndertigjarige vrouw. Verdere gegevens heb ik hier niet. Om tien uur is ze naar het ziekenhuis vervoerd.' Hij gaf Andy het nummer. Meer informatie had hij niet, maar voor Andy was het voldoende. Hij riep Julie en vertelde wat hij had gehoord. Hij was al bezig het nummer te draaien van het ziekenhuis. Zijn handen beefden, terwijl hij wachtte tot de telefoon werd opgenomen.

De verpleegster van de eerstehulpverlening vertelde Andy wat ze wist. Kate lag daar inderdaad, ze was buiten bewustzijn en haar toestand was kritiek. Het ziekenhuis had niemand bij haar thuis kunnen bereiken. Ze hadden na middernacht gebeld. Blijkbaar sliep de babysitter toen al. Andy hing op en keek Julie wanhopig aan.

'Haar toestand is kritiek. Ze heeft hoofdletsel en een gebroken been.'

'En de baby?' fluisterde ze, overstelpt door medelijden.

'Ik weet het niet. Daar heeft de verpleegster niets over gezegd.' Hij trok zijn kleren aan en zei tegen Julie dat hij van plan was om naar het ziekenhuis te gaan. Gezien de omstandigheden leek haar dat een goed idee.

'Moet je Joe niet bellen?' vroeg ze.

'Laat ik eerst maar eens zien wat ik te weten kan komen.'
Andy stapte in de auto en een halfuur later was hij bij het ziekenhuis. Hij zat eerst uren in de wachtkamer, en zijn gedachten gingen terug naar de dag waarop Reed geboren werd. Hij had toen een hele dag in het ziekenhuis doorgebracht. Het was zorgelijk geweest, maar dit was veel erger. Ten slotte werd hij bij haar toegelaten, en hij was ontsteld door wat hij zag. Ze had een enorm verband om haar hoofd, haar been zat in het gips en hij zag meteen dat het laken plat over haar buik lag. Door de botsing had ze haar baby verloren, maar dat wist ze nog niet. Andy kreeg tranen in zijn ogen toen hij zag in welke toestand ze verkeerde. Hij liep op haar toe en nam liefdevol haar hand in de zijne. Hij hoefde maar naar haar te kijken of er kwamen zoveel herinneringen boven. In hun studententijd hadden ze heel veel blije momenten gekend. En de gedachte aan het eerste jaar van hun huwelijk riep altijd warme gevoelens in hem op.

Toen hij de kamer verliet, was ze nog steeds niet bij kennis. Hij had een gesprek met de dokter, en die vertelde hem dat ze er niet zeker van waren of ze het zou halen. Het zou een dubbeltje op zijn kant zijn. Daarna belde hij de oppas in New York en zei dat ze contact met Joe moest proberen op te nemen.

'Ik weet niet hoe, Mr. Scott,' zei het meisje en ze barstte in tranen uit. Toen Kate maar niet thuiskwam, had ze een bang voorgevoel gehad dat er iets akeligs met haar was gebeurd en dat gevoel werd nu bewaarheid. Maar het nachtelijk telefoontje had ze niet gehoord. Volgens mij heeft Mrs. Allbright het adres van het hotel, maar ik weet niet waar ze het bewaart. Meestal belt haar man haar. Dat is makkelijker.'

'Weet je ook in welke stad hij zit?' Om zo te moeten leven, met een man die altijd maar op reis was, dat was toch een ramp, vond Andy. Maar hij wist dat Kate tot alles bereid was, als ze maar met Joe getrouwd was. Ze zou hoegenaamd alles voor hem gedaan hebben, en dat had ze ook gedaan.

'Nee, dat weet ik niet,' zei de alsmaar huilende oppas. 'Parijs, zei ze, geloof ik. Hij heeft gisteren gebeld.'

'Belt hij vandaag nog, denk je?'

'Misschien. Hij belt niet iedere dag. Soms gaan er wel een paar dagen overheen.' Onder het luisteren kreeg Andy enorm de pest aan Joe. Zoals die in gebreke bleef! Kate verdiende iemand die zich om haar bekommerde, niet de een of andere handelsreiziger die door de wereld trok om met zijn luchtvaartmaatschappij te leuren en zijn vliegtuigen te verkopen.

Andy vertelde de babysitter wat ze aan Joe moest doorgeven als hij belde, zoals de toestand waarin ze verkeerde en de naam van het ziekenhuis. Ook drukte hij haar op het hart dag en nacht in de buurt van het telefoontoestel te blijven. Joe's kantoor bellen lukte absoluut niet, omdat het weekend was. Als Joe niet spoedig iets van zich liet horen, zou diens telefoontje te laat komen, vreesde Andy. In dit stadium zou Joe weliswaar niets voor Kate hebben kunnen doen, maar het zou prettig voor haar zijn als hij bij haar was. Het zou helemaal prettig zijn als iemand wist waar hij uithing.

'Is... alles goed met de baby?' vroeg de oppas aarzelend. Er viel een lange stilte.

'Ik weet het niet.' Hij vond het niet zijn taak om haar te vertellen dat de baby dood was. Hij was van mening dat Joe het eerst moest weten.

Nadat Andy had opgehangen belde hij Kates ouders. Die waren volledig van de kaart toen ze van het ongeluk hoorden. Hij beloofde dat hij ze van de ontwikkelingen op de hoogte zou houden, en zij zeiden dat ze zo spoedig mogelijk vanuit Boston over zouden komen. Daarna belde hij Julie en vroeg haar of ze met de kinderen naar de stad wilde gaan om Stephanie op te pikken. De babysitter moest daar blijven, voor het geval Joe belde.

'Hoe is het met haar?' vroeg Julie, die zich op een raadselachtige manier met Kate verbonden voelde.

'Knap beroerd,' was Andy's antwoord. Toen ging hij terug naar Kates kamer. Hij bleef daar tot even na zessen. Daarna belde hij naar New York, maar Joe had nog niets van zich laten horen. De hele avond en nacht belden hij en Julie om beurten naar het ziekenhuis. Tegen de kinderen zeiden ze niets. Reed voelde wel dat er iets aan de hand was, maar hij had de hele middag lekker buiten gespeeld, en zijn vader had hem verteld dat zijn moeder het weekend weg was. De komende week zouden de kinderen bij hen in Greenwich blijven en niet naar school gaan, hadden Andy en Julie in onderling overleg besloten.

Kate bleef het hele weekend buiten bewustzijn, en Joe belde maar niet. Haar ouders waren overgekomen. Ze zagen er verslagen uit. Kates ongewisse toestand verbeterde noch verslechterde. Ze balanceerde nog steeds op het randje van de dood. Ook Andy kreeg die indruk toen hij haar op zondagmiddag bezocht. En Joe had nog altijd niet gebeld. Kates moeder huilde iedere keer als iemand zijn naam noemde.

Het eerste wat Andy de volgende morgen deed, was Joe's kantoor bellen. Hij had die maandag vrij genomen. Joe's secretaresse vertelde hem dat Joe onderweg was van Frankrijk naar Spanje. Ze was er zeker van dat ze later op de dag iets van hem zou horen. Andy legde de situatie uit en Hazel was geschokt. Ze zei dat ze de komende uren alles in het werk zou stellen om haar baas te traceren.

Pas om vijf uur hoorde Andy weer wat van haar. Joe had zijn plannen gewijzigd. In Madrid lag een briefje van hem. Niemand had hem te pakken kunnen krijgen. Toen ze zijn hotel in Parijs belde, had hij net uitgecheckt. Ze dacht dat hij naar Londen zou gaan, maar was daar volstrekt niet zeker van. Ze had in alle hotels in Europa die hij zou kunnen aandoen, een boodschap achtergelaten.

Op dinsdag, laat in de middag ontvingen ze eindelijk een levensteken van Joe. Hij vertelde Hazel dat hij het weekend op een boot in Zuid-Frankrijk had doorgebracht. Hij had ervoor gekozen om niet naar Spanje te gaan, maar een dagje vrij te nemen, hetgeen hij zelden deed. Er was geen enkele mogelijkheid geweest om Kate te bellen. Dinsdag om middernacht, West-Europese tijd, was hij pas in Londen gearriveerd en had hij Hazels boodschap in het hotel gevonden.

'Wat is er aan de hand?' Hij had er geen idee van hoe naarstig iedereen naar hem op zoek was geweest, vermoedde niet dat er iets met Kate gebeurd was. Hij dacht dat Hazel met de handen in het haar zat over een of ander zakelijk probleem dat zich ineens had voorgedaan, en hij stond niet te popelen om te horen wat er aan de hand was. Hij was ontspannen en gelukkig na zijn driedaagse zeilweekend en had er helemaal geen zin in om die stemming te laten verpesten door slecht nieuws. 'Er is iets met uw vrouw.' Hazel kwam meteen ter zake en vertelde hem over Kates ongeluk. Ze zei dat Mr. Scott had gebeld, en dat Kate in kritieke toestand in een ziekenhuis in Connecticut lag.

'Wat moest ze in Connecticut?' Wat Hazel hem verteld had, drong nog niet tot hem door. Het was een absurde vraag die hij stelde.

'Ik geloof dat ze Reed wegbracht, die vrijdagavond. Het is gebeurd op de terugweg. Ze was alleen.'

Het begon hem langzaam te dagen, terwijl hij naar haar luisterde. 'Ik moet naar huis,' zei hij opeens, maar beiden wisten dat het op dat tijdstip niet mogelijk was om nog een vliegtuig te nemen, en een eigen vliegtuig had hij nu niet tot zijn beschikking. Op deze reis maakte hij gebruik van lijndiensten, iets wat een zeldzaamheid voor hem was. 'Ik zal doen wat ik kan. Ik denk dat ik pas morgenmiddag terug kan zijn. Heb je het nummer van het ziekenhuis?' Ze gaf het hem. Hij hing dadelijk op en belde het nummer dat ze hem had gegeven. Nadat hij had gebeld, ging hij zitten en staarde wezenloos voor zich uit. Hij kon het niet geloven wat ze hadden gezegd. Kate verkeerde in levensgevaar en had de baby's verloren, had de zuster gezegd. Ze had hem verteld dat Kate zwanger van een tweeling was geweest. Hij zat op zijn bed in het Claridge Hotel en de gedachte die hem beheerste, was wat hij met zijn leven aan moest als ze stierf.

22

W OENSDAGAVOND OM ZES UUR STAPTE JOE HET ZIEKENHUIS van Greenwich binnen. Vijf dagen waren er sinds het ongeluk voorbijgegaan. Kate lag aan de beademing en werd kunstmatig gevoed. Ze was nog niet bij bewustzijn geweest. Wel had men de indruk dat de verwonding aan haar hoofd was verbeterd. De zwelling was wat geslonken, en dat werd als een goed teken gezien. Haar ouders waren naar hun motel gegaan om te rusten. Het lag vlak bij het ziekenhuis. Andy Scott stond naast haar bed toen Joe haar kamer binnenkwam. De twee mannen keken elkaar indringend aan en Joe kon in Andy's ogen zien hoe deze over hem dacht.

'Hoe is het met haar?' vroeg Joe, terwijl hij haar hand aanraakte. Hem leek het bijna alsof ze dood was, zo bleek was ze, maar Andy dacht dat hij aan het eind van de middag een lichte verbetering had bespeurd. De hele week was hij niet naar zijn werk geweest. Hij vond het niet verantwoord om Kate alleen te laten, en Julie had haar handen vol aan de kinderen. Zodra ze iets van Joe hadden gehoord, was de babysitter naar Greenwich gekomen om haar te helpen.

'Haar toestand is nog ongeveer hetzelfde,' siste Andy met opeengeklemde kaken.

Joe zag dadelijk dat haar buik vlak was. Zijn gemoed schoot vol, omdat hij wist wat dát voor haar zou betekenen. De laatste tijd had hij zowaar enige geestdrift opgevat voor de komende gezinsuitbreiding, zonder nog te hebben geweten dat het om twee baby's ging. Nu zei het hem allemaal niets meer. De enige om wie hij zich bekommerde was Kate.

'Dank voor al je goede zorgen,' zei Joe hoffelijk tegen Andy, die zijn jasje pakte en aanstalten maakte om de kamer te verlaten. Een zuster, die naast Kate zat, sloeg de twee mannen gade.

Hoewel het haar niet duidelijk was in welke relatie ze tot Kate stonden, kostte het haar geen enkele moeite om te zien dat het bepaald geen vrienden waren.

Andy liep de kamer al uit toen hij opeens bleef staan en op gedempte toon iets tegen Joe zei. 'Waar zat je in godsnaam? Vier dagen lang heb je niets van je laten horen.' Hij had een zwangere vrouw en twee stiefkinderen, had toch zijn verantwoordelijkheden! Dan verdween je toch niet zomaar dagen achtereen. Hij vroeg zich af of Joe haar had bedrogen, maar dan kende hij Joe niet. Zo was deze nu eenmaal. Kate was eraan gewend geraakt, maar er waren nog steeds momenten dat ze het er moeilijk mee had. Joe nam contact op wanneer het hem uitkwam, en soms liet hij dagen niets van zich horen. Andy vond het onbegrijpelijk dat niemand had geweten waar Joe uithing. Uit wat er nu was gebeurd, bleek ondubbelzinnig dat je je zoiets niet kon veroorloven. Andy kon zich niet indenken dat hijzelf zijn vrouw en kinderen zoiets zou aandoen.

'Ik maakte een zeiltocht,' zei Joe koel. Het leek hem een afdoende verklaring. 'Ik ben meteen gekomen toen ik het hoorde.' Maar zelfs hij voelde zich er ongemakkelijk bij dat ze vijf dagen in het ziekenhuis had gelegen zonder dat hij er was. Maar hij hoefde geen verantwoording af te leggen tegenover Andy Scott. Het ging hem niets aan. Kate was de moeder van zijn kinderen, en dat was alles. Blijkbaar was dat voor Andy genoeg. 'Weten haar ouders het?' Joe vroeg het zich plotseling af. Hij had er zelfs niet aan gedacht om het Hazel te vragen, toen hij belde.

'Ze zijn hier,' antwoordde Andy. 'Ze verblijven in een motel.'

'Bedankt voor je hulp,' zei Joe. Hij gaf te kennen dat Andy wel kon gaan.

'Bel maar als we iets kunnen doen,' zei Andy en hij verliet de kamer, terwijl Joe naast Kate ging zitten. De zuster liep naar de wastafel bij de deur en was daar wat bezig, zodat Joe even met zijn vrouw alleen kon zijn. Zodra Andy weg was, keek Joe met diepbezorgde blik naar haar. Een leven zonder Kate was onvoorstelbaar. Hij hield zielsveel van haar en dat was al vijftien jaar zo, hoe vreemd hun relatie anderen ook toescheen. Ze was zijn trouwe toeverlaat. Ze was zijn troost en raadgeefster,

zijn zout in de pap, zijn vreugde. Soms ook was ze zijn geweten. Ze was altijd de liefde van zijn leven geweest. Ze was de
enige vrouw van wie hij ooit gehouden had.

'Kate, laat me niet in de steek...' fluisterde hij toen de verpleegster net even de gang op was. 'Alsjeblieft, lieveling, kom
terug...' Uren zat hij naast haar. Hij hield haar hand vast en
liet zijn tranen de vrije loop.

Een dokter kwam binnen om de verbanden te inspecteren. Om
twaalf uur werd er een veldbed voor Joe opgezet. Hij had besloten om de nacht in het ziekenhuis door te brengen. Hij wilde in de buurt zijn als ze zou sterven. Maar de hele nacht deed
hij geen oog dicht. Hij hield haar voortdurend in de gaten. En
het wonder geschiedde. Om vier uur 's morgens bewoog ze. Joe
was juist aan het wegdommelen, maar meteen toen hij haar
hoorde kreunen, zat hij recht overeind. De verpleegster scheen
met een lampje op haar pupillen.

'Wat is er aan de hand?' vroeg hij, terwijl de zuster Kates hartslag en ademhaling controleerde. Ze had een stethoscoop in
haar oren en kon niet horen wat hij zei. Weer kreunde Kate en
ze wendde haar hoofd in zijn richting, ofschoon haar ogen gesloten waren. Het leek wel of ze wist dat hij er was, ook al was
ze nog niet bij haar positieven. 'Schatje, ik ben het... Ik ben
vlak bij je... Kijk maar.' Maar dit keer bleef het stil, en hij ging
weer terug naar zijn bed. Maar hij had het vreemde gevoel dat
iemand naar hem keek. Het was alsof hij haar onder zijn huid
kon voelen. Hij was doodsbang dat ze zou sterven. Het deed
hem beseffen hoezeer hij van haar hield en hoezeer zij hem liefhad. Ze wilden gewoon niet altijd dezelfde dingen. Zij wilde bij
hem zijn, én hij had behoefte door de wereld te trekken met
zijn vliegtuigen. Maar hij had haar er niet minder lief om, zijn
belangstelling was eenvoudigweg anders gericht. En hij meende ook dat ze dat had geaccepteerd. Hij wist niet waarom, maar
hij voelde zich schuldig over het ongeluk. Hoewel hij het tegenover niemand zou hebben toegegeven, vond hij dat hij er
had moeten zijn. Hij had drie schitterende dagen op de boot
van een vriend van hem doorgebracht en geen idee gehad dat
er iets met haar was gebeurd. Die vriend was een Brit met wie
hij tijdens de oorlog gevlogen had. Hij had zelfs veel gedacht

aan Kate en aan de baby die ze zouden krijgen. Achteraf gezien kon hij het zich zelfs niet voorstellen hoe dat geweest zou zijn, een tweeling. Maar dat was niet belangrijk meer.

Joe sliep die nacht niet meer. Om zes uur stond hij op, poetste zijn tanden en waste zijn gezicht. Hij was net terug bij haar bed om naar haar te kijken, toen ze lichtjes bewoog en haar ogen opende. Ze staarde recht in de zijne. Hij was even ademloos van verrassing.

'Dat ziet er een stuk beter uit,' glimlachte hij. Hij voelde een immense opluchting. 'Ik ben zo blij dat je er weer bent.' Waar bleef de zuster? Hij kon nauwelijks wachten om het haar te vertellen. Maar voor de verpleegster ook maar de tijd had om terug te komen, keek ze hem opnieuw aan en deed een uiterste krachtsinspanning om tegen hem te praten. Ze scheen niet verbaasd hem te zien.

'Wat is er gebeurd?' Haar stem was zo zwak dat hij haar nauwelijks kon verstaan. Hij boog zich naar haar over om maar niets te hoeven missen.

'Je hebt een ongeluk gehad.' Ook hij fluisterde, zonder zelf precies te weten waarom. Waarschijnlijk wilde hij haar niet overstemmen door te luid te spreken.

'En Reed... Is alles goed met Reed?' Ze herinnerde zich dat hij bij haar in de auto had gezeten, maar niet dat het op de terugweg was gebeurd.

'Ja hoor, maak je maar geen zorgen, alles is goed met hem.' Hij hoopte vurig dat ze nog niet naar de baby zou vragen. Hij wilde niet dat ze zou weten dat het een tweeling geweest was en dat ze dood waren. 'Rustig maar, schatje. Ik ben er, en ik blijf bij je. Alles komt goed.' Dat hoopte hij vurig.

Ze keek naar hem en fronste, alsof ze probeerde te begrijpen wat hij zei. 'Waarom ben je hier? Je was toch weg?'

'Nee hoor, ik ben hier echt. Ik ben teruggekomen.'

'Waarom dan?' Ze had er geen idee van hoe zwaargewond ze was geweest en dat was maar goed ook. En toen, alsof ze het instinctief voelde, zag hij haar hand naar haar buik gaan. Hij probeerde haar tegen te houden, maar het was al te laat. Met wijd opengesperde ogen keek ze naar hem. Voordat hij iets kon zeggen, stroomden de tranen haar over de wangen.

359

'Kate, niet huilen...' Meer kon hij niet zeggen. Hij kuste haar hand en hield die tegen zijn lippen. 'Lieveling, alsjeblieft...' 'Waar is onze baby?' Met heel veel moeite bracht ze de woorden uit. Toen klonk er een lange, bijna dierlijke jammerklacht. Ze klampte zich aan hem vast en hij nam haar in zijn armen, waarbij hij ervoor zorgde dat hij haar hoofd ontzag. Ze wist instinctief wat er was gebeurd, en er was niets wat hij kon doen om haar te troosten. Hij was alleen maar blij dat ze nog leefde.

Toen de zuster terugkwam, had ze de dokter bij zich. Beiden waren verheugd toen ze zagen dat Kate weer bij bewustzijn was. Maar even later, op de gang, vertelde de dokter aan Joe dat ze nog niet uit de problemen was. Ze had een zware hersenschudding en had vijf dagen in coma gelegen. Haar been was op een akelige manier gebroken en ze had veel bloed verloren toen ze de tweeling kwijtraakte. Hij voorzag een lange herstelperiode. Het zou nog maanden duren voor ze weer een beetje de oude was. Verder vreesde de dokter dat het weleens zo zou kunnen zijn dat ze geen kinderen meer kon krijgen. Maar dat was wel het minste wat Joe bezighield, hij maakte zich veel drukker om Kate. Hij wilde toch geen kinderen meer, en zeker niet als dat risico's voor haar met zich meebracht.

Kate was zo van streek door het verlies van de tweeling dat men haar een kalmeringsmiddel gaf. Daarop vertrok Joe naar New York. Hij wilde thuis voor hen beiden een paar spulletjes ophalen, en hij wilde naar kantoor. 's Middags om vijf uur was hij weer terug in Greenwich. Kates ouders namen net afscheid van haar. Elizabeth wilde zelfs niet met hem spreken. Er stonden tranen in Clarkes ogen toen hij zich tot Joe wendde.

'Je had hier moeten zijn, Joe,' zei hij in het voorbijgaan. Meer zei hij niet. Joe bestreed het niet, maar Clarkes woorden sneden hem door zijn ziel. Hij kon begrijpen hoe haar ouders zich voelden, hoewel het hem niet helemaal redelijk leek. Dat ongeluk en het verlies van de tweeling was je reinste pech geweest. Hij had toch zeker het recht om op zakenreis te gaan? Misschien had hij dat bootreisje niet moeten maken. Ze was zwanger en hij was drie dagen onbereikbaar geweest. Maar hij had gedacht dat alles goed met haar was. Bovendien zou zijn aanwezigheid niets veranderd hebben. Nou ja, misschien had hij haar niet naar Connecticut laten rijden. Maar hij kon haar toch niet elk uur van de dag beschermen? De automobilist die de botsing had veroorzaakt, was dronken geweest. Het kon overal gebeuren, op elk moment, zelfs als hijzelf de auto bestuurd had. Hij was nu gewoon een voor de hand liggende zondebok, omdat hij er niet was geweest. Maar het was zijn fout toch niet? Hij had deze dingen toch niet in zijn macht? Hij was God niet, hij was haar man.

Tegen het einde van de week liet Joe Kate overbrengen naar een ziekenhuis in New York. Het was makkelijker voor hem om haar daar te bezoeken. Bovendien dacht hij dat ze het leuk zou vinden om haar vrienden op bezoek te krijgen. Ze bleek echter zo gedeprimeerd dat ze niemand wenste te ontvangen. Ze zei tegen hem dat ze dood wilde.

Hij bracht het weekend bij haar in het ziekenhuis door, en ze belden met Reed. Maar na afloop van het gesprek huilde ze aan één stuk door. De toestand waarin ze verkeerde was deplorabel. Hij zou het tegenover niemand hebben toegegeven, maar hij was blij toen hij de week daarop voor een driedaags verblijf naar Los Angeles vloog. Hij wist zich geen raad met haar. En deze keer belde hij om de paar uur om te vernemen hoe het met haar ging.

Eind april mocht ze naar huis. Ze had loopgips om en liep op krukken. Met haar hoofd ging het goed, alleen had ze zo nu en dan wat hoofdpijn. Begin mei mocht het gips van haar been. Ze had haar oude omvang terug en leek weer op de Kate van vroeger. Maar als Joe 's avonds thuiskwam, trof hij niet dezelfde vrouw aan die hij had getrouwd. Het was alsof het levensvuur dat altijd in haar had gebrand, uitgedoofd was. Meestal was ze lusteloos en gedeprimeerd. Uitgaan wilde ze niet. Het grootste deel van de dag zat ze thuis te huilen. Joe had geen idee hoe hij haar kon helpen. Ze praatte nauwelijks met hem, sprak zelden een woord en toonde totaal geen interesse in wat hij ook zei. Het was om gek van te worden.

In juni gingen de kinderen een maand logeren bij Andy en Julie, en toen Kate vernam dat Julie opnieuw zwanger was, maakte dat de dingen er alleen maar erger op. Ze wist inmiddels dat ze in verwachting was geweest van een tweeling, en het enige dat ze deed, was rouwen om wat niet had mogen zijn.

'Misschien is het maar beter zo. We zijn te oud voor meer kinderen,' zei Joe onhandig. Hij wist niet precies wat hij moest zeggen en probeerde het gebeurde te rationaliseren. 'Nu hebben we meer tijd voor elkaar en kun je met me op reis.' Het maakte haar alleen maar boos. Ze wilde nergens heen met hem. Hij vroeg of ze mee wilde naar Europa of naar de westkust. Maar Kate zat alleen maar thuis.

Twee maanden lang haalde Joe alles uit de kast om haar op te vrolijken. Toen deed hij waar hij het beste in was: hij vluchtte. Hij kon niet langer bij haar zijn. Ze was voortdurend boos en gedeprimeerd. Het was alsof ze, net zoals iedereen, hem de schuld van alles gaf: van het feit dat hij er niet was geweest, van het ongeluk en van de tweeling. Hij hield het niet meer vol. Zijn oude kwelgeest, schuld, zat hem weer op de hielen. Hij greep iedere gelegenheid aan om te reizen, moest dat ook, want hij was lang weg geweest en zijn imperium begon haarscheurtjes te vertonen. Tegen de tijd dat Joe weer vertrok, waren zijn zenuwen tot het uiterste gespannen. En bekvechten was het enige dat ze deden als hij naar huis belde. Het was als een nachtmerrie waar maar geen einde aan kwam. Zo wilde hij het niet, maar hij wist niet meer wat hij moest doen, wist niet meer hoe hij Kate moest bereiken. De Kate van vroeger was onvindbaar en de Kate van nu joeg hem op de vlucht.

Gedurende drie maanden was Joe voortdurend op reis, en tegen het eind van de zomer hadden ze het gevoel vreemden voor elkaar te zijn, iedere keer als hij even thuis was. Zij ging met haar ouders en de kinderen naar Cape Cod, en dit keer kwam hij niet. Hij wist dat haar moeder heel wat kritiek zou hebben, maar dat kon hem niet langer schelen. Ze haatte hem al jaren. En hij had niet langer het gevoel dat hij haar moeder iets bewijzen moest. Hij had zelfs niet het gevoel dat hij Kate iets bewijzen moest. Hij was thuisgekomen en -gebleven, hij had gedaan wat hij kon, maar het was nooit genoeg.

In september was hij twee weken thuis. Hij had gehoopt dat haar stemming in die paar weken zou verbeteren, maar toen hij haar vertelde dat hij naar Japan moest, was Kate in alle staten.

362

'Alweer? Ben je dan nooit eens thuis?' Ze was al een eind op weg om een helleveeg te worden. Joe had er al helemaal spijt van dat hij thuisgekomen was.

'Ik ben er als je me nodig hebt, Kate. Ik ben zolang ik kon thuisgebleven, maar ook het bedrijf heeft me nodig. Je kunt met me meegaan als je dat wilt.' Zijn stem klonk koud en onverschillig.

'Dat wil ik niet.' Ze was rusteloos, ongelukkig en twistziek, en dat maakte het alleen maar erger. 'Wanneer kom je thuis?' zei ze op een ruzietoon, en voor de eerste keer in zijn leven kon hij zich indenken dat hij haar haatte. Hij wilde het niet, maar ze liet hem geen andere keus. Degene die ze vroeger geweest was, leek allang niet meer te bestaan. Hij wist dat ze geschokt was door wat er met de tweeling was gebeurd, maar nu was ze bezig hem te doden, en zelf begon ze ook al aardig op een dode te lijken. En het ergste was, dat Kate vreselijk naar Joe verlangde. Ze had hem nodig om er weer bovenop te komen. Maar ze zat zo vast in haar eigen ellende, dat ze niet wist hoe ze hem moest bereiken. Iedere keer dat ze het wilde, joegen haar wanhoop en de woede die daaruit voortvloeide, hem op de vlucht. Ze konden elkaar niet meer bereiken. Toch was hij de enige naar wie ze verlangde. Ze hield nog steeds van hem. De enige persoon die ze nu echt haatte was zijzelf. Wel duizend keer was ze in haar gedachten teruggegaan naar die fatale dag dat ze achter het stuur zat en de tweeling verloor, en had ze zich afgevraagd waarom ze uit eigen beweging had aangeboden om Reed die avond naar Greenwich te brengen. Als ze het niet gedaan had, zouden de baby's inmiddels geboren zijn. Nu zou ze nooit een kind van Joe hebben. Hij had haar duidelijk gemaakt dat hij het beslist niet opnieuw wilde proberen. Ook daarom haatte ze hem, en wanneer ze geen woorden kon vinden om haar verdriet te uiten, richtte ze haar woede op hem. De enige conclusie die Joe kon trekken, was dat hij geen vrouw meer had. Ze waren vreemdelingen en vijanden die onder hetzelfde dak leefden. En hij was zelden thuis.

In oktober was Joe in totaal vier dagen thuis. En hoe vaker hij wegbleef, des te slechter ging het met Kate. Door zijn afwezigheid voelde ze zich in de steek gelaten, verraden en wanhopig.

363

Dat deed haar woede alleen maar toenemen. Haar moeder, die voortdurend aan het stoken was, gooide nog eens olie op het vuur. Elizabeth was van mening dat Joe haar gebruikte en haar alleen maar nodig had om de uiterlijke schijn op te houden. Kate begon zelfs te denken dat hij niet meer van haar hield, maar in plaats van hem door haar liefde terug te winnen, sloeg ze de deur voor zijn neus dicht. Na een poosje zocht hij niet langer toenadering. Sinds het ongeluk hadden ze niet met elkaar geslapen. Eind oktober waren dat er al zes maanden. Joe had er genoeg van.

'Kate, je maakt me kapot,' zei hij, en hij deed zijn best om zo vriendelijk mogelijk te klinken. Hij kwam inmiddels alleen nog maar het weekend thuis, en haar gevoel dat hij nu doorlopend op de vlucht was, was juist. Hij kon haar woede, haar beschuldigingen, of beter gezegd zijn schuldgevoelens, niet langer verdragen. 'Dit is geen thuiskomen voor mij. Het is vreselijk dat je de tweeling verloren hebt, maar ik wil niet dat wij elkaar verliezen. Ik weet dat het pijnlijk is, maar je moet je eroverheen zetten.' Waar was de vrouw die hij liefhad gebleven? Zes maanden al zat hij opgescheept met een boze geest. 'Je hebt twee geweldige kinderen. Met hen kunnen we toch ook gelukkig zijn? Waarom ga je niet met me mee naar Los Angeles? Je bent in geen maanden het huis uit geweest.' Hij probeerde van alles om haar uit het moeras te trekken.

'Ik wil nergens heen,' snauwde ze hem toe, en deze keer snauwde hij terug. Hij had geprobeerd om geduldig met haar te zijn, maar het enige dat hij ermee bereikte, was dat hij werd gekwetst en zelf woedend werd. Verder leidde het tot niets.

'Nee, daar heeft mevrouw geen zin in, hè? Ze wil alleen maar thuiszitten en tegen zichzelf zeggen hoe zielig ze wel niet is. In 's hemelsnaam, Kate, word toch eens volwassen. Ik kan niet de godganse dag hier zitten en je hand vasthouden. Ik kan die baby's niet tot leven wekken. Misschien was dit voor ons het beste, wie zal het zeggen. Misschien was het niet de bedoeling dat we meer kinderen zouden krijgen. Het was onze beslissing niet, het was de beslissing van God.'

'Dat is toch wat je wilde? Je wilde toch dat ik het zou laten weghalen, zodat je je handen vrij had en niet meer dan tien minuten per maand je gezicht thuis hoefde te laten zien? En ga me nou alsjeblieft niet vertellen hoeveel je voor me hebt gedaan, of hoe gelukkig ik wel niet ben, of wie de beslissing heeft genomen om mijn kinderen te laten sterven... Je hebt me verdomme niets te vertellen, Joe, want je bent hier toch nooit. Toen ze dachten dat ik doodging, heb je er goddomme vijf dagen over gedaan om thuis te komen. Dus waar haal je in godsnaam het lef vandaan om mij te vertellen dat ik volwassen moet worden? Je vliegt daar maar wat rond in die vervloekte vliegtuigen van je. Overal kom je en je amuseert je kostelijk, terwijl ik hier thuiszit met de kinderen. Misschien ben jij wel degene die eens volwassen moet worden!' Hij keek alsof ze hem met een brander bewerkt had. Zonder een woord te zeggen liep hij de flat uit, knalde de voordeur dicht en logeerde die nacht in het Plaza Hotel. En het enige dat Kate deed, was op haar bed liggen en huilen. Ze had precies datgene tegen hem gezegd, wat ze niet had willen zeggen. Maar haar verdriet en ellende waren ook zó groot en ze voelde zich zó eenzaam vanwege hem. Nu had ze het alleen maar erger gemaakt. Meer dan iets anders verlangde ze naar hem. Ze wilde dat hij alles weer in orde maakte voor haar, en ze haatte hem erom dat hij dat niet kon. Hij kon háar de baby's niet teruggeven, kon niet bij haar blijven, kon de klok niet terugzetten. Ze had de tweeling zo graag gewild, en ze wilde Joe nog steeds. Toch deed ze alles om hem van zich te vervreemden, waarom wist ze zelf niet. Er was niemand met wie ze erover kon praten. Het was alsof ze zes maanden geleden in een zwart gat was gevallen en niet wist hoe ze eruit moest komen. En er was niemand om haar te redden. Ze wist dat ze het zelf moest doen, maar ze had geen idee hoe.

De volgende dag was hij weer in de flat, maar niet langer dan nodig was om zijn koffers te pakken en naar Los Angeles te vertrekken. Alleen al door het feit dat ze hem zag pakken, raakte ze in paniek. Joe maakte een ijzige indruk en leek over een onnatuurlijke zelfbeheersing te beschikken.

'Ik bel je nog wel, Kate,' zei hij kalm. Verder wist hij niets te zeggen. Hij dacht dat ze hem haatte. En zij wist niet hoe ze hem moest zeggen dat ze alleen zichzelf haatte. Ondanks alle gal die ze over hem uitspuwde, hield ze nog steeds van hem. Maar het zou lastig zijn om Joe daarvan te overtuigen. Ze had zulke vreselijke dingen tegen hem gezegd en was zo onaardig tegen hem geweest, dat hij zich voor de eerste keer in hun relatie begon af te vragen of het ooit weer goed zou komen tussen hen. En het schuldgevoel dat ze in hem wakker had gemaakt, zette hem alleen maar aan tot vluchtgedrag. Joe voelde zich overweldigd door emotie. Nooit in zijn leven had hij zich zo eenzaam en ellendig gevoeld.

Hij bleef een maand in Los Angeles en leidde het bedrijf van daaruit. Hij liet zelfs Hazel op en neer naar New York vliegen, zodat hij niet naar huis hoefde. Het was bijna Thanksgiving toen hij ten slotte weer terugkwam. Thuisgekomen opende hij omzichtig de deur, en schrok toen Reed in zijn armen vloog.

'Joe! Je bent weer terug!' Hij was blij de jongen te zien. Een van dingen die hij het meest waardeerde bij Kate, waren de kinderen. Vooral nu. Daar in Los Angeles had hij ze gemist.

'Ik heb je gemist, vent,' zei Joe met een brede grijns. En Kate had hij ook gemist. Veel meer dan hij verwacht had. Daarom was hij weer thuis. 'Waar is mamma?'

'Ze is er niet. Ze is naar de film met een vriendin. Dat doet ze vaak.' Reed was vijf, en voor hem was Joe de beste van de hele wereld. Hij vond het afschuwelijk als Joe weg was en zijn moeder aan een stuk door huilde. Dat had ze lange tijd gedaan. Stephanie was nog maar drie en sliep al tegen de tijd dat Joe thuiskwam.

Toen Kate thuiskwam van de film, was ze verbaasd Joe te zien. Zo te zien was ze na zijn vertrek tot rust gekomen. Hij nam haar in zijn armen, maar bleef op zijn hoede. Je wist maar nooit. Ze hadden elkaar bijna niet gebeld.

'Ik heb je gemist,' zei hij. Het kwam uit de grond van zijn hart. 'Ik jou ook,' zei ze, terwijl ze zich aan hem vastklampte en begon te huilen. Deze keer leek het beter met haar te gaan, hoewel ze maar langzaam opklom uit het diepe dal.

'Voordat ik vertrok, miste ik je ook,' zei hij. Ze begreep waar hij op doelde.

'Ik weet niet wat me bezielde... Ik moet mijn hoofd harder gestoten hebben dan ik dacht.' Ze had heel wat voor haar kiezen gehad: het ongeluk, het verlies van de tweeling. Alles bij elkaar was dat te veel geweest. En haar moeder zat haar voortdurend op te jutten. Hij zou graag willen dat Kate haar links liet liggen, maar dat was iets wat hij niet kon vragen.

Dit keer ging het inderdaad veel beter met haar, en de spanning tussen hen ebde weg. Ze spraken af om de vakantie thuis door te brengen en met Thanksgiving niet naar haar ouders in Boston te gaan. Hij dacht dat hij dat niet aan zou kunnen, maar dat zei hij niet tegen haar. Hij zei alleen maar dat het hem een goed idee leek als ze thuisbleven, en tot zijn grote opluchting stemde ze ermee in. Maar drie dagen voor Thanksgiving kreeg hij een telegram uit Japan. Het was alsof de duvel ermee speelde. Alles was daar in het honderd gelopen, en ze drongen erop aan dat hij kwam. Hij had er bepaald geen zin in, maar omwille van toekomstige transacties wist hij dat hij geen andere keus had. Hij zag er vreselijk tegenop om het Kate te vertellen. Toen hij het haar vertelde, was Kate bijna in tranen. 'Kun je hun niet vertellen dat het hier Thanksgiving is? Dit is belangrijk, Joe.' Beiden probeerden een twistgesprek te vermijden. Het ging de laatste tijd juist zo goed.

'Mijn zaak is ook belangrijk, Kate,' zei hij op rustige toon.

'Dit jaar heb ík je nodig, Joe. Dit is een moeilijke tijd voor me.' Ze was nog steeds van streek door het verlies van de tweeling, hoewel ze zich in maanden niet zo goed had gevoeld. 'Laat me niet in de steek, Joe.' Het was de smeekbede van een angstig kind, een kind dat haar vader door zelfmoord verloren had, en het was de smeekbede van een vrouw die pas niet een, maar zelfs twee baby's had verloren, baby's die ze zo graag had willen hebben. Maar Joe wist dat hij aan beide niets kon veranderen en verwachtte van Kate dat ze zich volwassen zou gedragen. 'Heb je zin om met me mee te gaan?' Meer kon hij op dat ogenblik niet bedenken.

Ze schudde haar hoofd. 'Ik kan de kinderen met Thanksgiving toch niet alleen laten, Joe. Wat zullen ze wel niet denken.'

'Dat je met me op reis moet. Stuur ze maar naar de Scotts.' Maar dat wilde ze niet. Ze wilde een huiselijke Thanksgiving met Joe en de kinderen. Ze probeerde van alles om hem op andere gedachten te brengen, en hij bleef haar maar uitleggen dat hij wel moest gaan, of hij nou wilde of niet. 'Over een week ben ik weer thuis. Wat er ook gebeurt.' Maar dat was voor haar niet voldoende. Ze had het gevoel dat ze weer op de tweede plaats kwam, ná zijn zaak. De morgen dat hij vertrok, zat ze in haar bed en huilde als een klein kind. 'Kate, alsjeblieft, bespaar me dat. Ik wil niet weg. Dat heb ik je toch gezegd? Ik heb alleen geen keus. Het is niet eerlijk om me hierover schuldig te laten voelen. Laten we er samen uit zien te komen.' Ze knikte en snoot haar neus, en kuste hem voor hij vertrok. Ze wilde het wel begrijpen, maar ze voelde zich toch in de steek gelaten. Joe had haar uitgenodigd om met hem mee te gaan en hij wilde dat ook graag, maar zij wilde het niet. In plaats daarvan ging ze met de kinderen naar Boston.

Uiteindelijk bleef Joe tweemaal zolang weg als hij had gezegd. Hij kwam pas na twee weken thuis in plaats van één. Hij maakte op de terugweg zelfs geen tussenstop in Californië. Toen hij terug was in New York, deed Kate ijzig tegen hem. Haar moeder had haar die twee weken dat hij weg was geweest, behoorlijk bewerkt. Blijkbaar had ze er heel veel tijd in gestopt om Kate ervan te overtuigen dat hij haar slecht behandelde en dat hem dat geen fluit kon schelen. Elizabeth had het hem nooit vergeven dat hij pas vijf dagen na Kates ongeluk was komen opdagen. Ze had trouwens al veel langer de pest aan hem. Ze had hem vanaf het begin niet zien zitten, omdat hij maar niet met Kate wilde trouwen, en toen hij dat ten slotte wel deed, was het ten koste van haar huwelijk met Andy Scott gegaan – Andy, op wie Elizabeth zo gesteld was. Het was alsof ze koste wat kost wilde vernietigen wat hij en Kate hadden. En ze had haar werk goed gedaan. In amper twee weken had ze Kate weer van mening doen veranderen, en de avond dat Joe thuiskwam spraken ze nauwelijks met elkaar.

Hij bood haar zijn verontschuldigingen niet aan, legde alles niet opnieuw uit en verdedigde zichzelf niet voor het feit dat hij was weggegaan. Dat had hij maandenlang gedaan en nu was hij het zat. Die avond speelde hij met de kinderen. Toen ze naar bed waren, bleef hij rustig lezen. Hij wilde Kate de tijd geven om tot rust te komen en aan hem te wennen. Hij wist dat ze moeite had met zijn komen en gaan, en dat ze zo nu en dan tijd nodig had om te ontdooien, vooral als haar moeder stevig op haar had ingepraat.

Toen ze naar bed ging, vertelde hij haar over Japan. Hij deed alsof er geen vuiltje aan de lucht was. Er gewoon geen aandacht aan schenken, dat deed hij wel vaker. Soms hielp het. Het kostte hem wel moeite na zo'n lange reis, maar hij probeerde zo geduldig mogelijk te zijn. Hij wilde niet terug naar de situatie van voor zijn vlucht, niet terug naar die afschuwelijke zes maanden. Het was een tijdlang beter gegaan, en dat was de koers die hij wilde aanhouden. Maar hij was zich er terdege bewust van dat hij tijdens zijn verblijf in Japan terrein verloren had. De vakanties en de feestdagen waren erg belangrijk voor Kate en haar familie, en zijn ontbreken op Thanksgiving betekende veel voor hen, veel meer dan voor hem. Voor hem betekende het een ongelukkig getimede zakenreis. Voor haar was het een slag in het gezicht, of erger nog: het betekende dat hij niet zoveel van haar hield als ze had gedacht, of misschien wel dat hij helemaal niet van haar hield.

De eerste dagen werd het allemaal wat rustiger, en hij bleef meer dan twee weken thuis. Hij en Kate gingen samen met Stephanie en Reed een kerstboom kopen en tuigden die op. En voor de eerste keer zag hij Kate weer lachen en glimlachen als vroeger. Haar levenslust was ten slotte teruggekomen. Het was een moeilijk jaar geweest, vooral voor haar, maar nu was ze eindelijk uit het dal geklommen en zag hij licht aan het einde van de tunnel. Het gaf hem een fantastisch gevoel. Eindelijk! Ook voor hem was het een zware tijd geweest.

Drie dagen voor Kerstmis kreeg hij een telefoontje en moest hij naar Los Angeles. Hij maakte zich er geen zorgen over. Hij zou er maar een dag blijven om enkele vergaderingen bij te wonen. Daarna zou hij terugvliegen. Hij beloofde Kate dat hij kerstavond thuis zou zijn. En zelfs Kate reageerde deze keer niet, zo gewend was ze nu aan zijn komen en gaan. In hun beleving was Los Angeles een kippeneindje. Kate was ontspannen en vriendelijk toen hij vertrok, en voor één keer voelde hij zich niet schuldig over een reis. Op de morgen van zijn vertrek bedreven ze zelfs de liefde.

In Los Angeles ging alles gesmeerd, maar in New York liep het niet op rolletjes. Vanaf zijn vertrek was het daar al aan het sneeuwen, en op de ochtend voor Kerstmis werd de stad getroffen door een van de ergste sneeuwstormen uit zijn geschiedenis. Hij vertrouwde er nog steeds op dat ze ondanks het noodweer konden landen en dat hij met een beetje geluk op tijd thuis zou zijn. Maar enkele minuten voordat hij op zou stijgen, sloot men Idlewild, het vliegveld van New York, en werd zijn vlucht geannuleerd. Het vliegtuig taxiede terug naar de gate. Er was niets wat hij kon doen. Hij zat vast.

Hij ging naar hun huis en belde Kate. Ze begreep het. In New York lag het hele verkeer stil. In Central Park lag ruim zestig centimeter sneeuw.

'Je kunt het ook niet helpen, schat. Ik begrijp het,' zei ze tot zijn grote opluchting. Ze begreep het inderdaad. Zelfs Joe kon het niet klaarspelen om nu te reizen, en ze wilde niet dat hij zijn leven in de waagschaal stelde om thuis te komen. Hij zou in Chicago of Minneapolis moeten landen en vandaar uit was het nog een heel stuk met de trein. Dat had geen zin. Ze beloofde dat ze het de kinderen zou uitleggen. Desondanks hadden ze een goede kerst. Maar toen ze er achteraf over nadacht, besefte ze dat hij in de drie jaar dat ze met hem getrouwd was, twee van de drie kerstfeesten verstek had laten gaan. Op eerste kerstdag belde ze met haar ouders. Ze vertelde hun dat Joe vastzat in Los Angeles. Het commentaar van haar moeder was: 'Had je soms iets anders verwacht?' Het was moeilijk voor Kate. Voortdurend moest ze zich namens hem verontschuldigen, moest ze uitleggen waarom hij ontbrak op gelegenheden die voor ieder ander mens belangrijk waren, en in het bijzonder voor haar. Ze vroeg zich weleens af of hij Kerstmis en de andere feestdagen met opzet vermeed, omdat die dagen voor hem als kind zo deprimerend waren geweest. Maar wat de reden ook was, ze voelde zich altijd gekwetst als het hem niet lukte om bij een belangrijke gebeurtenis thuis te zijn, ongeacht zijn goede bedoelingen of pogingen. De enige die er nooit een punt van scheen te maken, was Reed. Joe kon in zijn ogen niets fout doen. Meestal gold dat ook voor Kate, maar ze was nu toch teleurgesteld.

Zolang Joe niet weg kon uit Los Angeles maakte hij van de nood een deugd: hij werkte wat. Een week later, op oudejaarsavond, kwam hij weer thuis. Ze hadden afgesproken om met vrienden uit te gaan, maar toen Kate zag hoe moe Joe was, zagen ze daarvan af en kropen ze in bed. Om er nu op te staan dat hij zijn smoking aandeed en met haar uitging, nee, dat kon ze hem niet aandoen. Het was niet anders. Joe's reizen en zijn onvermogen om zich aan afspraken te houden, bepaalden hun samenzijn. Hij vloog van hot naar her en soms was hij even thuis. Ze beklaagde zich er zelfs niet meer over, maar op een of andere manier eiste het toch zijn tol.

Ze vierden hun trouwdag, en daarna begon alles weer opnieuw. Hij was het grootste deel van januari weg, de helft van februari, de hele maand maart, drie weken in april en vier in mei. Ze beklaagde zich er herhaaldelijk over, en toen ze het in juni eens rustig narekende, bleek dat ze in al die zes maanden drie weken samen geweest waren. Ze begon zich af te vragen of hij haar ontliep. Dat iemand zoveel van huis moest zijn – onvoorstelbaar vond ze het. Iets van die strekking zei ze ook tegen Joe. Maar hij kon er alleen maar kritiek in beluisteren, kon alleen maar de schuld voelen die onderdeel van zijn wezen was. Ze begon de gestalte van een moeder aan te nemen, een moeder in wier ogen hij tekortschoot. Het leek zo langzamerhand onmogelijk om naast het runnen van zijn zaak ook aan haar behoeften te voldoen. Ze wilde maar niet inzien dat het gewoon de aard van zijn werk was, en dat hij het heerlijk vond om het te doen. Hij moest in Tokio, Hongkong, Madrid, Parijs, Londen, Rome, Milaan en Los Angeles zijn. Zelfs als ze met hem meeging, bleef hij nooit langer dan een paar dagen in een stad. Dat jaar was ze een paar keer met hem meegegaan, maar altijd had ze op haar hotelkamer op hem zitten wachten en daar in haar eentje de maaltijd gebruikt. Ze deed er verstandiger aan als ze thuisbleef bij de kinderen.

Kate probeerde met hem te praten, maar hij kon het niet meer aanhoren. Hij was het spuugzat dat er op zijn schuldgevoel werd gewerkt, én zij had er genoeg van dat hij maar steeds weg was. Ze hield meer dan ooit van hem, maar de afgelopen twee jaar had op beiden een zware wissel getrokken. Haar ongeluk van vorig jaar had een breuk veroorzaakt, en weliswaar waren ze weer naar elkaar toe gegroeid, maar dezelfde vonk was er niet meer. Ze was drieëndertig jaar en leefde met een man die ze nooit zag. Hij was vijfenveertig en stond op het hoogtepunt van zijn carrière. Ze wist dat het nog twintig jaar op deze manier zou gaan, en het zou slechter worden, misschien wel een stuk slechter, voor het beter zou gaan. Hij had nieuwe perspectieven geopend voor de luchtvaart, zorgde voor nieuwe luchtverbindingen en ontwierp nog meer opzienbarende vliegtuigen. Voor haar leek hij steeds minder tijd te hebben. Ze wilde er eigenlijk niet meer over klagen, maar drie weken in zes maanden was te weinig. Dat was geen relatie meer. Hoe goed zijn redenen ook waren, en dat waren ze meestal wel: hij was er gewoon nooit.

'Ik wil bij jou zijn, Joe,' zei ze verdrietig toen hij in juni een paar dagen thuis was. Het was steeds hetzelfde refrein. Ze wilde een compromis bereiken, zodat ze vaker bij elkaar konden zijn, maar Joe had te veel aan zijn hoofd om het met haar te bespreken. Meer dan ooit werd hij door zijn zaak in beslag genomen, en hij vond het prettig. De volgende dag vertrok hij naar Londen. Hij zei haar niet dat hij de rest van het jaar nog meer aan het reizen zou zijn. Beiden leken hun vechtlust kwijt te zijn.

Er viel ook niets te bevechten. De vraag was of ze tevreden waren met wat ze hadden en dat was weinig meer dan de gevoelens die ze al zestien jaar voor elkaar koesterden. Tijd om van elkaar te genieten en om iets op te bouwen was er niet. Hij had zijn pogingen om haar te overreden met hem mee te gaan allang opgegeven. De kinderen waren nog klein en hadden hun moeder nodig, en ze vond het afschuwelijk om ze alleen te laten. Reed was zes en Stephanie was bijna vier. Joe wist dat het nog zo'n vijftien jaar kon duren voor Kate ze los zou kunnen laten. Voor zover hij kon zien, zouden er zich de komende vijftien tot twintig jaar nog heel wat gebeurtenissen voordoen die hen uit elkaar zouden drijven. Hun levens zouden verschillende kanten opgaan, hoeveel ze ook om elkaar gaven.

In juli zocht ze hem op in Californië, en ze nam de kinderen mee. Ze ging met ze naar Disneyland en Joe maakte met hen allen een vliegtochtje in een grandioos nieuw toestel dat hij net had gebouwd. Maar halverwege hun korte vakantie moest hij naar Hongkong voor een spoedkarwei. Vandaar vloog hij rechtstreeks naar Londen en Kate ging met de kinderen naar Cape Cod. Joe meed Cape Cod die zomer. Hij kon zijn schoonmoeder niet meer verdragen. Hij vertelde Kate botweg dat hij niet van plan was er weer heen te gaan. En zij kwamen die zomer eerder dan anders naar huis, omdat haar vader erg ziek was. Het leek wel of Joe aan een stuk door op reis was. Het was al half september toen hun wegen elkaar weer kruisten en hij zowaar thuiskwam om drie weken in New York door te brengen. Maar zodra ze hem zag, wist ze dat er iets veranderd was. Eerst dacht ze dat er een andere vrouw in het spel was, maar na een week besefte ze dat het iets veel ergers was. Joe kon het niet meer aan. Hij kon niet tegelijkertijd aan zijn carrière werken en zich zorgen maken over haar. Ten slotte had hij ervoor gekozen om te ontsnappen. De prijs die hij moest betalen voor zijn liefde voor haar, of voor wie dan ook, was eenvoudig te hoog.

Zijn carrière was in een stroomversnelling geraakt, een stroomversnelling die hem had meegesleurd. De vliegtuigen die hij had gebouwd, hadden de wereld veroverd en de door hem elf jaar geleden opgerichte luchtvaartmaatschappij was de grootste en meest succesvolle in haar soort. Joe had een monster gecreëerd dat hen beiden had verslonden. Hij wist dat het moment gekomen was om te kiezen tussen zijn imperium en Kate. En op het ogenblik dat Kate dat besefte en in zijn ogen keek, voelde ze een ijzige koude. Het ergste was dat ze wist dat hij nog steeds van haar hield, en dat ook al haar gevoelens voor hem nog aanwezig waren, maar hij had zich zover van haar verwijderd dat hij totaal onbereikbaar was geworden. Als hij haar wilde, zou hij een manier moeten vinden om haar met zich mee te nemen. Maar een aantal maanden geleden was hij tot de slotsom gekomen dat dat onmogelijk was. Hoezeer hij ook van haar hield, hij kon het gewoon niet meer opbrengen. Hij had te veel last van zijn schuldgevoel, omdat hij haar steeds verliet, haar zelden zag, steeds maar tekst en uitleg moest geven, zich moest verontschuldigen en er nooit was voor haar kinderen. Om die reden, besefte hij, had hij instinctief nooit zelf kinderen gewild en was hij in feite opgelucht geweest toen ze de tweeling verloor. Hij kon niet alles hebben, had hij ontdekt, en erger nog:

hij kon Kate niet geven waar ze behoefte aan had, of beter gezegd, waar ze recht op had.

De hele zomer had hij erover nagedacht, en nu wist hij het zeker, hoewel zijn hart ineenkromp toen hij haar in New York terugzag. Het antwoord had zo lang op zich laten wachten omdat de vragen zo lastig waren. Als ze hem had gevraagd of hij nog steeds van haar hield, zou zijn antwoord 'ja' geweest zijn. Maar haar moeder had het vanaf het begin bij het rechte eind gehad. En hij ook. Uiteindelijk kwamen zijn vliegtuigen op de eerste plaats. Wat hij van Kate had gewild en wat hij met haar had willen delen was een onmogelijke droom gebleken.

Hij liep er nog dagen mee rond, maar ten slotte zei hij het haar. Het was op de avond voordat hij naar Londen zou vliegen om daar een kleine luchtvaartmaatschappij over te nemen. Ze lagen in bed en toen hij naar Kate keek, wist hij dat hij nooit meer bij haar terug zou kunnen komen. Liever dan het te zeggen, zou hij haar een genadeschot hebben gegeven. Maar alleen al omwille van zijn liefde voor haar, moest hij zichzelf en haar bevrijden, dat wist hij.

'Kate?' Bij het horen van haar naam draaide ze zich naar hem toe. Het was alsof ze al wist wat hij ging zeggen, voor hij gesproken had. Al drie weken lang had ze iets onheilspellends in zijn ogen gezien, en ze had alles gedaan om hem dit keer niet te provoceren. Ze had getracht om zich klein te maken, bij hem uit de buurt te blijven en hem niet boos te maken. Ze hadden in geen maanden ruzie gehad. Maar dit had niets uit te staan met ruzie of met houden van. Het had iets te maken met hemzelf. Hij wilde meer in zijn leven dan hij bereid was om met haar te delen. Hij had niets meer over om te geven. In die zestien jaar dat hij haar had bemind, had hij gegeven wat hij had, of beter gezegd, wat hij geven kon. Wat restte, wilde hij voor zichzelf houden. En hij wilde zich niet langer verontschuldigen, wilde geen verantwoording meer afleggen, wilde niet meer dat hij haar moest troosten. Hij wist hoezeer ze zich in de steek gelaten zou voelen als hij weg was, maar dat kon hem niet langer schelen. Het kostte hem gewoon te veel inspanning om én haar én zijn eigen wensen te verwezenlijken.

Kate keek naar hem en zei geen woord. Ze keek als een hert dat op het punt staat afgeschoten te worden.

Hij haalde adem en dook het diepe in. Er zouden geen betere momenten komen om het haar te zeggen, hoogstens slechtere. Thanksgiving en Kerstmis zouden komen, en allerlei feestdagen die hem koud lieten, of waarvan hij zelfs het bestaan niet wist. Het zou zomer worden en Cape Cod zou weer voor de deur staan. Hij was nu drieënhalf jaar met haar getrouwd en naar nu bleek, was dat het wel. Meer had hij niet te geven. Van het begin af had hij het bij het rechte eind gehad. Hij wilde niet getrouwd zijn. Hij wilde geen kinderen, zelfs niet die van haar, hoeveel hij ook van ze was gaan houden. Maar hij hield van geen van hen genoeg om bij ze te blijven. In zijn leven was alleen plaats voor vliegtuigen, die had hij echt nodig. Dat was makkelijker en veiliger voor hem. Dan kon hij nooit gekwetst worden. Zijn angsten waren sterker dan zijn behoefte aan haar. 'Ik ga bij je weg, Kate,' zei hij, zo zacht dat ze het eerst niet hoorde. Ze staarde hem niet-begrijpend aan. Dagenlang had ze gevoeld dat er wat in de lucht hing, maar ze had gedacht dat het een grote reis of zoiets was, waarover hij haar niet durfde te vertellen. Dit had ze nooit verwacht.

'Wat zei je daarnet?' Even had ze het gevoel dat ze gek werd. Het was alsof de aarde uit zijn baan vloog. Wat ze dacht zojuist gehoord te hebben, kon hij onmogelijk gezegd hebben. Maar dat was wel zo.

'Ik zei dat ik bij je wegging.' Hij keek weg toen hij het zei, en zij staarde naar hem. 'Ik kan dit niet meer, Kate.' Nu keek hij weer naar haar. Hij kromp bijna ineen toen hij de blik in haar ogen zag. Het was dezelfde blik die hij in het ziekenhuis van Connecticut had gezien, toen ze tot de ontdekking kwam dat de baby's dood waren. Zo had ze vermoedelijk ook als kind gekeken, na haar vaders zelfmoord. Uit die blik sprak uiterste verwarring en totale verlatenheid. En hij voelde zich weer gekweld door schuld, omdat hij haar dit aandeed. Maar in plaats van dat het hem nader tot haar bracht, dreef zijn eigen schuldgevoel hen verder uit elkaar.

'Waarom?' was alles wat ze kon zeggen. Ze had het gevoel alsof een scalpel zojuist recht door haar hart was gegaan. Het was alsof hij haar hart compleet verwijderd had en het had laten vallen op de vloer. De emoties werden haar bijna te machtig. 'Waarom vertel je me dit? Is er iemand anders?' Maar zelfs voordat hij haar antwoord gaf, wist ze dat het om iets veel diepers ging, iets wat hij niet wilde hebben en nooit had willen hebben. Hij had nu alles wat zijn hart begeerde, net zoals zij dat had gehad op de dag dat ze hem trouwde. En slechts een van hen zou schatbewaarder worden van het geschenk dat het leven hun gegeven had. Hij wilde het hartsgeschenk niet meer, dat ze hem had gegeven. Zo eenvoudig was dat. Voor hem althans.

'Er is niemand anders, Kate. Maar onze relatie bestaat gewoon niet meer. Je had gelijk. Ik ben de hele tijd weg. De waarheid is, dat ik hier niet aarden kan. En jij kunt niet bij mij zijn.' De zuivere waarheid was dat hij zijn eigen leven wilde leiden. Hij wilde zijn zaak, geen liefde. De prijs die hij voor liefde moest betalen, was te hoog. Dan moest hij zichzelf toestaan om te voelen, en hij wilde niets voelen.

'Is dat het? Als ik met je mee zou gaan, blijf je dan wel met me getrouwd?' De kinderen zouden de helft van de tijd bij Andy kunnen zijn, maalde het door haar hoofd. Ze wilde koste wat kost bij Joe blijven, zelfs al zou ze haar kinderen minder zien. Maar hij schudde langzaam zijn hoofd. Hij moest eerlijk tegen haar zijn. Eerlijkheid: het was het enige dat ze nog hadden. Hij ruilde liefde in tegen eerlijkheid.

'Nee, Kate, daar gaat het niet om. Het gaat om mij, om wie ik zijn wil als volwassen man. Je moeder had gelijk, en eigenlijk heb ik het zelf ook altijd gezegd: de vliegtuigen komen op de eerste plaats. Dat is misschien ook de reden dat ze me zo haat, of wantrouwt, kan ik beter zeggen. Ze heeft altijd geweten hoe ik echt in elkaar steek. Dat heb ik steeds voor ons verborgen, het meest nog voor mijzelf. Ik kan niet degene zijn die je nodig hebt. Je bent jong genoeg om iemand anders te vinden. Ik kan dit niet meer.'

'Dat meen je toch niet echt, hè? Dat ik simpelweg op zoek moet gaan naar iemand anders? Ik hou van je, Joe, al vanaf mijn zeventiende. Het is geen jas die je zo even uittrekt.' Terwijl ze het zei, begon ze te huilen, maar hij nam haar niet in zijn armen.

Dat zou het alleen maar erger maken, was wat hij zo'n beetje dacht.

'Soms moet je de knoop doorhakken, Kate. Soms moet je bij jezelf te rade gaan en je afvragen wat je nu werkelijk wilt en wat je mogelijkheden zijn. Ik ben er niet geschikt voor om met je getrouwd te zijn, met jou niet en met niemand, en ik heb er genoeg van om me daarover schuldig te voelen.' Hij zat naast haar in bed en was er zeker van dat hij nooit meer zou trouwen. Met haar trouwen was een enorme vergissing geweest. Ze was zo liefdevol en zo bereid te geven, en ze wilde zoveel van hem. En het enige dat hij echt wilde was vliegen en het ontwikkelen van vliegtuigen. Het klonk kinderlijk en ongelooflijk egoïstisch als hij het hardop zei. Maar voor hem was het voldoende.

'Het maakt me niet uit hoe vaak je weggaat,' zei ze verzoenend. 'Ik hou me wel bezig met de kinderen. Joe, je kunt ons niet zomaar aan de kant zetten. Ik hou van je... De kinderen houden van je... Het kan me niet schelen hoe weinig we elkaar zien. Ik ben liever met jou getrouwd dan met iemand anders.' Maar hij kon niet hetzelfde zeggen. Hij wilde bovenal zijn vrijheid. De vrijheid om zijn imperium verder uit te bouwen en unieke vliegtuigen te ontwerpen. De vrijheid om niet langer van haar te hoeven houden. Hij had alles gegeven wat hij te geven had. Deze zomer had hij zich gerealiseerd hoe onoprecht zijn liefde het laatste jaar was geweest. Dat wilde hij niet, niet tegenover haar en niet tegenover zichzelf. De brandstof was op. Hij had er het land aan gekregen om haar te bellen, had er het land aan gekregen om daar te zijn, om thuis te komen voor de feestdagen, om zijn verontschuldigingen aan te bieden wanneer hij niet terug kon komen voor dingen die zij belangrijk vond. Hij had haar bijna vier jaar van zijn leven gegeven en voor hem was dat voldoende.

Ze zat overeind in bed en maakte de indruk of ze een shock had. Toen hij klaar was met zijn verhaal, begon ze weer te huilen. Haar hele gevoel zei haar dat ze hem al eerder verloren had, misschien al jaren geleden. Op een dag was hij stilletjes weggegleden en het was niet tot haar doorgedrongen. En nu kwam hij om zijn spullen te pakken en dat was het dan. Haar zou hij achterlaten. Ze wist absoluut niet wat ze met de rest van haar leven moest doen. Doodgaan was maar het beste. Dat ze na haar huwelijk met hem, dat de vervulling van haar diepste wens was, alleen verder zou moeten leven, kon ze zich niet voorstellen, hoe moeilijk ze het ook samen soms hadden gehad. Maar ze wist dat het wel zou moeten. Hij had gekozen voor zijn zaak en het succes, en niet voor de liefde. Het leek haar een armzalige keus.

'Je kunt met de kinderen in mijn flat blijven wonen zolang je wilt. Ik zal de rest van het jaar in Californië doorbrengen.' Afgelopen morgen had hij Hazel gevraagd of ze tot het einde van het jaar in Los Angeles zou willen zitten. Ze had kleinkinderen in New York, maar het leek haar leuk om het te doen. Ze had er geen idee van dat hij van plan was om Kate definitief te verlaten.

Kate keek verbijsterd. 'En dat heb je allemaal al besloten? Wanneer dan?'

'Waarschijnlijk al een hele tijd geleden. Volgens mij deze zomer. Toen ik weer terugkwam in New York, vond ik dat de tijd gekomen was om het je te zeggen. Het is zinloos om op deze weg door te gaan. Als je het goed beschouwt, ben ik al heel lang weg.'

Wat was er gebeurd? Wat had ze gedaan? In wat voor opzicht was ze tekortgeschoten? Ze kon hem onmogelijk iets vreselijks hebben aangedaan. Dat had ze ook niet gedaan, behalve dan door met hem te trouwen. Het was het enige dat hij niet wilde, hoewel hij had gedacht dat dat wel zo was. Maar dat was een misvatting geweest. Hij vond haar fascinerend, intrigerend, opwindend, maar daar hield het mee op. Hij werd door haar aangetrokken als een nachtvlinder tot een vlam, maar hij verkoos het luchtruim boven haar warmte, en was weggevlogen. Ze lag naast hem en huilde de hele nacht. Ze keek naar hem terwijl hij sliep en streelde zijn haar. Bij ieder ander zou ze gedacht hebben dat hij ze niet allemaal op een rijtje had. Maar er was iets kouds en heel berekenends in wat hij had gezegd. Het was de enige manier die hij kende om zichzelf te redden. Het deed haar denken aan hun breuk in New Jersey, jaren geleden. Omdat hij niet wist wat hij anders moest doen, sloot hij zich emotioneel af en ging ervandoor. Zij werd aan de kant ge-schoven en kon gaan, begreep ze. Hij wilde haar niet meer. Het was het wreedste wat haar ooit was aangedaan. In sommige opzichten zelfs wreder dan haar vaders zelfmoord. In Kates ogen waren de redenen die Joe aanvoerde voor zijn vertrek niet plausibel, maar voor hem waren ze dat natuurlijk wel. Het eni-ge dat hij wist te doen, was haar uit zijn hart wegsnijden, hoe pijnlijk dat ook was voor hem, en voor haar.

De hele nacht lag ze wakker. Bij het aanbreken van de dag stond ze op, bette haar gezicht en ging terug naar bed. Hij lag vlak bij haar, zoals altijd wanneer hij wakker werd. Maar dit keer zei hij niets. Hij draaide zich gewoon om en stapte uit bed.

Toen Joe de flat verliet om naar Londen te vliegen, nam hij heel voorzichtig afscheid van haar. Hij wilde haar geen valse hoop geven. Hij ging voor altijd bij haar weg en ze wist het, voelde tot in het diepst van haar ziel.

'Ik hou van je, Joe,' zei ze. Even zag hij weer het meisje dat hij eens had ontmoet. Het meisje in de lichtblauwe satijnen avond-japon, met haar kastanjebruine haar. Hij herinnerde zich haar ogen van toen, en diezelfde ogen zag hij nu. Ze waren in die zestien jaar nauwelijks veranderd. Maar als hij in die ogen keek, zag hij een grenzeloos leed. 'Ik zal altijd van je blijven houden,' fluisterde ze. Ze besefte dat ze hem nu voor het laatst zag. Nooit zou het weer hetzelfde worden. Gedurende heel zijn verblijf hier in New York had hij doelbewust niet met haar geslapen. Hij had haar niet willen misleiden en wilde dat ook nu niet. Zij moest haar eigen leven leiden, zodat hij het zijne terugwon.

'Pas goed op jezelf,' zei hij zachtjes, terwijl hij haar nog een-maal lang aankeek. Het was moeilijk om afscheid van haar te nemen. Op zijn manier had hij zo goed hij kon van haar ge-houden. Het was niet de wijze waarop zij hem had liefgehad. Toch zou het voor haar genoeg geweest zijn, alleen was het niet genoeg voor hem. Het merkwaardige was dat hij niet meer maar minder wilde. 'Weet je, ik had gelijk,' zei hij, terwijl ze naar hem opkeek en het gezicht dat ze zo liefhad in haar geheugen grifte: zijn ogen, zijn jukbeenderen en de kin met het kuiltje. 'Het was een onmogelijke droom. Iets anders is het nooit ge-weest.'

Kates blauwe ogen schoten vuur. 'Dat had het niet hoeven zijn,' zei ze. Zelfs nu, in al haar wanhoop, was ze mooier dan hij wilde zien. Mooier dan hij wenste dat ze zou zijn. 'Het is nog steeds mogelijk, Joe. We kunnen het allemaal hebben.' Wat ze zei was waar, wist hij, maar hij wilde het niet langer. Hij zei tegen zichzelf dat hij wel zonder haar kon.

'Ik wil het niet, Kate,' zei hij hardvochtig, maar hij wilde dat ze begreep dat hij haar geen pijn meer kon doen. Hij kon het schuldgevoel, of liever gezegd, de pijn, niet meer verdragen.

Zonder nog een woord te zeggen zag ze hoe hij de flat verliet en de deur achter zich sloot.

23

Nadat hij Kate had verlaten, bracht Joe zes maanden in Californië door. Daarna vertrok hij voor vijf maanden naar Londen. Hij bood haar een zeer royale regeling aan, die ze beleefd afwees. Ze had haar eigen geld en wilde niets van hem aannemen. Het enige dat ze zestien jaar lang had gewild, was zijn vrouw zijn. Vier jaar lang was ze dat geweest. Meer had Joe Allbright niet te geven, althans dat geloofde hij toen hij vertrok.

Kate had hem zoveel pijn gedaan en hem belast met zulke hevige schuldgevoelens, dat hij alleen nog maar wilde vluchten. Bovenal had hij haar gewild. Hij had haar meer liefgehad dan hij ooit had durven liefhebben, had haar meer gegeven dan waartoe hij zichzelf in staat achtte. Ondanks dat was het niet genoeg voor haar geweest. Hij had het gevoel dat ze tijdens hun jarenlange huwelijk alsmaar meer van hem had gewild. Dat had hem angst aangejaagd. Het had al zijn oude wonden opengereten. Iedere keer dat hij naar Kate luisterde, hoorde hij zijn tante zeggen hoe slecht hij wel niet was en hoe hij haar teleurstelde. Telkens wanneer hij thuiskwam hoefde hij alleen maar naar Kate te kijken, of hij werd eraan herinnerd hoe van nul en generlei waarde hij zich als kind had gevoeld, en dat bevestigde zijn geloof dat hij als mens en man mislukt was. Zijn hele leven was hij al op de vlucht voor dit spookbeeld. Zelfs het enorme imperium dat hij had opgebouwd kon hem er niet tegen beschermen. De pijn die hij in Kates ogen zag, voerde hem direct terug naar de zwartste episode van zijn leven: zijn jeugd. Die blik riep weer alle oude schuldgevoelens op. Uiteindelijk was het makkelijker voor hem om alleen te zijn, dan door haar gekweld te worden, of haar pijn te doen. Iedere keer dat hij wist dat hij haar kwetste of teleurstelde, was het een hel voor hem. Maar hij had ook een zelfzuchtige kant. Hij had slechts oog voor zijn eigen wensen en behoeften.

Kate had er maanden voor nodig om te begrijpen wat er met hen was gebeurd. Het verzoek tot scheiding was ondertussen ingediend, en ze leefden nu bijna een jaar hun eigen leven. Hij had haar tot nu toe niet willen zien. Wel belde hij zo nu en dan om te horen hoe het met haar en de kinderen ging. Maandenlang had Kate verdwaasd door het huis gedoold dat ze hadden gehuurd. Het moeilijkste was om weer te leren leven zonder hem. Het was als leren leven zonder lucht.

Ze dacht voortdurend over het gebeurde na en probeerde te begrijpen welk aandeel zij daarin had gehad. Na verloop van tijd begon het haar te dagen en maakte haar wanhoop plaats voor inzicht. Ze begon nu te begrijpen hoe haar pogingen om dichter bij hem te komen en meer van zijn tijd te bemachtigen, hem in paniek hadden gebracht. Zonder het te willen had ze hem angst aangejaagd. Omdat hij geen andere manier kon bedenken om met haar om te gaan, of, beter gezegd, de dodelijke dans te beëindigen, vluchtte hij. Hij had het haar niet willen aandoen, maar hij wist dat hij haar, en zichzelf, meer pijn zou doen als hij bleef.

In het begin was er slechts de lege plek die hij had achtergelaten. Haar paniek nam met de dag toe. Haar gedachten gingen terug naar de tijd dat ze haar vader had verloren. En in de lente kreeg ze opnieuw een tegenslag te verwerken: Clarke overleed. Net als ze jaren geleden had gedaan, trok Kates moeder zich terug in haar eigen wereld en verdween ze bijna. Iedere nacht viel Kate huilend in slaap. Haar eenzaamheid was levensgroot. Maar naarmate de maanden verstreken, hervond ze langzaam haar evenwicht.

Joe had haar aangeraden om haast te maken met de scheiding en naar Reno te gaan, maar in plaats daarvan had ze het verzoek in New York ingediend. Ze wist dat het dan langer zou duren. Nog eenmaal had ze zich aan hem vastgeklampt. Haar huwelijk hing aan een, snel rafelend, zijden draadje. In feite was zijn naam het enige dat haar restte.

Het was moeilijk te zeggen wanneer de verandering zich in haar voltrok, maar in ieder geval niet van het ene op het andere moment. Het proces van bewustwording verliep geleidelijk. Het was een moeizame, steile, bochtige bergweg naar groei en volwassenheid. Terwijl ze dag in dag uit de berg beklom, werd ze sterk. De dingen die haar eens zo vreselijk angstig hadden gemaakt, schenen haar nu minder dreigend toe. Ze had zoveel verloren van wat haar het dierbaarst was, dat ze ten slotte het monster dat verlating heette, moedig tegemoet trad en versloeg. Van al haar angsten was de angst hem te verliezen wel de ergste. En ze hád hem verloren. Maar ze leefde nog.

Lang voordat Kate zelf zich er bewust van was, hadden de kinderen al in de gaten dat hun moeder veranderd was. Ze lachte vaker en barstte minder snel in tranen uit. Ze maakte zowaar een reisje naar Parijs met hen. Toen ze weer thuis was, belde Joe om te informeren hoe het met hen ging, en hij merkte dat er iets in haar stem was veranderd. Het was vluchtig en ondefinieerbaar, en hij zou het moeilijk vinden om uit te leggen wat het was. Maar Kate klonk niet langer angstig en wanhopig over het alleen-zijn. In Parijs had ze eindeloze wandelingen gemaakt over de boulevards en door achterafstraatjes, en nagedacht over hem. Ze had hem inmiddels bijna een jaar niet gezien. Hij had haar gemeden en was vastbesloten om haar nooit meer te zien, hoewel hij opnieuw verhuisd was naar een flat in New York.

'Zo te horen ben je gelukkig, Kate,' zei Joe kalm. Onwillekeurig vroeg hij zich af of er een man in het spel was. Hij gunde het haar, maar tegelijkertijd hoopte hij dat het niet zo was. Hijzelf was alle beschikbare vrouwen die hij het afgelopen jaar had ontmoet uit de weg gegaan. Hij wilde met niemand opgezadeld zitten. Misschien zou er ooit weer een moment komen, zei hij tegen zichzelf. Maar hij had Kate, en de warmte die ze in zijn leven bracht, al maandenlang gemist. Wat hem weerhield om bij haar te zijn, was de prijs die hij voor zijn liefde moest betalen. Die was hem te hoog. Hij was er zeker van dat zijn vleugels weer zouden verschroeien als hij toenadering zocht, of haar zelfs maar zou zien.

'Ik denk dat ik gelukkig ben,' zei Kate lachend. 'God mag weten waarom. Mijn moeder maakt me gek, zo eenzaam is ze zonder Clarke. Stephie heeft vorige week bijna al haar haar afgeknipt. En Reed is twee voortanden kwijtgeraakt toen hij met een vriendje honkbal speelde.'

'Alles dik in orde dus,' lachte Joe. Hij was vergeten hoe het was om met hen te leven. Maar tegelijkertijd ook weer niet. Net zoals Kate iedere morgen, herinnerde ook hij zich maar al te goed hoe het voelde om naast iemand wakker te worden. Hij had al een heel jaar geen vrouw meer aangeraakt. Kate ging nu zo af en toe weer dineren met een man, maar ze had niet de animo om verder te gaan dan dat. Zonder uitzondering vielen ze bij Joe in het niet. Ze kon het zich niet voorstellen om met iemand anders te zijn. Als ze 's avonds thuiskwam, was ze opgelucht dat ze het bed voor zich alleen had. Inderdaad leek het haar niet langer bedreigend om alleen te zijn. Het was een gerieflijke manier van leven geworden: ze had haar kinderen en haar vrienden. Ze was de confrontatie met haar verlies aangegaan en had het overleefd. En langzaam kwam ze tot het besef dat niets haar ooit weer in die mate angst zou inboezemen. Ze zag het allemaal zoveel duidelijker nu. Ze zag hoe beangstigend het huwelijk voor hem was geweest. Ze wilde hem vertellen hoe het haar speet. Maar uit alles wat hij tegen haar had gezegd, proefde ze dat het toch geen verschil zou uitmaken. Daar was het nu te laat voor.

Een maand later, op een dag dat ze rustig zat te schrijven in het dagboek dat ze bijhield, belde Joe over een of ander detail met betrekking tot de scheiding. Ze had zijn geld steeds geweigerd. Clarke had haar zijn halve fortuin nagelaten, en ze had nooit ook maar iets van Joe willen aannemen. Hij had zijn advocaat verzocht haar enkele documenten te sturen. Het ging om onroerend goed dat hij net had verkocht. Hij wilde dat ze een akte van afstand tekende. Ze ging akkoord. Toen was er een moment dat haar stem wat vreemd klonk door de telefoon.

'Zie ik je nog eens?' vroeg ze terneergeslagen. Ze miste hem nog steeds. Ze wilde hem zien en aanraken. Ze wilde zijn geur opsnuiven, zijn aanwezigheid voelen. Maar ze accepteerde nu dat hij nooit meer deel zou uitmaken van haar leven. Ze wist dat ze er niet van doodging, maar het voelde nog steeds alsof er een wezenlijk deel van haar ontbrak, zoals een been, of een arm, of haar hart. Ze was er echter helemaal op voorbereid om zonder hem verder te gaan. Ze had geen andere keus en ze had zich er eindelijk mee verzoend.

'Geloof jij dat we elkaar moeten zien, Kate?' vroeg hij aarzelend. Al langer dan een jaar beschouwde hij haar als een potentieel gevaar. Niet dat ze enig kwaad in de zin had, maar hij was bang dat hij weer verliefd op haar zou worden, en dat de dodelijke dans van voren af aan zou beginnen. Het was een risico dat hij niet langer bereid was te nemen. Hij was zich veel te bewust van haar charmes. 'Het is vermoedelijk niet zo'n goed idee,' zei hij rustig, nog voor ze antwoord kon geven.

'Waarschijnlijk niet,' beaamde ze. Nu klonk ze eens een keer niet terneergeslagen of angstig. Er was geen vertwijfeling in haar stem, of het soort subtiele verwijt dat hem een schuldgevoel bezorgde. Ze klonk vreedzaam, verstandig en kalm. Ze kwam met hem te spreken over een nieuwe subdivisie die hij had opgezet en een nieuw vliegtuig dat hij ontworpen had. Nadat hij had opgehangen, voelde hij iets knagen. Zo had ze nog nooit geklonken. Ze klonk plotseling volwassen. Hij realiseerde zich dat ze, zelfs meer dan hijzelf, geestelijk was gegroeid. Eindelijk was ze onafhankelijk geworden. En doordat ze hem verloren had, had ze vrede gevonden. Ze was haar diepste vrees moedig tegemoetgetreden, had de monsters recht in de ogen gekeken, en was er op de een of andere manier in geslaagd om niet alleen in harmonie met zichzelf te komen, maar ook met hem. Ze wist dat er geen kans was dat hij ooit terug zou komen. Ze had haar droom opgegeven.

Tot diep in de nacht lag Joe wakker, terwijl hij over haar nadacht, en de volgende morgen zei hij tegen zichzelf dat het wel erg onvriendelijk van hem was geweest dat hij op zijn minst de kinderen niet had opgezocht. Zij konden er toch niets aan doen dat zijn huwelijk met hun moeder was gestrand? Toen besefte hij plotseling, dat ze het hem nooit verweten had. Ze had hem het afgelopen jaar niets misgund, had hem niets gevraagd. Ze was in de afgrond gevallen waar ze altijd bang voor was geweest, en in plaats van als een molensteen om zijn nek te hangen om maar te overleven, had ze hem losgelaten. Die gedachte stelde hem voor raadsels. Het enige dat hij zichzelf kon vragen, terwijl hij die dag naar zijn werk ging, was: waarom?

Onwillekeurig vroeg hij zich af of het kwam omdat ze zich aan een andere man vastklampte. Dat moest haast wel. Hij had zich altijd ingekapseld gevoeld door haar behoeften. Maar in de namiddag belde hij haar opnieuw. Hetzelfde document lag nog steeds op zijn bureau. De vorige dag had hij het aan zijn secretaresse willen geven, zodat ze het aan Kate kon sturen, maar hij was het vergeten.

Kate nam de telefoon op toen hij belde. Hij voelde zich steeds wat onrustig als hij belde. Hij wist dat er vandaag of morgen door een man opgenomen zou worden. Maar Kate klonk verstrooid en ontspannen toen ze de telefoon oppakte.

'Hé... Dag, Joe... sorry, hoor... Ik zat net in bad.' Haar woorden riepen dadelijk beelden op die hij maandenlang had onderdrukt. Die gedachten wilde hij niet meer. Het had geen zin. Voor Joe was Kate verleden tijd. Zo had het moeten zijn. Een andere keus was er niet geweest, voor beiden niet. Hij wist dat hij een juist besluit had genomen. Hij had zichzelf gered. Als hij het niet had gedaan, zou ze zijn leven verwoest hebben, zou ze hem gek hebben gemaakt. De verwijten en grieven die ze hem voortdurend naar het hoofd geslingerd had, waren voor Joe erger geweest dan kogels en messen. Hij wist dat die verwijten en grieven ten slotte zijn persoonlijkheid zouden hebben uitgehold. Maar ze klonk zo onschuldig. Het viel moeilijk te geloven dat ze weinig meer dan een jaar geleden zo'n enorme bedreiging had gevormd. Zijn herinnering aan de pijn en schuld die hij had gevoeld, was eindelijk aan het vervagen.

'Ik had je gisteren dat document willen sturen voor je handtekening, maar ik ben het vergeten,' zei hij op verontschuldigende toon. Hij vroeg zich af of ze een handdoek om zich heen geslagen had, of een kamerjas droeg. Misschien stond ze wel naakt te bellen. Hij probeerde er niet aan te denken en staarde uit het raam, maar het enige dat hij kon zien, terwijl hij belde, was het beeld van Kate. 'Ik kom het wel even brengen.' Hij had het door een koerier kunnen laten bezorgen, of per post. Beiden wisten dat. Maar Kate klonk alsof ze het de gewoonste zaak van de wereld vond. Ze glimlachte aan haar kant van de lijn.

'Kom je ook boven, als je het brengt?' Er viel een lange, intense stilte, waarin Joe over het voorstel nadacht, en over haar.

Zijn instinct zei hem de hoorn op de haak te gooien en te vluchten, alleen zo kon hij al haar charmes weerstaan, charmes die altijd op de achtergrond aanwezig waren, charmes die hij zolang had gemist. Hij wilde niet dat ze opnieuw in zijn leven kwam, maar toch was ze dat nog steeds. Hij was nog steeds met haar getrouwd en zij was zijn vrouw.

'Ik... eh... Is dat wel verstandig? Om elkaar te zien, bedoel ik.' Een stemmetje fluisterde hem in dat hij moest vluchten.

'Ik zou niet weten waarom niet. Ik kan het wel aan, denk ik. En jij?' Ze had eigenlijk ook kunnen zeggen. 'Ik ben over het verlies heen.' Wat Joe helemaal niet wist, was dat ze er niet overheen was, en dat ze dacht dat dat ook nooit zo zou zijn. Het had echter geen zin om het hem te zeggen. 'Ik denk dat het wel kan,' zei hij. Hij klonk weer afstandelijk. Maar het scheen Kate niet te storen. Hij maakte haar niet langer bang. Hij kon haar niet verlaten, dat had hij al gedaan. De ergste dingen die Kate konden overkomen, waren haar overkomen. Al die dingen waar ze altijd nachtmerries van had gehad. Ze had het overleefd.

Nog belangrijker was dat Kate, zelfs al waren ze niet meer bij elkaar, ten slotte had begrepen wie Joe was. Zelfs als ze hem nooit meer zag, wist ze dat ze altijd van hem zou blijven houden. Daar twijfelde ze niet aan. Hij zou de standaard zijn tegen wie ze andere mannen zou afmeten. Hij was haar superman, de enige man van wie ze ooit met hart en ziel gehouden had, maar ook de man die ze niet krijgen kon. Dat besef en het feit dat het gedeeltelijk haar eigen schuld was geweest dat ze hem was kwijtgeraakt, had het moeilijk gemaakt om het te verwerken, maar desondanks was het haar gelukt. Ze had het nu geaccepteerd. En het had haar niet gebroken. Nee, ze was er sterker uit te voorschijn gekomen. Zo had hij haar nog nooit horen klinken. Zelfs door de telefoon merkte hij dat er iets in haar veranderd was. Ze klonk niet langer als de echtgenote die hij verlaten had, maar meer als een dierbare oude vriend. In maanden had hij niet zo naar haar verlangd.

'Wanneer kom je?' vroeg Kate hartelijk.

'Wanneer komen de kinderen thuis?' vroeg hij. Hij had zich in maanden niet zo eenzaam gevoeld. Opeens was het Joe die de volle draagwijdte van het verlies voelde. Hij had er geen benul van waarom. Waarom juist nu? Tot nu toe had hij zichzelf zo goed in de hand gehad...

'Stephie en Reed zijn deze week bij Andy,' zei Kate verontschuldigend. 'Zullen we afspreken dat we elkaar niet bekogelen met serviesgoed? Dan kun je misschien nog eens langskomen om hen te zien.' Hij kon een lach in haar stem horen.

'Dat zou ik fijn vinden,' zei hij gelukkig. Hij voelde zich opeens jong en zorgeloos. Vervolgens herinnerde hij zichzelf er meteen aan hoe gevaarlijk ze was. Even overwoog hij om haar de papieren toch maar per koerier te zenden. Maar Kate bleef rustig klinken. Ze was ook rustig.

'Wat vind je van vijf?' vroeg ze.

'Vijf?' Hij raakte in paniek. Hij was bang haar weer te ontmoeten. Stel je voor dat ze hém de schuld gaf van alles wat er fout was gegaan. Dat ze hem vertelde wat voor schoft hij was geweest. Dat ze hem ervan beschuldigde dat hij haar verlaten had. Maar in Kates stem viel niets te beluisteren dat in die richting wees. Ze lachte.

'Vijf uur, suffie. Je klinkt een beetje afwezig. Is alles in orde met je?'

'Ik voel me uitstekend. Vijf uur lijkt me een prima tijd. Het wordt wel een kort bezoekje, hoor.'

'Ik laat de deur wel open,' plaagde ze, 'je hoeft zelfs niet te gaan zitten.' Ze wist dat hij angst voelde, maar ze wist niet waarom. Het kwam nooit bij haar op dat het idee dat hij haar zou zien hem nerveus zou kunnen maken. Ze hield hoe dan ook van hem. Zijn kwetsbaarheid en angst verhoogden zijn aantrekkingskracht alleen maar. Ze had zoveel geleerd. Het enige dat ze betreurde, was dat ze dat alles niet met hem kon delen. Ze wist dat ze die kans nooit zou krijgen, en betwijfelde het of ze hem na die middag ooit weer zou zien. Als de akte van afstand eenmaal was getekend, had hij geen enkele reden om haar nog een keer op te zoeken.

'Dan zien we elkaar om vijf uur,' zei hij zakelijk. Kate glimlachte toen ze ophing. Ze wist dat het belachelijk was om van een man te blijven houden die wilde scheiden. Dat was niet verstandig, maar niets in hun leven was ooit verstandig geweest.

Nu ze vierendertig was en eindelijk volwassen, verdroot het haar om te beseffen dat de vrouw die in het huwelijksbootje was gestapt, een angstig meisje was geweest. Het had beiden onrecht gedaan. Ze had gewild dat hij alle pijn goedmaakte die ze als klein meisje had gehad, maar hij was helemaal niet in staat om dat te doen; en zij was helemaal niet in staat om zijn wonden te verzachten, zolang ze zelf zo'n verdriet had. Ze waren twee verschrikte kinderen in het donker geweest, en het enige dat Joe had weten te doen, was vluchten.

Om precies vijf uur was Joe er met de documenten. In het begin scheen hij zich niet op zijn gemak te voelen, maar dat deed haar alleen maar aan hun eerste ontmoeting denken. Ze bleef op veilige afstand van hem en deed geen poging om naderbij te komen. Ze gingen zitten en ze praatten over de kinderen, over zijn werk en over een nieuw vliegtuig dat hij wilde ontwerpen. Het was een oude droom van hem. Al háár dromen betroffen hem. Daar zat hij. In het begin was hij een beetje afstandelijk, maar zoetjesaan ontdooide hij. Ze was verbaasd te merken hoe gemakkelijk het was om van hem te houden zoals hij was. Na een klein uur bood ze hem een drankje aan, en hij glimlachte. Alleen al zijn aanwezigheid ontroerde haar. Ze zou zo graag haar armen om hem heen slaan, zou hem zo graag willen zeggen dat ze altijd van hem zou blijven houden, maar ze durfde niet. Ze zat tegenover hem, een eindje van hem vandaan, en bewonderde hem en hield van hem, alsof hij een prachtige vogel was die ze wel kon zien, maar nooit kon aanraken. Als ze hem zou aanraken, was de vogel gevlogen, wist ze. Hij had haar meer dan eens die kans gegeven, en ze had hem pijn gedaan. Ze wist dat die kans zich nooit meer zou voordoen. Het enige dat erop zat, was dat ze hem in stilte beminde en hem alle goeds wenste. Dat was genoeg, en dat was alles wat ze nog kon geven. Iets anders zou Joe nooit meer van haar aannemen.

Het liep tegen achten toen Joe vertrok. Ze tekende de papieren voor hem, en ze was verbaasd toen hij de volgende dag weer belde. Hij klonk weer verlegen, maar dit keer ontspande hij zich sneller. Vervolgens struikelde hij bijna over zijn woorden toen hij haar voor de lunch uitnodigde. Ze was zeer verwonderd. Kate had er geen flauw idee van, maar ze had hem de hele nacht achtervolgd. Ze was weer degene van wie hij altijd gehouden had, en ze had hem geen schrik aangejaagd. Hij was er niet zeker van of haar pas verworven onafhankelijkheid een truc was, of iets dat hij graag in haar wilde zien. Maar hij nam een fundamentele verandering bij haar waar. Wat ze uitstraalde had niets meer te maken met hunkering, schuld, pijn of behoefte, maar alles met warmte. Het was de uitstraling van een vrouw die in harmonie was met hem en met zichzelf. Hij herinnerde zich nu weer wat hij in haar liefhad en vroeg zich af of ze vrienden zouden kunnen zijn.

'Lunch?' Ze klonk stomverbaasd. Maar nadat ze een tijdje hadden gepraat, vond ook zij dat het moest kunnen. Ze was alleen een beetje bang dat ze weer tot over haar oren verliefd op hem zou worden, maar ja, verliefd was ze toch al. Ze had niets te verliezen. Het enige risico dat ze liep, was dat ze nog meer pijn zou voelen. Maar Kate vertrouwde hem nu meer dan ze vroeger had gedaan, en ze realiseerde zich dat het kwam omdat ze zichzelf vertrouwde. Ze was nu opgewassen tegen alles wat het leven zou brengen. Dat was ook nieuw, en Joe bespeurde het. Twee dagen na zijn telefoontje lunchten ze in het Plaza Hotel. Het weekend daarop maakten ze een wandeling in het park. Ze spraken over de puinhoop die ze van hun relatie hadden gemaakt, en over hoe mooi het had kunnen zijn. Eindelijk had ze de kans om hem haar verontschuldigingen aan te bieden. Dat had ze al maanden willen doen. Ze greep de gelegenheid dankbaar aan om hem te zeggen hoezeer ze het betreurde dat ze hem pijn had gedaan. Zelf had ze bijna evenveel pijn gevoeld toen ze besefte hoeveel angst en leed ze hem had bezorgd. Het afgelopen jaar had ze zichzelf wel duizendmaal gekapitteld over het feit dat ze zo weinig van hem had begrepen. En ten slotte was ze begonnen zichzelf te vergeven voor haar domheid, en Joe voor de zijne.

'Ik weet het. O, wat was ik stom, Joe. Ik begreep het niet. Ik bleef maar aan je trekken, en hoe harder ik trok, des te harder wilde je wegrennen. Ik weet niet waarom ik dat toen niet zag. Het heeft me veel tijd gekost om erachter te komen. Ik wou dat ik slimmer was geweest.' Het was een wonder dat hij nog zo lang bij haar was gebleven, als je je realiseerde hoe angstig en ingekapseld hij zich had gevoeld.

'Ik heb ook een aantal fouten gemaakt,' zei hij eerlijk. 'En ik hield van je.' Kate voelde een rilling over haar rug bij het horen van de verleden tijd. Maar het was niet unfair. Ze wist dat het in zekere zin niet helemaal normaal was dat ze nog steeds van hem hield en dacht dat ze altijd van hem zou kunnen blijven houden. Na alles wat gebeurd was, verdiende ze geen tweede kans, vond ze.

Na de wandeling gingen ze terug naar haar huis, en voor de eerste keer sinds zijn vertrek zag hij Stephie en Reed. De kinderen gilden het uit van vreugde zodra ze hem zagen. Het was een gelukkige middag. Na zijn vertrek zat ze nog lang voor zich uit te peinzen. Ze wilde graag geloven dat zij en Joe vrienden konden zijn. Recht op meer had ze niet. Ze zei tegen zichzelf dat het voldoende was. Op de terugweg naar huis probeerde hij zich van hetzelfde te overtuigen. Het had zo moeten zijn. Hij wist dat ze het niet opnieuw konden proberen. Het was nog steeds te gevaarlijk en het zou hem pijn kunnen doen. Dat zou altijd zo blijven.

Gedurende de twee maanden die volgden werd hun vriendschap voortgezet. Zo af en toe gingen ze 's avonds uit eten, en op zaterdag lunchten ze. Op zondagavonden kookte ze voor hem en de kinderen. En wanneer hij op reis ging, dacht ze aan hem, maar het was niet langer het drama van vroeger. In feite was het helemaal geen drama meer. Ze wist niet meer precies wat ze nou eigenlijk deelden, maar wat het ook was, ze verborgen het twee maanden lang onder het masker van vriendschap. Dat was gemakkelijker voor ze.

Op een regenachtige zaterdagmiddag kwam Joe onverwacht langs om haar een boek te lenen waar ze het een week eerder over hadden gehad. De kinderen waren bij Andy in Connecticut. Kate bedankte hem en bood hem een kop thee aan. Het was niet het enige dat hij van haar wilde, maar hij had geen idee hoe hij de kloof tussen vriendschap en iets nieuws moest overbruggen. Beiden wisten dat ze niet meer terug naar vroeger konden. Als ze dan al iets wilden wagen, zou het op een andere grondslag moeten zijn. Joe wist absoluut niet meer hoe hij het verder aan moest leggen.

Uiteindelijk ging het allemaal verbazingwekkend natuurlijk in zijn werk. Ze had net de thee ingeschonken, en toen ze opkeek, stond Joe vlak naast haar. Hij zei niets, en nadat ze de theepot had neergezet, trok hij haar teder naar zich toe.

'Zou je het raar vinden, Kate, als ik zei dat ik nog steeds van je hou?' Ze hield haar adem in toen ze die woorden hoorde.

'Behoorlijk,' zei ze, terwijl ze zich tegen hem aandrukte. Ze probeerde niet te denken aan de dingen die ze niet langer deelden, niet te denken aan de aspecten van hem die ze niet langer zou kunnen zien. 'Ik ben heel lelijk tegen je geweest,' zei ze berouwvol.

'Ik ben een dwaas geweest en heb me als een kind gedragen. Ik was bang, Kate.'

'Ik ook,' gaf ze fluisterend toe, terwijl ze haar armen om hem heen sloeg. 'Waren we maar niet zo dom geweest. Had ik toen maar geweten, wat ik nu weet. Ik heb altijd van je gehouden,' zei ze zacht. In een jaar had ze zich niet zo vertrouwelijk met hem gevoeld.

'Ik heb ook altijd van jou gehouden.' Hij hield haar dicht tegen zich aan en voelde haar zijdezachte haar tegen zijn wangen. 'Ik wist gewoon niet hoe ik ermee om moest gaan. Ik voelde me constant zo schuldig en dan wilde ik ervandoor.' Hij zweeg even en ging toen verder. 'Denk je echt dat we er iets van hebben geleerd, Kate?' Maar beiden wisten het. Hij kon het aan haar zien en voelde het bij zichzelf. Ze waren niet meer bang.

'Ik hou van je, gewoon zoals je bent, en zo ben je fantastisch,' zei ze met een glimlach, 'of je nu hier bent of niet. Je afwezigheid maakt me niet meer bang. Ik wou dat ik het anders had gedaan,' zei Kate, opeens verdrietig.

Joe zei het met kussen in plaats van met woorden. Vermoedelijk voor de eerste keer sinds ze elkaar hadden ontmoet, voelde hij zich veilig bij haar. Hij had altijd van haar gehouden, maar hij had zich nooit veilig bij haar gevoeld, in ieder geval niet op deze manier. Ze stonden in de keuken, en nadat ze elkaar lange tijd hadden gekust, sloeg hij zonder een woord te zeggen zijn arm om haar heen. Samen liepen ze naar haar slaapkamer. Toen keek hij naar haar en aarzelde. Het kussen riep zoveel herinneringen op.

'Wat doe ik hier eigenlijk?... We lijken wel gek, alle twee... Ik weet niet of ik het overleef als we er weer een puinhoop van maken... Maar het is gek, ik heb het gevoel... dat het deze keer goed gaat,' zei Joe.

'Ik had nooit gedacht dat je me weer zou vertrouwen.' Kate keek naar hem. Haar ogen waren geweldig groot.

'Ikzelf ook niet,' zei hij, en kuste haar opnieuw. Maar hij vertrouwde haar nu. Ze kende hem nu beter dan tijdens hun huwelijk. Eindelijk was hij veilig bij haar, en zij bij hem. En beiden wisten het. Ze waren altijd van elkaar blijven houden. De enige gedachte die hen deed schrikken, was dat het zo weinig had gescheeld of ze waren elkaar kwijtgeraakt. Ze waren langs de rand van de afgrond gegaan. De Voorzienigheid was hun welgezind geweest.

Hij bracht het weekend met haar door, en toen de kinderen thuiskwamen, waren ze blij hem daar te zien. Voor de rest ging alles weer zijn gewone gang, alsof hij nooit was weggeweest. Hij had hun flat in New York maanden geleden verkocht, en voor een poosje trok hij bij haar in, tot ze ten slotte samen een huis kochten en daarheen verhuisden. Weer maakte hij reizen, en weer duurden die soms weken. Maar Kate vond het niet erg. Ze belden met elkaar en ze was gelukkig, precies zoals ze had gedacht. En hij was ook gelukkig. Deze keer pakte het goed uit. Ze hadden het gevoel dat er een wonder was geschied. Hadden ze ruzie, dan waren dat stevige ruzies, maar net als een fikse onweersbui verfristen die de atmosfeer. Naderhand waren ze snel vergeten. Joe en Kate waren gelukkig samen, gelukkiger dan ze ooit waren geweest. Zodra Joe weer bij haar terug was, hadden ze het verzoek tot scheiding simpelweg ingetrokken.

Na de periode die ze ieder voor zich doorgebracht hadden, waren ze nog bijna zeventien jaar samen geweest en hadden een mooi leven gehad. Hun beslissing om elkaar vertrouwen te schenken en het nog één keer te proberen, was dus juist gebleken.

Toen de kinderen de deur uit waren, hadden ze meer tijd voor zichzelf. Kate reisde met hem mee, hoewel ze zich thuis altijd prettig voelde. Er waren geen demonen in haar leven meer. Ze hadden hun draken lang geleden gedood, een strijd die gepaard was gegaan met veel verdriet voor beiden. De eerste tijd waarin ze een relatie hadden had een zware wissel op hen getrokken, maar uiteindelijk waren ze dankbaar voor hetgeen ze hadden geleerd. Kate had geleerd om hem los te laten, om hem niet in te kapselen, om niet de kwelgeesten van het verleden naar boven te halen en zijn schuldgevoelens te mobiliseren. En Joe, de trotse vogel, hij vloog uit zijn hemel naar beneden en streek zo dicht als hij kon bij zijn Kate neer. In hun latere relatie was dat dicht genoeg voor haar, en het enige dat ze wilde en nodig had van hem. De wonden waren eindelijk genezen.

Ze waren gezegend met een groot geschenk, een unieke liefde, een band die zo krachtig was dat zelfs zij, in hun dwaasheid, niet bij machte waren geweest om die band te verbreken. De storm had gewoed, en het huis dat ze hadden gebouwd stond stevig. Joe en Kate begrepen elkaar, zoals maar weinig mensen deden. Uiteindelijk hadden zij de parel gevonden waar mensen hun hele leven naar op zoek zijn. Ze hadden elkaar gevonden, verloren, en weer gevonden. Zo was het vele malen gegaan, op vele manieren. Het wonder was dat ze elkaar een laatste kans hadden gegeven. Een allerlaatste kans, en tot het laatst had er bij hen geen enkele twijfel over bestaan dat ze gewonnen hadden, of beter gezegd, dat ze geluksvogels waren. Het had zo weinig gescheeld of ze waren alles kwijtgeraakt... Hun laatste kans was ten slotte de juiste geweest. Voor beiden. Ze hadden niet alleen liefde, maar ook harmonie gevonden. Ditmaal bleek het wonder duurzaam.

EPILOOG

Joe's begrafenis had alle pracht en praal die hem toekwam. Kate had alles tot in details geregeld. Het was haar laatste geschenk aan hem. En terwijl Kate, met Stephanie en Reed, in de limousine van huis wegreed, staarde ze uit het raampje naar de sneeuw en dacht ze aan hem en aan alles wat hij voor haar had betekend. Ineens moest ze weer terugdenken aan Cape Cod, aan de oorlog, aan de tijd die ze had doorgebracht in New Jersey, toen ze meebouwde aan zijn zaak. Zo weinig als ze toen nog van hem begrepen had! Nu had ze een portret van hem kunnen schilderen in alle kleuren van de regenboog. Niemand kende hem beter dan zij. Ze kon het niet bevatten dat hij er niet meer was.

Toen ze uit de auto stapte met Reed en Stephanie, voelde ze hoe paniek haar aangreep. Wat moest ze nu aan met de rest van haar leven? Hoe zou ze kunnen overleven zonder hem? Er was hun zeventien jaar geleden uitstel verleend. Halverwege waren ze geweest. Ze was hem toen bijna kwijtgeraakt. Als dat was gebeurd, zou haar leven er heel anders hebben uitgezien. Twee levens, voor altijd veranderd. Zelfs Joe had meer dan eens toegegeven dat het een enorm verlies voor hem geweest zou zijn. De kerk was vol met kerkelijke hoogwaardigheidsbekleders en andere belangrijke mensen. De gouverneur sprak de lijkrede uit. De president had gezegd dat hij zou proberen om te komen, maar uiteindelijk had hij als plaatsvervanger de vice-president gestuurd. De president bezocht net het Midden-Oosten, en die afstand was bezwaarlijk te overbruggen, zelfs als het om Joe ging. Maar hij had Kate een telegram gestuurd.

Kate en haar kinderen namen op de eerste kerkbank plaats, terwijl een stroom mensen de kerk vulde. En ze wist dat Andy en Julie zich daar ergens bevonden. Haar moeder was vier jaar ge-

397

leden gestorven. Kate ving een glimp op van Anne, de weduwe van Lindbergh. Ze droeg een zwart mantelpakje en een hoed, en was zelf nog steeds in diepe rouw. Joe had een paar maanden eerder op Charles' begrafenis het woord gevoerd. Het leek een vreemde speling van het lot dat de twee grootste vliegeniers uit de geschiedenis enkele maanden na elkaar gestorven waren. Het was een pijnlijk verlies voor de wereld, maar nog veel meer voor Kate.

Joe's kantoor had haar op bepaalde punten met de organisatie geholpen. De dienst was prachtig en de toespraken waren indrukwekkend. Tranen rolden langzaam langs haar wangen, terwijl ze de handen van haar kinderen omklemd hield. Ze moest denken aan de begrafenis van haar vader, toen haar moeder gebroken en in zichzelf gekeerd geweest was. Een klein meisje was ze toen. Het was uiteindelijk Joe geweest die haar zielenleed genas. Joe die haar de ogen had geopend, en haar zoveel over haarzelf en de wereld had geleerd. Ze had de Mount Everest met hem bedwongen. En het leven dat ze samen hadden gedeeld, was buitengewoon geweest, in duizend opzichten.

De mensen die gekomen waren om hem de laatste eer te betuigen, bleven in stilte achter, terwijl Kate langzaam over het middenpad van de kerk de kist volgde en toekeek hoe ze die in de lijkwagen plaatsten. De geur van rozen hing zwaar in de lucht. Toen ze in de limousine stapte voor de tocht naar het kerkhof, zei ze niets en haar hoofd was gebogen. Een lange rij van wel duizend mensen verliet rustig de kerk. Bij de meesten was hetgeen men in de toespraken over hem had gezegd, al bekend: zijn vliegprestaties, zijn heldenrol in de oorlog, zijn vele andere prestaties en vaardigheden, zijn geniale persoonlijkheid en de wijze waarop hij het gezicht van de luchtvaart had veranderd. Ze hadden de dingen gezegd zoals Joe het gewild zou hebben. Maar Kate was de enige in zijn leven die hem echt had gekend. Hij was de enige man van wie ze ooit werkelijk had gehouden. En ondanks alle pijn die ze elkaar in de eerste helft van hun relatie hadden gedaan, hadden ze ten slotte samen een leven geleid dat hun onnoemelijke vreugde gebracht had. Ze had alles geleerd wat ze weten moest. Hij was gelukkig met haar geweest, zij was een goede vrouw voor hem geweest. Die wetenschap gaf haar een zekere troost. Maar ze kon zich nog steeds niet voorstellen hoe ze de rest van haar leven zonder Joe moest doorbrengen.

Op weg naar het kerkhof spraken Stephanie en Reed zachtjes met elkaar en lieten hun moeder met rust. Kate zat in gedachten verzonken, terwijl ze zag hoe het winterlandschap aan haar voorbijgleed. Alle herinneringen kwamen weer boven. Het mozaïek van hun leven was weergaloos rijk geweest.

Alleen Kate en de kinderen waren naar het kerkhof gegaan. Ze had het zo gewild. Alleen met haar kinderen en met haar herinneringen aan Joe. Vanwege de explosie begroeven ze een lege kist. Het was een laatste eerbewijs. De dominee sprak een korte zegen uit en ging toen weg. En uit genegenheid voor haar, liepen Stephanie en Reed terug naar de limousine en lieten haar alleen.

'Wat moet ik doen, Joe?' fluisterde ze, terwijl ze haar blik op de kist gericht hield. Waarheen kon ze gaan, hoe zou ze zonder hem kunnen leven? Ze had het gevoel weer het kind te zijn dat ze was geweest toen ze haar vader begroeven. Ze kon voelen hoe oude wonden opengingen. Lange tijd stond ze daar aan Joe te denken, en opeens was het alsof ze hem naast zich voelde. Hij was de man van wie ze altijd had gedroomd; de held op wie ze verliefd werd, toen ze nauwelijks meer dan een meisje was; de man op wiens thuiskomst ze gewacht had in de oorlog. Hij was de man die ze door een wonder teruggevonden had, nadat ze hem bijna was kwijtgeraakt, nu zeventien jaar geleden. Hun leven was een aaneenschakeling van wonderen, en hij was het grootste wonder geweest. Hij had haar hart gestolen. Er zou nooit meer iemand in haar leven komen als Joe. Hij had haar al de belangrijke lessen van het leven geleerd, al haar wonden genezen, net zoals zij zíjn wonden genezen had. Hij had haar diep geraakt, tot in haar ziel. Hij had haar niet alleen over liefde geleerd, maar ook over vrijheid, had haar geleerd om los te laten. Toen ze hem het meeste liefhad, had ze hem vrijgelaten, en uiteindelijk was hij altijd bij haar teruggekomen.

Terwijl ze daar zo stond, wist ze dat dit zijn ultieme vrijheid was, zijn laatste vlucht van haar. Ze moest hem opnieuw laten

399

gaan. En door dat te doen, zou hij haar nooit verlaten, net zoals hij haar vroeger nooit verlaten had. Hij was thuisgekomen, vloog uit, en kwam weer terug. En zelfs wanneer hij weg was, hield hij van haar, net zoals hij nu van haar hield en zij van hem. Het was een liefde geworden die sterk en betrouwbaar was, een liefde die geen beloften of woorden nodig had. Een liefde die aan zichzelf genoeg had.

Uiteindelijk had ze de danspasjes bijna tot in de perfectie geleerd. Ze wist nu precies hoe het moest, wist wanneer ze een stapje terug moest doen, wist wanneer ze hem met rust moest laten, wist wanneer ze hem moest laten komen en laten gaan. Ze had geleerd hoe ze hem lief moest hebben, had hem leren waarderen om wie hij was. Ze was heel dankbaar voor alles wat ze van hem had geleerd.

'Vlieg, lieve schat... Vlieg... Ik hou van je...' fluisterde ze. Ze nam een witte roos en legde die op de kist die ze zouden begraven in zijn naam. Terzelfder tijd verdween haar angst. Ze wist dat hij nooit ver zou zijn. Hij zou vliegen, zoals hij altijd had gedaan, in zijn eigen hemel. Waar ze ook ging en of ze hem nu zag of niet, hij zou altijd bij haar zijn. Ze zou nooit vergeten wat hij haar had geleerd. Hij had haar het wezenlijke van het leven geleerd, had haar alles gegeven wat ze nodig had om alleen verder te gaan. Hij had haar goed voorbereid.

Ze hadden elkaar door en door leren kennen en hadden de juiste manier gevonden om elkaar lief te hebben. Wat hij haar had gegeven, droeg ze in zich mee, net zoals hij het beste van haar in zich meedroeg. Ze wist dat hij altijd van haar zou houden, net zoals zij van hem. Daar twijfelde ze niet aan. De dans was voorbij, maar zou nooit eindigen.